LE POIDS DU PASSÉ

DU MÊME AUTEUR
CHEZ LE MÊME ÉDITEUR

La Maison des sœurs
Les Roses de Guernesey
Le Sceau du secret
Illusions mortelles
L'Invité de la dernière heure

Charlotte Link

LE POIDS DU PASSÉ

Roman

Traduit de l'allemand
par Corinne Tresca

PRESSES
DE LA CITÉ

Titre original : *Das Echo der Schuld*

© Blanvalet Verlag, in der Verlagsgruppe Random House GmbH, München, Germany

© Presses de la Cité, un département de place des éditeurs, 2007 pour la traduction française et 2008 pour la présente édition
ISBN 978-2-258-07369-2

Prologue

Avril 1995

Dans son rêve, il vit le petit garçon devant lui. Son regard pétillant. Son sourire radieux. Les dents inégales. Les taches de rousseur, qui pâlissaient en hiver et refleurissaient aux premiers rayons de soleil. L'épaisse tignasse brune, hérissée d'épis.

Il pouvait même entendre sa voix. Claire, mélodieuse. Une voix d'enfant, douce et gaie.

Il sentait son odeur. Une odeur tout à fait particulière, qui n'appartenait qu'à lui. Jamais il n'était parvenu à la définir. Elle était si étrange... Un parfum d'iode, peut-être, que le vent apportait parfois jusqu'à l'intérieur des terres et dont le souvenir, ténu, était encore perceptible. Oui, c'était peut-être cela. Mélangé au parfum piquant que les rayons du soleil faisaient jaillir de l'écorce des arbres. Et à celui de l'herbe qui en été poussait au bord des chemins.

Il lui était arrivé d'enfouir son visage dans les cheveux de l'enfant pour s'emplir de cette odeur.

Il refit le geste dans son rêve, et l'amour qu'il ressentit alors pour l'enfant lui fit presque mal.

Puis l'image de l'enfant rayonnant commença à s'estomper et d'autres images s'y substituèrent.

L'asphalte gris clair d'une route. Un corps sans vie. Un visage exsangue. Le soleil, le ciel bleu, les jonquilles en fleur, le printemps.

Soudain il s'assit dans son lit, complètement éveillé, en nage. Son cœur battait fort et vite. Cela l'étonna que ce martèlement ne réveille pas la femme endormie à côté de lui. Mais

9

c'était toutes les nuits comme ça, toutes les nuits depuis l'accident : il ne comprenait pas qu'elle puisse dormir quand des images le torturaient et l'arrachaient à son sommeil. Toujours les mêmes images, la route, le corps, le ciel bleu, les jonquilles. Dans un sens, cela rendait les choses encore plus dures, que ce soit le printemps. Contre toute raison, il s'accrochait à l'idée qu'il supporterait mieux les images si elles étaient associées à de la neige sale sur les bas-côtés de la route. Mais c'était probablement faux. Il ne les supporterait pas plus.

Il se leva sans faire de bruit, ouvrit le placard et en sortit un tee-shirt propre. Il enleva celui trempé de sueur qu'il portait, le laissa tomber par terre. Il devait changer de tee-shirt toutes les nuits. Même de cela elle ne se rendait pas compte.

Il n'y avait pas de volets à la fenêtre de la chambre. La lune était si claire qu'il la voyait distinctement. Son visage étroit, intelligent, ses longs cheveux blonds répandus sur l'oreiller. Son souffle était paisible et régulier. Il l'observa avec tendresse, puis presque aussitôt se posa les questions qui revenaient toujours lors de ses nuits sans sommeil : Etait-ce parce qu'il ne pouvait conquérir son amour à elle qu'il aimait tant l'enfant ? Etait-ce parce qu'elle-même s'impatientait, lorsque, les yeux clos, il tentait de s'emplir de l'odeur de sa peau et de ses cheveux, qu'il s'emplissait avec une telle avidité de l'odeur de l'enfant ? Etait-ce parce qu'elle lui souriait si peu qu'il avait été à ce point sensible au sourire de l'enfant ?

Sans doute. Mais, au fond, quelle importance ?

L'enfant allait mourir. La nuit, il en avait la certitude. Le jour, il se raisonnait, il se disait que ce n'était pas certain, que du moins il ne pouvait pas le savoir. Mais la nuit, à peine réveillé, ce n'était pas sa raison qui parlait, c'était une petite voix venue de son inconscient, une petite voix qui ne se laissait pas réduire au silence.

L'enfant va mourir.

Et c'est ta faute.

Il commença à pleurer doucement. Il pleurait toutes les nuits.

Ce n'était pas cela qui parviendrait à réveiller la belle femme blonde qui dormait à ses côtés ; elle n'avait pas plus conscience de ses larmes que de son cœur qui battait à grands coups ou de sa respiration haletante. Il y avait si longtemps qu'elle ne se souciait plus de lui que ce n'était pas parce qu'un drame était survenu dans sa vie qu'elle allait recommencer à le faire.

Il y avait quelques nuits de cela, il s'était demandé s'il ne devait pas simplement partir. Laisser sa vie derrière lui : la maison, le jardin, ses amis, son bel avenir professionnel. Cette femme qui ne s'intéressait plus à lui. Peut-être même son nom, son identité. Tout ce qui lui appartenait. Et, de préférence, laisser aussi les images qui le tourmentaient tant ; mais, là, il ne se faisait pas d'illusions : il ne s'en débarrasserait pas comme ça. Elles le suivaient comme son ombre, elles seraient partout où il serait. Mais peut-être les supporterait-il mieux s'il était constamment en mouvement, s'il ne restait jamais longtemps au même endroit, s'il ne s'arrêtait nulle part, s'il ne nouait plus de liens.

On ne pouvait pas fuir sa culpabilité. Mais on pouvait essayer de courir suffisamment vite pour ne pas avoir à la regarder en face. C'était peut-être ce qu'il devait faire. Si l'enfant mourait, il partirait.

Première partie

Dimanche 6 août 2006

Rachel Cunningham vit le monsieur quand elle quitta la rue principale pour tourner dans l'impasse au fond de laquelle se trouvaient l'église et, derrière, la maison paroissiale. Il se tenait à l'ombre d'un arbre, un journal sous le bras, et regardait d'un air détaché autour de lui. S'il ne s'était pas tenu exactement au même endroit le dimanche précédent, Rachel l'aurait à peine remarqué. Là, elle se dit : Tiens, encore lui ! C'est drôle.

De l'église lui parvenaient les mugissements de l'orgue et l'écho des cantiques. Chic, le service n'était pas fini. Il lui restait donc du temps avant que commence celui des enfants. C'était Donald, Don, ainsi que l'appelaient ces derniers, un jeune et très gentil étudiant en théologie, qui en assurait l'animation. Rachel était sous le charme de Don, alors elle aimait bien arriver un peu en avance pour avoir une place dans les premiers rangs. Don officiait dans la maison paroissiale. Si vous vous asseyiez devant, c'était plus souvent votre tour, Rachel s'en était rendu compte, et vous aviez le droit de faire plus de choses, par exemple essuyer le tableau, ou aider à faire fonctionner le projecteur de diapos. Compte tenu de ses sentiments pour Don, c'étaient autant de prérogatives auxquelles Rachel aspirait de toute son âme. Son amie Julia prétendait qu'à huit ans Rachel était beaucoup trop jeune pour un adulte de cet âge et qu'elle ne connaissait encore rien au véritable amour.

Comme si Julia était capable d'en juger !

Rachel allait tous les dimanches au service des enfants, sauf quand ses parents prévoyaient de faire quelque chose en

15

famille. Comme dimanche prochain. L'anniversaire de la sœur de maman, qui habitait à Downham Market. Il faudrait qu'ils partent tôt le matin pour aller jusque là-bas. Rachel soupira. Pas de Don. Au lieu de ça, une longue journée ennuyeuse avec plein d'oncles et de tantes qui parleraient de choses qui ne l'intéressaient pas. Et juste après, ils partaient en vacances. Presque deux semaines. A Jersey, dans une maison que ses parents avaient louée.

— Bonjour ! dit l'inconnu quand elle arriva à sa hauteur. Tu m'as l'air bien soucieuse, dis-moi ?

Rachel tressaillit. Elle n'aurait pas cru que cela se voyait à ce point.

— Euh… ça va très bien. Elle se sentit légèrement rougir. L'inconnu sourit. Il avait l'air gentil.

— Je comprends. Tu as bien raison de ne pas raconter ta vie à un inconnu. Mais dis-moi, c'est à l'église que tu vas ? Tu es un petit peu en retard.

— Je vais au service des enfants. Et ça commence seulement quand c'est fini à l'église.

— Ah oui, bien sûr. Et celui qui s'en occupe, c'est… rappelle-moi son nom…

— Donald.

— C'est ça. Donald. Un vieil ami à moi. On a déjà eu l'occasion de faire des choses ensemble… Je suis pasteur, en fait. A Londres.

Rachel se demanda si elle ne faisait pas quelque chose de mal. Ses parents lui disaient tout le temps que dans la rue elle ne devait pas répondre aux inconnus qui lui adressaient la parole et qu'elle devait vite s'en aller quand quelqu'un essayait. En même temps, ce monsieur avait l'air tellement gentil, et là ce n'était pas du tout dangereux. Il y avait plein de soleil. On entendait les gens qui chantaient dans l'église. Dans la rue, juste derrière elle, il y avait des personnes qui se promenaient. Il ne pouvait rien lui arriver.

— En fait, reprit l'homme, pour tout te dire, j'espérais bien rencontrer quelqu'un du service des enfants. Quelqu'un pour m'aider. Tu m'as l'air très sérieuse. Tu crois que tu pourrais garder un secret ?

Et comment ! Julia lui avait déjà confié plein de secrets et elle n'avait jamais rien dit.

— Bien sûr que je peux, répondit-elle.

— J'aimerais bien faire une surprise à mon ami Donald, dit l'homme. Il ne sait pas que je suis revenu. Je suis resté long-temps en Inde. Tu connais l'Inde ?

Rachel savait que c'était un pays lointain et que les gens qui en étaient originaires avaient une couleur de peau plus foncée que celle des Anglais. Dans sa classe, il y avait deux petites filles indiennes.

— Je n'y suis jamais allée.

— Mais ça t'intéresserait de voir des photos de là-bas, n'est-ce pas ? Des enfants chez eux. La façon dont ils vivent dans leurs villages, à quoi ils jouent, où ils vont à l'école. Ce serait formidable, non ?

— Oui, sûrement.

— Tu sais, j'ai beaucoup de diapos de l'Inde. J'aimerais bien les montrer au service des enfants. Mais il faudrait que j'aie quelqu'un pour m'assister.

Rachel ne comprenait pas bien le sens du mot.

— Ça veut dire quoi ?

— Eh bien, quelqu'un qui m'aide à apporter les boîtes de diapos. A installer l'écran. Tu crois que tu saurais faire ça ?

C'était pile ce que Rachel adorait faire. Elle imagina la surprise de Don quand elle arriverait avec son vieil ami puis l'aiderait à passer les diapos de ce lointain pays. Julia en serait verte de jalousie !

— Oh oui, ça, je saurais ! Elles sont où, les diapos ?

— Eh, pas si vite ! Je ne les ai pas avec moi. Je ne savais pas que j'allais tout de suite tomber sur une jeune demoiselle aussi capable et aussi serviable que toi. Je pensais faire ça dimanche prochain...

Rachel se sentit défaillir. Dimanche prochain ! Le jour où elle serait chez sa tante, à Downham Market... Et juste après, il y aurait les vacances à Jersey...

— Oh non, pas ce dimanche, c'est impossible ! Je ne serai pas là ! Mes parents...

— Alors il faut que j'essaye de trouver quelqu'un d'autre, dit l'homme d'un ton songeur.

Il n'aurait rien pu dire de pire.

— S'il vous plaît, supplia Rachel, vous ne pourriez pas...

Elle fit un rapide calcul.

— ... vous ne pourriez pas attendre jusqu'à dans trois semaines ? Parce qu'on part en vacances. Mais quand on sera revenus, je pourrai vous aider. Je viendrai tout de suite !

— Hum...

L'homme réfléchit.

— Ça fait loin, dit-il enfin.

— S'il vous plaît, insista Rachel.

— Tu crois que tu seras capable de garder le secret aussi longtemps ?

— J'en suis sûre. Je ne le dirai à personne. Je vous le promets !

— Tu ne devras rien dire à Donald parce que je veux lui faire la surprise. A ta maman et ton papa non plus. Tu penses que c'est possible ?

— De toute façon, mon papa et ma maman, je ne leur raconte rien, affirma Rachel. Ils ne s'occupent pas du tout de moi.

Ce n'était pas tout à fait vrai, elle en avait conscience. Mais depuis trois ans, depuis que Sue était née, cette petite sœur qu'elle n'avait jamais eu envie d'avoir, tout avait changé. Avant, elle était le centre du monde pour son papa et sa maman. Maintenant, tout tournait autour de cette casse-pieds qu'il fallait constamment surveiller.

— Et à ta meilleure amie ? voulut savoir l'homme. Tu ne lui diras rien non plus ?

— Je vous jure que non !

— Bon. C'est bon, je te crois. Voilà ce qu'on va faire : on se retrouve dimanche dans trois semaines près de chez moi. On va à mon appartement et tu m'aides à charger le matériel dans ma voiture. Tu habites à King's Lynn ?

— Oui. Ici, à Gaywood.

— Parfait. Alors tu connais sûrement Chapman's Close ?

Elle connaissait Chapman's Close. C'était un nouveau

lotissement dont les immeubles n'étaient pas tous terminés. La rue s'achevait en chemin de terre.

L'endroit était plutôt désert. Rachel et Julia y allaient parfois s'amuser à vélo.

— Je sais où c'est, dit-elle.

— On se retrouve là-bas dans trois semaines ? A onze heures moins le quart ?

— D'accord ! J'y serai.

— Seule ?

— Bien sûr. Vous pouvez vraiment compter sur moi, vous savez.

— Je sais, dit-il avec à nouveau son bon sourire engageant. Tu es une grande fille très raisonnable.

Elle lui dit au revoir et reprit son chemin vers la maison paroissiale. Fière, tellement fière.

Une grande fille très raisonnable.

Trois semaines à attendre. Elle aurait voulu déjà y être.

Lundi 7 août

La fille de Liz Alby disparut le 7 août. Un lundi.

C'était une journée d'été sans nuages et si chaude qu'on se serait cru en Italie ou en Espagne, sûrement pas en Angleterre. Les remarques désobligeantes concernant le climat anglais avaient toujours agacé Liz. Il n'était pas aussi épouvantable que ça, mais les gens ne voulaient pas démordre de leurs idées toutes faites. Du moins, il n'était pas épouvantable dans toutes les régions. L'ouest, qui héritait de tous les nuages de l'Atlantique, était assurément humide, et au nord, dans le Yorkshire et le Northumberland, il pleuvait souvent. Mais dans le Kent il n'était pas rare que les agriculteurs se plaignent de la sécheresse estivale, et dans l'East Anglia, la région de Liz, les mois de juillet et août étaient souvent très chauds. Liz aimait le Norfolk, même si elle avait parfois du mal à aimer sa vie. Surtout depuis la naissance de Sarah, quatre ans et demi plus tôt.

Tomber enceinte à dix-huit ans était une catastrophe, et lorsque c'était pour avoir été assez stupide pour faire confiance à un garçon qui avait promis qu'il allait « faire attention », c'était encore plus difficile à accepter.

Mike Rapling ne devait avoir qu'une idée très approximative de ce que « faire attention » signifiait, car avec Liz il avait mis dans le mille du premier coup. Il s'était plaint ensuite à qui voulait l'entendre qu'il s'était fait avoir, que Liz avait voulu le forcer à l'épouser, mais qu'il préférerait crever plutôt que de se laisser passer la corde au cou aussi jeune.

Liz avait pleuré toutes les larmes de son corps. Et qu'en

était-il de sa jeunesse à elle ? De la fin programmée de sa liberté ? De l'enfant qui allait naître et de sa vie fichue en l'air ?

Mike, ainsi qu'il fallait s'y attendre, ne s'était pas laissé émouvoir. Il avait refusé tout net d'épouser Liz et avait même réclamé un test de paternité quand la petite était née et que la question de son entretien s'était posée. Au moins, depuis, sa capacité à engendrer était-elle établie. Il payait à regret, et plutôt régulièrement, mais après deux ou trois brèves visites il n'avait plus manifesté le moindre intérêt pour sa fille.

A vrai dire, Liz non plus ne s'intéressait guère à Sarah, mais elle était bien obligée de s'en occuper un peu. Elle avait espéré que sa mère, chez qui elle habitait toujours, l'aiderait, mais Betsy Alby, hors d'elle à l'idée que désormais il allait y avoir un bébé braillard dans le minuscule logement social qu'elle occupait dans le pire quartier de King's Lynn, avait tout de suite et sans ambiguïté prévenu sa fille qu'en aucun cas elle n'assumerait une part quelconque du problème.

« C'est ton enfant ! Si tu n'avais pas eu le feu au derrière, tu n'en serais pas là ! Ne te figure surtout pas qu'il va y avoir quelqu'un à ta disposition pour t'aider à te dépatouiller. En tout cas, ne compte pas sur moi ! Estime-toi heureuse que je ne vous flanque pas toutes les deux dehors ! »

Elle avait juré, déversé sa bile, et plus tard, quand la petite était née, elle n'avait pas manifesté le moindre sentiment pour elle. Elle s'en tenait à ses premières déclarations et répétait à l'envi sa détermination à ne « pas céder, ne serait-ce qu'une seule fois, à ce chiard ! ». De fait, elle passait toutes ses journées dans l'appartement à regarder la télévision en mangeant des chips, avant de commencer, en fin d'après-midi – mais de plus en plus tôt –, à s'alcooliser copieusement à grand renfort de mauvais gin. Même quand Liz devait faire des courses, elle refusait qu'elle lui laisse sa fille. Liz partait donc au supermarché avec son encombrante poussette, sa fille qui hurlait dedans, et une solide certitude : les pots cassés de cette stupide et irresponsable nuit d'avril, elle était définitivement seule à devoir les payer.

Il lui arrivait de ne pas être loin de s'effondrer. Puis elle se ressaisissait et se jurait qu'elle ne se laisserait pas gâcher la vie.

Elle était jeune, elle était jolie. Il devait bien y avoir quelque part un homme prêt à envisager un avenir avec elle en dépit du boulet qu'elle avait au pied.

Parce qu'une chose était sûre : elle ne vivrait pas éternellement avec sa mère dans ce trou à rats où, même les matins d'été délicieusement ensoleillés, les volets roulants restaient fermés pour que l'on voie mieux l'écran de la télévision et que la chaleur – Betsy, qui transpirait en permanence, la redoutait comme le diable l'eau bénite – n'ait aucune chance de pénétrer.

Liz aspirait à un joli appartement, et plus que tout à un joli appartement avec un petit balcon sur lequel elle pourrait mettre des fleurs. Elle rêvait aussi d'un gentil mari qui de temps à autre rentrerait le soir avec un petit cadeau pour elle, de la lingerie ou du parfum, et qui considérerait Sarah comme sa fille. Il faudrait qu'il gagne suffisamment d'argent pour qu'elle n'ait plus besoin de s'échiner pour un salaire de misère à la caisse du drugstore. Le week-end, ils feraient des choses tous les trois ensemble, des pique-niques, des balades à vélo. Elle voyait si souvent des familles heureuses partir en riant pour une escapade pleine de gaieté... Pendant qu'elle, toujours seule, traînait au hasard des rues, sa fille mal embouchée dans son sillage, pour fuir la télé qui beuglait à la maison ou le spectacle de sa mère qui, à quarante ans à peine, avait déjà l'air d'en avoir soixante, vivant et terrifiant exemple de ce qu'était une vie gâchée.

Dès le matin, donc, il apparut que ce lundi serait une magnifique journée. Le jardin d'enfants que Sarah fréquentait d'ordinaire étant fermé pour cause de congés annuels, Liz s'était vue contrainte de prendre elle aussi des jours de congé. Elle décida de passer la journée à la plage de Hunstanton, à bronzer, se baigner, et montrer un peu au monde ce corps dont elle était à juste titre très fière, dans l'espoir que quelqu'un en serait charmé au point que la petite créature renfrognée qui l'accompagnait ne constituerait plus de véritable obstacle à une relation. Elle tenta bien d'en appeler timidement à la bonté d'âme de sa mère, au cas où elle accepterait de garder Sarah pour la journée ; mais, sans quitter le téléviseur des yeux, la main plongée dans son sachet de chips, sur un ton dénué d'émotion, Betsy Alby lâcha un « non ».

Liz et Sarah prirent le car. Il fit le tour de tous les villages des environs de King's Lynn et mit une bonne heure à rallier Hunstanton, mais Liz espérait tant de cette journée, elle était de si bonne humeur que cela lui était égal. A chaque kilomètre qui les rapprochait de leur but, elle avait l'impression de sentir un peu plus la mer, ce qui était certainement une illusion car l'odeur qui l'environnait était principalement celle du gazole faisant tourner le gros moteur Diesel. Mais elle aimait tant la mer qu'elle la sentait avant même que ce soit possible. Quand cette dernière surgit soudain devant ses yeux, immense, miroitant sous le soleil, une joie brusque l'envahit. L'espace d'un instant, elle ne songea plus qu'à sa jeunesse, à la vie qui s'offrait, et elle oublia le petit fardeau grincheux assis à côté d'elle.

Sarah se rappela promptement à son souvenir. Le car s'était à peine arrêté sur le grand parking de New Hunstanton, devant la plage, avec ses baraques à frites, ses magasins de souvenirs, ses manèges et ses marchands de glaces, que, découvrant les chevaux de bois, Sarah commença à réclamer un tour de manège, soit pas loin d'une livre pour tourner en rond.

— Non, dit Liz qui n'avait aucune envie de dépenser le peu d'argent qu'elle possédait pour quelque chose d'aussi stupide, il n'en est pas question. Si je te paye un tour, tu en voudras un autre, puis encore un autre, et à la fin, de toute façon, tu feras une scène. Viens, on va vite se trouver une super place avant qu'il y ait trop de monde...

C'étaient les vacances dans quasiment toute l'Europe, pas seulement en Angleterre. Les touristes affluaient de toutes parts et la plage se remplissait à vue d'œil. Liz était pressée de s'installer sur le sable, désireuse de prendre ses aises pour ne pas risquer de se retrouver à l'étroit, coincée entre deux familles pléthoriques. Sarah se planta dans le sable et commença à pleurer.

— Le manège… Je veux aller au manège !

Liz attrapa d'une main son sac de plage, le panier contenant la bouteille d'eau, les sandwichs et la petite pelle avec laquelle Sarah était censée creuser et faire des pâtés, et de l'autre elle tira sa fille pour la faire avancer.

— Viens, on va faire un beau château ! tenta-t-elle de l'amadouer.

— Je veux le manège ! s'entêta Sarah.

Liz lui aurait bien mis une bonne gifle, mais il y avait trop de gens autour d'elle. Aujourd'hui, une mère à bout de nerfs n'avait plus le droit de se défendre.

— On ira peut-être tout à l'heure, dit-elle. Viens, Sarah, sois gentille.

Sarah n'avait aucune intention d'être gentille. Elle cria, se débattit et mit toute son énergie à empêcher sa mère de la faire avancer. Liz fut bientôt en nage, sa bonne humeur envolée. Ce nul de Mike lui avait bien pourri la vie, pas de doute là-dessus. Dans l'état où elle était, elle ne risquait pas de faire la rencontre du siècle. En revanche, on risquait de l'éviter soigneusement et, franchement, elle ne pourrait en tenir rigueur à personne. Son sac de plage lui échappa, un homme aimable le ramassa et le lui tendit. Elle eut l'impression qu'il la regardait avec pitié. Puis ce fut la pelle qui tomba par terre, et cette fois ce fut une vieille dame qui la ramassa. Elle constata à nouveau qu'autour d'elle les gens avaient des enfants beaucoup plus gentils que sa fille. En tout cas, elle ne voyait aucune mère qui devait se bagarrer comme elle. Il lui revint à l'esprit qu'à l'époque elle avait hésité à se faire avorter. Elle ne l'avait pas fait, non par conviction religieuse, mais parce qu'elle craignait confusément une vengeance du destin si elle tuait l'enfant qu'elle portait. A cet instant, alors qu'elle avançait péniblement dans le sable, en nage, sa fille hurlant et sanglotant derrière elle, elle eut une brusque bouffée de rejet. Si seulement elle l'avait fait ! Si seulement elle en avait eu le courage ! Quoi que le destin lui eût réservé, ça n'aurait pu être pire que ce qu'elle vivait depuis !

Liz finit par trouver une place qu'elle jugea convenir pour passer la journée. Elle étendit sa serviette, puis celle de Sarah, et se mit en devoir de construire un château pour qu'enfin sa fille lui fiche la paix. Sarah, de fait, se calma, elle participa même avec empressement à la construction. Liz se détendit. Avec un peu de chance, Sarah oublierait le manège. Avec un peu de chance, la journée serait quand même réussie.

Liz se mit en maillot de bain, un deux-pièces tout neuf dans lequel, elle le savait, elle était magnifique. Elle l'avait acheté en solde. Même avec un rabais, le prix était au-dessus de ses moyens, mais elle n'avait pas pu résister. Il ne fallait pas que sa mère le découvre, sinon elle se mettrait à hurler que Liz pouvait bien désormais augmenter sa participation aux frais du ménage puisque, à l'évidence, elle avait suffisamment d'argent pour s'acheter des vêtements de luxe. Elle n'allait tout de même pas porter toute sa vie le une-pièce minable qu'elle traînait déjà depuis quatre ans ! Si elle voulait trouver un mari qui la tire de son marasme, il fallait bien qu'elle investisse un peu. Mais essayer de faire comprendre ça à sa mère était perdu d'avance.

Sarah continuait à s'adonner à l'édification de son château avec enthousiasme. Liz s'allongea sur sa serviette et ferma les yeux.

Elle avait dû dormir un bon moment, car, lorsqu'elle s'assit sur sa serviette et regarda autour d'elle, elle constata que le soleil était très haut dans le ciel. Il ne devait pas être loin de midi. La plage s'était nettement remplie depuis qu'elles étaient arrivées. Il y avait des gens partout. La plupart profitaient simplement du soleil, quelques-uns jouaient au badminton ou aux boules, d'autres allaient se baigner. Des enfants riaient et criaient, la mer venait doucement mourir sur le sable. On percevait au loin le vrombissement d'un avion invisible. C'était une journée d'été parfaite.

Liz avait le visage en feu. Elle était restée trop longtemps au soleil, de surcroît sans avoir mis de crème. Heureusement qu'elle n'avait pas une peau fragile. Elle se retourna et vit que Sarah s'était elle aussi endormie. Sa colère et la construction du château devaient l'avoir épuisée. Elle était roulée en boule sur sa serviette et respirait profondément, régulièrement, la bouche entrouverte.

Merci, mon Dieu, songea Liz.

Les moments où elle préférait sa fille, c'était quand celle-ci dormait.

Elle se rendit compte qu'elle avait faim mais aucune envie de manger un de ses sandwichs au fromage et à la margarine, qui avaient toujours un goût de savon. Juste à côté de l'arrêt du car, il y avait un kiosque de vente à emporter où l'on pouvait acheter de généreux paninis tomate-mozzarella particulièrement bons. Liz adorait les paninis, Sarah aussi. Avec ça, un Coca glacé au lieu de l'eau minérale tiédasse de la bouteille qu'elle avait apportée... Liz se leva et prit son porte-monnaie. Elle regarda brièvement sa fille endormie. Si elle la réveillait et l'emmenait avec elle, Sarah verrait le manège et elle aurait toutes les peines du monde à la ramener à leur place sur la plage.

Si je me dépêche, calcula Liz, je serai très vite revenue et elle ne se rendra même pas compte que je suis partie. Elle dort si profondément...

Il y avait beaucoup de monde sur la plage ; que pouvait-il arriver ? Même si Sarah se réveillait et allait jusqu'à la mer, il était difficile d'imaginer qu'elle puisse se noyer sous les yeux de tant de personnes.

Je n'en ai pas pour plus de dix minutes, se dit Liz.

Elle partit.

C'était plus loin qu'elle ne l'avait cru. Elle n'avait pas eu conscience d'avoir autant marché avant de trouver une place. Mais cela faisait du bien de bouger et c'était bon de sentir tous ces regards masculins qui pesaient sur elle. En dépit de sa grossesse, elle avait gardé une silhouette parfaite, et ce maillot était vraiment fait pour elle, elle s'en était immédiatement rendu compte dans la boutique. En la voyant comme ça, personne ne pouvait se douter qu'il y avait une petite fille braillarde dans sa vie. Elle était simplement une jolie et attirante jeune femme de vingt-trois ans. Elle s'appliquait à se donner l'air gaie et optimiste. A force de pleurer autant à cause de Sarah, elle avait très peur de finir par avoir des poches sous les yeux et les commissures des lèvres qui tombent. Prendre garde à ce que l'on ne devine rien de son amertume était une priorité.

Au kiosque, elle joua de malchance. Une équipe de handballeurs se pressait devant le comptoir. La plupart des jeunes gens ne savaient pas ce dont ils avaient envie et ils s'interpellaient et réfléchissaient à voix haute en chahutant. Quelques-uns d'entre eux draguèrent ouvertement Liz, une Liz trop heureuse, qui répondit à leurs avances avec ce sens de la repartie qui avait beaucoup fait pour sa réputation. Comme c'était bon d'être là au milieu de ces séduisants spécimens bronzés et de se sentir désirée... Elle réfléchissait à toute vitesse à la façon de résoudre le problème Sarah au cas où l'un des garçons lui proposerait un rendez-vous, quand l'entraîneur de l'équipe mit un terme aux roucoulements en donnant le signal du départ. La troupe s'égailla comme une volée de moineaux et, seule devant le comptoir, Liz put enfin acheter ses paninis et un Coca.

Quand elle prit le chemin du retour, il y avait vingt-cinq minutes qu'elle était partie. Zut et zut. D'ici à ce qu'elle soit revenue, cela ferait plus d'une demi-heure. Jamais elle n'aurait dû s'absenter aussi longtemps. Elle pria intérieurement pour que Sarah ne se soit pas réveillée et ne soit pas en train d'errer sur la plage en pleurant parmi la foule. Elle imaginait déjà les regards lourds de reproches qu'on lui lancerait. Une bonne mère ne faisait pas une chose pareille, une bonne mère ne laissait pas un enfant sans surveillance pour satisfaire un quelconque désir personnel. Du reste, une bonne mère n'avait plus de désirs personnels. Une bonne mère vivait exclusivement pour son enfant et le bien-être de celui-ci.

Tu parles, songea Liz, on voit bien qu'ils ne se rendent pas compte !

Elle se mit à courir, fini la lente déambulation sous les regards admiratifs de la gent masculine. Elle tenait serrés contre elle les paninis et la bouteille de Coca. Elle s'essouffla, attrapa un point de côté. C'était difficile de courir dans le sable. Comment, mais comment avait-elle pu se tromper à ce point sur la distance ?

Elle y était ! Elle voyait sa serviette. Son sac. La pelle. Le château que Sarah avait construit. La serviette de Sarah, bleu clair avec des papillons jaunes.

Mais pas Sarah.

Liz s'arrêta, à bout de souffle, pliée en deux par le point de côté qui l'élançait. Puis très vite elle se redressa et regarda fébrilement autour d'elle. Sarah dormait pourtant à poings fermés, là, à l'instant...

Non, pas à l'instant. Il y avait quarante minutes de cela.

Quarante minutes !

Elle ne pouvait pas être bien loin. Elle s'était réveillée, avait eu peur parce que maman n'était pas là et elle la cherchait, tout près, à quelques mètres. Si seulement il n'y avait pas tant de monde... Il y avait des gens partout. Et elle avait l'impression qu'il ne cessait d'en arriver. Comment découvrir une si petite fille au milieu de toutes ces jambes ?

Elle posa les paninis et la bouteille de Coca sur sa serviette, garda son porte-monnaie à la main. Elle n'avait plus du tout faim, elle commençait même à se sentir nauséeuse.

Mais où était passée sa fille ?

Dans son émoi, elle s'adressa à une femme assez forte installée juste à côté d'elle, avec quatre enfants qui se chamaillaient :

— Excusez-moi, vous n'auriez pas vu ma fille ? A peu près grande comme ça, précisa-t-elle en montrant la taille de Sarah avec la main. Elle a des cheveux noirs, des yeux foncés... Elle porte un short bleu et un tee-shirt à rayures...

La femme la dévisagea.

— La petite qui dormait là, sur la serviette ?

— Oui. Oui, c'est ça. Elle dormait profondément et je... je suis seulement allée très vite acheter quelque chose à manger. J'arrive à la seconde et...

Il était clair que sa grosse voisine désapprouvait son comportement.

— Vous avez laissé la petite toute seule pour aller jusqu'à l'entrée de la plage ?

— J'ai fait très vite, mentit Liz.

« Quarante minutes ! » martelait une petite voix dans sa tête.

— Je l'ai vue qui dormait. Puis je n'ai plus fait attention à elle parce que mon Denis ne se sentait pas bien. Il est resté trop longtemps au soleil.

Denis était assis à côté de sa mère, effectivement pâle comme un linge et l'air pitoyable. Mais au moins il était là, lui.

— Elle ne peut pas être loin, dit Liz pour se donner du courage.

La grosse dame se tourna vers une amie.

— As-tu vu la petite brune qui dormait à côté ? Sa mère est allée aux baraques à frites, elle vient de revenir et la gamine n'est plus là !

Naturellement, il fallut que l'amie manifeste elle aussi sa désapprobation :

— *Jusqu'à l'entrée de la plage ?* Eh bien, moi, je ne laisserais jamais ma fille seule aussi longtemps !

Pauvre conne, lâcha intérieurement Liz.

C'était simple, personne n'avait remarqué Sarah. La grosse dame ne l'avait pas vue, son amie ne l'avait pas vue, aucun de tous les vacanciers auxquels Liz s'adressa autour d'elle ne l'avait vue. La panique et le désespoir la gagnaient. Plus elle s'éloignait de leurs serviettes, plus ses chances de tomber sur quelqu'un susceptible d'avoir aperçu Sarah s'amenuisaient. Elle descendit jusqu'à la mer : aucune trace de Sarah là non plus.

Elle ne pouvait pas s'être noyée. Un enfant ne se noyait pas sous les yeux de tant de monde.

Vraiment ?

Brusquement, il lui vint à l'esprit que Sarah avait pu décider d'aller toute seule au manège et elle reprit espoir. La petite en avait tellement envie... Liz refit le chemin jusqu'à l'arrêt du car. Il y avait bien des enfants au manège, mais Sarah n'était pas parmi eux. Liz interrogea le propriétaire.

— On la remarque. Elle a de longs cheveux noirs, des yeux très foncés. Elle porte un short bleu et un tee-shirt à rayures.

Le propriétaire du manège réfléchit en secouant lentement la tête.

— Non. Non, je n'ai eu aucune fillette comme elle aujourd'hui. J'en suis pratiquement sûr.

Elle repartit en sens inverse. Sur la plage, elle commença à pleurer. C'était un cauchemar. Elle était punie pour son irresponsabilité, et de la pire façon qui soit. Elle était punie pour tout, pour avoir pensé à avorter, pour ses larmes de colère lorsque, à la maternité, on lui avait mis Sarah dans les bras, pour toutes les fois où elle avait souhaité qu'elle n'existe pas, pour s'être plainte et lamentée. Pour son peu d'instinct maternel.

Sarah n'était pas là quand Liz revint. La vue de son petit drap de bain lui fit brusquement si mal que les larmes qu'elle venait à peine de réussir à refouler jaillirent à nouveau. Le sac en papier contenant les funestes paninis était posé sur sa serviette, à côté, avec la bouteille de Coca. Des objets dérisoires, insignifiants. Pourtant, une heure auparavant, Liz en avait ressenti une telle envie qu'elle en avait oublié de se soucier de la sécurité de sa fille.

La grosse femme la regardait à présent avec compassion.

— Pas de trace de votre fille ? demanda-t-elle.

— Non, répondit Liz en pleurant. Pas de trace.

— Pourquoi, aussi, ne m'avez-vous rien demandé ? J'aurais fait attention, le temps que vous reveniez !

Oui, pourquoi n'y avait-elle pas pensé ? Liz ne le comprenait pas elle-même. C'était tellement simple de demander à une autre mère de garder un œil sur un enfant qui dormait.

— Je ne sais pas, murmura-t-elle. Je ne sais pas…

— Vous devez prévenir la police, s'interposa l'amie de la grosse femme.

Elle paraissait réellement affectée, mais on devinait aussi que cette animation inespérée n'était pas pour lui déplaire.

— Et le poste de surveillance, reprit-elle. Peut-être que…

Elle n'osa pas achever sa phrase. Liz la fusilla du regard.

— Comment voulez-vous qu'un enfant se noie ici ? Il y a au moins une centaine de personnes dans l'eau ! Si un enfant criait et se débattait, il y a bien quelqu'un qui s'en rendrait compte !

La grosse femme posa la main sur son bras. Sa compassion semblait sincère.

— Tout de même. Vous devriez aller au poste de surveillance. Ils sauront quoi faire. Et ils peuvent peut-être faire un appel par haut-parleur. Ce n'est sûrement pas la première fois qu'un enfant perd ses parents, par ici. Avec cette foule... Allez, ne baissez pas les bras !

La gentillesse de la femme acheva de la déstabiliser et Liz s'effondra complètement. Elle se laissa tomber à genoux dans le sable, se plia sur elle-même et sanglota sans retenue, incapable de prononcer un mot, vidée de toute énergie.

La grosse femme soupira, se pencha vers elle et lui prit la main.

— Venez, je vous accompagne. Elli surveillera mes enfants. Vous n'en pouvez plus. Mais ce n'est pas le moment de perdre espoir !

Liz se laissa emmener. A cet instant, elle avait, inexplicablement, le sentiment qu'elle ne reverrait plus Sarah.

Mercredi 16 août

Quand il lui dit qu'ils partiraient le lendemain à marée descendante et poursuivraient leur voyage, elle ne sut pas si elle devait s'en réjouir ou s'en attrister. Les Hébrides n'étaient pas des îles où elle aurait séjourné des semaines, elle avait trop de mal à s'habituer au climat, et les couleurs de l'été lui manquaient. Même le mois d'août, ici, à Skye, était frais et venteux, et il pleuvait souvent. Le ciel et la mer se fondaient alors en un gris de plomb et, pendant les tempêtes, les vagues qui claquaient sur les quais de Portree projetaient dans l'air des nuées d'écume et d'embruns qui laissaient un voile glacé sur les lèvres. Quelque part c'était l'été, les couleurs étaient saturées, généreuses, les nuits étaient chaudes, il y avait des fruits mûrs, des étoiles filantes dans le ciel, les dernières roses s'épanouissaient. Elle ne pouvait pas s'empêcher de penser à la sensation de l'herbe chaude sous ses pieds nus. Parfois, elle en avait une telle nostalgie que les larmes lui montaient aux yeux.

Poursuivre leur voyage signifiait rallier à un moment ou un autre des cieux plus cléments. Ils voulaient descendre jusqu'aux Canaries, s'y ravitailler, puis de là se lancer dans la traversée de l'Atlantique. Nathan avait prévu de passer l'hiver dans les Caraïbes. Il était pressé de mettre les voiles, essentiellement pour arriver là-bas avant le début de la saison des cyclones. Elle, en revanche, avait peur de quitter l'Europe, elle redoutait les jours qui s'annonçaient, à errer sur l'Atlantique. Les Caraïbes étaient pour elle un monde lointain et étranger qui lui inspirait une peur indéfinie. Elle aurait volontiers hiverné dans les îles Anglo-Normandes, sur Jersey ou Guernesey, mais Nathan avait objecté que, si l'hiver y était doux, il y était aussi très humide. Un bateau n'était pas ce qu'il y avait de plus confortable lorsqu'il pleuvait des journées entières sans discontinuer et que le brouillard qui montait de la mer était si épais que, lorsque l'on se trouvait à l'avant sur le pont, on ne distinguait pas l'arrière, et inversement.

Il y avait presque une semaine qu'ils étaient à Skye. En dépit du mauvais temps, elle commençait à s'habituer un peu à l'île. L'idée de partir n'en était que plus pénible. Tout ce projet de tour du monde à la voile contrariait son besoin de stabilité et de sécurité. Elle ne voulait pas d'une vie d'errance. Elle aspirait à faire ses courses tous les jours dans le même supermarché, à se promener dans les mêmes chemins, à fréquenter le même cercle d'amis. Elle voulait le matin acheter son pain chez un boulanger qui lui demanderait des nouvelles de sa santé, et elle voulait aller chez un coiffeur auquel elle n'aurait qu'à dire : « Comme d'habitude, s'il vous plaît. » La régularité des choses avait pour elle de l'importance. Elle s'en rendait cruellement compte depuis qu'elle l'avait perdue.

Comme elle ne pouvait se faire à l'idée de passer des journées entières sur le *Dandelion* dans la baie de Portree, elle avait trouvé à s'employer à terre. A vrai dire, leurs finances étant chroniquement au plus bas, Nathan et elle étaient convenus que chacun essaierait de trouver un petit job dans les ports où ils feraient escale. Nathan avait en effet investi tout ce qu'ils possédaient dans l'achat du bateau. Toutefois, sans qu'elle se l'explique, il ne paraissait pas convaincu de l'urgence qu'il y avait à gagner de l'argent.

« Skye m'inspire extraordinairement, avait-il déclaré. Il faut que j'exploite ça ! »

Il prétendait que le temps qu'il faisait était exactement ce qu'il recherchait. Vent de nord-ouest de force 4 ou 5, rafales, nuages bas, pluie battante et obligation de porter un ciré. Tous les matins, il mettait l'annexe à l'eau pour la conduire à terre, puis, de retour au bateau, il partait s'ancrer dans sa baie favorite, près du loch Harport, de l'autre côté de l'île. Ce qu'il y faisait pendant des heures, elle l'ignorait. Un jour où il n'avait

33

pas plu, il lui avait dit qu'il était allé escalader les Black Cuillins. Pour le reste, fidèle en cela à ce qu'il était toujours, jamais il ne lui racontait ses journées.

Parfois, dans le bus qui la reconduisait à Portree en fin de journée, elle se demandait s'il serait là. S'il n'aurait pas tout bonnement repris la mer, pour toujours, sans elle. Elle n'aurait pas su dire si la perspective l'effrayait ou si une part au fond d'elle-même souhaitait presque que cela arrive.

Elle travaillait pour une famille anglaise qui possédait une maison de vacances à Dunvegan, loin de Portree donc, qui était le bourg principal de l'île, mais facilement accessible en bus. Ces gens, dont la femme de ménage habituelle était tombée malade, s'étaient mis en quête d'une personne pour la remplacer le temps de leur séjour sur l'île. Quand elle avait vu la petite annonce qu'ils avaient déposée à l'épicerie du port, elle avait aussitôt pris contact. Nathan, qui considérait le métier de femme de ménage par trop indigne de son épouse, avait tenté de s'y opposer, mais, incapable de trouver mieux, il n'avait pas insisté.

Située légèrement à l'écart de Dunvegan, avec une vue magnifique sur la baie, la maison était spacieuse et agréable. Elle s'y était sentie bien. Les gens étaient aimables, elle pouvait bavarder avec eux, et le travail était facile, tant dans la maison que dans le jardin, très grand et si plaisant. Le temps avait été exécrable – un été particulièrement pluvieux, ainsi que le soulignaient les îliens. Si elle comprenait mal ce qui pouvait bien inciter quelqu'un à passer ses vacances dans ce coin du monde, elle avait tout de suite perçu la différence que présentait pour elle le fait d'avoir un sol ferme sous les pieds, un jardin clos de murs, une cheminée, de l'ordre en toutes choses. Elle avait plaisir à venir travailler. Elle dépoussiérait les rebords des fenêtres, frottait le carrelage de la cuisine jusqu'à ce qu'il brille, mettait des fleurs fraîches dans un vase qu'elle posait sur la grande table en bois du séjour. Entre deux averses, elle avait planté du lierre sur le côté sud de la maison et tondu la pelouse sur l'arrière. Elle se sentait mieux qu'elle ne s'était sentie depuis longtemps.

Jusqu'au moment de regagner le bateau, en fin de journée.

C'était le bateau. Ce n'étaient pas les Hébrides, pas davantage les îles Anglo-Normandes. Ça n'irait pas mieux dans les mers du Sud, avec du sable blanc et des palmiers. Elle n'était pas faite pour une vie nomade.

Elle détestait les ports. Elle détestait sentir le plancher bouger sous ses pieds. Elle détestait l'humidité permanente. Le manque d'espace. Elle détestait ne pas avoir de maison.

Demain, ils reprenaient la mer.

Jeudi 17 août

Nathan s'était confortablement installé dans le cockpit du *Dandelion*, lové contre la cloison de la cabine. Neuf heures et demie du soir. Les coûteux sous-vêtements isolants qu'il portait dans ces contrées nordiques jouaient le rôle qu'il attendait d'eux, même en août. Il ne percevait le froid de l'air de la nuit que sur le nez et les joues. Maintenant que sa colère était retombée, il commençait à se sentir un peu mieux.

Il avait été furieux contre Livia et, ce qui pesait plus encore, furieux contre lui-même parce qu'une fois de plus il avait cédé. Il cédait souvent, il ne supportait plus ses monologues larmoyants, alors il cédait. Il avait prévu de quitter Portree très tôt, une heure après la pleine mer, vers six heures du matin, car il tenait à franchir les passes du Sound of Harris de jour. Livia, qui depuis qu'ils étaient à Skye se plaignait sans faiblir du mauvais temps, avait commencé à se plaindre de leur départ dans les mêmes proportions, quand elle aurait dû, au contraire, se réjouir. Nathan la soupçonnait souvent de vouloir uniquement se lamenter. Tant qu'elle ne pouvait pas se plaindre de quelque chose, elle n'était pas heureuse.

Pour finir, elle avait prétendu qu'elle avait promis aux gens chez qui elle faisait le ménage depuis une semaine de revenir et qu'il aurait été très discourtois de disparaître ainsi dans la nature. Elle en avait fait un point d'honneur et, comme il sentait poindre la grande scène du désespoir, il avait repoussé leur départ au début de soirée, en grinçant des dents. Il était presque certain que Livia voulait grignoter quelques heures de plus sur la terre ferme, mais il ne pouvait pas le prouver.

36

Il s'était replié sur le Pier Hotel, un pub fréquenté par des pêcheurs et des ouvriers du port, et il s'était plongé dans la lecture d'un magazine qu'il avait acheté sur le quai. Il avait mis longtemps à se rendre compte qu'il datait de février. Rien de ce qu'il lisait n'était plus d'actualité. Ici, ça ne semblait troubler personne. Aux Hébrides, le temps ne s'écoulait pas tout à fait comme ailleurs, la vie y suivait un rythme inédit dans le reste du monde. Il ne cessait de se demander comment des gens pouvaient vivre ainsi. Il avait pris beaucoup de notes, jeté des idées sur le papier, des amorces de réflexion. Il y avait d'intéressantes observations à déduire du phénomène. Etudier la vie des gens le fascinait.

Enfin, vers cinq heures de l'après-midi, ils avaient pu lever l'ancre.

Depuis la veille, les bulletins météo de la BBC, en accord avec le baromètre du bord, annonçaient enfin l'arrivée d'une haute pression stable. Il avait sorti le grand génois du sac à voiles et l'avait mis en place. Ainsi, il pourrait faire au moins du deux nœuds quand il changerait de cap à la hauteur du phare de Rodel. Ils avaient encore des chances d'atteindre l'entrée du détroit de jour. Il se demanda si Livia avait retardé leur départ pour le forcer à descendre vers le sud en passant entre les îles de Skye et Uist au lieu de mettre directement le cap sur l'Atlantique. De cela aussi, ils avaient discuté. Sans parvenir à s'accorder. En fait, Livia avait peur de la mer.

Il avait néanmoins choisi la route qui traversait l'archipel des Hébrides, entre Uist et Lewis, et menait droit à la pleine mer.

Peu avant vingt et une heures, ils avaient franchi le passage le plus délicat. Livia avait disparu depuis longtemps dans la cabine. Elle avait prétendu qu'elle était fatiguée et avait mal à la tête. Tant mieux. Son perpétuel air de martyre lui tapait sur les nerfs.

Ils se trouvaient à présent dans un courant de marée contraire et devaient affronter un résidu de houle ouest en provenance du large. C'était sans importance. Un nœud de courant contraire, avec un bateau qui faisait du deux nœuds, ils iraient toujours sud-ouest à la vitesse d'un nœud. Ce n'était pas si mal.

Après tout, il pouvait peut-être s'épargner le sud de l'Irlande et l'escale de Youghal, et mettre directement le cap sur La Corogne. Il en avait assez des tergiversations. Assez de l'Europe. A lui l'océan. Les Caraïbes. Les plages de sable blanc, le soleil, les palmiers. L'atmosphère quasi mystique qui régnait sur Skye, avec sa pluie et son brouillard, l'avait littéralement envoûté, mais pour passer l'hiver il se voyait bien vivre au soleil. Très bien, même.

Pelotonné dans le cockpit, il laissait vagabonder ses pensées en jouissant de la paix et de la clarté de la nuit.

Il vit distinctement les feux. Ils se rapprochaient par l'arrière, deux feux verts et, au-dessus, un rouge et un blanc. Sûrement deux cargos qui suivaient la même route que lui. Pas d'inquiétude, il était parfaitement visible. Ses feux de navigation étaient allumés et le réflecteur radar fixé en haut du mât devait renvoyer un écho bien clair. Il n'avait à s'occuper de rien. Le pilote automatique, qu'il avait activé après le passage du Sound of Harris, remplissait son office en ronronnant doucement.

Il sentait la pesanteur envahir ses membres. Sa tête plongea en avant, il se ressaisit, bâilla. Qu'est-ce qu'il avait à être aussi fatigué ? Lui qui était un oiseau de nuit, qui ne se sentait jamais plus en forme que le soir... Il fallait croire que la pluie incessante de ces derniers jours, l'attente usante dans ce pub bruyant, le délicat passage du détroit au crépuscule, toutes ces choses mêlées avaient eu raison de ses forces. Sa tête tomba sur sa poitrine. Sa fatigue était si lourde, si élémentaire, qu'il eût été vain d'essayer d'y résister. Il sombra dans le sommeil, un sommeil court, d'à peine quelques minutes ainsi qu'il se le remémora après coup. Mais quelques minutes décisives.

Il se réveilla, aussi soudainement qu'il s'était endormi.

Il se demanda ce qui l'avait réveillé, du bruit de la voile qui claquait doucement ou de celui de la grande écoute qui frappait le mât – sans doute aucun des deux, plutôt un bruit peu familier, et bien plus fort, comme un coup de marteau géant sur une plaque de tôle.

Il leva la tête. Seule la houle de l'Atlantique agitait le génois. Le vent était complètement tombé.

Ce bruit... Ce coup de marteau sur de la tôle...

Les feux.

Ils lui revinrent à l'esprit presque à l'instant où il les vit. Il n'y en avait plus que trois, un rouge, un vert et, au-dessus, un blanc. Ils étaient tout au plus à un demi-mille du *Dandelion*. Ils se dirigeaient droit sur lui.

Il bondit sur ses pieds, une phrase lui traversant la tête : *Bon Dieu, ils ne nous voient pas, ou quoi ?*

Il se rua sur la barre, désactiva le pilote automatique. Il fallait qu'il mette le moteur en marche, vire sur bâbord et s'éloigne au plus vite d'une centaine de mètres, sinon la collision était inévitable. Quel imbécile ! Il n'aurait jamais dû dormir. La navigation était beaucoup trop dense dans ce coin pour s'autoriser un somme quand on était de quart.

Pourquoi le moteur ne démarrait-il pas ? Il ne parvenait même pas à faire tourner le démarreur. Il essaya une nouvelle fois... puis une fois encore... Rien ne se produisit.

La proue d'un bateau géant se dressait devant lui, immense comme une façade d'immeuble, des dizaines de fois plus haute que le *Dandelion*, et elle se rapprochait à une vitesse terrifiante. Le cargo arrivait droit sur leur voilier soudainement métamorphosé en coquille de noix. S'il y avait collision, le *Dandelion* serait pulvérisé, il disparaîtrait corps et biens en quelques secondes.

La tête de Livia apparut au haut de l'échelle du carré. Il vit des cheveux en broussaille, des yeux élargis par la peur. Le grondement des moteurs du gigantesque cargo faisait à présent un bruit d'enfer.

— Nathan !

Elle cria, puis se figea, regardant fixement le bateau qui gagnait inexorablement du terrain. D'un seul mouvement, il arracha le canot de survie de son logement sous le siège du barreur.

— Sors du bateau ! hurla-t-il. Tu m'entends ? Sors immédiatement du bateau !

Livia ne fit pas un geste.

— Saute ! Mais saute, bon sang !

Comme elle ne réagissait toujours pas, il la saisit par le bras, la tira hors de l'habitacle et la poussa de toutes ses forces par-dessus bord. Il jeta le canot de survie derrière elle puis sauta à son tour.

L'eau était glacée, il eut l'impression de milliers de piqûres douloureuses, crut un instant que son cœur allait cesser de battre. Puis il se rendit compte qu'il était toujours en vie, son cœur résistait. Il émergea, toussant et haletant. Quand il était à bord, il portait toujours son gilet de sauvetage. Heureusement.

Le bruit de marteau sur la tôle était maintenant juste au-dessus de lui. Une vague géante l'avala et le projeta à plusieurs mètres sur le côté. Dans un terrifiant ralenti, le mur d'acier du cargo glissa devant lui, presque à portée de main.

Le *Dandelion* prit la proue du cargo de plein fouet et disparut instantanément dans l'eau noire.

Ses yeux s'emplirent de larmes. Lui qui jamais ne pleurait ! Il n'aurait pas cru qu'il pleurerait à nouveau. La dernière fois que ça lui était arrivé, il était enfant, des hommes étaient passés devant lui, portant le cercueil de sa mère. Depuis, il n'avait plus jamais pleuré. Mais vivre ça... Et tout avait été si rapide ! Quelques minutes plus tôt, il était encore dans le cockpit, il rêvait à l'Atlantique, au soleil des Caraïbes, puis, l'espace d'un funeste instant, il s'était assoupi. Et il se retrouvait ballotté par les eaux glacées de la mer du Nord, après avoir assisté à l'anéantissement de quelque chose qui était immensément cher à son cœur. Qui était sa vie.

Le canot de survie devait lui aussi avoir été pris par la vague de la proue. Il tournait à une vingtaine de mètres de lui, dans les remous du sillage, sa tente arrachée. Tout près, il vit Livia. Elle avait surgi sur le pont telle qu'elle était sortie de sa couchette : sans gilet de sauvetage. Il l'appela mais elle ne réagit pas. Il nagea rapidement jusqu'à elle.

— Nage, Livia ! cria-t-il. Allez, nage ! Faut qu'on monte dans le canot !

Elle ne manifesta aucune intention d'essayer d'atteindre le canot. Elle agitait mécaniquement les bras pour se maintenir hors de l'eau, mais elle regardait son mari fixement, les yeux écarquillés, visiblement en état de choc. Nathan roula sur le dos, la saisit sous les bras et la traîna en nageant à reculons en direction du canot. Il était à bout de souffle, avalait de l'eau, s'étranglait. Au moins Livia n'opposait-elle aucune résistance. Il la lâcha quelques secondes, se hissa péniblement à l'intérieur du canot, puis il se retourna et la tira par les bras pour la hisser à son tour. Il n'en pouvait plus mais il ne renonça pas. Quand Livia fut enfin en sécurité à l'intérieur du canot, il s'effondra.

De longues minutes s'écoulèrent avant qu'il reprenne ses esprits. Ils avaient réussi. Ils n'avaient pas coulé avec le bateau, ils ne s'étaient pas noyés. En dépit de tout, l'espace d'un fugitif instant, il remercia le ciel. Ils avaient tout perdu, leur vie ne valait plus rien, mais ils étaient vivants. Ils ne possédaient plus que ce qu'ils avaient sur eux : elle un pyjama bleu clair, soit un caleçon en coton et un haut délavé, lui un jean, des sous-vêtements, un pull-over en laine et une paire de chaussettes. Il avait perdu ses chaussures en sautant par-dessus bord.

Et un canot de survie, songea-t-il avec une pointe de sarcasme. Nous possédons également un canot de survie. Dans la vie, qui sait, ça peut servir.

La nuit était toujours aussi claire. Des nuées d'étoiles apparaissaient çà et là dans le ciel.

Il regardait fixement l'eau noire. Son cerveau refusait de fonctionner. Il était incapable de réfléchir, incapable de penser aussi bien au passé qu'à l'avenir. Il n'était même pas découragé, alors que, quelques minutes auparavant, il pleurait de désespoir. Il ne ressentait rien, rien que de l'épuisement et un vide immense. Immense et presque salutaire.

Samedi 19 août

1

Virginia Quentin apprit la nouvelle de l'accident de bateau survenu dans la nuit de jeudi à vendredi au large des Hébrides aux toutes premières heures du 19 août. Une petite station de radio à vocation locale était implantée sur l'île. Le principal des informations qu'elle diffusait concernait la météo, car ici, où une bonne partie de la population vivait de la pêche, elle revêtait une importance capitale. Venaient ensuite les faits divers, accidents, drames ou catastrophes. Parfois des pêcheurs ne revenaient pas, et lors des violentes tempêtes hivernales il arrivait que les vents déchaînés qui dévalaient de la mer du Nord emportent des toits, ou même, une fois, précipitent une femme à la mer. Ce qui n'était encore jamais arrivé, du moins à la connaissance de Virginia, c'était qu'un accident aussi dramatique touche des étrangers.

Elle s'était levée à l'aube pour aller courir sur le plateau qui surplombait la mer. Elle aimait le calme et la limpidité du petit matin. Ça ne lui posait pas de problème d'abandonner son lit avant six heures pour s'enivrer de la fraîcheur et de la virginité du jour naissant. Chez elle, dans le Norfolk, elle faisait également du jogging tôt le matin, mais ici, à Skye, c'était tout à fait particulier. Une coupe de champagne bien frappé ne pouvait pas être aussi vivifiante, aussi tonique, aussi délectable que le souffle du vent qui avait caressé la mer sur des milliers de kilomètres.

Elle avait également l'impression qu'ici elle se fatiguait

moins vite. Cela tenait peut-être à la qualité de l'air de l'île. Toujours est-il qu'elle se sentait en forme. Elle courait à longues foulées élastiques et régulières, son corps et sa respiration parfaitement en harmonie. Courir le matin était quelque chose qui n'appartenait qu'à elle, un moment dans lequel elle puisait ses forces pour la journée. Elle n'aurait jamais accepté que quelqu'un l'accompagne. Etre seule était son plaisir, un plaisir qu'elle goûtait particulièrement dans la magnifique solitude de l'île de Skye.

De retour chez elle, elle se doucha puis, une serviette de toilette en turban sur la tête, elle s'assit à la table du séjour, alluma la radio et se servit un café noyé de lait bouillant. Elle se sentait forte et apaisée et songeait que si son mariage avec Frederic n'était pas toujours enthousiasmant, elle lui devait aussi deux merveilleux cadeaux : Kim, sa fille de sept ans, et cette modeste maison de Dunvegan.

Elle laissait vagabonder ses pensées sans prêter attention au fond sonore de la radio, mais, quand le journaliste à l'antenne annonça que des plaisanciers allemands avaient été victimes d'un accident, elle tendit l'oreille. D'après ce qu'elle entendait, leur voilier avait été littéralement pulvérisé par un cargo qui se trouvait sur le même rail maritime qu'eux après qu'un malheureux enchaînement de circonstances eut rendu impossible toute manœuvre d'évitement. Il ne restait plus aucune trace de leur embarcation, dont les débris gisaient vraisemblablement par le fond. Personne ne disposait d'informations sur le nom ou même seulement sur la nationalité du cargo à l'origine de l'accident. Le skipper du voilier s'était révélé incapable de préciser leur position au moment du naufrage. Le canot de survie avait été repéré par un chalutier qui avait pris le couple à bord. La jeune femme était choquée. Elle et son mari, par ailleurs en état d'hypothermie après avoir dérivé près de douze heures dans leur canot de survie, avaient subi divers examens médicaux. Ils logeaient depuis la veille dans un *bed & breakfast* des environs de Portree.

— Mon Dieu, pourvu que... murmura Virginia pour elle-même.

Combien y avait-il actuellement dans les Hébrides de plaisanciers allemands en route pour un tour du monde à la voile ?

Elle entendit les pas de Frederic dans l'escalier, se leva machinalement, posa une seconde tasse sur la table et la remplit. En vacances, ils s'offraient le luxe de laisser la matinée s'écouler à bavarder devant un café. Ils parlaient du temps, de ce qui se passait au village, d'amis ou de parents. Ils s'écoutaient mutuellement, ne se brusquaient pas et évitaient d'aborder le sujet de leur couple s'il n'y avait pas de raison particulière à cela. Lors de matins de vacances comme celui-ci, mais cela se produisait aussi parfois chez elle, dans le Norfolk, quand elle se retournait sur sa vie avec Frederic et Kim, qui était une enfant si jolie et si gracieuse, sur cette existence dénuée de soucis matériels dans un petit monde tranquille et prévisible, peut-être limité mais en contrepartie sûr, sans peurs ni démons, Virginia se sentait inondée de paix et de gratitude. Il y avait bien quelques moments où l'impression que son monde n'était pas tout à fait réel l'oppressait. Mais ce n'étaient justement que des moments, des éclairs fugitifs, des instants qui ne duraient pas.

Frederic entra dans la pièce. Chez eux, il portait presque toujours un costume et une cravate, mais c'est comme il était ce matin-là qu'elle l'aimait, en jean et pull-over à col roulé gris, reposé, détendu, sans la petite crispation des lèvres que lui valaient son métier et ses multiples ambitions personnelles.

— Bonjour, dit-il, avant d'ajouter, alors que la réponse était évidente : Tu es déjà allée courir ?

— C'était merveilleux. Je me demande comment font les autres pour vivre sans bouger.

Elle lui tendit sa tasse de café. Il s'assit et but une première gorgée.

— C'est le dernier jour, tu sais, nous devons rentrer. Ou bien veux-tu rester encore quelques jours avec Kim ?

L'école ne reprenait que deux semaines plus tard. Et elle aimait être à Skye. Kim aussi aimait leur vie sur l'île. Elle secoua cependant la tête.

— On rentre avec toi. Tu ne voudrais pas que je te laisse seul, tout de même ?

Il sourit. Qu'elle rentre avec lui ou pas, il était souvent seul, tout au moins sans sa famille. Le matin, il quittait la maison à sept heures et demie et il lui arrivait fréquemment de ne pas être de retour avant dix heures ou dix heures et demie du soir. Il restait plusieurs jours d'affilée à Londres, où se trouvait sa banque. A vrai dire, il n'était dans le Norfolk que lorsque ses obligations politiques le retenaient dans sa circonscription. Une semaine entière pouvait s'écouler sans qu'il voie sa fille ; quant à sa femme, il ne la croisait qu'en coup de vent ou le soir, lorsqu'elle l'avait attendu pour bavarder quelques minutes avec lui avant qu'il ne s'effondre, mort de fatigue, dans son lit.

La situation ne le satisfaisait nullement. Deux ans auparavant, elle était encore très différente. Virginia et Kim vivaient alors avec lui à Londres et il avait beaucoup plus l'impression de faire partie d'une famille qu'aujourd'hui. Non que Virginia ait souvent quitté l'élégant appartement de South Kensington pour sortir avec lui. Il ne l'avait jamais connue autrement qu'avec une tendance à se tenir à l'écart du monde, à se replier sur elle-même. Il ne pensait pas que ce soit par peur. Il penchait plutôt pour un lien avec la tristesse diffuse dont elle souffrait en permanence et qui parfois s'exprimait avec une intensité confinant à la dépression. Apparemment, elle maîtrisait mieux cette pathologie – Frederic considérait secrètement qu'il s'agissait d'une pathologie – lorsqu'elle était seule. Qu'elle ait finalement décidé de s'installer dans l'austère demeure familiale des Quentin, dans le Norfolk, ne l'avait pas surpris, après tout c'était cohérent, mais il en résultait cette vie de famille bancale.

Elle s'était assise en face de lui. Ses joues étaient encore roses de sa course au grand air.

— Tu te souviens sûrement de cette jeune Allemande qui est venue aider au ménage et au jardin la semaine dernière, dit-elle. Livia...

Il hocha la tête. Il se la rappelait, mais il avait déjà oublié son visage. Une femme timide et effacée, incolore.

— Oui. Je m'en souviens. Ils sont repartis, non ?

— Ils voulaient repartir jeudi soir. Et je viens juste

d'entendre à la radio que des plaisanciers allemands, un couple, avaient été récupérés en mer. Ils dérivaient dans un canot de survie, pas très loin de la côte. Leur voilier a été heurté par un cargo. Il a coulé.

— Mon Dieu. Ils ont eu de la chance de s'en sortir. Et tu penses qu'il s'agit de cette jeune... Livia ?

— Ils n'ont cité aucun nom. Mais ça pourrait bien être eux. Les dates concordent. Et je n'ai vu aucun autre Allemand sur l'île.

— Ça ne veut rien dire. Il y a ici beaucoup de gens qu'on ne rencontre jamais.

— Tout de même. J'ai un pressentiment. Je crois que ce sont eux.

— Si tu le dis. Ils étaient partis pour faire le tour du monde à la voile, non ? On dirait bien que leur aventure est terminée.

— Livia m'a dit qu'ils avaient vendu tout ce qu'ils avaient pour acheter le bateau. En d'autres termes, ils ne doivent plus posséder que ce qu'ils avaient sur le dos au moment du naufrage.

— J'espère pour eux qu'ils étaient bien assurés. Quand un voilier se fait éperonner par un cargo, il ne reste plus que des miettes.

Virginia hocha la tête.

— Ils ont trouvé momentanément à se loger dans un *bed & breakfast* de Portree. Je pense que je vais y faire un saut. Ils ont sûrement besoin d'un peu de réconfort.

Ces gens étaient parfaitement indifférents à Frederic, sans compter qu'il ne comprenait pas quel plaisir on pouvait prendre à rester confiné pendant des mois dans un petit bateau, à tourner autour du monde, et qu'il trouvait stupide de liquider tout ce que l'on possédait pour acheter un voilier, mais un brusque sentiment l'envahit. Une intuition.

— Je ne sais pas, hasarda-t-il. Tu ne devrais peut-être pas y aller...

— Mais pourquoi ?

— Parce que... Eh bien, peut-être qu'ils ne sont pas assurés et...

Il laissa sa phrase en suspens. Elle le regardait sans comprendre.

— Et alors ?

— Les gens cherchent toujours à économiser sur les assurances. C'est banal. Ce qui est obligatoire, l'assurance responsabilité civile qui couvre les dommages qu'ils sont susceptibles de causer, ils la prennent, mais ils misent sur le fait qu'il ne leur arrivera rien et font l'impasse sur les autres. Il est bien possible que ces Allemands n'aient plus rien. Pas un sou devant eux, plus de maison, rien. Ils vont intenter une action en dédommagement, mais...

— Il semble qu'on ne connaisse pas le nom du bateau, dit Virginia. Ni même sa nationalité.

Il soupira.

— Tu vois. C'est encore pire. Ils ne savent même pas contre qui se retourner. S'ils sont dédommagés un jour, ce sera dans des années.

Virginia ne comprenait toujours pas.

— Oui, mais en quoi cela m'empêche-t-il de les voir ?

— Eh bien... il y a des chances pour que tu sois, ou plutôt pour que *nous* soyons leur seul recours. Avant que tu t'en rendes compte, on les aura sur le dos. Ils doivent être à l'affût de la moindre main tendue.

— Ils ont sûrement des parents qui vont s'occuper d'eux. Chez eux, en Allemagne. Je veux seulement apporter un peu de réconfort à Livia. Je l'aimais bien. Et elle n'avait déjà pas l'air très heureuse. S'il y a en plus cette histoire...

— Fais attention.

— De toute façon, nous rentrons demain.

— Oui, mais ils ne vont pas rester ici non plus.

— Justement. Ils vont rentrer en Allemagne.

— A condition qu'ils y aient encore un point de chute. Ou qu'ils en trouvent un.

Virginia éclata de rire.

— Tu es vraiment trop pessimiste ! C'est normal que j'aille voir Livia. Ce sont tout bonnement des choses qui se font. Je vais peut-être aussi lui apporter deux ou trois vêtements. Nous faisons à peu près la même taille.

Il ne parviendrait pas à l'en dissuader, il s'en rendait compte. Après tout, peut-être était-il trop méfiant. Il savait qu'il avait tendance à peindre les choses en noir, à voir le mal partout, sans être inhibé pour autant. Il était tout à fait capable de faire face à une situation délicate. Encore fallait-il savoir qu'elle était délicate. En la matière, il doutait que Virginia soit très clairvoyante.

Mais il était inutile qu'il se mette martel en tête. Elle avait au moins raison sur un point : ils partaient le lendemain.

2

Il n'était pas difficile de découvrir où les naufragés allemands étaient hébergés. A Portree, l'accident était dans toutes les bouches et tout le monde était au courant de ce qu'il était possible de savoir.

Elle s'adressa à l'épicerie du port. Le propriétaire du magasin répondit volontiers et sans hésiter à ses questions :

— Ils sont chez les O'Brian. Mais vous avouerez, quelle guigne ! Se faire rentrer dedans par un cargo en pleine mer, il faut le faire ! Mme O'Brian est venue ce matin faire quelques courses, elle était encore là il n'y a pas une heure. D'après ce qu'elle dit, la jeune femme est très choquée. Rendez-vous compte, elle a tout perdu, tout sauf le pyjama qu'elle avait sur elle ! C'est malheureux, tout de même !

Virginia comprit que l'épicier conterait par le menu les mésaventures du couple de plaisanciers allemands à chaque personne qui ce jour-là franchirait la porte de son magasin, et que de son côté Mme O'Brian veillerait à diffuser sur le reste de l'île tout ce qu'elle réussirait à apprendre de ses hôtes. Brusquement, Livia et son mari lui firent encore plus de peine. Comme si cela ne suffisait pas de vivre un cauchemar qu'une vie entière pourrait à peine effacer, ils se trouvaient de surcroît livrés aussi bien à la pitié qu'à la curiosité malsaine de toute une population.

La maison des O'Brian était située à l'écart du bourg. Virginia aurait pu s'y rendre à pied, mais elle redoutait par-dessus tout de croiser des gens qui n'auraient rien de plus pressé à faire que de lancer la conversation sur les malheureux naufragés, et elle préféra prendre sa voiture.

Quelques minutes plus tard, elle se garait devant une ravissante maison de brique dont la porte était peinte en rouge et les fenêtres en blanc. Mme O'Brian s'adonnait au jardinage en amateur éclairé et passionné. Sous des cieux aussi peu cléments que ceux des Hébrides, elle avait réussi le prodige de créer devant sa maison une merveille de jardin fleuri que tout le monde lui enviait. Virginia s'avança entre des asters rouge orangé et des glaïeuls multicolores. L'automne s'annonçait déjà. A cette latitude, il arrivait tôt. Fin septembre, il fallait déjà compter avec les premières grosses tempêtes, puis venait le brouillard qui envelopperait l'archipel des mois durant. Virginia trouvait du charme à cette atmosphère, sans doute parce qu'elle ne vivait pas ici en permanence et n'avait pas à supporter le gris et le froid que les îliens enduraient d'octobre à avril, au long d'hivers interminables. Une année, elle était parvenue à convaincre Frederic de passer Noël et le jour de l'An à Dunvegan. Il avait trouvé cela épouvantable et l'avait priée de ne pas lui refaire un coup pareil.

« Il n'y a pas beaucoup de choses sur cette terre à même de me rendre durablement neurasthénique, avait-il dit. Mais un hiver à Skye pourrait en faire partie. »

Dommage. En traversant ce jardin, elle songea qu'elle serait volontiers revenue en novembre ou en décembre.

Après qu'elle eut plusieurs fois frappé sans obtenir de réponse, elle ouvrit la porte et pénétra dans l'étroit vestibule. C'était l'usage, sur l'île. Personne ne fermait sa porte à clé et tout visiteur que l'on n'entendait pas était invité à entrer de lui-même. Entre îliens, on se connaissait suffisamment et, comme le père et le grand-père de Frederic venaient déjà, bien avant lui, passer leurs vacances ici, la famille Quentin faisait partie du cercle.

— Madame O'Brian ! appela Virginia sans oser élever la voix.

Au bout du couloir, la porte de la cuisine était fermée.

Peut-être était-ce pour cette raison que Mme O'Brian ne l'entendait pas.

Elle ouvrit timidement la porte. C'était une belle cuisine, avec un sol en pierre et des cuivres étincelants aux murs. Mme O'Brian ne s'y trouvait pas. C'est Livia qu'elle y découvrit. Livia assise devant une tasse et un petit réchaud sur lequel était posée une théière. La tasse était vide, mais Livia ne semblait pas songer à la remplir. Elle fixait la table, l'air indifférent. Elle leva la tête et regarda Virginia quand elle entra dans la pièce, mais aucune réaction ne passa dans ses yeux.

— Livia ! s'exclama Virginia, émue. Mon Dieu, Livia, j'ai appris ce qui vous était arrivé, à vous et votre mari ! J'ai pensé que...

Plutôt que d'achever sa phrase, elle se dirigea vers Livia et la serra dans ses bras.

— Il fallait que je vienne...

Par la fenêtre, elle aperçut Mme O'Brian qui accrochait du linge dans le jardin. Elle espéra qu'elle en avait encore pour quelque temps. Elle préférait être seule avec Livia.

Elle s'assit en face d'elle et l'observa. Livia portait une robe de chambre écossaise aux couleurs criardes et beaucoup trop courte, qui devait appartenir à Mme O'Brian. Livia était grande et très mince, Mme O'Brian plutôt petite.

— Je vous ai apporté quelques vêtements, dit Virginia. Le sac est dans ma voiture. Je vous le donnerai tout à l'heure. Nous devons faire à peu près la même taille. En tout cas, les vêtements de Mme O'Brian sont manifestement trop petits pour vous.

Livia, qui jusque-là n'avait pas soufflé mot, ouvrit enfin la bouche :

— Merci.

— C'est bien naturel. Le thé est infusé ? Vous devriez boire. C'est important que vous buviez.

Virginia aurait été bien en peine d'expliquer pourquoi elle lui disait cela, mais dans les situations difficiles boire du thé chaud lui semblait important. Elle prit une tasse pour elle, servit Livia puis elle-même, mit un peu de sucre dans chaque tasse. Livia était comme paralysée. Quelqu'un devait faire tous les gestes à sa place.

— Souhaitez-vous en parler ? demanda Virginia.

Livia hésita.

— C'est... c'était tellement... affreux, dit-elle enfin. L'eau... Elle était glacée...

— Oui. Oui, j'imagine. Je suis tellement désolée de ce qui est arrivé. Avez-vous pu... sauver quelque chose ?

— Rien. Absolument rien.

— Mais vous êtes vivants. C'est le principal.

Livia acquiesça d'un hochement de tête, mais elle ne paraissait pas convaincue.

— Nous... n'avons plus rien.

— Vous avez votre vie, insista Virginia.

En même temps qu'elle s'évertuait à la convaincre, Virginia se rendait compte que, s'il lui arrivait un jour de perdre tout ce qu'elle possédait sur cette terre, elle serait la première à douter qu'être en vie pût être une consolation.

Ce que Frederic avait dit lui revint à l'esprit et elle demanda, prudemment :

— Etes-vous... assurés ?

Livia secoua lentement la tête.

— Pas... pour ce type de dommages.

Elle parlait en traînant sur les mots. Brusquement, elle baissa la tête et regarda la hideuse robe de chambre écossaise qu'elle portait. Ses yeux s'emplirent de larmes.

— Je ne supporte pas cette robe de chambre ! Elle est épouvantable ! Je ne supporte pas d'être obligée de porter ça !

Livia avait pour l'heure des problèmes autrement plus importants que cette question de vêtements, pourtant Virginia comprenait sa réaction. Cette robe de chambre trop petite symbolisait la perte de tous ses biens et la dépendance dans laquelle le naufrage l'avait précipitée. Son indigence nouvelle, son assujettissement à la charité d'autrui.

— Je vais chercher ce que je vous ai apporté... dit Virginia en repoussant sa chaise pour se lever.

— Non ! Ne partez pas ! s'affola Livia.

Virginia se rassit.

51

— Entendu. Je ne bouge pas. Je vous apporterai le sac tout à l'heure.

Elle regarda autour d'elle.

— Votre mari n'est pas là ?

— Si. Il est là-haut, dans notre chambre. Il téléphone à un avocat, en Allemagne. Mais... contre qui peut-il porter plainte ? Nous ne connaissons même pas le nom du bateau !

— On doit pouvoir le retrouver. Les garde-côtes savent certainement quels bâtiments naviguaient dans la zone au moment de votre accident. Je ne m'y connais pas beaucoup, mais... Ne renoncez pas aussi vite, Livia. Vous êtes encore sous le coup de l'émotion et je comprends que vous soyez découragée, mais...

Livia l'interrompit à voix basse :

— Nous n'avons même pas de quoi payer notre hébergement.

Elle fit un mouvement de tête en direction de la fenêtre, vers Mme O'Brian.

— Elle va vouloir être payée. Pour la chambre, pour les repas. Et pour le téléphone. Je veux dire...

Elle recommença à pleurer.

— J'ai demandé à Nathan de ne pas téléphoner. Mais ça fait une heure qu'il discute. Avec l'Allemagne, en plus, des appels longue distance. C'est de la folie. Mme O'Brian ne nous fera cadeau de rien. Mais avec quoi va-t-on la payer ? Nous n'avons pas d'argent !

— Vous n'avez plus de compte en Allemagne ?

— Nathan a tout liquidé. Il appelait ça la « liberté absolue »... Ne plus posséder un centime et gagner sa vie de port en port, avec des jobs occasionnels. Il a vendu la maison. Elle était passablement délabrée et déjà lourdement hypothéquée. Ça n'a pas rapporté grand-chose. Puis il a vidé nos comptes pour acheter le bateau. J'ai tout de même réussi à obtenir que nous restions domiciliés chez des amis afin de pouvoir souscrire une assurance-maladie qui nous couvre à l'étranger. C'est déjà ça. Sinon... Comme réserves, nous n'avions que les bijoux que j'avais hérités de ma mère. Ils avaient beaucoup de valeur. Ils sont maintenant au fond de la mer.

— Des plongeurs pourraient peut-être...

Livia essuya ses larmes du bout des doigts.

— C'est l'une des premières choses que Nathan a demandées à la police. En fait, nous sommes d'abord allés au commissariat. Les pêcheurs qui nous ont récupérés ne savaient pas quoi faire de nous, c'est là qu'ils nous ont déposés. Notre question les a fait rire. Nous ne sommes pas capables de donner notre position exacte au moment de la collision, les débris du bateau sont vraisemblablement éparpillés sur des dizaines de mètres carrés, et à cet endroit les fonds sont rocheux et très escarpés... Des plongeurs ont très peu de chances de trouver quelque chose. En revanche, chaque jour passé à chercher nous coûterait une fortune... Ce serait de la folie de se lancer dans une recherche de l'épave...

Elle leva sur Virginia un regard éperdu.

— De la folie, répéta-t-elle.

Virginia songea que Frederic avait fait preuve d'une certaine clairvoyance lorsqu'il s'était demandé s'ils étaient correctement assurés. Elle avait été surprise qu'il évoque des problèmes d'argent quand deux personnes venaient de justesse d'échapper à la mort, mais, à présent qu'elle mesurait la détresse de Livia, elle commençait à comprendre à quel point l'aspect matériel du drame était important. Comment pouvait-on vivre quand on ne possédait rien, absolument rien, et que l'espoir de récupérer un jour une parcelle de ce que l'on avait perdu était aussi mince ?

Elle réfléchit.

— Avez-vous de la famille ? Des parents, des frères et sœurs ? Quelqu'un qui pourrait vous aider le temps que... vous retrouviez vos marques ?

Livia secoua la tête.

— Nathan a perdu ses parents lorsqu'il était enfant. Et il n'a pas de famille. Il a grandi dans des foyers de l'aide sociale. De mon côté, je n'avais plus que mon père. Il est décédé en septembre dernier.

Un sourire étira ses lèvres. Un sourire triste, amer.

— En fait, c'est en quelque sorte de là que date le désastre…

Virginia était sur le point de lui demander ce qu'elle voulait dire par là, quand la porte de la cuisine s'ouvrit. Un homme entra dans la pièce. Elle comprit aussitôt qu'il devait s'agir de Nathan. Il était très bronzé, même si la pâleur que l'on devinait sous son hâle, notamment au niveau des lèvres, révélait qu'il n'allait pas aussi bien que la première impression aurait pu le laisser croire. Il était grand, mince, musclé. L'image même du marin. A l'exception du visage.

Plutôt un visage d'intellectuel, songea-t-elle.

— Livia, je… commença-t-il avant de voir que sa femme avait de la visite. Excuse-moi, poursuivit-il en anglais. Je pensais que tu étais seule…

— Nathan, je te présente Virginia Quentin. La dame chez qui je suis allée aider un peu, ces derniers jours. Virginia, je vous présente Nathan, mon mari.

— Nathan Moor, dit Nathan en tendant la main à Virginia. Ma femme m'a beaucoup parlé de vous.

— Je suis désolée de ce qui vous est arrivé, déclara Virginia. Sincèrement. C'est un accident terrible.

— Effectivement, acquiesça Nathan.

Il paraissait abattu, mais moins affecté que sa femme. Virginia songea que ce genre d'impression pouvait ne reposer que sur de simples détails. Livia paraissait d'autant plus misérable, drapée dans l'épouvantable robe de chambre de Mme O'Brian. Nathan portait à l'évidence ses propres vêtements. Son jean et son pull-over présentaient les stigmates d'un séjour prolongé dans l'eau de mer, mais ils étaient à sa taille et ils lui appartenaient. Des petits détails assurément réconfortants quand on vit un drame.

— Que dit l'avocat ? demanda Livia à son mari.

Elle ne donnait pas l'impression d'être réellement intéressée par la réponse. Du moins ne paraissait-elle pas croire que la réponse pût être encourageante.

— Il dit que ce sera difficile, répondit Nathan sur un ton néanmoins relativement optimiste. Surtout si nous ne parvenons pas à retrouver le cargo qui nous est rentré dedans. Ensuite, il faudra prouver que c'est lui.

— Et comment allons-nous pouvoir y arriver ?

— Je vais trouver une solution. Mais laisse-moi un peu de temps. Je sors moi aussi à peine de l'eau. Il me faut tout de même un moment pour me remettre.

Une pointe d'irritation perçait sous le ton aimable.

— Si je peux être utile en quoi que ce soit... intervint Virginia.

— C'est gentil, très gentil, dit Nathan. Mais je ne vois pas ce que vous pourriez...

Il leva les mains dans un geste d'impuissance.

— Nathan, nous ne pouvons pas rester ici, insista Livia sur un ton plaintif. Mme O'Brian va nous demander de payer et...

— Nous pourrions peut-être parler de ça à un autre moment ! la reprit-il sèchement.

Virginia eut le brusque sentiment de déranger. Nathan répugnait certainement à parler de sa situation financière devant une étrangère.

Elle se leva rapidement.

— Je ne peux pas m'attarder plus longtemps, Livia. Je vais chercher les vêtements que je vous ai apportés et je me sauve.

En retraversant le jardin, une idée lui vint à l'esprit. Elle n'était pas certaine de ce que Frederic en penserait – à vrai dire, elle doutait qu'il en pense beaucoup de bien, mais elle décida de laisser Frederic de côté pour le moment.

Quand elle revint dans la cuisine, Nathan parlait à sa femme. Il s'exprimait vite, sur un ton impatient, presque agressif. Comme il s'adressait à Livia en allemand, Virginia ne comprit pas de quoi il s'agissait.

— Je viens d'avoir une idée, dit-elle en feignant de ne pas remarquer la tension qui flottait dans l'air. Ma famille et moi repartons demain. Notre maison de Dunvegan sera vide. Pourquoi ne vous y installeriez-vous pas le temps que vous... que vous ayez terminé ce que vous avez à faire sur l'île ?

— Nous ne pouvons pas accepter, répondit Nathan. Et nous ne pouvons effectivement rien payer.

— Je sais. Mais, en contrepartie, vous pourriez vous

occuper un peu de la maison et du jardin. Nous trouvons toujours rassurant que la maison ne soit pas inoccupée. A vrai dire, nous proposons souvent à des amis ou à des relations de venir y passer quelques jours.

Il sourit.

— C'est très aimable à vous, madame Quentin. Mais prêter sa maison à des amis ou à des relations, c'est une chose, à de parfaits étrangers comme nous, qui de surcroît ont tout perdu en mer, en est une autre... On n'ouvre pas sa porte à des inconnus, vous le savez bien.

Elle ne le suivit pas sur son mode ironique.

— Réfléchissez-y. Et je connais au moins votre femme, monsieur Moor. Mais c'est à vous de voir, naturellement.

Elle posa à côté de la table le sac contenant les vêtements.

— Je vous le redis : nous rentrons demain. Il faut simplement que vous passiez prendre la clé avant notre départ.

Elle posa amicalement la main sur le bras de Livia, salua Nathan d'un signe de tête puis quitta la cuisine. Elle avait vu que Mme O'Brian avait fini d'étendre son linge et regagnait la maison, et elle n'avait pour l'instant aucune envie de la rencontrer. Peut-être parce qu'elle était soudain très inquiète. Les Moor accepteraient son offre, ils n'avaient guère le choix. Par politesse, par fierté, ils affichaient une certaine réticence, mais d'ici à ce soir, et au plus tard demain matin, ils passeraient lui demander la clé.

« Avant que tu t'en rendes compte, on les aura sur le dos », avait prédit Frederic.

Force lui était de reconnaître qu'il avait vu juste.

En même temps, en quoi cela pouvait-il le déranger ? Ils seraient dans le Norfolk, leur vie reprendrait son cours habituel. Les Moor resteraient sur l'île une semaine, peut-être deux, le temps de clarifier leur situation. Rien de plus. Aucune raison pour Frederic de s'énerver. Pourtant, quelque chose lui disait que ça n'allait pas bien se passer.

3

Parmi ses amis ou ses relations, Frederic Quentin était considéré comme quelqu'un de sympathique, quoique peu loquace et parfois un peu trop réservé, et comme un homme qui s'investissait trop dans son travail pour avoir beaucoup de temps et d'énergie à consacrer à sa vie privée. On l'imaginait difficilement pratiquant l'introspection ou réfléchissant à son couple ou à ses relations avec sa femme. Pourtant, il lui arrivait bel et bien de s'interroger et il eût été faux de croire que sa famille ne l'intéressait pas.

Il savait qu'il passait trop peu de temps avec sa femme et sa fille, du reste il se promettait régulièrement de faire en sorte que Virginia soit moins souvent seule, quoiqu'elle-même ne parût pas souffrir de la situation. Ce n'était pas normal qu'une femme qui la plupart du temps n'avait déjà pour seule compagnie qu'une fillette de sept ans vive ainsi dans la solitude d'une trop vaste demeure, elle-même dissimulée dans un immense parc dont les arbres séculaires avaient pris une telle ampleur que leurs ramures cognaient aux fenêtres et paraissaient vouloir étouffer la maison. Ferndale House, l'ancestrale propriété familiale des Quentin dans le Norfolk, était lugubre. Ce n'était pas un endroit pour une jeune femme qui à trente-six ans aurait dû vivre dans le soleil et la lumière.

Frederic se disait souvent qu'il devrait investir plus de temps et d'énergie à découvrir ce qui rendait sa femme aussi triste, ce qui paraissait si souvent l'oppresser. Se parler les aurait peut-être aidés, mais explorer les méandres de l'âme de ses congénères était un exercice pour lequel il se sentait totalement démuni.

S'aventurer dans ces régions inexplorées lui inspirait une vague crainte. Il ne savait pas ce qu'il allait y trouver, et sans doute y avait-il beaucoup de choses qu'il ne voulait pas savoir.

En outre, il manquait terriblement de temps. Précisément en ce moment.

Frederic Quentin avait en effet pris la décision de se présenter à l'élection à la Chambre des communes. Il avait de bonnes chances d'être élu.

La petite banque très chic que son grand-père avait fondée et qu'il dirigeait aujourd'hui avec brio, en plus de lui assurer un confortable train de vie, lui offrait également sur un plateau un très précieux carnet d'adresses. La Harold Quentin & Co était une de ces banques auxquelles la haute société se devait de confier la gestion de ses biens et Frederic Quentin avait toujours su être pour ses clients à la fois le banquier habile et prudent en qui l'on pouvait avoir toute confiance et l'ami qui les conviait à de somptueuses fêtes dans sa résidence de campagne, qui participait volontiers à des compétitions de golf ou des régates de voile, qui soignait les contacts qui pouvaient lui être utiles. Il s'était ainsi doté d'un excellent tremplin pour le Parlement. A quarante-quatre ans, il était sur le point d'atteindre son but.

Une dégradation de l'état psychique de Virginia, que des discussions poussées avaient toutes les chances d'induire, était la dernière chose dont il avait besoin.

Restait sa mauvaise conscience.

Lorsque Virginia lui annonça, alors qu'ils étaient en train de déjeuner, qu'elle avait l'intention d'héberger dans leur maison de vacances le couple de plaisanciers allemands rescapés de l'accident, et qu'à vrai dire elle s'était même fermement engagée vis-à-vis d'eux, il faillit lui demander, furieux, comment elle avait pu se permettre de disposer ainsi d'une maison dont elle n'était pas seule propriétaire, et, au-delà de ça, comment elle avait pu précisément faire ce qu'il l'avait priée de ne pas faire. Puis il ravala sa colère, non sans peine, et les remarques qui allaient avec.

Les femmes qui étaient trop seules faisaient des choses étranges, songea-t-il, résigné. Certaines adoptaient soudainement une vingtaine de chiens abandonnés, d'autres offraient le gîte et le couvert à des naufragés inconnus. Il pouvait s'estimer heureux de ne pas voir errer dans sa maison du Norfolk des ados drogués qu'elle aurait ramassés ici ou là. Tout bien pesé, il n'était pas si mal loti avec Virginia.

— Fais tout de même attention, dit-il.

Elle le regarda.

— Ce sont des gens bien. Vraiment.

58

— Tu ne les connais pas.

— J'ai une petite connaissance du genre humain.

Il soupira.

— Je ne le conteste pas. Mais... ils sont dans une situation telle qu'ils risquent de s'incruster. Ils sont aux abois. Que ce soient des gens bien ou pas. Ne perds pas cela de vue.

Il eut l'impression qu'elle aussi soupirait, non qu'il ait entendu quelque chose, mais à son expression.

— S'ils s'installent, ce sera demain. Au moment où nous partons. Je ne vois pas en quoi cela peut être un problème.

— Ils ne retrouveront jamais leur bateau ? voulut savoir Kim, qui tournait autour de ses épinards sans se décider à s'y attaquer.

— Jamais, répondit Frederic. Ils sont pauvres comme Job.

— Comme Job ? s'étonna Kim.

— C'est une expression, expliqua Virginia. Ça veut dire qu'ils n'ont plus rien. Mais ça n'en fait pas de mauvaises personnes pour autant.

— Ils ont toutefois gagné quelque chose, corrigea Frederic d'un ton mordant. Ils disposent désormais d'un logement gratuit et sans limitation dans le temps. Ce n'est pas si mal !

— Sans limitation dans le temps ? Il n'est pas question de ça. Ils ne resteront que le temps de clarifier leur situation, ensuite ils...

— Virginia, l'interrompit Frederic. Tu es vraiment naïve. As-tu déterminé avec eux quand ils devaient être repartis ? Leur as-tu donné une date ?

— Bien sûr que non. J'ai...

— Leur séjour dans notre maison n'est donc pas limité dans le temps. Quant à ce qui concerne la clarification de leur situation, eh bien, il n'y a rien à clarifier. C'est bien ça, leur problème. En l'occurrence, qu'ils quittent l'île aujourd'hui, demain ou dans trois mois, ça n'y changera rien.

Elle ne répondit pas. Il se demanda si elle le prenait pour un égoïste.

— Et dis-moi... ajouta-t-il. Avez-vous déjà également résolu le problème de leur subsistance ? De quoi vont-ils vivre, tes nouveaux amis ?

59

Il vit à son expression que la question n'avait pas été évoquée.

— Je m'explique : ils ont un toit sur leur tête, c'est une affaire entendue, mais il faut bien qu'ils mangent. Et ce n'est pas avec nos réserves qu'ils vont aller loin. Attends-toi donc à ce qu'ils te demandent de l'argent. Ils ne pourront pas faire autrement.

— Leur prêter un peu d'argent ne nous ruinera pas, dit Virginia. Et je suis sûre qu'ils feront tout pour...

Quelques coups frappés à la porte, francs mais sans insistance, l'interrompirent.

— Ce sont probablement eux, dit-elle. Il fallait qu'ils viennent prendre la clé.

Frederic posa sa fourchette sur la table et s'adossa au dossier de sa chaise.

— Je crois que je n'ai plus faim, dit-il.

C'étaient effectivement Nathan et Livia, qui se tenaient sur le seuil de la porte. Livia avait bien meilleure mine que le matin. Elle portait un jean et un sweat-shirt de Virginia et s'était lavé les cheveux et peignée. On la sentait toujours bouleversée, mais moins désorientée. Elle tenait à la main le sac de voyage dans lequel Virginia lui avait apporté les vêtements.

— Vous auriez dû garder le sac et les autres vêtements, Livia, dit Virginia. Je n'en ai pas besoin pour le moment !

Livia piqua un fard et regarda ses pieds.

— Ça nous est très pénible, commença Nathan, mais... A vrai dire, nous ne voulons pas vous rendre les vêtements. Nous les avons pris parce que... Eh bien, serait-il possible que nous venions chez vous dès aujourd'hui ? C'est très incorrect de notre part de vous déranger ainsi alors que c'est votre dernier jour de vacances, mais... Nous ne pouvons pas payer Mme O'Brian. Alors rester une nuit de plus chez elle...

Il laissa sa phrase en suspens pour exprimer d'un geste des mains son impuissance à trouver une autre solution que cette demande humiliante.

La justesse des noires prédictions de Frederic et la vitesse à laquelle elles se réalisaient ébranlèrent Virginia. Il n'avait pas dit expressément que ces gens s'inviteraient plus tôt que prévu, mais il lui avait clairement fait comprendre qu'il redoutait que la situation ne dérape rapidement. Et voilà que Nathan et Livia et tout ce qu'ils possédaient au monde frappaient à sa porte. Comment aurait-elle pu les renvoyer ?

— Bien sûr ! Vous pouvez naturellement vous installer dès aujourd'hui, dit-elle. Comment n'y ai-je pas pensé plus tôt ?

Elle y avait pensé, évidemment, mais par égard pour Frederic elle avait jugé préférable de n'inviter les étrangers à emménager qu'après leur départ.

Nathan parut lire dans ses pensées.

— Votre mari n'y voit pas d'objection non plus ? demanda-t-il.

— Ne vous inquiétez pas pour ça, dit-elle pour éviter de répondre directement, bien qu'elle eût l'impression que le mari de Livia avait compris depuis longtemps que du côté de M. Quentin il y aurait quelques difficultés.

Livia parut elle aussi s'en rendre compte, elle était au bord des larmes. Virginia lui saisit le bras et l'entraîna à l'intérieur de la maison.

— Entrez, et avant toute chose je vous montre votre chambre, dit-elle.

Il existait une vaste chambre d'amis au premier étage. Elle était contiguë à la chambre de Frederic et Virginia et la salle de bains était commune. Virginia n'imaginait que trop les protestations de Frederic. Elle se sentait prise entre deux feux.

Rien qu'une demi-journée et une nuit, ce n'était pas la mer à boire. N'empêche que ça n'allait pas être facile.

Elle sentait déjà la migraine la gagner quand elle redescendit pour informer Frederic que les deux étrangers venaient d'emménager au-dessus de sa tête. Il réagit avec l'agressivité qu'elle avait redoutée :

— Quoi ? Dis-moi que je rêve ! Tu les as fait entrer ? Et ils sont en train de s'installer à côté de notre chambre ?

— Que voulais-tu que je fasse, Frederic ? Ces gens sont...

Il s'était levé et marchait de long en large dans la pièce. Il s'efforçait visiblement de contrôler sa colère.

— Ces gens ne nous concernent pas ! Je te félicite pour ta nouvelle propension à jouer les bons samaritains, mais tu vois où ça nous mène ! La situation t'échappe déjà. Tout au moins, ça ne se passe déjà plus comme prévu et, crois-moi, ce n'est qu'un début !

— Frederic, nous ne devrions pas...

Virginia s'interrompit. Nathan, suivi de Livia, entrait dans le séjour.

Dès la première seconde, il fut évident que Frederic et Nathan ne se supporteraient pas, pourtant Virginia eut l'impression que ce n'était pas lié au fait que l'un était en situation de demandeur et l'autre contraint malgré lui au rôle de bienfaiteur. Ils se seraient rencontrés lors d'une soirée ou d'un dîner, leur antipathie n'aurait pas été moindre. C'était un rejet épidermique, que l'un comme l'autre auraient sans doute été bien en peine d'expliquer. Dans d'autres circonstances, ils se seraient salués du bout des lèvres et chacun aurait poursuivi sa route. Là, ils étaient obligés de se serrer la main et d'essayer un tant soit peu de faire bonne figure.

— Je suis sincèrement désolé pour vous, monsieur Moor, dit poliment Frederic. Pour vous aussi, madame Moor, naturellement.

— Merci, murmura Livia.

— Un malheureux concours de circonstances et nous voilà dans une situation extrêmement difficile, dit Nathan. C'est un sentiment très étrange de se retrouver soudain dépossédé de tout, absolument tout.

— C'est pour éviter ce genre de situation que les assurances ont été inventées, répliqua Frederic sur un ton parfaitement courtois mais derrière lequel sa colère n'était que trop perceptible.

Virginia retint son souffle. Elle crut voir une lueur de haine passer dans le regard de Nathan, mais il se maîtrisa.

— Vous avez tout à fait raison, dit-il sur un ton non moins courtois que celui de Frederic. Et croyez-moi, je ne me pardonnerai jamais d'avoir voulu rogner sur ce budget. C'était stupide et irresponsable. Je n'ai pas imaginé qu'un accident pareil pouvait nous arriver.

— Il faut dire que tant de malchance dépasse l'imagination, renchérit vivement Virginia.

Elle espérait que Frederic renoncerait à poursuivre sur le terrain de l'assurance. Dans sa situation, Nathan Moor ne pouvait pas se permettre des paroles un peu vives, il était cependant inutile de l'humilier davantage. Il était bien assez puni comme ça.

— Et qu'envisagez-vous comme démarches, dans l'immédiat, monsieur Moor ? demanda Frederic. Je suppose que vous n'avez pas l'intention de rester éternellement à Skye ?

... et de continuer à vivre aux frais de la princesse ? La suite implicite de la question resta en suspens dans l'air, jetant un froid supplémentaire.

— Nous n'avons pas encore pu clarifier grand-chose, répondit Nathan, mais le plus important serait de pouvoir mettre un nom sur le cargo qui nous a percutés. Nous pourrions alors nourrir le mince espoir d'être dédommagés un jour.

— Identifier le cargo devrait être très difficile, observa Frederic. Si vous voulez mon avis...

Il hésita à poursuivre.

— Votre avis m'intéresserait beaucoup, monsieur Quentin, l'encouragea Nathan avec une politesse glaciale.

— Eh bien, pour ma part, je vous conseillerais de ne pas perdre votre temps sur l'île. Ça ne vous mènera à rien. Ça ne résoudra aucun de vos problèmes. Vous devriez regagner l'Allemagne au plus vite et voir comment vous pouvez reprendre pied. Vous devez bien avoir encore des contacts. Ne serait-ce que dans votre milieu professionnel. Vous étiez dans quel domaine ?

Il lui fait subir un véritable interrogatoire, songea Virginia, dont le malaise grandissait. Elle se rendit compte que Livia retenait elle aussi son souffle.

— Je suis écrivain, dit Nathan.

Frederic parut surpris.

— Ecrivain ?

— Oui. Ecrivain.

— Et qu'avez-vous publié ?

Virginia aurait voulu rentrer sous terre.

— Monsieur Quentin, commença Nathan, votre femme a eu la gentillesse de proposer de nous héberger dans cette maison, ce que nous avons accepté. Je ne peux toutefois me défaire du sentiment que cela vous déplaît. Pourquoi ne nous demandez-vous pas simplement de partir ? Nous n'avons pas de bagages à faire, ou si peu. Un mot de votre part et dans trois minutes nous ne sommes plus là.

Virginia savait que Frederic aspirait de tout son être à se débarrasser d'eux mais que sa bonne éducation l'empêcherait de désavouer ainsi sa femme.

— Si ma femme a proposé de vous héberger dans cette maison, dit-il, alors cette maison est à votre disposition. Considérez-vous, je vous en prie, comme nos hôtes.

— C'est très aimable à vous, répondit Nathan.

Si les regards pouvaient tuer, songea Virginia, aucun des deux ne serait encore en vie. Elle aimait tant Skye qu'elle redoutait toujours la fin des vacances et n'avait jusque-là jamais quitté l'île qu'à regret.

A présent, elle aurait voulu que les vingt heures qui s'annonçaient soient derrière eux et qu'ils s'engagent déjà sur le pont qui reliait Skye à Lochalsh, sur la terre ferme.

Mardi 22 août

Depuis la disparition de sa fille, Liz Alby n'avait plus d'intimité. Une photo de Sarah était parue dans la presse et la police s'était longuement exprimée pour demander l'aide de la population. Tout le voisinage était au courant. Telles qu'elles étaient présentées, les circonstances de la disparition de l'enfant, « survenue lors d'une brève absence de la mère », évitaient avec un certain tact de la mettre en accusation, pourtant Liz percevait le mépris dans lequel on la tenait. Laisser une fillette de quatre ans seule sur une plage bondée le temps d'« une brève absence » était impardonnable. D'autant que l'on ne savait que trop, parmi son environnement immédiat, que Liz n'était pas la mère aimante et attentionnée que l'on aurait souhaitée pour la petite. La fillette passait le tiers de sa vie au jardin d'enfants tandis que sa mère travaillait comme caissière au drugstore local, mais même lorsqu'en fin de journée elle rentrait chez elle, tirant la petite derrière elle, elle avait l'air renfrognée et excédée, comme si vingt minutes avec Sarah étaient déjà une punition. Liz avait souvent entendu des remarques dans son dos, du style « Elle manque vraiment de patience avec cette pauvre petite ! » ou « Encore une qui ne devrait jamais avoir d'enfants ! ». Elle n'y avait pas attaché d'importance, elle était beaucoup trop occupée à trouver des solutions à sa situation pour se soucier encore de ce que les autres en pensaient. De surcroît, elle était habituée aux moues méprisantes et aux médisances. Avant la naissance de Sarah, ses minijupes moulantes et sa façon jugée outrancière de se maquiller lui valaient déjà d'être la cible de commentaires désobligeants.

Mais maintenant, depuis ce jour funeste où sa fille avait disparu, les regards qui la suivaient étaient autant de flèches acérées qui se fichaient dans son dos. L'animosité des gens la blessait avec une violence inattendue. On baissait plus volontiers la voix sur son passage qu'auparavant, pourtant les quelques bribes de phrases qu'elle saisissait agressaient ses oreilles comme si on avait hurlé.

« Fallait que ça arrive… Jamais vraiment assumé ses responsabilités vis-à-vis de la pauvre petite… Pas pire comme mère… Aurait mieux valu qu'elle ne vienne jamais au monde… »

Liz se disait alors qu'ils étaient vraiment infects, médisants et infects. Cela aurait pu tout aussi bien leur arriver.

Une petite voix intérieure lui soufflait que justement cela n'arrivait pas à tout le monde. Il y avait d'autres parents dont les enfants disparaissaient, étaient enlevés sur le chemin de l'école ou se faisaient agresser par des pervers qui rôdaient autour des aires de jeux des squares. La plupart du temps, il s'agissait de dramatiques concours de circonstances, d'événements fortuits que l'on ne pouvait pas leur reprocher, sauf à vouloir que l'on surveille un enfant vingt-quatre heures sur vingt-quatre, qu'on ne le laisse rien faire seul, entravant ainsi son apprentissage de l'autonomie et son épanouissement. Une fillette de quatre ans, cependant… Une plage au bord de la mer… Une maman qui s'absentait *quarante* minutes…

Quarante minutes.

Lors de ses interminables entretiens avec la police, Liz n'avait cessé de tourner autour de ces quarante minutes, mais il n'y avait pas moyen de tricher sur la distance entre l'endroit où elle s'était installée avec sa fille et les baraques à frites de l'entrée de la plage. C'était loin, beaucoup plus loin qu'elle ne l'avait cru. Comme si cela ne suffisait pas, le vendeur se souvenait que la jeune femme, « qu'il avait remarquée car elle était très jolie », avait dû attendre longtemps ses paninis parce qu'il y avait tout un groupe de jeunes sportifs devant elle.

« Elle était très gaie. Elle flirtait et riait avec tous ces grands gars, expliqua-t-il complaisamment à la police. Après coup, je trouve ça plutôt étonnant. Avec sa petite toute seule là-bas sur la plage... Dans un cas pareil, on est plutôt tendu, pressé de se faire servir, pas vrai ? »

Toujours est-il que l'image d'une mère volage et inconsciente avait fini par s'imposer également à la police.

« Laissez-vous souvent votre fille seule ? » avait demandé l'un des officiers de police chargés de l'affaire, sur un ton indéniablement teinté de réprobation.

Liz avait lutté contre les larmes. C'était tellement injuste. La venue de Sarah l'avait tout sauf enthousiasmée, et elle l'avait bousculée plus souvent qu'à son tour, elle avait manqué de patience. Mais elle s'occupait d'elle.

Jamais auparavant elle ne l'avait laissée quelque part sans surveillance, jamais, et c'était justement ce dont tout le monde avait l'air de douter.

Une fois ! Elle ne l'avait fait qu'une fois ! Le jour où elle avait disparu.

La plage et ses abords immédiats avaient été fouillés, sans résultat. Des dizaines d'estivants avaient été interrogés, mais personne n'avait vu de fillette seule au bord de l'eau. Apparemment, personne n'avait seulement remarqué Sarah. Toute la zone avait été passée au peigne fin avec l'aide de chiens sans qu'aucune piste puisse être relevée. Comme si Sarah s'était volatilisée, comme si le sol l'avait avalée, simplement, sans tapage. Comme s'il s'était soudainement produit ce que Liz avait toujours secrètement espéré (et parfois dit explicitement) : qu'il n'y ait plus de Sarah.

« Ça te pendait au nez, commenta laconiquement Betsy Alby. Je savais bien que tu étais trop folle pour élever un gosse. Et maintenant tu t'en mords les doigts. Pas vrai ? »

Liz n'était pas stupide, elle se rendait compte qu'elle aussi comptait parmi les suspects de la police. Personne ne le dit ouvertement, mais certaines questions ne permettaient pas d'en douter. Il y avait longtemps qu'ils savaient qu'elle s'était rebiffée contre son sort. Naturellement, la police s'intéressa aussi à Mike Rapling, le père de l'enfant.

« Il y a des pères qui enlèvent leurs enfants parce qu'ils souffrent de ne pas les voir suffisamment », lui avait dit une inspectrice avec laquelle elle avait parlé, deux jours après la disparition de Sarah.

Pour la première fois depuis l'accident – dans sa tête, elle disait *l'accident*, ça sonnait mieux que *ma faute* ou *mon inconscience* –, même si cela avait été sans joie, elle avait ri.

« Pour ce qui est de Mike, vous pouvez rayer son nom de la liste tout de suite ! Il a peut-être vu Sarah en tout et pour tout quatre fois dans sa vie, et encore parce que j'ai forcé sa porte. Il aurait pu l'avoir tous les week-ends, je l'ai supplié de la prendre. Il se fiche pas mal de sa fille. Je lui aurais offert de l'argent qu'il ne se serait pas occupé de Sarah ! »

Le cas de Mike fut néanmoins examiné. Il apparut qu'il possédait pour les heures en question un solide alibi : il se trouvait dans les locaux d'un poste de police après avoir été arrêté au volant avec un taux d'alcool faramineux dans le sang. En outre, son interrogatoire confirma le tableau qu'en avait brossé Liz. Mike Rapling s'était dépensé sans compter pour qu'on ne lui « colle pas le môme sur le dos », comme il disait. Enlever l'enfant ne lui serait pas venu à l'esprit.

« Liz aurait adoré me la laisser, avait-il expliqué, mais je suis pas un abruti. Je voulais pas la prendre pour seulement une heure tellement j'avais peur que Liz vienne pas la rechercher ! »

A chaque nouvel entretien avec la police, Liz sentait croître la défiance de ses interlocuteurs à son égard. L'image qu'ils avaient acquise de sa fille n'était que trop parlante : une enfant que personne n'avait désirée, qui à peine sur cette terre avait été rejetée par tous ses proches. Sa mère, son père, sa grand-mère. Une enfant qui dérangeait, dont le bien-être ne préoccupait personne.

Ils ne se rendent pas compte, songeait Liz.

Deux semaines s'étaient écoulées depuis la disparition de Sarah. Liz avait perdu cinq kilos et le sommeil. Elle était rongée de remords, se demandait où était sa fille, si elle cherchait sa maman, perdue, désespérée de ne pas la trouver, terrifiée. Sarah avait disparu, sa fille dont elle avait si souvent souhaité être débarrassée ! Etait-ce la punition pour toutes ses mauvaises pensées, pour toutes les fois où elle l'avait brusquée sans raison, où elle avait injustement crié contre elle ?

Quand elle reviendra, se jura-t-elle, je ferai tout autrement. Je serai gentille avec elle. Je lui achèterai de jolis vêtements. J'irai avec elle à Hunstanton et elle pourra faire plein de tours de manège. Je ne la laisserai plus jamais sans surveillance !

Le quatrième jour après la disparition de Sarah, elle avait appelé Mike. Elle avait l'impression qu'elle allait devenir folle si elle n'entendait pas enfin quelques mots gentils sur ce qui lui arrivait. De sa mère, elle ne pouvait rien espérer. Elle ne faisait que vociférer, répétant à l'envi que tout ça ne pouvait pas finir bien, sans que l'on sache précisément ce qu'elle voulait dire par « tout ça ». Restait Mike.

A la surprise de Liz, il avait tout de suite décroché.

« Oui ?

— C'est moi, Liz. Je voulais seulement... ça ne va pas du tout, tu sais.

— Du nouveau, pour Sarah ? » demanda Mike en bâillant sans se dissimuler.

Il était onze heures et demie et, à l'évidence, Mike était tout juste levé.

« Non, rien. Aucune trace. Et je... Mike, je n'arrive pas à dormir et je ne peux rien avaler. Je me sens trop mal. On ne pourrait pas se voir ?

— Ça fera quoi de plus ?

— Je ne sais pas, mais... Mike, s'il te plaît, tu n'as pas un petit peu de temps ? S'il te plaît, Mike... »

Il avait fini par se laisser convaincre de faire un saut avec elle à Hunstanton, sans omettre de signaler qu'il n'avait plus de permis de conduire depuis sa virée alcoolisée la veille de la disparition de Sarah et n'avait donc plus le droit de conduire. Ils prirent le même car que celui que Liz avait pris quelques jours auparavant avec Sarah. Elle n'avait pas vu Mike depuis longtemps et elle fut étrangement émue de découvrir à quel point lui et sa fille se ressemblaient. Jusque-là, elle n'y avait prêté que peu d'attention, mais en revoyant Mike la ressemblance de Sarah avec son père lui sauta aux yeux. Sa fille avait hérité d'elle ses yeux et ses cheveux noirs, mais le nez, la bouche et le sourire étaient ceux de Mike. Mike, dont la déchéance avait pourtant gagné du terrain. Il n'était plus le séduisant jeune homme dont elle était tombée amoureuse et avec lequel, dans un moment d'égarement, elle avait fait un bébé. Ses cheveux étaient trop longs et sales, il ne s'était pas rasé depuis plusieurs jours et les poches qu'il avait désormais sous les yeux disaient assez qu'il y avait longtemps déjà que l'alcool était devenu un compagnon de tous les instants.

Liz comprit qu'il n'aurait jamais été capable d'assumer la responsabilité d'une famille.

Ce jour-là, il faisait frais et il y avait du vent, la plage n'avait pas attiré grand monde. Liz faillit fondre en larmes lorsqu'elle descendit du car et que le manège surgit devant eux – le dernier grand désir de Sarah.

— Si seulement je lui avais payé quelques tours... J'aurais au moins le sentiment qu'elle a eu quelque chose d'agréable avant de...

— Avant de *quoi* ? demanda Mike.

— Avant qu'elle parte, répondit Liz à voix basse.

Elle ne pouvait pas imaginer autre chose, et elle ne pouvait pas prononcer d'autres mots. Sarah était partie. Partir, cela voulait dire qu'il s'agissait d'une bêtise d'enfant. Sarah était partie sans réfléchir, peut-être pour chercher sa maman, ou pour aller au manège. Puis elle n'avait pas trouvé son chemin pour revenir, elle s'était perdue. C'était grave, c'était terrible, mais quelqu'un allait bien remarquer cette petite fille qui errait seule quelque part. La police serait prévenue, Sarah serait ramenée à la maison, le cauchemar serait terminé. Partir, cela voulait dire qu'elle ne s'était pas noyée. Qu'elle n'avait pas été enlevée.

Partir, c'était l'espoir.

— Pour le moment, ce ne sont pas trois ou quatre tours de manège qui changeraient quelque chose, observa Mike avec pragmatisme.

Il extirpa une cigarette de la poche de sa veste, dut s'y

reprendre à trois fois avant de réussir à l'allumer à cause du vent.

Il jura.

— Quelle connerie de venir à la mer ! Il fait toujours un froid dans ce pays ! Je suis en train de réfléchir à me tirer en Espagne.

— Et tu vivrais de quoi, là-bas ?

— On trouve toujours un job quelconque. Et en Espagne, on n'a pas besoin de trop de fringues, il fait toujours chaud. Et au pire, on peut aussi dormir dehors. Bon, c'est pas tout ça, mais j'ai vraiment froid. Soit on fait demi-tour tout de suite, soit on marche un peu.

Liz voulait marcher. Elle pensait aux enchaînements funestes de hasards. Si elle n'avait pas pris de congé pendant les vacances de Sarah... S'il n'avait pas fait aussi chaud ce jour-là... Si Sarah ne s'était pas endormie...

Si, si, si...

— Si on avait été une vraie famille, dit-elle, depuis le début... Sarah serait encore là.

— Oh là ! Doucement ! l'arrêta Mike en tirant sur sa cigarette. Tu penses sérieusement que ça aurait changé quelque chose si on s'était mariés avec tout ce cirque de bourges, papa, maman et bébé au milieu ?

— Oui.

— Tu parles d'une connerie ! Ça, c'est dans tes rêves, Liz, redescends sur terre ! Tu te serais retrouvée à la plage avec Sarah de la même façon, seule avec elle parce que j'aurais été en train de travailler...

Alors ça, c'est vraiment dans tes rêves, songea Liz.

— ... et tu l'aurais laissée toute seule et... Et puis merde ! Putain de bordel de merde, mariés ou pas mariés !

Liz s'arrêta.

— C'était là. Regarde, son château est même encore là.

— Qu'est-ce qui te fait dire que c'est son château ?

— Je le sais, je l'ai construit avec elle. Et ce trou, là, dans le mur, c'est Sarah qui l'a creusé. Elle y a mis ses sandalettes. Elle disait que c'était une cachette secrète...

Sa voix trembla, les larmes lui nouaient la gorge.

— Ces derniers temps... les cachettes secrètes, c'était une vraie passion.

Mike regardait fixement le château que le vent usait inexorablement. Encore un jour et il aurait presque disparu. Il écrasa sa cigarette dans le sable.

— Merde et merde, marmonna-t-il.

Puis ils se turent et observèrent en silence l'endroit où leur enfant avait disparu. Plus tard, quand Liz repensa à cet instant, elle comprit que ce jour venteux sur la plage de Hunstanton et la nuit où ils avaient mêlé leurs corps impatients étaient les seuls moments où ils avaient été réellement proches. Et à chaque fois il s'agissait de Sarah. La première fois, ils l'avaient conçue. La deuxième fois, ils lui disaient adieu.

Cela faisait maintenant plus de deux semaines que Sarah avait disparu. Liz était de nouveau à Hunstanton, elle y était revenue seule. Elle fit toute la plage dans l'espoir de retrouver des traces du château que Sarah avait construit. Elle ne savait pas pourquoi cela lui paraissait brusquement aussi important. Le château était le dernier signe de vie de Sarah, une chose à laquelle elle pouvait se raccrocher.

Le vent avait balayé le petit monticule de sable. Liz ne retrouvait même pas l'endroit où elle s'était installée avec Sarah. Elle tournait lentement sur elle-même au milieu de la plage sans trouver sur quoi poser les yeux. Elle observa avec indifférence le mouvement des vagues, en frissonnant à cause du vent. Ce jour-là, la mer était aussi grise et triste que le ciel.

En rentrant chez elle, elle vit de loin qu'une voiture de police était garée devant la porte de son immeuble. Elle courut, envahie d'espoir. Ils venaient de la ramener. Elle était peut-être déjà en train de fourrer un biscuit au chocolat dans sa bouche, ou de câliner sa poupée Barbie...

Elle monta les marches quatre à quatre. Elle vit que des portes s'ouvraient sur son passage, qu'on la regardait par l'entrebâillement. Les voisins avaient eux aussi remarqué la voiture de police. Ils voulaient savoir.

Elle dut s'y reprendre à deux fois pour insérer sa clé dans la serrure, tant ses mains tremblaient. Elle entendit la voix de sa mère, sur fond sonore de télévision, naturellement :

— Je crois qu'elle arrive.

Il y avait deux policiers dans le séjour. Ils pivotèrent sur les talons et vinrent vers elle, dans la minuscule entrée. Ils en arrivèrent presque à se bousculer et brusquement elle eut du mal à avaler sa salive. Quelque chose lui serrait la gorge, peut-être était-ce parce qu'ils étaient tous les deux très grands et qu'elle avait l'impression que deux montagnes avançaient vers elle. Mais il n'y avait pas que cela. Leurs têtes ne lui plaisaient pas. Cette expression... c'était difficile à expliquer, mais ça lui faisait peur. Oui, c'était cela, c'était de là que venait cette brusque impression de ne plus pouvoir respirer : elle avait soudain atrocement peur.

— Mademoiselle Alby... commença l'un des hommes, avant de se racler la gorge.

Elle regarda autour d'elle.

— Où est-elle ? Où est Sarah ?

L'autre policier prit le relais :

— Mademoiselle Alby, nous voudrions vous demander de bien vouloir nous accompagner...

Elle le dévisagea. Entre les deux hommes, elle apercevait une partie du séjour, avec le téléviseur allumé. Sa mère était assise dans son fauteuil préféré, ses inévitables chips à portée de main. Cependant, Betsy Alby n'avait pas les yeux rivés sur l'écran, ce qui était inhabituel car d'ordinaire elle faisait en sorte que ne lui échappe pas la plus petite seconde d'un seul programme. Elle regardait sa fille. Dans son visage aussi il y avait quelque chose qui fit peur à Liz.

— Accompagner ? répéta-t-elle avec difficulté. Où voulez-vous que je vous accompagne ?

Derrière elle, la porte de l'appartement était encore ouverte. Un des deux policiers se faufila pour la fermer.

— Mademoiselle Alby, je tiens tout d'abord à vous dire qu'il ne s'agit pas nécessairement de votre fille, dit-il alors. Mais ce matin, le corps d'un enfant a été découvert. D'après la description, il pourrait s'agir de Sarah, mais ce n'est qu'une hypothèse. Deux semaines se sont écoulées, et le corps a beaucoup souffert. Nous ne vous demanderons pas de l'identifier. Mais nous souhaiterions vous montrer les vêtements.

A l'impression d'étouffer s'ajouta celle de perdre l'équilibre. Tout se mit à tourner autour d'elle. Le corps d'un enfant... Ce ne pouvait pas être Sarah. Ce ne pouvait en aucun cas être Sarah.

— Comment...

Sa voix lui paraissait venir de très loin.

— Comment... Je veux dire, comment cet enfant est-il mort ? Il s'est... noyé ?

Sur une plage noire de monde, un enfant ne peut pas se noyer. Rien qu'à cause de ça, ça ne peut pas être Sarah !

— Il est encore trop tôt pour le dire. Il semble toutefois qu'il s'agisse d'un crime sexuel.

Les regards des deux policiers étaient à présent très soucieux.

— Mademoiselle Alby, voulez-vous un verre d'eau ?

Elle devait être livide, elle le sentait.

— Non, dit-elle d'une voix qui ne lui appartenait pas.

— Vous souhaitez peut-être que le père de votre fille vous accompagne ? Nous pouvons passer chez lui.

— Il... A cette heure, le père de Sarah dort encore. Je... Non, ce n'est pas nécessaire qu'il soit là.

Ils ne proposèrent pas que Betsy Alby les accompagne. Il n'y avait pas besoin de la connaître pour savoir que rien ne la ferait sortir de son fauteuil.

— Vous pensez que vous y arriverez ?

Elle acquiesça d'un hochement de tête. Ce n'était pas Sarah. Il s'agissait seulement de le confirmer.

Elle songeait aux malheureux parents de l'enfant. Les murs autour d'elle continuaient à tourner. C'était vraiment terrible pour eux. Un crime sexuel !

— On peut y aller, dit-elle.

Jeudi 24 août

Ferndale House appartenait à la famille Quentin depuis plusieurs générations, mais il y avait plus de cent ans que personne n'avait réellement habité la vaste demeure à plein temps. Depuis, elle n'avait plus été utilisée que comme maison de vacances. Cela tenait naturellement au fait que la Harold Quentin & Co, la banque qui assurait la prospérité de la famille, se trouvait à Londres et que jusque-là personne n'avait envisagé d'élire domicile en East Anglia, à plusieurs heures de voiture de la capitale.

Mais cela tenait aussi au fait que Ferndale House n'était guère agréable. L'architecte qui avait conçu puis construit la sombre et lourde bâtisse de granit devait soit avoir été lui-même neurasthénique, soit avoir voulu rendre les autres neurasthéniques. Toutes les pièces étaient écrasées par des plafonds à caissons en bois artificiellement teinté en brun foncé, qui trouvaient leurs pendants dans des sols en marbre noir. Les fenêtres étaient si petites que le jour n'entrait que parcimonieusement, d'autant que les arbres, qu'un jardinier imprévoyant avait plantés trop près de la maison, étaient devenus des monstres dont les tentacules inextricables veillaient efficacement à ce qu'aucun rayon de soleil n'aille jamais se perdre dans les pièces.

A la surprise de Frederic Quentin, le manque de clarté de la maison, sur laquelle elle avait jeté son dévolu, ne paraissait pas gêner Virginia. Lorsque, deux ans auparavant, elle avait longuement insisté pour quitter Londres et y emménager, il lui avait proposé de faire au moins abattre les arbres trop proches de la maison pour qu'elle n'ait pas le sentiment que la forêt allait l'étouffer.

Virginia avait refusé. Ferndale House lui plaisait en l'état.

La maison ne possédait pas de personnel à demeure. Depuis près de quinze ans, l'entretien des lieux était entre les mains d'un couple de régisseurs qui vivait dans le pavillon des gardiens situé à l'entrée de la propriété, à dix minutes à pied de la maison principale. Grace et Jack Walker avaient tous les deux près de soixante ans, c'étaient des gens discrets et réservés qui ne ménageaient pas leur peine. Jack se chargeait encore occasionnellement de livraisons pour Trickle & Son, l'entreprise de transport qui l'avait longtemps employé à temps plein. Sinon, il veillait à ce que soient convoqués régulièrement les jardiniers qui entretenaient le parc et que les petits dommages qui survenaient dans la maison ou touchaient le mur du parc soient rapidement réparés. Il faisait beaucoup de choses lui-même, et à défaut il savait toujours à qui s'adresser. Grace effectuait le ménage dans la maison principale, du moins dans la partie habitée par la famille Quentin. Une aile entière demeurait vide car Virginia jugeait absurde de se promener tous les jours dans cinq salons différents et le soir de se demander dans laquelle des quatre salles à manger ils allaient bien pouvoir dîner. Une grande partie de la maison était donc fermée. Grace en faisait le tour une fois par mois avec un petit bataillon de femmes de ménage, les meubles étaient épousetés, les sols passés à l'aspirateur, elle aérait et enfin s'assurait que les talents manuels de son mari n'étaient pas requis ici ou là. Les Quentin occupaient l'aile ouest : une belle et grande cuisine où Virginia officiait elle-même, une salle de séjour, une bibliothèque, où était dressée la table lorsqu'ils recevaient, et quatre chambres. De la cuisine, on pouvait accéder directement au parc. La balançoire de Kim était là, dans une des rares flaques de soleil de la propriété, à côté de l'endroit où Virginia faisait sécher le linge.

C'était un petit monde un peu triste, mais tranquille et prévisible. Les jours y succédaient aux jours, identiques. S'il y avait des dangers, ils étaient ailleurs, loin, au-delà des hauts murs qui cernaient le parc. Au-delà des petites aventures que

Kim vivait à l'école et des soucis dont Grace s'ouvrait à Virginia, et inversement, et qui pour l'essentiel concernaient le taux trop élevé de cholestérol de leur mari ou leur façon bien personnelle d'envisager la politique internationale.

Une vie lisse, sans rien qui pût fournir matière à s'inquiéter.

La vie que Virginia Quentin s'était choisie.

Au matin du 24 août, Frederic se prépara pour aller à Londres. C'était un jeudi, un jour inhabituel pour reprendre le collier, mais il devait honorer des invitations importantes au cours du week-end et le lundi suivant, à savoir le lundi férié de la fin août, le Late Summer Holiday.

Virginia se sentait reposée et d'excellente humeur. L'arrivée de septembre, que l'on percevait déjà dans l'air, la réjouissait. Elle aimait ces jours où l'été tirait à sa fin et où l'on se prenait à repenser aux feux de l'automne, aux longues promenades à travers des champs brumeux, aux baies rouges dans les haies des chemins, aux feuilles multicolores, aux flambées le soir dans la cheminée tandis que dehors le vent se déchaînait.

L'automne était la saison qu'elle préférait.

Kim dormait encore. Virginia était déjà allée courir. Elle s'était dépêchée de rentrer pour avoir le temps de petit-déjeuner tranquillement avec Frederic avant qu'il parte. Elle lui avait servi une grande assiette d'œufs au bacon et avait posé une cafetière de café noir sur la table. C'était un petit déjeuner comme il les aimait et ça la rendait heureuse de faire quelque chose qui le mettait de bonne humeur. Ils prenaient leur petit déjeuner dans la cuisine. Devant la fenêtre, quelque part au-delà des arbres, le soleil dardait ses premiers rayons, mais les matinées étaient déjà très fraîches, Virginia s'en était rendu compte quand elle était sortie.

L'automne a déjà commencé, songea-t-elle.

Il faisait chaud dans la cuisine. Frederic lisait le journal, Virginia touillait son café. Il régnait entre eux, comme presque toujours, une atmosphère paisible et bienveillante. Il était rare qu'ils se disputent. Au fond, depuis qu'ils se connaissaient, leur dispute la plus sérieuse avait été celle de la semaine précédente, à Dunvegan, lorsque Virginia avait ramené le couple de plaisanciers allemands chez eux. Et même, songeait à présent Virginia, pouvait-on réellement qualifier cela de dispute ?

Elle se demandait s'il était seulement possible de se disputer avec Frederic – s'il existait seulement quelqu'un susceptible de se disputer avec lui – lorsqu'il rompit le silence :

— C'est épouvantable. Une petite fille de King's Lynn a été assassinée.

Virginia sursauta.

— Une petite fille ? Mais qui l'a tuée ? Ses parents ?

— Non, on ne le sait pas. Il semble qu'elle ait été enlevée sur la plage de Hunstanton, à un moment où elle était sans surveillance.

— Ça s'est passé quand ?

— Quand nous étions à Skye. Elle avait quatre ans.

— Quelle horreur ! Le nom de la famille te dit quelque chose ?

Frederic secoua la tête.

— Non. Alby... Je ne connais personne de ce nom. Elle avait disparu il y a plus de deux semaines. Son corps a été retrouvé mardi, près de Castle Rising. Elle a subi des violences sexuelles avant d'être tuée.

C'était inconcevable. Elle dévisagea son mari.

— Des violences sexuelles ? Une enfant de quatre ans ?

— Quand on a ces tendances, on s'en prend même à des bébés, dit Frederic. Ce sont vraiment des types affreux.

— Sait-on de qui il s'agit ?

— Non. D'après l'article, la police n'aurait même aucun embryon de piste.

— Je vais dire à Kim de ne pas s'éloigner de la maison quand elle joue dehors, dit Virginia. Du moins tant que le bonhomme n'aura pas été arrêté.

— Ne t'affole pas. Je ne pense pas que ce genre de type pénètre dans une propriété privée. Il a pris la petite sur une plage bondée. Apparemment, il ne rôde pas dans les bois, c'est au milieu de la foule qu'il repère ses victimes.

Virginia frissonna.

— « Qu'il repère ses victimes... » Tu parles comme si tu pensais qu'il allait recommencer.

Frederic posa son journal de côté.

— Pas toi ? Tu ne le penses pas quand tu dis que tu vas surveiller Kim avec plus d'attention ?

Il avait raison. Elle le pensait aussi. Parce qu'il s'agissait à l'évidence de l'acte d'un délinquant sexuel. Et parce que l'on savait que les délinquants sexuels ont sans cesse besoin de nourrir leur perversion.

— J'espère qu'ils vont bientôt l'attraper, dit-elle avec vivacité. Et qu'il restera enfermé pour le restant de sa vie.

— De nos jours, il n'y a malheureusement plus grand monde qui reste sa vie entière derrière des barreaux, observa Frederic. Il se trouve toujours un aimable psychologue pour rédiger une attestation de guérison complète après quelques années de privation de liberté.

Il repoussa sa chaise pour se lever puis il se ravisa.

— Il y a autre chose... commença-t-il.

Virginia, dont les pensées étaient encore toutes centrées sur le crime, sursauta.

— Autre chose ?

— Je...

Il lui était pénible de dire ce qu'il avait sur le cœur.

— Tu sais que j'ai de bonnes chances d'obtenir ce siège aux Communes. Cependant, ça ne fait pas vraiment bonne impression que je sois toujours seul. On sait que je suis marié, seulement on ne voit jamais ma femme.

— Mais...

— Les gens ont vite fait de se poser des questions. Les spéculations sur l'état de notre mariage vont bon train.

— Nous avons une petite fille de sept ans !

— C'est juste, mais nous sommes loin d'être dans le besoin. Les gens savent que nous avons largement les moyens de nous offrir les services d'une nounou, d'une fille au pair ou au moins d'une baby-sitter quelques soirs par semaine. Si je dis que tu as dû rester à la maison pour garder notre fille, on prendra ça pour un prétexte.

Il réfléchit brièvement puis ajouta :

— On prend *déjà* ça pour un prétexte.

— Vraiment ? Tu le sais ?

— On me l'a rapporté, oui.

Elle ne le regardait pas.

— Du côté de ton parti, on t'a donc signifié que tes chances s'effriteraient si une rumeur de mésentente conjugale se mettait à courir sur ton compte ?

— Que veux-tu, c'est comme ça, chez les conservateurs.

Il se leva. Il s'était énervé, ce qu'il voulait absolument éviter.

— Un siège aux Communes... ce n'est pas rien, tu comprends ? Ça ne tombe pas tout cuit dans le bec.

— Et une petite famille parfaite est la première condition à remplir ? Je l'ignorais.

Son ton sarcastique lui parut totalement déplacé, et sa soudaine agressivité incompréhensible.

— Virginia, où est le problème ? Nous sommes de fait ce qu'on appelle une famille parfaite. Notre mariage est heureux. Tu es une jeune femme belle et intelligente. Pourquoi ne pourrais-je pas te montrer ?

Elle se leva à son tour. Elle n'avait brusquement plus envie de finir son café.

— Devons-nous parler de cela maintenant ? Dix minutes avant que tu quittes la maison pour près d'une semaine ? Je trouve que le moment est... Je me sens prise de court, Frederic. Tu ne me laisses pas le temps de réfléchir. Et tu ne me laisses pas le temps de te parler.

Il soupira. A Skye, pendant leurs vacances, il s'était dit qu'il devrait profiter du calme et des heures de loisir de ce séjour hors du temps pour discuter tranquillement avec Virginia de ce qui le préoccupait. Cela aurait assurément mieux valu que d'aborder le sujet entre deux portes. Ils ne se parlaient quasiment plus qu'entre deux portes. Mais il avait sans cesse repoussé l'échéance, par répugnance à troubler l'harmonie des journées. Et parce qu'il pressentait que la discussion serait houleuse.

Il aurait vraiment aimé comprendre pourquoi ils avaient tant de difficultés à se parler.

— C'est précisément là que le bât blesse, dit-il. Nous ne

pouvons pas nous parler tranquillement. Nous sommes trop souvent séparés. Ça devient un problème, à la longue.

— Que nous soyons trop souvent séparés ne dépend pas de moi !

— Pas de moi seul non plus. Tu savais dès le départ que la banque me contraindrait à aller constamment à Londres. Tu as néanmoins insisté pour que nous nous installions à temps plein ici à la campagne. Je t'ai dit à l'époque que ça chamboulerait notre vie.

— C'est le fait que tu te consacres à la politique qui chamboule notre vie.

Là, elle avait raison, il devait le reconnaître.

— Je ne peux pas faire autrement, dit-il. Je suis désolé.

Elle vida son café dans l'évier.

— Je ne t'ai jamais fait un reproche. Je n'ai jamais essayé de t'en empêcher.

— Je t'en ai toujours été reconnaissant. Mais... j'ai besoin de plus. J'ai besoin de ton soutien. J'ai besoin de toi.

Son désir de le fuir, de passer à travers le mur, était quasi palpable. Elle ne voulait pas de cette discussion. Elle ne voulait pas qu'il réclame. *Du temps pour parler, du temps pour réfléchir...* Tu parles ! Elle aurait discuté de tout sauf de ce sujet-là. Aucun moment n'aurait jamais convenu.

— Il faut que j'y aille, dit-il. Jack devrait être là d'un moment à l'autre.

Jack devait le conduire à la gare de King's Lynn. Frederic prenait souvent sa voiture pour aller à Londres, mais ce jour-là il voulait profiter du trajet pour revoir des dossiers.

— Peut-être pourrais-tu y réfléchir, proposa-t-il. Au calme, pour me faire plaisir. Et j'aimerais que tu saches...

Il marqua une pause. Il n'avait pas l'habitude d'extérioriser ses sentiments.

— J'aimerais que tu saches que je t'aime. Quoi que tu fasses. Quoi que tu décides.

Elle acquiesça d'un signe de la tête. Mais il vit à son expression qu'elle enrageait. Avec ces derniers mots, il lui mettait une pression encore plus forte.

Tant pis, songea-t-il. J'ai dit ce que je pensais.

Il entendit une voiture arriver. Sûrement Jack. Il était temps qu'il enfile sa veste, rassemble ses dossiers et reprenne le chemin de Londres.

Il hésita à aller vers Virginia pour l'embrasser. Il le faisait toujours lorsqu'il partait, mais cette fois quelque chose le retint. Probablement l'expression qui n'avait pas disparu de ses yeux.

— Au revoir, dit-il.

— Au revoir, répondit-elle.

Samedi 26 août

Le week-end, l'été revint en East Anglia. Le matin et le soir, on ne pouvait ignorer que l'automne était proche, mais dans la journée il faisait si chaud que les plages et les piscines en plein air étaient prises d'assaut. Le ciel était d'un bleu surnaturel. Dans les jardins, les fleurs rivalisaient de couleurs. C'était comme un merveilleux dernier cadeau d'adieu. De la pluie et du froid étaient annoncés pour la semaine suivante.

Samedi en fin d'après-midi, Virginia accompagna Kim chez une camarade d'école qui fêtait son anniversaire. Elle avait invité presque toute la classe à dormir chez elle avec pour consigne d'apporter son sac de couchage. La fête devait se clore le lendemain midi sur une grande pizza-party.

Les mères qui étaient venues déposer leurs enfants parlaient de l'assassinat qui avait ému toute la région. L'une d'elles connaissait quelqu'un qui connaissait la mère de la petite Sarah Alby, qui la connaissait « un peu », tint-elle à préciser.

— Un milieu social bien difficile, expliqua-t-elle. Le père est un jeune bon à rien sans travail qui ne s'est jamais occupé de l'enfant. Quant à la mère, elle est très jeune et pense surtout à s'amuser. Elle non plus ne s'occupait pas trop de sa fille. Il y a bien une grand-mère, mais il paraît qu'elle est pire encore. Une loque.

— Mon Dieu... s'apitoya une mère. J'avais de fait entendu dire que la mère avait laissé sa fille sans surveillance sur la plage. Pour aller flirter je ne sais où avec toute une bande de jeunes. C'est malheureux, tout de même... une enfant de quatre ans !

Toutes communiaient dans la même horreur. Virginia, qui dans de telles situations se tenait en retrait, avait elle aussi du mal à concevoir que l'on puisse laisser un jeune enfant sans surveillance sur une plage, mais il y avait quelque chose dans la suffisance et la promptitude de ces femmes à juger, à condamner, qui lui déplaisait. Elles appartenaient toutes à la meilleure société, elles avaient fait de bons mariages, ou au moins de bons divorces, avec, dans tous les cas de figures, des pères qui s'occupaient d'elles et de leurs enfants, qui les entretenaient. Leurs grossesses avaient été désirées, elles ne leur étaient pas tombées dessus comme une catastrophe. La jeune mère de Sarah Alby avait peut-être dû se débattre au milieu de difficultés, d'angoisses et d'espoirs déçus dont elles ne savaient même pas le premier mot.

— Ah, madame Quentin, l'apostropha une femme comme si elle venait seulement de remarquer la présence de Virginia. J'ai lu une interview de votre mari dans le *Times*. Il brigue un siège à la Chambre des communes ?

Tous les regards se tournèrent vers Virginia. Elle détestait être le point de mire d'une assemblée.

— Oui, répondit-elle succinctement.

— Vous allez voir, c'est épuisant, intervint une autre mère. Parce que, bien évidemment, toute la famille participe !

Virginia se sentait acculée comme un animal pris au piège.

— Je laisse venir, répliqua-t-elle.

— Heureusement que mon mari n'a pas d'ambitions politiques, dit une des mères, je tiens à préserver ma vie privée.

— Ma chère, votre mari ne possède pas de banque privée. Et il n'a pas de propriété à la campagne !

— Ça n'a rien à voir !

— Oh si ! C'est même essentiel. Et plus les ambitions politiques sont élevées, plus l'argent et les relations ont d'importance.

— L'argent et les relations ne sont-ils pas toujours importants ? Je pense que...

Virginia avait l'impression d'être prise dans un brouhaha infernal. Elle eut brusquement du mal à respirer. Elle étouffait, les gens autour d'elle, ces mères qui parlaient si fort, la serreraient de beaucoup trop près.

— Il faut que je parte, dit-elle précipitamment. Je reçois à dîner ce soir et j'ai encore beaucoup de choses à préparer.

Elle dit au revoir à Kim qui était déjà si absorbée dans une discussion avec les autres enfants qu'elle ne fit qu'un petit geste distrait de la main à sa mère. Virginia quitta le jardin avec la solide impression que tous les regards étaient rivés sur elle et que dès qu'elle serait hors de portée de voix les langues iraient bon train. Elle ne partait pas, elle fuyait, toutes les mères avaient pu s'en rendre compte. En fait de femme pressée, elle avait surtout l'air d'une femme au bord de la panique.

Zut, songea-t-elle en s'appuyant une seconde sur la portière brûlante de sa voiture. Pourquoi parvenait-elle si difficilement à le cacher ?

Tout en mettant le moteur en marche, elle se demanda ce qu'elle entendait au juste par « le ». Qu'était ce qu'elle parvenait si difficilement à cacher ?

Une chose était sûre, *le* ne se produisait qu'en présence d'autres personnes, tout particulièrement lorsqu'elle devenait soudain le centre de l'attention, et que toutes les questions qu'on lui posait, toutes les remarques qu'elle entendait, prenaient un tour insistant, pénétrant, pressant. Elle se sentait alors incapable de prendre du recul. L'air lui manquait, sa gorge se serrait. Elle ne pensait plus qu'à fuir. A fuir et à rien d'autre.

Super, je suis vraiment la compagne rêvée pour la carrière d'un homme politique... Une femme sujette à la panique pour booster une campagne électorale, on doit avoir du mal à trouver mieux. C'est sûr.

Elle recommença à respirer normalement en franchissant le portail de Ferndale House. Elle était revenue, c'était son monde, sa maison, un parc immense et personne, aussi loin que le regard portait, hormis le couple de régisseurs, qui n'auraient à aucun prix enfreint une certaine distance sociale. Lorsqu'elle était chez elle avec Kim, elle se sentait si peu inquiète qu'elle oubliait son problème. Elle était alors une femme jeune et vivante, en pleine forme dès le saut du lit, qui faisait son jogging dans la forêt, s'occupait de sa fille et entretenait sa maison, qui avait de longues conversations téléphoniques pleines de gaieté avec son mari souvent absent pour raisons professionnelles. Tout allait merveilleusement bien.

Elle devait seulement se garder de réfléchir à la vie qu'une femme de trente-six ans aurait dû mener.

Et ce soir, elle ne voulait surtout pas réfléchir à sa vie.

Elle s'arrêta devant la maison, descendit de voiture et, loin du souffle glacé de la climatisation, savoura la tiédeur de cette soirée de fin d'été. Elle allait se mettre à l'aise, profiter de la douceur de l'air. Il était un peu plus de six heures, ce n'était pas trop tôt pour un verre. Elle décida de se préparer un cocktail plein de couleurs, quelque chose de sucré, avec beaucoup de glace pilée, puis elle s'installerait sur la terrasse derrière la cuisine avec un journal, et elle lirait en laissant le jour décliner. Pour aimer Kim au-delà du raisonnable, elle n'en appréciait pas moins d'être parfois libérée de son babillage incessant, des mille questions qu'elle posait et posait encore. La soirée lui appartenait, rien que pour elle. Il y avait peut-être des gens que tant de solitude aurait effrayés, mais pas elle.

Elle se sentait simplement sereine.

Dans la cuisine, elle commença à mélanger dans un verre du curaçao bleu avec du citron puis alluma mécaniquement le petit téléviseur posé sur une desserte. Une émission sur des parents qui avaient perdu un enfant apparut sur l'écran. Rebutée par un sujet aussi déprimant, Virginia s'apprêtait à changer de chaîne quand elle entendit le nom, *Sarah Alby*. Le nom qui depuis des jours hantait les journaux, le nom de la fillette assassinée.

Il apparut que l'invitée de l'émission était Liz Alby, la mère de la petite Sarah. Virginia découvrit une très jeune femme, presque encore une enfant, très jolie, et très affectée. En même temps, elle donnait l'impression de ne pas comprendre ce qui lui arrivait. De toute évidence, elle n'était pas en état d'affronter une caméra de télévision, mais sans doute ne s'était-il trouvé personne dans son environnement immédiat qui ait estimé de son devoir d'empêcher cette exhibition. L'animateur l'interrogeait avec une totale indécence, feignant de ménager sa douleur alors qu'en réalité il exploitait le désarroi qui en résultait pour lui extorquer ses pensées les plus intimes. Liz Alby répondait de bonne grâce aux questions, inconsciente de la cruauté dont elle faisait l'objet.

« Et est-ce qu'après coup on ne regrette pas toutes les fois où l'on a grondé son enfant ? demanda l'animateur. Comme cela nous arrive à tous, de temps à autre ? N'êtes-vous pas obsédée par les images de votre petite Sarah qui pleure parce que maman était en colère et s'est fâchée ? Ou parce que maman n'a pas de temps pour elle ? »

On voyait bien que les questions blessaient Liz Alby comme autant de flèches empoisonnées.

— Mais il ne peut pas lui demander ça ! s'exclama Virginia, prenant le téléviseur à témoin.

« Je n'arrête pas de penser au manège », dit Liz à voix basse.

L'animateur la regardait avec compassion et en même temps l'encourageait à s'épancher.

« Parlez-nous du manège, Liz, lui proposa-t-il.

— Ce jour-là, le jour… où Sarah a disparu, commença Liz en butant sur les mots, nous étions à Hunstanton. A la plage.

— Nous le savons, en effet, dit l'animateur d'une voix suave. Et tous les téléspectateurs imaginent certainement combien vous devez regretter d'être allée ce jour-là à la plage.

— Il y a là-bas un manège, poursuivit Liz, et ma… ma fille voulait absolument monter dessus. J'ai dit non… alors elle a pleuré.

— Vous avez dit non parce que vous pensiez que vous n'aviez pas le temps ? Parce que c'était trop cher ? Ou bien pour une autre raison ? »

— Mais ça ne te regarde pas ! s'insurgea Virginia.

« Je… je ne sais pas très bien, dit Liz. C'était… tout ça en même temps. Je n'ai pas beaucoup d'argent, mais je n'avais pas très envie non plus de rester devant le manège à attendre. Je… savais qu'elle voudrait continuer et que de toute façon, à la fin, il faudrait que je me fâche… C'était sûr… ajouta-t-elle avec un petit haussement d'épaules impuissant.

— Et cela vous fait maintenant de la peine ?

— Je... ne peux pas m'empêcher d'y penser. Au manège. Je sais que ce n'est pas le plus important, mais je n'arrête pas de me demander pourquoi je ne lui ai pas payé quelques tours. Pourquoi je ne lui ai pas... fait ce dernier plaisir... »

Liz baissa la tête et commença à pleurer. Impitoyable, la caméra se rapprocha pour filmer son visage en gros plan.

— Les porcs ! lâcha Virginia à haute voix en éteignant le téléviseur.

Dans le brusque silence qui suivit, elle entendit qu'on frappait à la porte de l'entrée.

Elle espéra que c'était Grace ou Jack, bien que d'ordinaire ils aillent directement à la porte de la cuisine. Pourvu que ce ne soit pas un visiteur ! Elle voulait être seule. Si elle faisait semblant de ne pas être là, elle passerait sa soirée à craindre d'être surprise sur la terrasse.

Elle posa son verre en soupirant.

Ce fut Nathan Moor qu'elle découvrit derrière la porte, et elle en fut tellement surprise qu'elle en resta un instant sans voix. Nathan avait lui aussi sursauté lorsqu'elle avait ouvert la porte.

— Oh, dit-il aussitôt, je pensais qu'il n'y avait personne. Cela fait assez longtemps que je frappe.

— Je n'ai pas entendu, dit Virginia quand elle eut recouvré la parole. J'écoutais la télévision.

— Je vous dérange...

— Non. Non, je voulais... Je viens de l'éteindre.

— J'aurais dû vous téléphoner, mais...

Il n'acheva pas sa phrase et Virginia ne sut jamais ce qui l'avait empêché de téléphoner.

— Excusez-moi, dit-elle, je suis tellement surprise. Je vous croyais toujours à Skye...

— C'est une longue histoire, répondit Nathan.

Virginia comprit enfin qu'elle aurait dû l'inviter à entrer.

— Je vous en prie, entrez. Allons sur la terrasse. Je viens juste de me préparer un verre. Je vous sers quelque chose ?

— Simplement de l'eau, merci, dit-il en la suivant à l'intérieur de la maison.

Lorsqu'ils furent installés sur la terrasse, Virginia devant son cocktail quasi fluorescent, Nathan devant son verre d'eau, elle demanda :

— Votre femme n'est pas avec vous ?

— Elle est à l'hôpital. C'est d'ailleurs la raison pour laquelle nous avons quitté Skye. Je n'avais qu'à moitié confiance dans le médecin local.

— A l'hôpital ? Mais que lui est-il arrivé ?

— C'est difficile à dire. Sans doute le contrecoup de l'accident. Ou une crise grave de dépression. Je ne sais pas. Elle a brusquement cessé de parler. Puis elle a cessé de boire et de s'alimenter. Elle... On aurait dit qu'elle se laissait glisser dans un autre monde. Mercredi, je me suis rendu compte que si je n'intervenais pas elle mourrait d'inanition. Nous avons quitté Dunvegan jeudi matin.

— Nous aurions dû y penser, dit Virginia. Après ce qui s'est passé, il aurait fallu qu'elle voie tout de suite un psychologue.

Il acquiesça.

— Je m'en veux. Je n'ai pas compris ce qui lui arrivait.

— Quand je l'ai vue chez Mme O'Brian, j'ai eu l'impression d'être en face d'une somnambule, dit Virginia. Cela ne m'a pas réellement étonnée après... ce que vous veniez de vivre. On aurait dû prendre son état plus au sérieux. Et elle est maintenant ici ? à l'hôpital de King's Lynn ?

Une petite voix intérieure lui demandait pourquoi Nathan et sa femme n'étaient pas rentrés en Allemagne, mais, pour l'heure, elle n'avait pas envie de discuter avec cette petite voix. Elle se félicitait simplement que Frederic ne soit pas là pour entendre Nathan.

— Oui, depuis hier matin. Ils commencent par la remettre un peu sur pied. Elle est très affaiblie, notamment parce qu'elle est complètement déshydratée. Et comme elle refuse toujours de s'alimenter, elle a été placée sous perfusion.

— Ce doit être très dur. Je vais aller la voir dès demain.

— Elle ne réagit à rien ni personne. Mais ce serait gentil que vous y alliez tout de même. Ça lui donnera peut-être envie d'avancer. Elle vous aime beaucoup, Virginia. Elle a toujours parlé de vous avec beaucoup de chaleur.

Il fallait qu'elle pose la question :

— Comment... nous avez-vous trouvés ? Et pourquoi...

Il devina ce qu'elle s'apprêtait à lui demander.

— Pourquoi sommes-nous venus ici ? Virginia, j'espère que vous ne pensez pas que nous vous poursuivons. La vérité est que nous n'avions pas suffisamment d'argent pour rentrer en Allemagne. Tout bêtement. C'était déjà tellement aimable de votre part de nous prêter autant...

Frederic avait tiqué, mais il n'en avait plus reparlé.

— Cela nous a juste permis de payer le train jusqu'ici. Avec Livia aussi faible et indifférente à tout, le voyage a été épouvantable. Des gens charmants nous ont pris en voiture jusqu'à Fort William, mais là, nous avons dû nous débrouiller par nous-mêmes. Nous avons pris le train jusqu'à Glasgow, puis changé de gare pour aller à Stevenage, une ville dont j'ignorais jusque-là l'existence, où nous avons attendu la moitié de la nuit la correspondance pour King's Lynn. Nous sommes arrivés hier matin. J'ai passé la nuit dernière dans une chambre près de l'hôpital, sinistre mais qui m'a tout de même coûté mes derniers billets. Je n'ai plus rien. Plus rien du tout.

— Mais comment... ?

— J'y viens. Dans un tiroir de votre maison, il y avait l'enveloppe d'une lettre qui vous avait été adressée, avec l'adresse d'ici. Vous avez dû, un jour, emporter la lettre là-bas et laisser l'enveloppe. Je me suis dit que...

Elle se rendit compte qu'elle commençait à avoir la migraine. Essentiellement à cause de Frederic.

Ainsi qu'elle l'avait remarqué à Skye, Nathan avait beaucoup d'intuition.

— Votre mari ne va pas être ravi de me voir ici, n'est-ce pas ? dit-il.

— Il est à Londres. Il rentre la semaine prochaine.

— Il ne nous aime pas, dit Nathan. Il se méfie de nous. Je dois dire que je le comprends. Il pense qu'on est de vrais fléaux. Et voilà qu'on débarque ici... Virginia, le problème, c'est que je n'ai pas le choix. Sinon, je n'aurais même jamais eu l'idée de venir vous importuner. Mais je... Nous n'avons réellement plus rien. Je n'ai plus un sou en poche. Ce verre d'eau est la première chose que j'avale de la journée. Et je vais sans doute passer la nuit sur un banc dans un square. Je n'ai aucune idée de ce dont demain sera fait. Et vous êtes la seule personne que je connaisse dans ce pays.

Il lui revint à l'esprit ce que Frederic avait dit lorsque le sujet des deux Allemands était revenu sur le tapis alors qu'ils rentraient de Skye.

« Ils peuvent à tout instant s'adresser à l'ambassade d'Allemagne à Londres, avait-il répliqué à Virginia qui brossait un tableau catastrophique de leur situation. C'est le genre de cas où ils interviennent. Ils organiseront leur retour, ils feront ce qu'il y a à faire. Ils n'ont aucune raison de s'accrocher à nous comme ça ! »

C'était le moment d'exposer l'argument à Nathan Moor. Le moment de l'adresser aux services compétents, de lui fourrer quelques livres dans la main pour faire la soudure puis de lui faire gentiment comprendre que la famille Quentin ne souhaitait plus s'occuper d'eux.

Elle fut par la suite incapable de dire pourquoi elle ne l'avait pas fait. Elle se demanda si sa solitude intérieure y était pour quelque chose. Ou la façon dont Nathan la regardait. Son regard ne révélait aucune curiosité. Simplement de l'intérêt, un intérêt profond et bienveillant.

— Les nuits ne sont plus chaudes au point que vous dormiez sur un banc à la belle étoile, dit-elle au lieu de cela d'un ton enjoué dont elle espérait qu'il dissimulerait son malaise. Vous accepterez notre chambre d'amis, n'est-ce pas ? Bon, je vais maintenant préparer quelque chose à dîner. Il ne manquerait plus que vous atterrissiez vous aussi à demi mort de faim à l'hôpital comme votre femme.

— Je vous aide, dit-il en se levant.

Quand elle entra dans la cuisine, Nathan Moor sur les talons, elle avait toujours la drôle d'impression d'être en train de s'embringuer dans une histoire dont elle n'était pas certaine de pouvoir un jour enrayer la dynamique.

Mais, étonnamment, elle ne regrettait pas le moins du monde son samedi soir en solitaire.

Dimanche 27 août

1

Rachel Cunningham avait pris toute seule la décision d'assister chaque dimanche, de onze heures et demie à midi trente, au service des enfants. Personne dans sa famille n'était particulièrement pratiquant. Il y avait de cela un an et demi, Julia, sa meilleure amie, qui allait régulièrement à l'église avec ses parents, l'avait convaincue de les accompagner un dimanche. Rachel avait beaucoup aimé les histoires qu'elle avait entendues ce jour-là et beaucoup aimé chanter et prier avec tout le monde. Et elle avait beaucoup aimé Don. En rentrant, elle avait littéralement assailli ses parents pour qu'ils l'autorisent à se rendre désormais régulièrement à l'église. Claire et Robert Cunningham n'avaient pas eu à se faire prier. Le service des enfants leur semblait une saine alternative à l'oisiveté des dimanches matin pour Rachel, qui finissait immanquablement par réclamer le droit d'allumer la télévision.

Jusque-là, soit Claire soit Robert avait accompagné Rachel à l'église, mais au début des vacances elle avait obtenu le droit d'y aller seule. Après tout, elle avait déjà huit ans. La nouvelle autonomie de sa fille ne plaisait qu'à moitié à Claire Cunningham, mais son mari lui avait expliqué que couper le cordon ombilical aidait à grandir et qu'il était important pour un enfant de lui lâcher un peu la bride.

Ce dimanche-là, il faisait à nouveau très chaud et Robert

émit l'idée d'aller au bord de la mer avec Sue, la petite sœur de Rachel.

— Ne veux-tu pas venir avec nous, Rachel ? C'est sans doute la dernière fois de l'année où l'on pourra se baigner !

Rachel secoua la tête avec détermination. Claire enregistra la scène avec un petit pincement au cœur. Depuis que Sue était née, il était fréquent que Rachel refuse de participer à une sortie en famille. Dès le premier instant, la relation avec sa petite sœur avait été conflictuelle. Rachel était jalouse de l'attention que ses parents portaient au bébé, et triste de devoir partager quelque chose qui jusque-là lui avait appartenu en totalité. Tantôt elle se repliait sur elle-même, tantôt elle essayait d'attirer l'attention de ses parents en faisant ostensiblement quelque chose qu'on lui avait demandé de ne pas faire, par provocation, ou en se montrant insupportable. Comme ce matin-là. Elle était descendue en pyjama et pieds nus, alors que Claire lui avait dit cent fois de mettre des chaussons pour marcher sur le carrelage glacé de la cuisine. Naturellement, aussitôt le ton était monté, cependant Claire avait eu l'impression que Rachel n'avait pas agi ainsi par étourderie, mais sciemment, pour les faire réagir.

Robert parti avec Sue à la plage, ce fut au tour de Rachel, une Rachel d'excellente humeur, de prendre le chemin de l'église et du service des enfants.

— Tu as l'air en grande forme, ce matin, observa Claire.

Rachel acquiesça.

— Aujourd'hui, il va y avoir...

Elle se mordit les lèvres.

— Il va y avoir quoi ? demanda distraitement Claire, déjà en pensée au travail qui l'attendait une fois toute la famille dehors.

— Oh, juste un pasteur, dit rapidement Rachel. Un pasteur qui vient de Londres et qui va nous montrer des diapos sur l'Inde.

Elle donna un baiser à sa mère.

— A tout à l'heure, maman !

Claire prit une longue inspiration. Elle appréciait ces moments où elle était seule. Elle était journaliste indépendante et devait ce dimanche-là écrire un papier pour le *Lynn News* sur une pièce de théâtre qu'elle était allée voir la veille. Elle s'assit devant son ordinateur avec la ferme intention d'exploiter jusqu'à la dernière minute le parfait silence qui régnait si rarement dans la maison.

Elle avançait bien. Le téléphone ne sonna pas une seule fois, il faisait agréablement frais dans la pièce, en dépit de la température qui montait à l'extérieur, et il planait sur les rues et les jardins de Gaywood, un quartier résidentiel de King's Lynn, le calme d'un dimanche matin. Quelques oiseaux gazouillaient, un chien aboya deux ou trois fois. L'ambiance de travail idéale.

Claire avait aimé la pièce, en faire la critique était donc un plaisir. Elle avait encore du temps devant elle : Rachel était partie un peu après onze heures et devait rentrer vers une heure moins le quart. Après l'église, elle était toujours très gaie – ce dont sa passion pour le merveilleux Don était indubitablement responsable – et débordait de choses à raconter. Claire n'aurait pas eu le cœur de briser son enthousiasme en lui disant qu'elle n'avait pas le temps de l'écouter. Rien de ce que Don avait dit ou fait ne lui serait donc épargné, Rachel raconterait tout par le menu et elle l'écouterait. Ensuite, elles fileraient toutes les deux au *fish and chips* qui était ouvert le dimanche, dans la grand-rue, elle achèterait un grand cornet pour chacune puis elle s'installerait quelque part sur un banc avec sa fille pour manger. Rachel aimait avoir l'un de ses parents pour elle seule et faire quelque chose à deux, ne serait-ce qu'un pique-nique improvisé dans le parc. Dès qu'elle le pouvait, Claire s'efforçait d'accorder une parenthèse d'exclusivité à son aînée.

Elle travaillait sans faire attention à l'heure. Elle tapa enfin le dernier mot de sa critique et s'adossa au dossier de sa chaise. Il fallait encore qu'elle relise ce qu'elle avait écrit, puis elle enverrait directement son texte par mail à la rédaction. Il lui arrivait rarement de réussir à écrire un papier en si peu de temps.

Elle regarda l'heure et poussa une exclamation de surprise : une heure ! Comment se faisait-il que Rachel ne soit pas encore rentrée ?

Elle n'avait pas l'habitude de traîner dans la rue. Et si en rentrant elle s'arrêtait chez Julia, ce qui arrivait parfois, la mère de Julia l'appelait pour la prévenir.

Avait-elle oublié de le faire ?

Prise d'inquiétude, Claire descendit dans le séjour, où se trouvait le téléphone, et composa le numéro de la mère de Julia. A son soulagement, celle-ci décrocha aussitôt.

— Bonjour, dit Claire, c'est Claire Cunningham à l'appareil. Je voulais m'assurer que Rachel était bien chez vous. Vous pouvez lui dire de...

— Rachel n'est pas ici, l'interrompit la mère de Julia.

Claire avala sa salive avec difficulté.

— Ah ? Et Julia ?

— Julia est ici. Elle n'est pas allée au service, aujourd'hui. Elle se plaint d'avoir mal à la gorge.

— Parce que... parce que Rachel n'est pas encore rentrée. Il est déjà une heure. Vous pensez qu'elle est avec un des autres enfants ?

— Il fait tellement beau, dit la mère de Julia sur un ton rassurant. Une des mères qui attendaient à la sortie du service a peut-être offert une glace aux petits. Ils se sont tranquillement assis quelque part au soleil pour sucer leur glace et ils auront oublié qu'on les attendait à la maison.

— C'est possible, dit Claire.

Elle ne le croyait pas. Rachel était très raisonnable. Elle n'était pour ainsi dire jamais en retard. A moins que ce ne soit une nouvelle tentative de provocation ? Mais elle était de si bonne humeur en partant !

— Je vais faire un saut jusqu'à l'église, dit-elle.

Elle ne reconnaissait pas sa voix. Elle raccrocha en oubliant de prendre congé. Elle avait peur. Affreusement peur. Son cœur battait à toute vitesse.

Elle n'emporta rien que la clé de la maison et se précipita dehors. La rue était déserte. Nulle trace de Rachel.

Elle fit le trajet jusqu'à l'église en courant à demi. Le service des enfants se tenait dans la maison paroissiale qui jouxtait l'église. Quand elle arriva, la porte du bâtiment était fermée à clé et il n'y avait personne dehors, ni parents, ni enfants. Le service régulier était terminé depuis maintenant une heure et demie. Le parvis de l'église était silencieux et désert sous le soleil brûlant de midi.

— Ce n'est pas possible, murmura-t-elle. Mon Dieu, faites que je la retrouve. Faites que je la retrouve très vite !

Elle essaya de se souvenir du nom du jeune pasteur qui s'occupait des enfants. La grande passion de Rachel. Don, bien sûr, mais Don comment ? Rachel avait-elle seulement déjà mentionné son nom de famille ?

Elle s'exhortait au calme, s'efforçait de respirer à fond. Calme-toi, Claire, calme-toi et réfléchis.

Don. Il était important qu'elle parle à Don. S'il y avait quelqu'un susceptible de la renseigner, c'était Don. La mère de Julia savait peut-être comment il s'appelait et où le joindre.

Cinq minutes plus tard, elle était devant la maison des parents de Julia. Elle avait couru, mais elle se rendait à peine compte qu'elle était en nage et hors d'haleine.

La mère de Julia comprit en ouvrant la porte que Claire n'avait pas trouvé sa fille.

— Entrez, je vous en prie, dit-elle. Il n'y avait personne à l'église ?

— Non. Il n'y a plus personne là-bas.

— Allez, ne vous faites pas tant de souci, dit gentiment la mère de Julia. Il y a sûrement une explication à tout ça. Vous verrez.

— Je voudrais joindre le jeune homme qui s'occupe des enfants, dit Claire. Don. Connaissez-vous son nom de famille ? Ou savez-vous comment le joindre ?

— Il s'appelle Donald Asher. Et j'ai son numéro de téléphone. Venez, appelez-le tout de suite d'ici.

Deux minutes plus tard, Claire avait Donald Asher au bout du fil.

— Rachel n'est pas venue, ce matin, dit-il, et son amie Julia non plus. Mais beaucoup d'enfants étaient absents. Avec le temps qu'il fait, cela ne m'a pas surpris. C'est tellement normal...

— Elle n'est pas venue ? répéta Claire dans un murmure. Pourtant elle est partie à l'heure de la maison...

Elle eut l'impression que ses genoux se dérobaient sous elle, puis les murs se mirent à tourner et elle crut un instant qu'elle allait s'évanouir. Donald parut lui aussi accuser le coup, mais il s'efforça de rassurer Claire, qu'il devinait bouleversée :

— Peut-être Julia et elle n'ont-elles tout simplement pas eu envie de venir et ont...

— Julia est au lit avec un mal de gorge, l'interrompit Claire. Elle et Rachel n'étaient pas ensemble. De toute façon, la plupart du temps, c'est chez vous qu'elles se retrouvent. Habituellement, Julia va en effet d'abord à l'église avec ses parents.

— Ne pensez pas tout de suite au pire, dit Donald. Souvent, les enfants ne se rendent pas compte des frayeurs qu'ils nous causent. Elle est peut-être tout simplement allée se promener quelque part le nez au vent, puis elle s'est posée au soleil et a oublié l'heure...

Non. Claire connaissait sa fille. Rachel ne serait pas allée s'asseoir au soleil quelque part pour rêver. Si pour une raison quelconque elle avait décidé de ne pas aller à l'école du dimanche, elle serait revenue à la maison. Elle aurait joué dans le jardin ou tanné sa mère jusqu'à ce qu'elle ait le droit de regarder la télévision.

Elle reposa le combiné sans dire au revoir à Donald Asher puis elle se tourna à nouveau vers la mère de Julia.

— Je peux appeler mon mari, ça ne vous ennuie pas ? Il est à la plage avec Sue et...

— Je vous en prie, Claire.

La mère de Julia était à présent livide, elle aussi. Derrière elle apparurent sans faire de bruit son mari puis une Julia effrayée, qui en dépit de la chaleur portait une grosse écharpe autour du cou.

— Appelez votre mari. Passez tous les coups de fil dont vous avez besoin.

Elle obtint Robert sur son portable. En arrière-plan, elle

entendait le brouhaha de la plage, des voix, des rires, le babillage de Sue.

— Robert, est-ce que tu peux rentrer tout de suite ? Rachel a disparu…

— Disparu ? Qu'est-ce que ça veut dire ?

— Disparu veut dire disparu ! Elle n'est plus là !

En dépit de ses efforts pour se maîtriser, Claire fondit en larmes.

— Je t'en prie, viens tout de suite !

Il dit encore quelque chose mais elle ne l'entendit pas. L'écouteur lui échappa des mains. La mère de Julia la soutint et l'aida à s'asseoir dans un fauteuil. Elle se tassa silencieusement sur elle-même, sentit que quelqu'un – le père de Julia – approchait de ses lèvres un verre de cognac. La brûlure de l'alcool sur sa langue la ranima un peu. Mais elle restait pétrifiée dans le fauteuil, à regarder sans le voir le mur en face d'elle.

Elle était fourbue, vidée, glacée. Incapable du moindre geste.

2

Il était une heure et demie et le dimanche déjà bien avancé quand Nathan Moor fit son entrée dans la cuisine. Virginia mangeait un yaourt en feuilletant un magazine. Trois heures plus tôt, elle avait eu Frederic au téléphone, qui lui avait parlé de son dîner de la veille et des gens importants qu'il y avait rencontrés.

« Et toi, comment s'est passé ton samedi ? avait-il ensuite demandé.

— Paisiblement, avait-elle répondu d'un ton léger. Kim est allée pour la nuit chez une petite camarade. J'étais enfin complètement seule. Le bonheur. »

Il avait ri.

« Tu es la seule personne que je connaisse qui apprécie autant la solitude ! »

Elle avait d'emblée décidé qu'elle ne lui dirait rien de la

visite de Nathan Moor. Ils se seraient disputés. Frederic n'aurait pas manqué de lui faire remarquer qu'il se produisait exactement ce qu'il avait prédit. Si en plus il avait appris que pour couronner le tout Nathan dormait déjà dans la chambre d'amis... Virginia n'avait aucune envie de discuter. Elle se disait que, tout bien pesé, son silence était une manière de ménager Frederic. D'ici à mercredi, jour de son retour, Nathan Moor serait parti depuis longtemps. Frederic n'avait pas besoin de savoir qu'il était venu.

— Bonjour ! dit Nathan.

Elle ne put s'empêcher de rire.

— Il est une heure et demie. Vous avez dormi une éternité.

— Non ! Déjà une heure et demie ?

Il jeta un œil à l'horloge murale.

— Effectivement. Ce doit être le voyage avec Livia. C'était vraiment épuisant. J'étais mort de fatigue.

— Voulez-vous un café ?

— Volontiers.

Il s'assit et la regarda remplir le filtre de café, verser de l'eau dans le réservoir puis mettre la cafetière électrique en marche. La même scène s'était déroulée la veille. Elle avait préparé le dîner et lui, assis à la table, l'avait regardée faire. Ça ne l'avait pas dérangée. Pourtant, elle n'aimait pas beaucoup que des étrangers s'invitent dans sa cuisine. Il lui avait parlé de son bateau, en utilisant un vocabulaire spécialisé qu'elle ne connaissait pas. Quand ils avaient commencé à manger, elle lui avait posé la question qui l'intéressait réellement :

« Vous disiez que vous étiez écrivain. Qu'écrivez-vous ?

— Des romans policiers.

— Vraiment ? Je trouve ça... Je lis beaucoup de romans policiers. »

Il avait cessé de manger pour la regarder.

« Vous êtes une excellente cuisinière, Virginia. Il y a longtemps que je n'ai pas mangé quelque chose d'aussi bon.

— C'est sûrement une impression. Vous êtes à demi mort de faim. Tout vous paraîtrait délicieux.

— Non. Je ne crois pas. »

Puis sans transition il était revenu au sujet précédent.

« Beaucoup de gens aiment les romans policiers. Une chance pour moi.

— Vous êtes donc un auteur à succès ?

— On peut le dire comme ça. Oui.

— Mais vous n'êtes pas traduit en anglais ?

— Malheureusement. Et je présume que vous ne comprenez pas l'allemand ?

— Non, dit-elle en riant. Pas un traître mot ! »

Elle réfléchissait à la façon dont elle allait formuler la question qui lui brûlait les lèvres quand, avec sa façon vaguement inquiétante de lire dans les pensées, une fois de plus il l'avait devancée :

« Vous vous dites que si je suis un auteur heureux, je ne peux pas être aussi fauché que je le prétends, n'est-ce pas ? »

Elle avait haussé les épaules, gênée.

« Je... Eh bien...

— Pour ne rien vous cacher... je ne suis pas du genre très prévoyant. Je vis au jour le jour. J'ai toujours dépensé tout ce que j'ai gagné. Voyages, grands hôtels, cadeaux pour Livia, super restaurants... L'argent rentrait et ressortait aussitôt. Et... ce que nous possédions effectivement, nous l'avons investi dans l'achat du bateau qui gît maintenant quelque part là-haut dans la mer du Nord. Notre idée était de vivre de jobs occasionnels au fil de nos étapes. Et en cas de nécessité, nous avions des bijoux que nous aurions pu vendre. Ils sont bien évidemment eux aussi au fond de l'eau.

— Ce tour du monde à la voile...

— ... devait déboucher sur un projet de livre.

— Toujours un roman policier ?

— Oui.

— Mais si vos romans se vendent toujours, vous devez... »

Il eut cette fois encore la délicatesse de lui éviter d'avoir à poser une question embarrassante :

— Oui, je peux miser sur de nouvelles rentrées d'argent. Virginia, je ne suis pas ruiné et fini pour le reste de mes jours. Mais il se trouve que pour l'heure nous n'avons plus ni maison, ni appartement, ni meubles. Et des comptes en banque totalement vides. Ils vont se remplir de nouveau, mais ça ne va pas se faire du jour au lendemain...

Des comptes en banque totalement vides... Elle imaginait les commentaires de Frederic devant tant d'insouciance. C'était vraiment une chance qu'il passe le week-end à Londres.

Nathan était parti se coucher dès le repas terminé. Il était visiblement fatigué. Il tenait à peine sur ses jambes, ses yeux étaient irrités.

A présent, quinze heures plus tard, il était un autre homme. Reposé et détendu. Il ne paraissait plus aussi pâle sous son bronzage.

— Il y a longtemps que je n'ai pas aussi bien dormi, dit-il. Depuis l'accident, en fait.

Elle lui servit une tasse de café puis s'assit devant lui.

— Je suis heureuse de voir que vous allez mieux. Avez-vous prévu d'aller à l'hôpital voir Livia ?

— Oui, je vais y aller tout à l'heure. On y va ensemble ?

— Je ne vais pas pouvoir, je dois aller chercher ma fille chez une de ses petites camarades, regretta Virginia. Je pensais y aller demain.

— C'est parfait. Ça lui fera très plaisir.

Il regarda autour de lui dans la cuisine.

— Que faites-vous ici toute la journée, Virginia ? Surtout quand votre mari n'est pas là ? Vous êtes une cuisinière hors pair, mais vous ne passez sûrement pas tout votre temps dans cette pièce ?

La question la surprit. Elle se demanda si elle n'était pas indiscrète. Le regard de Nathan ne reflétait qu'un intérêt amical.

— Pas dans la cuisine, non. Mais je suis beaucoup chez moi. Dans la maison, le parc. Je me plais, ici.

— Avec votre fille.

— Oui. Kim a besoin de moi. D'autant plus que son père est rarement là.

— Votre mari fait de la politique ?

Elle était étonnée qu'il soit au courant.

— Il est assez impliqué, oui. Comment le savez-vous... ?

— Dans le train, en venant ici, j'ai lu un article sur lui dans le journal. Il brigue un siège aux Communes, n'est-ce pas ?

— Il a des chances de réussir.

— Si c'est le cas, vous serez encore plus seule.

— Je ne me sens pas seule.

— En vivant quasi exclusivement avec une enfant de sept ans, vous ne vous sentez jamais seule ?

— Non.

Elle avait brusquement l'impression de se défendre. Et de ne pas vouloir poursuivre cette discussion.

— Votre fille va grandir. Elle va un jour suivre sa propre voie. Vous serez alors de plus en plus souvent seule dans cette grande maison. Au milieu de ce parc immense. Avec tous ces arbres tellement énormes que c'est tout juste si on aperçoit encore le ciel.

Elle rit d'un rire qui sonnait faux.

— Là, vous exagérez, Nathan. Je...

Quelque chose commençait à lui serrer la gorge. Comme la veille au milieu des autres mères. Il s'approchait trop près. Beaucoup trop près.

Il plongea la main dans la poche de son pantalon et en sortit quelque chose. Elle ne comprit pas tout de suite de quoi il s'agissait, puis elle reconnut une photo. Une photo légèrement abîmée.

— Je l'ai trouvée hier soir, dit-il. Dans le tiroir du bas de la commode de la chambre d'amis. Il y a là tout un tas de photos dans une enveloppe.

Elle mit un certain temps à accepter le détachement avec lequel il avait dit cela.

— Vous fouillez toujours dans les tiroirs des maisons des autres ? demanda-t-elle enfin.

Il ne releva pas la question.

— C'est vous, dit-il en regardant la photo, il y a quoi... ? Une quinzaine d'années ? Vous deviez avoir un peu plus de vingt ans.

Il lui tendit la photo. Elle représentait une jeune femme vêtue d'un jupon de gitane qui lui arrivait à mi-mollets et d'un tee-shirt aux ourlets frangés. Ses cheveux très longs ruisselaient sur ses épaules. Elle riait. Elle était pieds nus. Elle était assise sur les marches de l'escalier de la place d'Espagne, à Rome, parmi une centaine d'autres personnes. Ses yeux étincelaient. Elle paraissait heureuse et pleine de vie.

— Vingt-trois, dit-elle. J'ai vingt-trois ans sur cette photo.

— Rome. Rome en été.

— Au printemps.

Elle avala sa salive. Elle ne voulait pas penser à Rome. Elle voulait que Nathan disparaisse et la laisse tranquille.

Elle repoussa sa chaise.

— Nathan...

Il se pencha sur la table, lui prit doucement la photo des mains.

— Je ne peux pas m'empêcher de la regarder, dit-il. Et depuis hier, je ne cesse de me poser une question : qu'est devenue cette belle jeune femme naturelle et pleine de vie ? Où est-elle ? Que lui est-il arrivé ?

Elle était indignée, mais son indignation ne voulait pas se muer en véritable colère. Il allait incontestablement trop loin. Il avait trouvé son adresse en fouillant dans les tiroirs de sa maison de Skye. Il débarquait, mettait sa femme dans l'hôpital le plus proche, puis misait sur le fait qu'il se verrait offrir la chambre d'amis, un calcul, qui compte tenu des circonstances avait toutes les chances d'aboutir, et qui de fait avait abouti. Il était ensuite à peine dans la place qu'il recommençait à fouiller dans des meubles qu'il n'aurait jamais dû ouvrir. Et il se mettait à poser des questions qu'un ami intime aurait peut-être pu se permettre de poser – mais en aucun cas un étranger. Tranquillement et avec le sourire, il culbutait les barrières qu'elle avait édifiées autour d'elle.

Et tout cela parce qu'elle n'avait pas été assez ferme le premier jour.

Etait-ce bien le cas ? Etait-ce de sa faute ? Elle avait pour sa part le sentiment d'avoir simplement offert son amitié et son assistance à des personnes de son entourage qui se trouvaient soudainement en grande difficulté. Livia avait travaillé une semaine pour elle, elle l'avait appréciée, elle l'avait trouvée sympathique, agréable, et avait tout naturellement éprouvé le besoin de l'aider. Du reste, Livia ne s'était en rien montrée importune ou insistante. Elle avait accepté avec joie les vêtements que Virginia lui avait apportés, elle avait accepté avec reconnaissance de pouvoir s'installer dans sa maison de Dunvegan, mais elle n'avait ni fouiné dans les placards, ni pour finir suivi à la trace ses bienfaiteurs jusque dans le Norfolk. S'il n'avait tenu qu'à elle, sans doute serait-elle depuis longtemps déjà en Allemagne.

C'était Nathan qui s'accrochait.

Frederic avait-il un bien meilleur instinct que le sien ? Elle connaissait Frederic pour être lui aussi quelqu'un d'humain et de généreux, quelqu'un qui ne laissait pas tomber les gens qui avaient besoin d'aide. Pourtant, dans le cas de ces deux Allemands, il s'était aussitôt montré réticent, et par la suite franchement hostile. Apparemment, il avait vu juste.

Elle n'avait pas répondu à Nathan. Au lieu de cela, elle s'était levée de table et avait déclaré qu'elle devait à présent aller chercher Kim. Il avait souri. Elle ne souhaitait rien tant que lui demander de disparaître, mais, pour une obscure raison, les mots ne voulaient pas franchir ses lèvres. Elle rejoignit donc sa voiture, lui laissant sa maison, comme s'il était quelqu'un qu'elle connaissait depuis des années et en qui elle avait une confiance aveugle.

Qui sait ce qu'il va cette fois dénicher dans les tiroirs ? songea-t-elle en s'engageant sur la route départementale.

A défaut de le mettre dehors, la moindre des précautions eût été de l'emmener avec elle. Mais pour rien au monde elle n'aurait voulu se trouver seule avec lui dans une voiture. Pour l'heure, c'était mettre le plus de distance possible entre eux qui lui importait.

Qu'il soit précisément tombé sur la photo de Rome était naturellement un hasard, mais cela l'avait ébranlée. Elle ne savait plus où les photos de cette époque se trouvaient, elle les avait en quelque sorte effacées de sa mémoire. Dans un tiroir dans la chambre d'amis, donc... A la prochaine occasion, elle les prendrait et les mettrait à la poubelle, bien évidemment sans les regarder une à une. Dans le séjour, il y avait toute une étagère d'albums de photos reliés en cuir, soigneusement identifiés par une date inscrite au dos, parfois aussi par une indication du sujet, et classés chronologiquement. *Pâques 2001 – Skye*, ou bien *5ᵉ anniversaire de Kim*. Le premier album portait la mention *Mariage Frederic/Virginia 1997*. La série commençait par le mariage. Il n'existait pas d'album d'une période antérieure. Officiellement, il n'en existait pas non plus de photos. Et pour autant que ce soit possible, pas même de souvenirs.

A moins que quelqu'un comme Nathan ne surgisse, pour bousculer, fouiller, chercher, et poser des questions d'une rare indiscrétion.

Dans son désir de fuir Nathan, elle était partie beaucoup trop tôt. Il avait été convenu que les parents viendraient chercher les enfants à trois heures et demie, et si elle arrivait avant l'heure, elle ne ferait que créer des complications. Pour avoir déjà organisé des fêtes d'anniversaire pour Kim, elle savait que les parents étaient déjà très sollicités sans que vienne en plus quelqu'un qui bouleverse le programme. Elle envisagea un instant de faire un saut à l'hôpital pour voir Livia, puis elle renonça, de peur de se trouver nez à nez avec Nathan.

Je commence déjà à me censurer, songea-t-elle, et tout ça à cause d'un homme que je ne connaissais pas il y a un mois. Je devrais l'envoyer au diable.

Elle s'arrêta en chemin pour acheter des cigarettes à un automate. Il y avait une éternité qu'elle n'avait pas fumé, précisément depuis qu'elle connaissait Frederic – il n'aimait pas qu'une femme fume –, mais elle ressentait soudain un violent besoin de s'y remettre. Il faisait une chaleur intenable dans la voiture. Elle descendit et commença à arpenter la rue en tirant nerveusement sur sa cigarette. Le quartier dégageait une impression de saleté, avec des immeubles tristes et peu entretenus que seuls un magnifique ciel bleu et le soleil sauvaient de l'absolue désolation. Quelques magasins, une teinturerie si malpropre qu'on avait peine à imaginer que des vêtements puissent y être nettoyés. La torpeur dominicale. La musique d'une radio, quelque part en sourdine.

Elle fut prise d'un sentiment d'oppression qu'elle mit sur le compte de l'étrangeté de la situation. Elle avait l'impression de ne plus être elle-même. Elle n'était plus Virginia Quentin, l'épouse du riche banquier Frederic Quentin qui prochainement deviendrait peut-être une figure importante de la scène politique. Virginia Quentin, avec sa maison de maître, son grand parc et son couple de régisseurs. Sa maison de vacances à Skye et son appartement à Londres. D'ordinaire, cette Virginia Quentin-là ne s'égarait pas dans les bas quartiers de la ville. Elle n'arpentait pas le trottoir en fumant. Sa vie bien cadrée ne le permettait pas.

Pour couronner le tout, après une ultime bouffée, elle jeta son mégot par terre, l'écrasa avec le talon d'une de ses chaussures hors de prix, alluma une seconde cigarette.

La dernière question que Nathan lui avait posée lui envahit brusquement de nouveau l'esprit. « Qu'est devenue cette belle jeune femme naturelle et pleine de vie ? Où est-elle ? Que lui est-il arrivé ? »

La belle jeune femme avait fréquenté des milieux dans lesquels une jeune fille bien élevée n'aurait jamais dû s'aventurer. Elle avait goûté au haschich et à la cocaïne, s'était enivrée, avait bu parfois tant d'alcool qu'il lui était arrivé de se réveiller auprès d'inconnus sans même savoir comment elle avait atterri dans leur lit. Elle avait trop souvent ignoré toute prudence pour satisfaire son extraordinaire, son insatiable appétit de vivre. Elle était consciente des risques, mais les éviter eût signifié renoncer à quelque chose. Or elle voulait tout, et elle voulait tout sans restrictions.

Tout autre choix de vie eût été ne pas vivre, eût été *être morte*.

Et rien dans son esprit ne pouvait être pire.

Virginia jeta sa seconde cigarette par terre, bien qu'elle ne l'ait fumée qu'à moitié, et l'écrasa, encore et encore, comme si elle cherchait à éteindre quelque chose qui se ranimait dans sa tête, une flamme qui recommençait à brûler.

En dépit de la chaleur, elle se réinstalla dans sa voiture et remonta les vitres. Il était toujours trop tôt pour aller chercher

Kim. Elle croisa les bras sur le volant, posa son front dessus. Elle voulait pleurer mais n'y parvint pas.

Elle était restée si longtemps assise dans sa voiture qu'elle était maintenant en retard pour aller chercher Kim. Quand elle arriva, tous les autres enfants étaient déjà partis. La jeune reine de la fête et Kim jouaient paisiblement sur les balançoires, l'une à côté de l'autre, dans le jardin. Quand la petite comprit que son dernier invité allait également partir, elle commença à pleurer.

— C'est toujours un peu triste pour les enfants qu'une aussi belle fête se termine, dit la mère. Mais je garderais volontiers Kim jusqu'à demain matin. Qu'en pensez-vous, madame Quentin ? La fin serait ainsi moins brutale, et nos filles pourraient encore jouer un peu ensemble. Après tout, il n'y a pas d'urgence, l'école ne reprend que dans une semaine.

Dans d'autres circonstances, Virginia aurait accepté sans hésitation, mais, cette fois, laisser Kim chez sa petite camarade ne l'arrangeait pas du tout. Elle ignorait totalement quand Nathan Moor envisageait de s'en aller, or elle ne voulait plus se trouver à nouveau seule avec lui. La présence de Kim eût été un formidable soulagement. Mais elle ne pouvait pas expliquer cela à l'autre mère, et aucune autre excuse ne lui vint à l'esprit. En même temps, si Kim rentrait avec elle, un autre problème se poserait : comment pourrait-elle cacher à Frederic qu'elle avait offert la chambre d'amis à Nathan Moor ?

Il fut convenu que Virginia repasserait prendre Kim le lendemain soir et les deux fillettes poussèrent des hurlements de joie. Virginia refusa de s'attarder le temps d'une tasse de thé et se sauva. Rien ne la pressait de rentrer, mais il lui paraissait impossible de s'asseoir tranquillement devant une tasse de thé avec cette femme charmante, honnête et sans problèmes pour échanger poliment quelques banalités. De nouveau dans sa voiture, elle s'interrogea néanmoins sur sa promptitude à se fier à l'image que l'environnement d'une personne donnait d'elle. Qu'est-ce qui lui permettait de croire que la vie de cette femme était lisse et sans problèmes ? Le fait qu'elle vive dans une maison jumelle soigneusement entretenue et dont les fleurs du jardin étaient agencées par couleurs ? Le fait qu'elle ait une permanente et les dents légèrement en avant ? Qu'à l'évidence il ne plane pas au-dessus de sa tête le risque de devoir un jour se muer en épouse d'homme politique ?

Elle se demanda comment les autres la percevaient. Aimable mais inaccessible ? Peut-être la trouvaient-ils tout simplement arrogante. Elle ne prenait jamais part aux activités auxquelles les autres mères participaient. Elle marmonnait qu'elle avait « d'autres obligations » et s'esquivait. Exactement comme elle venait de le faire avec l'invitation de la mère de l'amie de Kim. Cette femme dont elle avait décidé que la vie était lisse et sans problèmes avait paru triste. Peut-être se sentait-elle seule. Où était son mari, en ce dimanche après-midi ? Virginia ne l'avait pas vu.

Elle trouva Nathan sur la terrasse en train de feuilleter un livre dans une chaise longue. Le livre devait venir de la bibliothèque, mais elle se dit que c'était normal. Il n'était pas obligé de rester assis quelque part sans rien faire. Tant qu'il ne recommençait pas à fouiller dans les placards...

— Ah, vous voilà, dit-il. Vous êtes partie longtemps. Je commençais à m'inquiéter.

— Quelle heure est-il ?

— Bientôt quatre heures et demie.

Il se leva de sa chaise longue et vint la rejoindre.

— Vous avez fumé, constata-t-il.

Cette fois encore elle perçut quelque chose d'inconvenant dans la remarque, mais elle n'aurait pas su dire quoi et s'abstint de réagir.

— Kim a voulu rester encore un peu chez sa petite camarade, dit-elle. Elle va y dormir. Et j'ai pris le thé avec la mère.

Elle voulait dissiper l'impression qu'elle donnait d'être solitaire, de vivre en recluse au fond de son parc. Il devait comprendre qu'elle faisait des choses tout à fait normales. En même temps, elle se demandait en quoi son opinion lui importait.

Il n'eut pas l'air de la croire, ce qui la déstabilisa, mais elle se faisait peut-être des idées.

— J'aimerais aller voir Livia à l'hôpital, dit-il. Me

prêteriez-vous votre voiture ? Quand je suis arrivé, j'ai fait le trajet à pied, mais j'avoue que je ne me sens pas de le faire à nouveau.

Elle lui tendit ses clés de voiture, consciente que Frederic sauterait à nouveau au plafond. Comme si Nathan devinait ce qu'elle pensait, il dit :

— Au fait, votre mari a téléphoné.

— Frederic ?

Une peur bleue la saisit. Frederic avait téléphoné et était tombé sur Nathan ! Ce qu'elle avait justement voulu éviter...

— Vous vous êtes parlé ?

Il leva les paumes en grimaçant.

— Bien sûr que non ! Qu'allez-vous imaginer ? Je ne décroche pas le téléphone quand je ne suis pas chez moi. Le répondeur s'est enclenché et je l'ai entendu parler. Il n'a pas dit grand-chose, simplement demandé que vous le rappeliez.

Une tonne de pierres lui fut ôtée de la poitrine.

— Bon, je le rappelle tout de suite.

— Vous ne voulez pas venir avec moi à l'hôpital ?

— Non.

C'eût été une bonne idée, d'autant qu'elle disposait d'une plage de temps libre inespérée avec l'absence de Kim, mais elle n'avait pas envie de se retrouver seule avec lui.

— Entendu. Dans ce cas, à plus tard ! lança-t-il en pivotant sur les talons.

Avec son jean constellé de taches et son tee-shirt blanc douteux, il donnait une impression de grande négligence. Ce n'était pas la tenue la mieux appropriée pour une visite à l'hôpital. Apparemment, ça lui était égal, à moins, songea brusquement Virginia, qu'il n'ait nullement l'intention d'aller à l'hôpital, seulement de faire un tour et de prendre un verre quelque part.

Curieusement, la crainte qu'il ne disparaisse avec sa voiture ne l'effleura pas un instant. Elle le trouvait certes ambigu, mais elle ne l'imaginait pas sous les traits d'un voleur.

Il tournait déjà au coin de la maison quand elle le rappela :

— Nathan !

Il s'arrêta et se retourna.

— Oui ?

Elle voulait lui demander de faire en sorte que les Walker ne le voient pas, mais elle se sentit brusquement stupide. Elle lui donnait trop d'importance. Et elle se comportait en gamine qui a peur d'être prise en faute. Elle n'avait rien à cacher, il ne s'était rien passé que Frederic dût ignorer. Que les Walker voient donc qu'elle avait de la visite.

Elle n'en espérait pas moins au fond de son âme qu'ils ne remarqueraient rien.

— Non, rien, dit-elle. C'est bon.

Il sourit et disparut. Peu de temps après, elle entendit démarrer le moteur de sa voiture.

Aussitôt elle se sentit plus légère. Pour commencer, elle allait prendre une douche. Puis elle appellerait Frederic. Puis elle se servirait un verre de vin. Elle empêcherait que les souvenirs reviennent la hanter.

3

Elle eut tout de suite Frederic au bout du fil. A son grand soulagement, il ne lui posa aucune question sur sa journée et elle n'eut besoin ni de mentir ni de taire certaines choses. Il avait en revanche beaucoup de choses à lui demander ou à lui annoncer, et il le fit sans détour.

— Virginia, ma chérie, m'en voudras-tu beaucoup si je reste quelques jours de plus à Londres ? J'ai fait la connaissance de personnes extrêmement importantes qui sont très inté-ressées par mon projet. Il y a deux dîners auxquels il faudrait que j'assiste et...

Elle fut comme toujours : compréhensive et disposée à toutes les concessions. Et comme toujours, il ne lui en coûta guère d'efforts.

— Reste aussi longtemps que nécessaire, Frederic. Ça ne pose aucun problème. Tout va très bien ici.

— Bien, dans ce cas, je resterai jusqu'à vendredi et...

Il hésitait.

— Oui ?

Elle avait l'impression qu'il avait autre chose à lui demander. Autre chose qui avait du mal à sortir.

— En fait, les deux dîners ont lieu respectivement mardi et mercredi. Vendredi, il y a une soirée chez sir James Woodward...

Le nom ne lui disait rien. Mais tous les clignotants passèrent au rouge.

— Sir Woodward siège aux Communes. Il en est l'un des représentants les plus influents, expliqua Frederic. Etre invités chez lui, c'est... euh, c'est ce qu'il y a de plus important, et...

Tout était toujours infiniment important. Ou extrêmement important. Ou plus important que tout. Elle savait ce qu'il voulait.

— Non, Frederic, dit-elle.

— Virginia, chérie, seulement cette fois ! Ce n'est pas possible que je me montre là-bas sans ma femme. J'ai déjà inventé tellement de prétextes, ils vont finir par ne plus me croire. Un jour tu as la grippe, ou bien c'est Kim qui est malade, ou nous avons entrepris des travaux compliqués qu'il faut absolument que tu surveilles... Je commence à être à court d'idées.

— Eh bien, invente-moi un métier qui m'occupe à plein temps. Une femme qui travaille ne va pas faire la navette entre Londres et King's Lynn sur un simple claquement de doigts pour satisfaire les ambitions politiques de son mari !

— Virginia, je te l'ai déjà expliqué. Dans ce... milieu, même les femmes actives s'investissent aux côtés de leur mari. On ne distingue pas entre d'un côté sa carrière à lui, de l'autre la sienne.

— Je comprends. Son boulot, c'est la carrière de son mari.

— Virginia...

— Ça sent un peu la naphtaline, cette image de la femme, tu ne trouves pas ?

— Chez les conservateurs...

— Serait-ce possible que tu te sois trompé de parti ?

Il poussa un soupir, mais ce n'était pas un soupir de résignation. Virginia avait de bonnes antennes. Il y avait beaucoup de colère dans son soupir.

— Je n'ai pas envie de discuter de ça maintenant, dit-il. Je suis dans le parti qui représente les idées et les valeurs auxquelles j'adhère. J'ambitionne de faire mon chemin au sein de ce parti. C'est mon droit et si tu ne pensais pas qu'à toi et à tes états d'âme, il t'arriverait peut-être de temps à autre d'être fière de moi, voire d'avoir envie de me soutenir...

Une douleur ténue monta de sa nuque. De fines et légères piqûres d'aiguille. Le début d'une violente migraine.

— Frederic...

Il ne la laissa pas parler. Il était furieux et frustré.

— Que tu viennes, toi, me parler d'image qui sent la naphtaline, c'est tout de même un peu fort. Si tu avais un métier, si tu travaillais pour de bon, si tu pouvais faire état d'une super carrière, je pourrais à la rigueur accepter de m'entendre dire ça. Mais tu n'as jamais vraiment travaillé depuis que tu as terminé tes études. Hormis quelques boulots occasionnels. Et ce n'est pas moi ni mon si épouvantablement arriéré de parti qui t'en ont empêchée ! C'était ton choix. Qu'est-ce que tu fais toute la journée ? Tu élèves notre fille et tu fais du jogging. Rien d'autre. Alors ne viens pas jouer les émancipées !

La douleur se précisa. Il aurait fallu qu'elle prenne tout de suite un comprimé pour avoir une chance d'enrayer l'évolution de la crise. Mais elle ne parvenait pas à le dire et à raccrocher le téléphone pour aller dans la salle de bains. Les pieds cloués au sol, abasourdie, elle l'écoutait déverser sa colère.

Ils demeurèrent tous deux silencieux un moment. Frederic respirait fort. Elle savait qu'il n'avait pas voulu dire ces choses, que sans doute il regrettait déjà de l'avoir fait. Mais que c'était aussi très précisément ce qu'il pensait.

— Je ne veux pas me disputer avec toi, dit-il d'un ton plus calme. Et si je t'ai blessée, j'en suis désolé. Mais je tiens à ce que tu viennes vendredi soir avec moi à cette réception. Il le faut. Viens s'il te plaît à Londres.

— Kim...

— Kim ira vendredi et samedi chez les Walker. Elle aime beaucoup Grace et Jack, et ils ne seront que trop heureux de pouvoir la gâter. Kim n'est pas un problème. Pour l'amour du ciel, Virginia, il ne s'agit que d'*une nuit* !

Il s'agissait de beaucoup plus. Mais comment le lui expliquer ?

— J'ai terriblement mal à la tête, dit-elle enfin. Il faut absolument que j'aille prendre un comprimé.

— On se rappelle demain, dit Frederic en raccrochant.

Pas d'au revoir, pas de « Je t'aime ». Il était réellement en colère. Frederic se fâchait rarement, du moins ne laissait-il pratiquement jamais paraître sa colère. Pour qu'il le fasse ainsi, son comportement devait l'avoir particulièrement exaspéré.

Parce que cette soirée devait être réellement très importante.

Les douleurs commençaient à envahir sa tête par ondes successives. Elle se rendit dans la salle de bains, chercha ses comprimés dans l'armoire à pharmacie. Quand elle se dirigea vers le lavabo pour remplir un verre d'eau, elle vit son reflet dans le miroir. Elle était livide, ses lèvres étaient grises. Un fantôme.

Mon mari m'a demandé de l'accompagner à une soirée importante pour lui. Là-dessus, j'ai eu de violents maux de tête et en quelques minutes j'avais une tête épouvantable, comme si j'étais gravement malade.

Est-ce ainsi qu'elle décrirait son problème à un psychothérapeute ?

Etait-elle mûre pour une psychothérapie ?

Elle avala deux comprimés, gagna péniblement le séjour et s'allongea sur le canapé. Il aurait mieux valu qu'elle aille dans sa chambre, tire les rideaux et s'étende sur son lit, mais elle ne le fit pas par crainte de la réaction de Nathan quand il rentrerait. Il comprendrait tout de suite qu'il y avait quelque chose qui n'allait pas. Déjà qu'il lisait beaucoup trop dans ses pensées et mettait sur le tapis des sujets dont elle ne voulait pas parler, qu'est-ce que ce serait s'il la trouvait au trente-sixième dessous !

Elle se rendit rapidement compte qu'elle ne parviendrait pas à feindre d'aller bien. La douleur martelait son crâne, semblait empirer au lieu de diminuer. Soit elle avait pris son médicament trop tard, soit son organisme y était accoutumé, toujours est-il qu'il n'agissait pas comme il aurait dû. En outre, à chaque minute qui passait, le sentiment aigu, désespérant, d'avoir échoué, d'être inintéressante et inexistante, s'imposait un peu plus à son esprit.

« Qu'est-ce que tu fais toute la journée ? Tu élèves notre fille et tu fais du jogging... »

Jamais il n'avait été aussi dur avec elle, jamais il n'avait prononcé de mots aussi blessants. Jamais encore il ne lui avait tendu un miroir qui lui avait renvoyé une image aussi négative d'elle-même. Elle n'avait pas de métier, pas de travail, pas d'ambition professionnelle, pas même un grand projet caritatif dans lequel elle se serait investie corps et âme. Elle restait cloîtrée dans cette immense bâtisse, s'occupait d'une enfant qui bientôt – qui donc lui avait dit cela ? Nathan Moor ? –, qui bientôt n'aurait plus besoin d'elle vingt-quatre heures sur vingt-quatre. Elle faisait tous les matins ses tours dans le parc à petites foulées, et quand une mère l'invitait à prendre le thé, elle prétextait d'importantes obligations pour se défiler. Elle refusait de soutenir la carrière de son mari, rejetait la moindre des minuscules faveurs qu'il lui demandait sans même prendre le temps de la réflexion. Le seul acte tangible récent dont elle pouvait se targuer était l'aide qu'elle avait apportée aux deux naufragés allemands, là-haut à Skye, et vu la tournure que prenaient les choses, on ne pouvait pas dire que ce fût une franche réussite. Elle ne parvenait plus à se débarrasser de Nathan Moor, exactement ainsi que Frederic l'avait prédit, pourtant elle lui avait reproché son manque de compassion quand il l'avait mise en garde. A présent, Nathan Moor habitait chez eux et se promenait dans le pays au volant de sa voiture. Une chose était sûre : dès qu'elle entreprenait quelque chose, dès qu'elle osait sortir de son trou, ça tournait mal.

Les larmes arrivèrent. Elle savait que l'association migraine-larmes était redoutable, mais elle n'était pas parvenue à les retenir plus longtemps. Elle était secouée de sanglots violents. La souffrance jaillissait. Il y avait longtemps qu'elle n'avait pas pleuré, cela remontait à des années. Jamais au cours de sa vie avec Frederic elle n'avait eu de raison de pleurer. Tout était si prévisible, si paisible, les jours se succédaient, identiques, sans peur du lendemain, sans soucis ni angoisses. Jamais ils ne se disputaient, jamais Frederic n'exerçait de pression sur elle. Jusqu'à aujourd'hui. Où brusquement il exprimait des exigences. La culpabilisait, la rendait littéralement malade. La blessant quand il avait senti sa résistance. Et tout cela seulement quelques heures après qu'elle se fut sentie agressée par les questions de Nathan au point de prendre la fuite. Quelques heures après avoir erré dans un quartier perdu de King's Lynn et avoir fumé cigarette sur cigarette.

Mon Dieu, mais que lui arrivait-il ?

Elle ne savait pas combien de temps elle avait pleuré, ni depuis combien de temps elle était là sur le canapé, quand soudain elle entendit dehors le bruit d'une voiture. Nathan Moor rentrait. Elle se redressa précipitamment, étouffa un gémissement de douleur : des dizaines d'aiguilles lui transperçaient le crâne. Elle tenta de se recoiffer avec les mains, de lisser ses cheveux, mais elle aurait du mal à cacher l'état dans lequel elle se trouvait. Elle devait avoir une tête épouvantable.

Il entra par la cuisine. Ça lui ressemblait de ne plus frapper poliment à la porte principale et de se comporter comme s'il était chez lui. Quelques secondes plus tard, il était dans le séjour. Il avait l'air en forme, détendu, heureux de vivre.

Soit Livia allait mieux, soit sa santé lui était égale. Ou bien il n'était pas allé la voir.

— Vous êtes à l'intérieur ? s'étonna-t-il. Il fait tellement bon dehors et...

Il s'interrompit. Dans la pénombre de la pièce, il n'avait pas bien vu son visage et il ne s'était pas immédiatement aperçu que quelque chose n'allait pas.

— Virginia !

Elle fut surprise de l'entendre aussi effrayé, comme s'il était effectivement capable de s'inquiéter pour elle.

— Que se passe-t-il ? Vous ne vous sentez pas bien ?

Il l'examina plus attentivement.

— Vous avez pleuré, constata-t-il.

Elle s'essuya les yeux, comme si elle pouvait encore cacher quelque chose.

— J'ai affreusement mal à la tête...

— Une migraine ?

— Quelque chose comme ça, oui. Ça m'arrive de temps en temps. Et je...

Elle tenta un sourire dont elle-même se rendit compte qu'il devait être pitoyable.

— ... j'ai fait la bêtise de ne pas prendre mes comprimés à temps. Il s'en faut souvent d'une minute.

Il l'observa, soucieux.

— Qu'est-ce qui déclenche ces crises ?

— Habituellement, un changement de temps. Il devrait faire froid à partir de demain. C'est peut-être ça.

— Peut-être.

Il ne paraissait pas convaincu. Et il lui offrit un nouvel échantillon de sa remarquable intuition :

— Avez-vous rappelé votre mari ?

— Mes maux de tête n'ont rien à voir avec mon mari.

— Les douleurs ont commencé au niveau de la nuque ?

— Oui.

— Je peux ?

Sans attendre sa réponse, il contourna le canapé, se plaça derrière elle et commença à lui masser la nuque et les épaules. Ses mains étaient fortes, sa peau rêche, mais ses gestes étaient doux et précis. Il paraissait connaître les points qu'il devait masser et de quelle façon il devait s'y prendre. C'était parfois douloureux, mais toujours supportable. Et quelque chose parut effectivement se dénouer dans la nuque de Virginia.

— Avez-vous pris des cours ? demanda-t-elle.

— Non. Je le fais à l'instinct. Ça va mieux ?

Elle était très surprise.

— Oui. Ça va beaucoup mieux.

Il continua.

— Vos muscles sont déjà moins tendus. Qu'est-ce qui vous a mise dans cet état, Virginia ?

— Le changement de temps qui s'annonce.

Elle l'entendit rire doucement.

— Il arrive vraiment à pic, celui-là, observa-t-il.

Il pressa sur un point de sa nuque et cette fois lui fit vraiment mal.

— Aïe !

— C'était le nœud le plus dur, dit-il. Le point qui vous a fait pleurer.

Il revint sur le point, cette fois en l'effleurant lentement, et Virginia sentit d'étranges frissonnements partir du haut de son crâne, se rassembler sur sa nuque, puis descendre le long de sa colonne vertébrale. Quelque chose se dénouait. Pas seulement les contractions de ses muscles. C'était autre chose... Au fond d'elle-même... A sa grande honte, et sans qu'elle ait la moindre chance de pouvoir les retenir, les larmes lui montèrent à nouveau aux yeux.

Non, pas maintenant !

Rien à faire. Les larmes jaillirent avec encore plus de violence que la première fois, inondèrent son visage, la submergèrent comme si quelque part une digue s'était rompue, libérant un torrent que personne ne pourrait plus jamais contrôler. Elle se recroquevilla sur le canapé, secouée de sanglots. Elle sentit que Nathan Moor s'asseyait à côté d'elle, puis qu'il la prenait dans ses bras.

— Tout va bien, dit-il d'un ton apaisant. Tout va bien. Pleurez, Virginia. Pleurez tout votre soûl. C'est important de pouvoir pleurer. Avant aujourd'hui, vous n'aviez pas pleuré depuis longtemps, n'est-ce pas ? Beaucoup trop longtemps.

Il caressa doucement ses cheveux. A cet instant, il donnait une impression de force et en même temps de grande délicatesse.

— Je suis tellement désolée, murmura Virginia.

— Allons, Virginia, allons. Tout va s'arranger. Qu'est-ce qui vous désole tant ?

Elle releva la tête, le regarda, les yeux emplis de larmes.

— Michael, dit-elle.

Le nom de Michael avait à peine franchi ses lèvres qu'elle fut atterrée. Qu'est-ce qui lui avait pris ? Pourquoi avait-elle parlé de Michael ?

Nathan continuait de lui caresser doucement les cheveux.

— Qui est Michael, Virginia ?

117

Elle se dégagea de ses bras, bondit sur ses pieds et se précipita dans la cuisine. Elle atteignit l'évier in extremis.

Il l'avait suivie. Il lui tint le front, lui releva les cheveux pour qu'ils ne se salissent pas tandis qu'elle vomissait et vomissait encore.

Quand enfin la nausée reflua et qu'elle put se redresser, puis, les jambes tremblantes, à bout de forces, faire quelques pas pour s'asseoir sur une des chaises placées autour de la table, elle comprit qu'elle allait lui parler de Michael.

4

Michael

A sept ans, ils s'étaient juré de se marier ensemble. C'était pour eux une évidence, car ils s'aimaient tant qu'ils ne pouvaient pas imaginer d'aimer un jour quelqu'un d'autre.

A douze ans, ils renouvelèrent leur serment, plus sérieusement et plus solennellement que la première fois, car on leur avait entre-temps expliqué que des cousins germains ne pouvaient pas se marier ensemble et, depuis, ils présumaient qu'on leur mettrait des bâtons dans les roues, ce qui rendait l'affaire beaucoup plus romantique et périlleuse. Ce que l'on appelait la bonne société ne les accepterait jamais, peut-être même leur famille les rejetterait-elle, et les gens qui aujourd'hui leur disaient bonjour dans la rue changeraient de trottoir quand ils les apercevraient. Ils pouvaient passer des heures à imaginer leur vie de réprouvés sous les couleurs les pires et les plus effrayantes, et parfois de délicieux frissons leur parcouraient tout le corps. Car c'était merveilleux d'avoir la certitude qu'ils ne seraient jamais seuls face à l'adversité. Ils seraient là l'un pour l'autre, aujourd'hui, demain, toujours. Ils étaient une île au milieu d'une mer hostile.

Que pouvait-il leur arriver ?

Ils étaient nés la même année à quelques mois d'intervalle. Virginia Delaney était venue au monde un 3 février, Michael Clark le 8 juin suivant. Leurs mères étaient sœurs et très proches. Elles avaient construit leur vie avec l'idée de n'être, autant que faire se pouvait, jamais réellement séparées. Elles avaient réussi à emménager avec leurs maris respectifs dans des maisons mitoyennes, à Londres, et ensuite réussi à faire des enfants d'âge quasi similaire. Elles avaient souhaité que Michael et Virginia grandissent comme frère et sœur, ce qui bien sûr impliquait qu'ils s'aiment aussi comme frère et sœur. Personne ne s'était attendu à ce qu'ils développent cet amour brûlant et passionné qui parfois, aux yeux des deux sœurs, devenait presque un peu inquiétant. Elles se rassuraient à l'idée que leurs enfants étaient encore petits et que le problème se solutionnerait de lui-même à la puberté.

Virginia et Michael eurent une enfance merveilleuse. Ils allaient à l'école ensemble, faisaient leurs devoirs ensemble, se protégeaient mutuellement des attaques des enfants plus grands ou plus bagarreurs. Plus exactement, Virginia protégeait Michael. Elle n'était pas que l'aînée, elle était aussi beaucoup plus sûre d'elle, plus délurée et plus intrépide. Michael, sensible et toujours un peu fragile, avait la vie dure au milieu des autres garçons. On ne le prenait pas au sérieux, il passait pour un enfant gâté. Qu'il soit défendu par une énergique cousine toujours prête à faire le coup de poing pour lui ne redorait pas précisément son image, mais au moins ne se risquait-on pas à l'attaquer. Personne n'avait envie de se frotter à Virginia Delaney. Elle pouvait être redoutable, quelques petits durs en avaient fait l'expérience. Michael Clark était sous sa protection. Sinon, sa vie à l'école eût été autrement plus pénible, avec une belle somme de taquineries et d'humiliations à la clé. Grâce à Virginia, ce qu'il avait à supporter se limitait la plupart du temps à des murmures dans son dos et quelques regards lourds de sous-entendus, deux choses qu'il apprit au fil du temps à ignorer.

Ils se suivaient partout. Ils jouaient dans l'un ou l'autre des jardinets attenants aux maisons de leurs parents, à des jeux merveilleux pleins de fantaisie, d'aventures et de dangers. Ils étaient Indiens, pirates, prince et princesse. L'été, ils faisaient du patin à roulettes dans les parcs de Londres. A l'automne, ils parcouraient la ville, main dans la main, en quête ils ne savaient de quoi. Ils préparaient ensemble des biscuits de

Noël, s'émerveillaient devant le rayon des jouets de Harrod's et chacun économisait sur son argent de poche pour acheter à l'autre ce qu'il désirait très fort. Pendant les grandes vacances, ils partaient avec leurs parents au bord de la mer, en Cornouailles, chez leurs grands-parents. Ils vivaient six mois de l'année dans l'attente fiévreuse de ces semaines d'entière liberté. Les grands-parents possédaient une modeste maison nichée au cœur d'un grand jardin sauvage d'où, lorsqu'on escaladait la clôture du fond, un chemin tracé dans les genêts et les lauriers-roses menait à la plage, une petite baie jamais très fréquentée. Le sable appartenait aux enfants, de même que la mer. Dans le jardin des grands-parents, il y avait des pommiers et des cerisiers dans lesquels on pouvait grimper et s'asseoir pour manger des fruits jusqu'à en avoir mal au ventre. Naturellement, Virginia et Michael possédaient aussi une cabane dans un arbre, dans laquelle ils conservaient leurs trésors de l'été : des coquillages et des galets polis aux formes étranges, des fleurs séchées, des livres tout cornés dont du sable s'échappait, des petits mots qu'ils s'écrivaient, pleins de messages codés qu'eux seuls pouvaient comprendre. Pendant les vacances, il n'y avait pas de repas à heures fixes et personne ne leur disait à quelle heure ils devaient aller au lit ou qu'ils devaient se laver les pieds. Ils devaient être à la maison à la tombée de la nuit, mais rien n'était plus facile ensuite que d'escalader la fenêtre de la minuscule chambre qu'ils partageaient, de se faufiler sur le toit de l'appentis, de sauter sur la citerne puis de plonger dans la nuit. Tous deux aimaient beaucoup nager dans la mer sous le ciel piqueté d'étoiles, dans cette immensité noire et mouvante qui faisait peur, avec le souffle de l'autre tout près pour se rassurer. Ils le faisaient souvent, puis ils s'allongeaient après sur le sable tiède et ils parlaient ou ils somnolaient pour ne parfois regagner la maison qu'aux premières lueurs de l'aube.

C'est par une de ces nuits d'été étoilées, sur le sable de leur petite baie, que Michael embrassa Virginia pour la première fois. Qu'il l'embrassa comme dans les livres, pas innocemment et fraternellement comme il l'avait fait des milliers de fois auparavant. Michael avait eu quatorze ans quatre semaines plus tôt, Virginia au mois de février précédent. Au cours de l'année, elle avait mis de côté ses histoires d'adolescente à l'internat et de chevaux pour commencer à lire de *vrais* romans, notamment du genre de ceux sur lesquels il valait mieux que sa mère ne tombe pas. Il y était question de belles femmes et d'hommes forts et de toutes les choses qu'ils faisaient ensemble. Elle en avait parlé à Michael, qui à cette époque s'enthousiasmait encore pour des livres comme *Robinson Crusoé* ou *Tom Sawyer*, mais elle avait eu l'impression qu'il peinait à comprendre la fascination qui la poussait à dévorer ces pages. Il avait en revanche compris que sa bien-aimée avait atteint une rive qu'il ne connaissait pas encore mais dont il pressentait intuitivement qu'il ne fallait pas qu'il tarde trop à l'y rejoindre. Elle lui en avait suffisamment raconté pour qu'il sache après quel genre de baiser elle se languissait, et il fit de son mieux.

Ce fut le premier vrai baiser de Virginia. La première fois qu'elle était allongée nue sur le sable et qu'un homme se penchait sur elle, glissait sa langue dans sa bouche et que sa bouche et la sienne, plusieurs minutes durant, ne firent plus qu'une. C'était exactement comme ce qu'elle avait, entre-temps, lu des centaines de fois.

Quand ce fut terminé, elle sut que Michael n'était pas l'homme capable d'éveiller en elle les sentiments qui à cet instant auraient dû l'envahir. Elle l'aimait de tout son cœur. Mais son corps ne parvenait pas à vibrer à l'unisson.

A compter de ce jour, rien ne fut plus comme avant. Ils n'en parlèrent pas – c'était la première fois qu'ils ne parlaient pas de ce qui les préoccupait tous les deux –, mais l'un et l'autre en prirent conscience. Ils s'accordèrent tacitement pour ne plus parler de mariage. Et même sans cela, au cours de l'automne qui suivit cet été décisif, ils commencèrent à suivre des chemins différents. Michael resta le garçon introverti et timide qu'il avait toujours été, plongé dans un monde peuplé pour l'essentiel de livres et de musique. Virginia découvrait la vie, et plus elle la découvrait, plus elle en voulait. Elle se maquillait, portait des minijupes, fit bientôt partie d'une bande joyeuse et bruyante qui écumait les bars et les discothèques de Londres.

121

Des discussions aussi vives qu'innombrables l'opposaient à sa mère, qui jugeait ses tenues trop provocantes mais n'avait au bout du compte jamais gain de cause car Virginia se moquait éperdument de son avis. Elle s'amusa beaucoup tout l'hiver, mincit énormément, dormit très peu, recula en classe, mais eut des rendez-vous et des soupirants en quantité.

Un jour brumeux de janvier, Michael vint la voir sans s'être annoncé. Il la surprit dans sa chambre en train de fumer. Virginia, qui avait cru qu'il s'agissait de sa mère, avait promptement écrasé sa cigarette dans une soucoupe – ce qui était de toute façon inutile puisque la chambre était envahie de fumée.

« Ah, c'est toi, fit-elle quand Michael glissa la tête dans l'entrebâillement de la porte. Tu m'as fait une de ces peurs !

— Désolé », s'excusa Michael.

Il entra dans la chambre, ferma la porte derrière lui. Ils fréquentaient des écoles différentes, et il y avait longtemps que Virginia ne l'avait vu. Il avait beaucoup grandi, son visage s'était creusé et il donnait une impression de maigreur. Elle prit peur en le voyant aussi peu en forme.

« Qu'est-ce qui se passe ? demanda-t-elle. Tu es malade ?

— Tu fumes ? demanda-t-il, outré, au lieu de répondre à sa question.

— De temps en temps.

— J'imagine que tes nouveaux amis fument tous.

— La plupart.

— Hum. »

Il n'approuvait pas son comportement, elle le vit à son expression, mais il ne l'aurait jamais critiquée ouvertement. Il s'assit à côté d'elle sur le lit et s'absorba dans la contemplation du mur opposé.

« Mes parents divorcent, annonça-t-il brusquement.

— Quoi ?

— Ma mère me l'a dit hier soir. Mais je m'en doutais déjà.

— Mais pourquoi ? Je veux dire… qu'est-ce qui s'est passé ?

— Mon père a rencontré une autre femme. En octobre dernier. Depuis, ma mère n'arrêtait pas de pleurer. Souvent, il

122

ne rentre pas à la maison la nuit... Manifestement, c'est la nouvelle qui a gagné, conclut Michael avec un petit haussement d'épaules.

— C'est incroyable, cette histoire ! Tu la connais ?

— Non. Je sais seulement qu'elle est américaine et que papa veut partir avec elle à San Francisco.

— Aïe, le bazar ! Si loin ? »

Michael hocha la tête. « Moi, je vais rester ici, bien sûr, avec maman. C'est dur pour elle... Elle pleure tout le temps. »

Virginia se sentit coupable de s'être si peu souciée de sa famille ces derniers temps. Il lui avait complètement échappé que juste à côté, chez les Clark, un drame se jouait. Mais ses parents ne s'en étaient peut-être pas rendu compte non plus. En tout cas, ils ne lui avaient rien dit.

« Ah, Michael... » Elle se sentait démunie, et pour la première fois de sa vie trop intimidée pour le prendre dans ses bras et le serrer contre elle.

« Je suis désolée. Sincèrement. N'y a-t-il aucune chance que ton père change d'avis ?

— Je ne crois pas. Il vit déjà plus chez elle que chez nous. Et apparemment, il a déjà commencé à organiser quelque chose aux Etats-Unis pour son travail. Il ne pense plus qu'à partir. »

Virginia se demanda comment on pouvait quitter de but en blanc un garçon aussi adorable que Michael et une femme aussi gentille que sa mère. Il fallait croire que d'autres critères entraient en ligne de compte. Elle en voulait à son oncle de rendre Michael aussi malheureux. Puis elle songea que son oncle avait peut-être les mêmes raisons que celles qu'elle avait eues de rompre muettement ses fiançailles avec Michael : l'absence de tout plaisir des sens. Pour aussi superficiel que ce soit, elle connaissait désormais l'importance du plaisir et savait de quel désir dévorant son absence s'accompagnait. Peut-être l'Américaine lui donnait-elle dans ce domaine quelque chose qui avait depuis longtemps déserté le couple qu'il formait avec sa femme.

Elle pleura un peu avec Michael, qui passa le printemps en traînant sa peine et le plus clair de son temps à essayer de consoler ou distraire sa mère. Mais elle ne pleura pas

123

beaucoup car sa propre vie continuait, pleine à ras bord d'expériences et d'aventures. Au début du mois de mars, un mois après son quinzième anniversaire, elle coucha pour la première fois avec un garçon. Il avait déjà dix-neuf ans, il était beau, désabusé, et le fils d'une richissime famille londonienne. Ils s'étaient connus dans une discothèque et elle avait prétendu avoir dix-sept ans, ce qu'il avait bien voulu croire sans se poser de questions. Nicholas possédait sa propre voiture, dont les sièges se révélèrent parfaitement adaptés à des ébats sexuels. Virginia trouvait Nicholas follement séduisant mais pas particulièrement sympathique. Et elle était à des années-lumière de l'aimer autant que Michael. Elle constata cependant qu'au contraire de ce que sa mère essayait de lui faire croire l'amour et le sexe n'allaient pas forcément de pair. En ce qui concernait ce jeune homme, son corps présentait tous les ingrédients nécessaires à la passion et au désir, tels que décrits dans les livres qu'elle avait lus. Elle trouvait merveilleux de faire l'amour avec lui. Elle trouvait divin de l'embrasser. Divin de se mouvoir lentement dans la pénombre d'une piste de danse collée à lui. De flâner dans les rues étroitement enlacés. Les premiers temps, elle n'en avait jamais assez. Ils restèrent un an et demi ensemble, à l'exception de quatre semaines de crise, lorsque Nicholas découvrit que Virginia lui avait menti sur son âge. Il bouda un temps, mais il était lui-même bien trop amoureux de la jolie jeune fille blonde pour mettre un terme à leur relation. Ils firent ensemble des choses formidables, car Nicholas pouvait dépenser tout l'argent qu'il voulait. Ils allaient dans les boîtes de nuit à la mode les plus huppées, où l'argent de poche de Virginia n'aurait pas suffi à payer une consommation, dînaient dans les restaurants les plus chic, assistaient à des matchs de tennis à Wimbledon et aux courses à Ascot. C'était pour Virginia une autre vie, un autre monde, et elle profitait sans frein.

Pendant ce temps, le père de Michael quitta définitivement le foyer familial et entama une procédure de divorce contre laquelle sa mère, désormais gravement dépressive, n'eut pas la force de se battre. A l'époque où Virginia, qui entre-temps avait eu seize ans, se sépara de Nicholas – l'argent et les paillettes avaient perdu de leur attrait et il n'y avait jamais eu de véritables sentiments entre eux –, l'état psychique de la mère de Michael s'était dégradé au point qu'il avait dû se transformer en une sorte d'infirmier à plein temps à son service. Au lieu de vivre enfin sa propre vie – ou au moins de se donner le temps de découvrir ce qu'il voulait faire de sa vie –, il accompagnait sa mère chez son psychothérapeute ou passait des week-ends entiers à l'écouter patiemment raconter et raconter encore l'histoire de son mariage et de la séparation qui s'était ensuivie. Quand deux ans plus tard elle mourut d'un mystérieux arrêt cardiaque dû à une surdose médicamenteuse dont on ne put démêler si elle était ou non volontaire, Michael, qui avait tout juste dix-huit ans, mit longtemps à trouver ce qui allait pouvoir remplir la soudaine vacuité de son quotidien. C'est de ce temps que datait son propre état dépressif.

Le seul être qui lui restait était Virginia, la compagne de ses années d'enfance. Elle venait juste de se fiancer avec un très riche Canadien de vingt ans son aîné, avec qui elle partit à Vancouver, d'où elle s'enfuit cependant un an plus tard pour rentrer en Angleterre, à quelques jours du mariage, en raison de sa violence à son égard. Cette expérience mit son équilibre psychologique à rude épreuve. Elle aussi eut besoin d'aide et de soutien et il fut presque inévitable que Michael et elle tombent dans les bras l'un de l'autre. Pareillement blessés, malheureux et en manque, ils se téléphonèrent souvent, se virent presque tous les jours, redécouvrirent les sentiments qu'ils avaient éprouvés l'un pour l'autre et la complicité qui les avait unis pendant de longues années. Quand Virginia s'inscrivit en lettres à l'université de Cambridge, que Michael l'y suive s'imposa comme une évidence. Il voulait étudier l'histoire, et envisageait le professorat.

Ils partageaient un minuscule appartement d'une pièce avec coin-cuisine, avaient beaucoup d'amis et une vie sociale animée. Dans le sillage de Virginia, Michael perdit un peu de sa propension à s'isoler, il devint plus gai, plus ouvert. Virginia retrouva très vite son insouciance et son appétit de vivre d'antan, tout en s'efforçant, eu égard à ses études, de mener une vie plus rangée.

Son apparence se modifia, elle aussi : les ensembles élégants et les escarpins à talons hauts qu'elle portait à Vancouver tombèrent en disgrâce et elle s'enthousiasma pour les jeans effrangés, les pull-overs noirs, les bijoux en argent et le maquillage ténébreux. Elle fumait beaucoup, faisait partie de cercles littéraires et lut enfin les livres auxquels, adolescente, elle avait préféré des romans d'amour sulfureux.

Elle s'amusait et buvait un peu trop, dormait trop peu, flirtait à l'occasion de soirées avec d'autres hommes, ce qui provoquait de violentes disputes avec Michael. Pour autant que Michael fût capable de se disputer. Il se plaignait et Virginia devenait agressive. Quoi qu'il en pensât, elle lui était en effet fidèle. Elle trouvait ennuyeux de coucher avec lui, mais elle n'essaya aucun autre homme. Elle se sentait protégée auprès de lui et, pendant tout un temps, elle n'eut aucune envie de renoncer à cette sécurité pour des aventures d'un soir.

Puis elle rencontra Andrew Stewart et, exactement comme lors de ce lointain été où sa merveilleuse enfance avec Michael avait brutalement pris fin, cette fois encore sa vie bascula.

Elle avait rencontré l'amour de sa vie.

5

La pénombre avait envahi le séjour, et ils ne voyaient l'un de l'autre que des ombres. Dehors, la pluie tombait. Le changement de temps annoncé était survenu. L'été avait tiré sa révérence.

Après avoir vomi et vomi encore, elle avait dû attendre longtemps, prostrée sur une chaise de la cuisine, avant de pouvoir à nouveau bouger. Elle s'était alors rendue dans la salle de bains, où elle s'était baigné le visage et brossé les dents de longues minutes pour faire disparaître de sa bouche l'effroyable goût qui lui redonnait la nausée. Comme la première fois, le visage au teint livide et aux yeux écarquillés dans leurs orbites lui parut appartenir à une étrangère.

Qu'est-ce qui m'arrive ? Tout allait pourtant si bien !

Non, tout n'allait pas bien, elle le savait ; cependant, quoi qui ait sommeillé en elle de non résolu, elle l'avait tenu jusque-là en respect. Elle avait mystérieusement réussi à ne pas penser à Michael pendant des années. A vrai dire à ne jamais penser à la part de sa vie antérieure à sa rencontre avec Frederic Quentin. Cependant, depuis que les deux Allemands avaient fait irruption, surtout Nathan...

Elle aurait dû écouter Frederic et ne pas se mêler de leurs affaires. Frederic ne pouvait pas se douter du cataclysme que cela risquait de déclencher, mais un sûr instinct devait l'avoir averti. Il lui avait déconseillé d'intervenir avec plus de véhémence qu'il n'en avait jamais manifesté.

Je devrais dire à Nathan Moor de ficher le camp. Et de ne plus remettre les pieds chez nous.

Toutefois, inutile de s'illusionner, à elle seule, la démarche ne suffirait pas à résoudre son problème. Ses difficultés n'étaient pas toutes à mettre sur le compte de Nathan Moor. Ses violents maux de tête, le fait qu'elle ait craqué étaient imputables à Frederic. Frederic qui avec sa patience, sa considération pour tout ce qu'elle faisait ou ne faisait pas, jouait un rôle indispensable dans son programme de refoulement. Qu'il ait brusquement des exigences, qu'il se mette en colère, en appelle à sa loyauté, tout cela conjugué avait ébranlé l'échafaudage. L'effondrement avait commencé. Il était d'ores et déjà trop tard pour enrayer le processus.

Elle était retournée dans la cuisine, mais Nathan ne s'y trouvait plus. Elle l'avait trouvé dans le séjour, où il se servait un sherry, sans aucune gêne ni retenue, comme s'il vivait depuis des années dans la maison et y était chez lui. Virginia n'en éprouva cette fois aucune colère. Elle en conçut même un sentiment de sécurité.

— Vous sentez-vous mieux ? demanda-t-il.

Elle acquiesça d'un hochement de tête mais refusa le verre de sherry qu'il lui proposait.

— Non, merci. Je crains que ce ne soit encore trop tôt pour mon estomac.

— Vous vouliez me parler de Michael, dit-il sans détour.

Elle s'était assise sur le canapé, les genoux relevés et serrés contre elle dans ses bras, comme un bouclier. Elle espérait qu'il ne s'assiérait pas à côté d'elle, comme précédemment. Il dut le sentir car il choisit un fauteuil en face d'elle, de sorte qu'ils étaient désormais séparés par la grande table basse en bois. Elle parvenait si peu à savoir par où commencer qu'elle faillit lui demander de tout oublier et de faire comme s'il n'avait jamais entendu le nom de Michael. Mais à peine avait-elle pris la décision de renoncer que son mal de tête reprit, léger mais insistant, et que tout son corps se raidit.

Nathan se pencha en avant et riva les yeux sur elle.

— Je crois que vous avez sur le cœur des choses dont vous devez vous libérer, dit-il gravement. Sinon, vous allez tomber malade. De quoi qu'il s'agisse avec Michael, cela vous ronge et vous détruit. Si vous ne le souhaitez pas, vous n'êtes pas obligée d'en parler avec moi. Mais il faut absolument que vous en parliez à un psychothérapeute. Vous n'arriverez pas à vous en sortir sans aide.

Un jour, deux ou trois ans auparavant, Frederic lui avait suggéré d'entamer une thérapie. Elle était alors dans une phase où la fréquence de ses crises d'angoisse avait augmenté. Le mot « thérapie » l'avait si visiblement effrayée que Frederic avait aussitôt fait machine arrière et n'en avait plus jamais reparlé.

Cette fois encore, elle protesta :

— Non. Je n'ai pas besoin de psy. En fait, tout va bien, c'est uniquement...

— Michael, l'interrompit-il d'une voix douce, c'est uniquement Michael, n'est-ce pas ? Qu'y a-t-il avec Michael ? *Qui est Michael ?*

Il lui avait tendu une perche qu'elle pouvait saisir. Il voulait savoir qui était Michael. Elle pouvait commencer par son enfance, son enfance avec Michael. C'était innocent, cela ne recelait aucun danger. Elle avait commencé à parler, au début, avec difficulté, en hésitant, puis les mots étaient venus plus facilement, avaient coulé librement. La pénombre qui prenait possession de la pièce l'avait aidée, ainsi que Nathan, qui avait résisté à l'envie d'allumer une lampe. Il était là, sa silhouette se découpait dans l'obscurité, elle l'entendait respirer, mais elle n'avait pas à se confronter à ce qui se jouait sur son visage. Puis le murmure régulier de la pluie était venu s'inscrire en fond sonore de sa propre voix. Elle put parler de choses qu'elle n'avait encore confiées à personne, de sa jeunesse libre et débridée, de son appétit de vivre, de son insouciance, de sa désinvolture, de sa curiosité. Elle put parler des hommes qu'elle avait eus puis rejetés, de ses errements, des interdits qu'elle avait enfreints. A aucun moment Nathan ne fit de commentaire, mais elle sentait qu'il l'écoutait avec beaucoup d'attention. Et au-dessus de tout ce qu'elle disait planait le mot « jeune ».

J'étais jeune. Tout était pardonnable. J'étais si jeune.

Elle s'interrompit quand Andrew Stewart entra en scène. A partir de là, elle avait en effet cessé d'être jeune. Elle ne savait pas elle-même pourquoi elle avait situé la césure à cet endroit de son récit. Peut-être était-ce par simple intuition. Avec Andrew Stewart, elle était devenue adulte. Pas plus sage, pas plus raisonnable. Et pourtant adulte.

— Quel âge aviez-vous quand vous avez fait la connaissance de Stewart ? demanda Nathan.

C'était la première fois qu'il ouvrait la bouche depuis des heures. Il avait attendu quelque temps, puis il avait compris qu'elle n'en dirait momentanément pas plus.

— Vingt-deux ans, dit-elle. J'avais vingt-deux ans.

— Une étudiante de vingt-deux ans qui avait déjà bien vécu. N'est-ce pas ?

Elle acquiesça d'un hochement de tête qu'il ne pouvait pas voir.

— Dans la jeune fille dont vous avez parlé, j'ai retrouvé la jeune fille de la photo, dit-il. Vous étiez tellement belle, Virginia. Et si extraordinairement vivante.

— Oui, dit-elle. Vivante. Quand je repense à cette époque,

c'est ce qui me vient en premier à l'esprit. La vie. J'ai vécu avec une formidable intensité.

— Andrew Stewart était étudiant, lui aussi ?

— Non. Il était déjà avocat. Il venait juste de débuter dans un cabinet réputé de Cambridge. Grâce à l'appui de son père. Les Stewart avaient des amis influents. Nous nous sommes rencontrés à la fête de promotion d'une amie à lui, qui se trouvait être également une amie d'un ami de Michael. J'étais seule, Michael, qui avait la grippe, n'était pas là. Nous avons commencé à parler ensemble et... tout a basculé.

Elle entendit Nathan se lever. Il se déplaçait dans l'obscurité sans hésiter ni heurter les meubles. Il alluma la petite lampe placée près de la fenêtre. La lumière jaillit si soudainement que Virginia, éblouie, ferma les yeux quelques secondes, mais c'était une lumière douce, tamisée, qu'elle ne trouva pas désagréable.

— Nous ne sommes tout de même pas obligés de rester dans le noir, dit Nathan.

Sa silhouette grande et sombre se découpait devant la fenêtre. Un inconnu. Un parfait inconnu. Qu'est-ce qui me prend de tant parler de moi à cet homme ? Il revint vers elle mais ne se rassit pas.

— Le coup de foudre ? demanda-t-il.

Elle hocha la tête.

— En ce qui me concerne, oui.

— Pas pour lui ?

— Non, mais...

— Mais ?

A voix basse, elle dit :

— C'est venu plus tard.

— Vous avez parlé d'Andrew à Michael ? Vous vous êtes séparés ?

— Non. Michael n'a rien su. Et je ne l'ai pas quitté non plus. Tout est resté entre nous tel que c'était. Si ce n'est que...

— Si ce n'est que vous aviez une liaison !

— Oui.

— Ce n'est pas banal dans le cas d'un coup de foudre.

Pourquoi mentir ? Faire des mystères ? Ça ne contrariait pas Andrew Stewart que vous continuiez à vivre avec votre ami ?

Elle se sentit brusquement poussée dans ses retranchements.

— Que voulez-vous entendre ?

Il se défendit d'un geste des mains.

— Rien ! Rien que vous ne vouliez raconter.

Elle avait fait une erreur en commençant à lui parler. Elle avait fait une erreur en s'occupant des deux Allemands après leur naufrage. Depuis plusieurs jours, elle ne faisait que des erreurs et l'une entraînait l'autre. Tout allait de travers.

— Je crois que je vais aller me coucher, dit-elle. Je suis épuisée.

Elle se leva et sans lui souhaiter bonne nuit quitta la pièce. Dans l'escalier, elle pressa ses tempes derrière lesquelles le sang commençait à bourdonner. Pourvu que ses maux de tête ne la reprennent pas. Il y avait bien assez d'images et de souvenirs qui lui revenaient en mémoire comme ça.

Cela faisait si longtemps que c'était enseveli. Peut-être ne devrait-elle pas continuer à remuer ses souvenirs. Jamais elle n'en avait parlé à qui que ce soit.

Pourquoi avoir choisi cet inconnu pour le faire ?

Lundi 28 août

1

Virginia descendait l'escalier le lendemain matin, après une nuit de sommeil agité et de mauvais rêves, quand le téléphone sonna. Il n'était pas sept heures et demie et, d'ordinaire, personne ne téléphonait à une heure aussi matinale. Elle fut un instant tentée de laisser sonner sans répondre. Après tout, c'était le Late Summer Holiday et l'on ne dérangeait pas les gens à une heure pareille un jour férié. Elle était toutefois presque certaine que c'était Frederic. Si la plupart des magasins seraient ouverts, les banques, traditionnellement, resteraient fermées et Frederic ne travaillerait pas. Elle se rendit dans le séjour et décrocha le téléphone.

— Oui ?

— C'est moi, dit Frederic. J'espère que je ne t'ai pas réveillée ?

— Non. Je viens juste de me lever.

— Tu as pu enrayer ta migraine à temps, hier soir ?

— Non.

Il demeura un instant silencieux.

— Je suis désolé, dit-il enfin. Je ne voulais pas que ça te rende malade.

— C'est bon. C'est fini, maintenant.

— Virginia...

Il lui était manifestement pénible de devoir à nouveau l'ennuyer.

— Virginia, je ne veux pas faire pression sur toi, mais… as-tu réfléchi à ce que je t'ai demandé hier soir ?

Elle n'avait pas cru une minute que l'affaire était terminée, mais elle avait espéré qu'il lui laisserait un peu plus de temps avant le second round.

— Je n'allais vraiment pas bien, dit-elle. J'étais incapable de réfléchir.

Il soupira.

— J'ai du mal à comprendre en quoi cela devient un tel problème, qui exige une réflexion aussi intense.

Elle ne voulait pas être agressive, pourtant elle ne put s'empêcher de répliquer d'un ton mordant :

— Et moi, j'ai du mal à comprendre pourquoi tu ne peux pas faire carrière tout seul !

Elle n'aurait pas été surprise qu'il raccroche, mais il devait réellement avoir besoin de sa coopération, car il réagit avec un calme forcé qui en disait long sur les efforts qu'il faisait pour se maîtriser.

— Ne nous disputons pas. Je crois que je t'ai clairement expliqué les raisons pour lesquelles j'avais besoin de toi. Pourquoi n'essayes-tu pas au moins une fois ? Tout ce que tu as à faire est de mettre une jolie robe dans une valise et de t'asseoir dans le train pour Londres, ou de t'y faire conduire par Jack. Nous irons ensemble à cette soirée et je te promets, si tu trouves cela effectivement épouvantable, de ne plus jamais te redemander de faire ça pour moi.

Il était habile, elle devait le reconnaître. Il était doux, aimable, et suggérait que son insistance était exceptionnelle, qu'il n'avait pas l'intention de la forcer éternellement à faire quelque chose qu'elle détesterait.

« Pourquoi n'essayes-tu pas au moins une fois ? »

Continuer à refuser était mesquin et déloyal, mais l'idée d'assister à une soirée où des étrangers l'examineraient à la loupe et la jugeraient du haut de leur morgue la terrifiait au point qu'elle allait avoir à nouveau une migraine épouvantable si elle ne pensait pas immédiatement à autre chose.

— Je vais y réfléchir, dit-elle. Je te le promets. Je vais le faire.

La réponse ne pouvait pas le satisfaire, mais il parut comprendre qu'il n'obtiendrait rien de plus pour le moment.

— Tiens-moi au courant de ta décision, dit-il avant de raccrocher.

Il y a longtemps que j'ai pris une décision ! Et tu le sais ! Pourquoi ne me laisses-tu pas tranquille ? Pourquoi cherches-tu à me donner le sentiment que je suis un être abominable ?

Elle se rendit dans la cuisine. Une odeur de café frais et d'œufs au bacon l'accueillit. Debout devant le plan de travail, Nathan sortait deux toasts délicatement dorés du grille-pain pour les poser dans la corbeille à pain.

— Bonjour, dit-il, déjà debout ?

— Déjà est un grand mot.

Le naturel avec lequel il s'affairait dans sa cuisine l'agaça. Il portait un jean et un tee-shirt un peu trop petit pour sa carrure. En y regardant de plus près, elle se rendit compte que le tee-shirt appartenait à Frederic, qui était un peu moins carré d'épaules que lui. Nathan faisait une taille de plus.

— Vous devriez mettre des tee-shirts à votre taille, dit-elle.

— Pardon ? Ah, ça, fit-il en baissant les yeux sur lui. Il n'est pas à moi. Je l'ai trouvé dans votre buanderie, sur la pile de linge à repasser. Mes vêtements ne sont plus mettables. Je me suis dit que... J'espère que ça ne vous dérange pas ?

— Non, non, c'est bon.

La buanderie se trouvait au sous-sol. Qu'était-il allé faire jusqu'au sous-sol ? Avait-il exploré tranquillement chacune des pièces ? Elle éprouva un brusque malaise à l'idée qu'il avait fouiné partout dans la maison pendant qu'elle dormait. Cette nuit, elle fermerait sa porte à clé. S'il devait être encore là cette nuit.

Si je ne le mets pas à la porte, il sera encore là, songea-t-elle, résignée à l'avance. De lui-même, il ne repartira pas de sitôt.

— En fait, je voulais aller courir de bonne heure, dit-elle, mais je ne me suis pas réveillée. Ça ne m'arrive jamais.

— Vous avez émotionnellement donné beaucoup de vous-même, hier soir. Pas étonnant que vous soyez fatiguée. Et ne regrettez pas votre séance de jogging. Il bruine sans discontinuer et la chaleur d'hier n'est plus qu'un souvenir.

134

Il faisait de fait encore plus sombre dans la cuisine que d'habitude. Un léger rideau de pluie ruisselait devant la fenêtre.

— D'un coup, c'est l'automne, dit-elle.

— Septembre ne commence que dans quelques jours, observa Nathan. Nous aurons encore de belles journées, mais après ce rafraîchissement il est peu probable que la chaleur revienne.

Elle se sentit brusquement triste. Et étrangement dénuée de force.

Il s'en rendit compte.

— Venez, asseyez-vous. Un bon café chaud est exactement ce dont vous avez besoin. Et un toast avec des œufs brouillés. Je suis plutôt doué pour les œufs brouillés...

Il dressa avec soin une assiette pour elle et la posa sur la table. Surprise de découvrir combien il lui était agréable qu'on s'occupe d'elle, elle s'assit sur une chaise et but une première gorgée de café. Il était parfait. Fort, revigorant mais pas amer.

— Question café, vous vous défendez bien aussi, dit-elle.

Il sourit.

— A la maison, c'est moi qui suis chargé de la cuisine. Avec le temps, on acquiert de l'expérience.

La mention de sa maison lui fit penser à quelque chose.

— Au fait, hier soir, je ne vous ai pas demandé... comment va Livia ?

— Ni mieux ni moins bien.

Il ne haussa pas les épaules, mais sa réponse sonnait comme tel. Comme si l'état de sa femme lui était indifférent.

— Vous êtes vraiment allé la voir ? insista-t-elle.

Elle se souvenait qu'il était rentré si gai et si détendu de sa visite à l'hôpital qu'elle avait sérieusement envisagé la possibilité qu'il ne s'y soit nullement rendu.

Il la regarda, l'air amusé. Il s'était assis à table en face d'elle et s'était servi également un café, en renonçant toutefois aux œufs brouillés et aux toasts.

— Pourquoi ne serais-je pas allé la voir ? Je vous ai emprunté votre voiture rien que pour ça.

Elle se sentit stupide.

— Je me suis dit que… Vous aviez l'air si calme. Je crois que si mon mari était à l'hôpital en état de choc, je serais autrement stressée.

— Ça ne rendrait pas la situation différente pour autant.

— Effectivement. Ça ne changerait rien.

Puis, d'un ton volontairement égal, elle poursuivit :

— Que disent les médecins ? Vous avez sûrement parlé à un médecin, non ? Quand pensent-ils que l'état de votre femme va s'améliorer ?

Cette fois, il haussa les épaules pour de bon.

— Ils ne s'avancent pas trop. Pour le moment, ils s'emploient à la remettre physiquement d'aplomb, ils considèrent que c'est le plus urgent. Pour le reste, je crains qu'il ne faille la faire admettre dans un autre type de clinique.

— Vous voulez dire : dans une clinique psychiatrique ?

— Oui. Du moins, je ne l'exclus pas. Elle a toujours été psychologiquement… fragile. Naturellement, notre accident est pour elle un véritable drame.

Virginia cherchait désespérément un moyen d'aborder le sujet de leur retour en Allemagne. Devait-elle l'interroger sur l'existence de bonnes cliniques allemandes… Lui parler sans détour de l'ambassade d'Allemagne… Ou bien lui demander directement quand il envisageait de rentrer ?

Elle réfléchissait et se battait encore contre ses scrupules quand il dit subitement :

— Une deuxième petite fille a disparu dans la région.

— Quoi ?

— J'ai allumé la télévision pendant que je préparais le petit déjeuner. Ils ont parlé d'une fillette qui a été enlevée puis tuée et dont le corps a été retrouvé quelques jours plus tard dans la région. Et depuis hier, une deuxième petite fille est recherchée.

— Mais c'est affreux !

Elle oublia totalement son intention de lui demander poliment de prendre la porte et le dévisagea, atterrée.

— Une petite fille de King's Lynn ?

— Oui. Ils ont dit son nom mais je ne l'ai pas retenu. Elle se rendait au service des enfants, mais elle n'y est jamais arrivée. Et depuis, personne ne semble l'avoir vue.

— Quelle horreur ! Quelle horreur pour les parents !

— Quand allez-vous chercher votre fille ?

— Ce soir.

Elle n'eut soudain plus d'appétit pour les œufs brouillés qu'elle avait pourtant trouvés délicieux quelques secondes auparavant.

— Je ne devrais pas laisser Kim sans surveillance un seul instant...

— Chez sa petite camarade et tant qu'elle est en compagnie d'autres enfants, il n'y a guère de danger, la tranquillisa Nathan. Et ici avec vous non plus. Mais mieux vaut éviter qu'elle reste longtemps seule dehors dans la rue.

— C'est évident.

Elle repoussa son assiette.

— Nathan, vos œufs brouillés sont excellents, mais je ne peux plus rien avaler. Je...

Il eut l'air ennuyé.

— Je n'aurais pas dû vous parler de ça.

— Je l'aurais appris, de toute façon.

— Que comptez-vous faire ce matin ? Que faites-vous quand il fait ce temps à ne pas mettre le nez dehors ?

— Je ne sais pas. Cet après-midi, il faut que j'aille à King's Lynn. J'ai des courses à faire. J'irai ensuite voir Livia à l'hôpital. Puis j'irai chercher Kim.

Il approuva d'un hochement de la tête.

— C'est un programme qui se tient.

Elle s'accrochait à sa tasse de café. La chaleur de la porcelaine qui réchauffait ses mains semblait se diffuser lentement dans tout son corps. La sensation était à la fois réconfortante et apaisante. Le brusque changement de temps la déprimait, d'un coup sa maison, son cher refuge, lui paraissait froide et sombre. La nouvelle de la disparition de la fillette, Frederic avec son insistance et son agacement, le sentiment de s'être fourvoyée avec Nathan et Livia dans une affaire dont le contrôle lui échappait de plus en plus... Oui, cette tasse de café délicieusement odorant était bien son seul réconfort, avec la chaleur qui émanait encore de la cuisinière après que Nathan y eut fait cuire les œufs.

Nathan se pencha vers elle. Son regard reflétait un réel intérêt et de la compassion.

— Vous n'allez pas bien, n'est-ce pas ?

Elle prit une longue inspiration.

— Mais si, je vais bien. J'ai seulement quelques petits problèmes.

— « Quelques petits problèmes » ? Ils doivent peser bien lourd, sinon vous n'auriez pas l'air aussi triste.

— Ça, ça me regarde ! répliqua-t-elle d'un ton vif.

— Excusez-moi.

Il se redressa, restaurant entre eux la distance qui initialement les séparait.

— Je ne voulais pas être indiscret.

— C'est bon. Simplement, je...

Elle hésitait à nouveau. C'était pourtant le moment. Il avait prononcé le mot « indiscret ». C'était maintenant. *Dis-le-lui maintenant ! Dis-lui qu'il ne peut pas rester ici éternellement. Qu'il faut qu'il s'organise pour rentrer en Allemagne. Que ce n'est pas possible qu'il s'installe ici, qu'il se comporte dans ta maison comme si c'était la sienne, qu'il ne prenne aucune disposition pour la suite. Fais-lui comprendre que...*

Il interrompit le cours de ses pensées avant même qu'elle ait réussi à formuler mentalement une phrase :

— Savez-vous à quoi je ne cesse de penser depuis hier soir ? demanda-t-il. Je ne peux pas m'empêcher de me demander ce qui s'est passé. Il s'est passé quelque chose, n'est-ce pas ? Pourquoi ne pouviez-vous pas quitter cet indolent de Michael ? Pourquoi gardiez-vous secrète votre liaison avec Andrew Stewart ? Et pourquoi... êtes-vous aujourd'hui mariée avec Frederic Quentin ? Et pas avec Andrew Stewart ?

2

Michael

Ils se connaissaient depuis environ six semaines quand Virginia apprit qu'Andrew Stewart était marié.

C'était en décembre, peu avant Noël. Il l'avait invitée à

passer un week-end prolongé dans la maison de vacances d'un ami, dans le Northumberland. Virginia avait résolu d'avoir une longue conversation avec Michael ce week-end-là, de lui parler de sa relation avec Andrew, de faire appel à sa compréhension, puis de se séparer officiellement de lui. Il y avait des semaines qu'elle repoussait l'échéance, faute de courage. Quand Andrew lui proposa de partir, elle se réjouit de ce répit supplémentaire.

Elle parla à Michael d'un week-end santé organisé en commun avec une de ses amies et quand il voulut savoir de quelle amie il s'agissait, elle s'inventa une amie du temps de ses folles années londoniennes qu'il ne connaissait pas. Elle ne fut pas très fière d'elle et se jura de ne plus jouer à ce petit jeu. Michael avait le droit de connaître la vérité, en outre elle souhaitait qu'enfin tout le monde sache qu'elle était avec Andrew.

Cette année-là, la neige épargna le Northumberland, mais pas la pluie ni le brouillard. La région n'était que grisaille et humidité glaciale. Avant même d'atteindre la vieille maison isolée en pleine campagne, ils s'enlisèrent dans la boue et durent dégager les roues arrière de la voiture d'Andrew à mains nues et sous une pluie battante, ce à quoi ils ne parvinrent que longtemps après la tombée de la nuit. Ils n'avaient plus un poil de sec et étaient complètement frigorifiés quand enfin ils arrivèrent à bon port. La maison qui les accueillit sentait l'humidité et le renfermé, et il régnait, là aussi, un froid polaire. Elle était restée fermée tout l'été, personne n'y était venu depuis que les amis d'Andrew y avaient séjourné, à Pâques, et personne ne s'en était occupé non plus.

« Ce n'était peut-être pas une idée très heureuse de venir ici, dit Andrew quand il comprit qu'il allait devoir commencer par fendre du bois pour allumer du feu dans l'unique cheminée tandis que Virginia, qui grelottait et claquait des dents, se pelotonnait sur un des canapés et le regardait, visiblement incapable de faire autre chose que de serrer très fort ses bras contre elle.

— Ssssi... c'était... uuune sup... super idée », affirma-t-elle avant d'éternuer.

Andrew avait heureusement plus de courage qu'elle. Un bon feu finit par crépiter dans l'âtre, quelques verres d'alcool fort les réchauffèrent de l'intérieur et Virginia, revigorée, prit possession de la merveilleuse cuisine ancienne pour préparer une gigantesque marmite de soupe à la tomate dont ils se nourrirent les deux jours suivants. Elle avait pris froid lors de l'épisode de la panne dans la boue et elle passa son séjour à essayer de tenir en échec rhume et mal de gorge. Elle portait en permanence une écharpe en laine rêche entortillée autour de son cou et suçait des bonbons à l'eucalyptus, mais rien n'aurait pu assombrir son bonheur. Equipés de bottes de caoutchouc et de grosses vestes imperméables, ils firent de longues marches à travers la lande brumeuse et les vallons détrempés par la pluie. Des heures sans croiser âme qui vive, hormis de temps à autre, dans leur pâture, quelques moutons esseulés dont les toisons embroussaillées dégoulinaient de pluie. Virginia, qui était habituée aux lumières de Londres et à la vie étudiante tourbillonnante de Cambridge, n'aurait jamais cru pouvoir être aussi heureuse dans les âpres solitudes du nord du pays. Aucun lieu où ils auraient pu se distraire n'était accessible. Le premier village était à dix kilomètres. Ils y achetèrent du pain et du beurre dans une petite épicerie et, un soir, allèrent à l'unique pub de l'endroit. Ils burent de la bière brune en écoutant des vieux du pays discuter bruyamment politique jusqu'à se quereller avant de regagner tranquillement leurs maisonnettes, satisfaits de leur soirée, bras dessus bras dessous.

Rien ne manquait à Virginia, ni les soirées, ni les rencontres follement intéressantes, ni l'or et les paillettes. Seul lui importait d'être près d'Andrew, de partager avec lui ces longues nuits de décembre, sombres et pleines de tendresse, et ces journées pluvieuses, si brèves, qui paraissaient enchantées.

Elle pensa à Michael, une fois, lors de leur dernier matin dans le Northumberland. Elle buvait du café, assise devant la cheminée, en pyjama, tandis que de l'autre côté de la fenêtre, enfin, quelques flocons commençaient à tomber. La radio diffusait des chants de Noël. Andrew, lui aussi en pyjama et allongé sur le canapé, se rendit compte qu'il y avait plusieurs minutes qu'elle regardait la neige tomber, l'air absente.

« Qu'est-ce qui se passe ? demanda-t-il. Tu as brusquement l'air d'être très, très loin. »

Elle se tourna vers lui. « Je pensais à Michael, dit-elle, et au fait qu'il faut que je lui parle de nous avant Noël. J'ai du mal, tu sais. Il s'est toujours raccroché à moi, j'étais son refuge, sa protectrice. Mais ça me pèse de devoir lui mentir. Et l'idée qu'il soit seul à Noël me rend malade. Il a perdu sa mère, il n'a plus de contact avec son père. Il pourrait aller chez mes parents, mais ils vivent désormais la plus grande partie de l'année à Minorque. Il est très proche d'eux... »

Andrew ne dit rien. Elle pensa qu'il ne voyait peut-être aucune raison de se préoccuper du bien-être de son prédécesseur.

« Il s'en sortira, dit-elle d'un ton plus léger que ce qu'elle ressentait, et je tiens à passer Noël avec toi. Plus avec lui. »

Andrew ne disait toujours rien. Il se leva du canapé, se dirigea vers la cheminée et posa une bûche sur le feu.

« Andrew ? » interrogea Virginia d'un ton mal assuré. Il regardait les flammes qui s'emparaient en crépitant de la nouvelle bûche. Virginia posa sa tasse de café de côté.

« Andrew, qu'est-ce qu'il y a ?

— Virginia chérie, à propos de Noël, dit-il sans la regarder, ce ne sera pas possible que nous le passions ensemble.

— Mais pourquoi ? »

Il prit une longue inspiration. Puis : « A cause de Susan. Ma femme. Elle arrive le 23 décembre. »

Un silence de plomb s'abattit, mais toute l'horreur de ce qu'il venait de dire flottait dans la pièce.

« Qu'est-ce que tu as dit ? » demanda Virginia après un instant de sidération, à la fois stupéfaite et incrédule.

Enfin Andrew réussit à se tourner vers elle et à la regarder dans les yeux. Il paraissait contrarié mais en même temps soulagé, comme quelqu'un qui s'est décidé à ne pas repousser plus longtemps une affaire désagréable et à tout déballer.

« Je suis désolé, Virginia. J'aurais dû te le dire depuis longtemps. Je suis marié.

— Mais... »

Elle se prit la tête à deux mains, comme si ce geste allait l'aider à remettre de l'ordre dans toutes les pensées qui s'y télescopaient.

« Ces dernières semaines, j'étais toujours à deux doigts de te le dire. Mais après ne pas l'avoir fait dès le début, ça ne me semblait jamais le bon moment. J'ai été lâche, Virginia. J'espérais qu'une occasion propice se présenterait. J'aurais dû savoir que dans un cas comme celui-ci il n'y a pas d'occasion propice. Et que chaque jour que je laissais passer ne faisait que rendre les choses plus difficiles.

— Ta femme...

— Elle vit à Londres. Elle est enseignante. Quand on m'a proposé d'entrer dans un gros cabinet de Cambridge, j'ai accepté, c'était une formidable opportunité. Susan, bien sûr, n'a pas pu obtenir un changement d'affectation aussi rapidement. Elle est donc restée temporairement à Londres. Elle aura un poste dans un établissement de Cambridge en septembre prochain. »

Virginia était assommée. « Je n'arrive pas à le croire », murmura-t-elle enfin.

En deux pas, Andrew fut près d'elle. Il s'accroupit et prit ses mains dans les siennes.

« Virginia, je vais parler à Susan, dit-il. Je vais lui dire, pour toi. Je vais... tout arranger. »

Toujours abasourdie, elle tourna la tête vers lui.

« Qu'est-ce que ça veut dire, "tout arranger" ?

— Je vais lui demander de divorcer », répondit Andrew.

Par la suite, Virginia se dit souvent qu'elle s'était comportée exactement comme toutes ces femmes dont elle avait entendu parler et qu'elle avait méprisées. Ces femmes qui attendaient, qui se consolaient avec des promesses, qui se laissaient embobiner.

Les premiers temps, il ne se passa rien. Virginia fêta Noël avec Michael, Andrew avec Susan, et personne ne parla à personne. Virginia ne parvenait pas à avouer à Michael qu'elle était tombée amoureuse d'un homme marié et qu'elle devait à présent attendre qu'il mette un terme à son mariage, aussi ne dit-elle rien. En d'autres termes, tout continua comme avant : Susan Stewart regagna Londres dans les premiers jours de janvier, et Virginia et Andrew renouèrent avec leurs rendez-vous de conspirateurs. Au lieu de se clarifier, leur histoire se compliqua. Maintenant que tous les occupants de son immeuble savaient qu'il existait une Mme Stewart, Andrew ne pouvait plus recevoir Virginia chez lui comme aux premiers temps de leur relation ; quant au petit appartement de Virginia, il ne pouvait entrer en ligne de compte à cause de Michael. Ils se retrouvaient donc désormais dans des auberges de campagne isolées ou à l'hôtel, dans d'autres villes. Ils n'étaient pas moins attirés l'un vers l'autre qu'auparavant, ils partageaient de merveilleux moments de passion et de tendresse, et cependant leur relation ne parvenait pas à évoluer. Les week-ends où Susan venait à Cambridge, Virginia souffrait, mais elle se disait qu'Andrew devait lui aussi souffrir de l'existence de Michael. Elle lui demandait souvent s'il avait parlé à Susan. Andrew éludait ses questions.

Ainsi, après les vacances : « A Noël et au Jour de l'an, ce n'était pas possible, expliqua-t-il à Virginia. Je n'ai pas pu. Décembre est un mois épouvantablement sentimental. »

Puis Susan fut très stressée : « Elle était une fois de plus épuisée par sa semaine. Elle a des classes très difficiles. Elle est obligée de prendre des calmants le matin pour trouver le courage d'aller travailler. Si je lui parle maintenant de divorce, elle va s'effondrer. »

Pour son anniversaire, début février, Virginia avait espéré qu'il lui ferait le cadeau de parler à Susan, mais elle dut faire une croix sur cette belle idée. Au lieu de cela, il lui promit un séjour à Rome au printemps. Virginia s'en réjouit, mais elle songea que ce n'était pas cela qui ferait avancer leur histoire.

Elle n'était encore jamais venue dans la Ville éternelle et tomba instantanément sous le charme. L'animation des rues, le soleil, la chaleur, les fontaines, l'Histoire partout présente la fascinèrent et au-delà de la fascination lui donnèrent un sentiment permanent de légèreté, de griserie, comme si elle avait bu du champagne. Un jour, au milieu du pont Saint-Ange qui enjambe le Tibre, elle dut un moment s'arrêter et longuement respirer, comme s'il fallait qu'elle s'assure qu'elle ne rêvait pas. Mais c'est là aussi, face à l'imposant château circulaire, qu'elle vécut un événement étrange. Subitement, sans aucun signe avant-coureur, elle fut prise d'une brusque angoisse, d'un sentiment violent proche de la panique. Elle s'efforça de respirer à fond, deux fois, trois fois, l'air ne voulait pas entrer dans ses poumons.

« Qu'est-ce qui t'arrive ? » demanda Andrew qui à côté d'elle mitraillait le paysage.

Il oublia un instant son appareil photo pour scruter son visage.

« Tu es toute pâle !

— Je ne sais pas...

— Ça doit être le soleil, décida-t-il. Viens, on retourne sur l'autre rive et on s'assied quelque part à l'ombre. Il fait vraiment chaud aujourd'hui et...

— Non. Ce n'est pas le soleil. »

La pression se fit moins forte, elle sentit qu'elle reprenait des couleurs.

« J'ai eu tout d'un coup... un drôle de sentiment... Comme si...

— Comme si quoi ? l'encouragea-t-il.

— C'est tellement bête... »

Elle essuya son front du dos de la main. Il était baigné de sueur.

« J'ai pensé brusquement que tout serait bientôt fini. Que c'était la dernière fois que j'étais heureuse.

— Qu'est-ce qui doit être bientôt fini ?

— Cette légèreté. Il y a longtemps que je ne me suis pas sentie aussi légère qu'ici, dans cette ville. Ce printemps. Avec toi. J'ai l'impression de vivre le moment le plus fort de ma vie, d'avoir atteint l'apogée. Ensuite, ça ne peut aller qu'en descendant.

— Virginia, mon cœur, qu'est-ce que tu vas imaginer ? »

Il la prit dans ses bras. Elle enfouit son visage dans le creux de son épaule et se laissa bercer par sa voix qui la rassurait :

144

« Tu as à peine vingt-trois ans ! Ta vie est encore loin de commencer à décliner. Tu vas vivre encore plein de moments merveilleux. Tu verras. »

Elle trouva surprenant qu'il dise « *Tu* vas vivre encore plein de moments merveilleux ». Pourquoi n'avait-il pas dit « *Nous* allons vivre encore plein de moments merveilleux » ?

Elle lui posa la question. Il ne dissimula pas son agacement. « Mon Dieu, Virginia ! Tu pèses chacun des mots que je prononce ? De toute façon, on parlait de toi, pas de moi. Franchement, il y a des moments où tu exagères ! »

Elle leva les yeux vers le château, puis elle baissa la tête et contempla les eaux noires du fleuve qui s'écoulaient sous le pont, loin au-dessous d'elle.

Il avait probablement raison. Elle avait donné trop d'importance à ses paroles. Elle s'en étonna elle-même. Gaie et heureuse de vivre comme elle l'était, elle n'avait pas une nature à se perdre en conjectures ou à chercher le sens caché des non-dits. Pourquoi le faisait-elle ? Et justement aujourd'hui, à Rome, au-dessus des eaux du Tibre, quand il faisait si beau ?

Parce que la situation me pèse plus que je ne veux me l'avouer, songea-t-elle.

L'idée l'effraya et elle s'empressa de l'enfouir soigneusement au fond d'elle-même.

Rien ne devait venir gâcher sa merveilleuse semaine à Rome avec Andrew.

Le soir, ils retournèrent sur les marches de la place d'Espagne. Le petit hôtel discret dans lequel ils étaient descendus n'était pas à plus de quelques minutes à pied et ils y venaient presque tous les soirs. Il régnait jusque tard dans la nuit une douceur estivale qui attirait une foule dense et joyeuse. C'était amusant de s'asseoir simplement sur les marches et d'observer ce qui se passait autour de soi, d'écouter toutes les voix qui se mêlaient, les voitures qui klaxonnaient, sous la voûte étoilée d'un ciel de velours noir, soir après soir dénué de nuages. Andrew prenait Virginia en photo. Sur toutes, elle rayonnait de bonheur, ses yeux pétillaient.

Il n'y avait et ne devait plus jamais y avoir de photos sur lesquelles elle irradiait une telle joie de vivre.

Le bonheur prit fin le jour de leur départ.

C'était tôt le matin, les premières lueurs de l'aube filtraient à travers les lattes des volets de leur chambre. Dehors, Rome renaissait à la vie, sans bruit, lentement. Virginia et Andrew s'aimèrent avec le regain d'intensité et d'abandon de soi qu'éveille l'imminence de la séparation. Leur avion décollait à midi. Quelques heures plus tard, Virginia serait à table en face de Michael, elle retrouverait sa façon légèrement affectée de préparer ses sandwichs, elle l'écouterait raconter de son ton toujours un peu plaintif combien il avait souffert de son absence et combien il s'était senti seul. Elle lui raconterait son voyage d'étude à Rome. Il n'avait pas été facile de le convaincre qu'il ne pouvait pas venir. A vrai dire, elle ne l'avait pas convaincu, elle ne lui avait pas laissé le choix. Il l'avait appelée tous les matins à l'hôtel, lui avait demandé tous les matins si elle préférait réellement être seule plutôt qu'avec lui. Il lui avait parfois tapé sur les nerfs au point qu'elle en aurait crié.

Ce matin-là, dans les bras d'Andrew, exténuée par l'amour, encore dans le souvenir de leur totale fusion, elle se dit subitement que ça ne pouvait plus durer. C'était indigne et affreux.

Elle se redressa.

« Andrew, s'il te plaît, ça ne peut pas continuer comme ça », dit-elle. Andrew ouvrit les yeux, la regarda.

« De quoi parles-tu ?

— Eh bien, de tout. Des mensonges. Des cachotteries. De ne pas pouvoir être ensemble. De nos rendez-vous dans des hôtels. Au début, cela avait un certain charme, maintenant je trouve ça surtout... pesant. Et... laid. »

Il soupira, se redressa à son tour. Il passa sa main droite sur son front et ses yeux. Il paraissait soudain très fatigué.

Virginia sentit sa poitrine se serrer, un pincement qui ressemblait à ce qu'elle avait ressenti sur le pont Saint-Ange. Quelque chose n'allait pas. Andrew paraissait au supplice.

146

« Andrew, demanda-t-elle à mi-voix, tu vas bientôt parler à Susan ? Ça ne peut vraiment pas continuer ainsi. »

Andrew évita son regard et fixa un point de la chambre où il n'y avait rien à voir que l'obscurité, que le jour naissant n'avait pas encore dissipée.

« Je voulais te le dire depuis longtemps... commença-t-il à mi-voix, comme elle précédemment. Mais je ne trouvais pas les mots. Et je ne trouvais pas le courage. »

Le froid l'envahit. Elle remonta la couverture.

« Tu voulais me dire quoi ?

— Il y a quelque chose qui a changé. C'est... je ne peux pas parler à Susan. Je ne peux plus.

— Pourquoi ?

— Parce que... »

Il ne pouvait pas la regarder dans les yeux. Il s'accrocha à l'obscurité et au vide qu'il fixait depuis un instant.

« Susan est enceinte », dit-il.

Dehors, dans la rue, quelqu'un cria, juste après on entendit des grincements et des bruits de ferraille. La marchandise d'un camion de livraison était sur le point d'être déchargée. Deux hommes semblaient s'invectiver. La voix aiguë d'une femme s'interposa.

Virginia entendait à peine. C'était un bruit lointain en arrière-plan, irréel, qui provenait d'un autre monde.

« Quoi ? fit-elle, frappée de stupeur.

— Elle me l'a annoncé fin février.

— Mais comment... Je veux dire... quand... ?

— Septembre, dit Andrew. C'est pour la mi-septembre. »

Elle se sentit prise de vertige et dut s'adosser à l'imposante tête de lit en bois et fermer un instant les yeux.

« Mi-septembre, répéta-t-elle. Alors c'est en décembre que... » Elle n'acheva pas sa phrase.

S'il avait pu s'évaporer dans la nature, Andrew l'aurait fait.

« Oui, en décembre, avoua-t-il, la mort dans l'âme. Quand Susan est venue à Cambridge. Nous avions bu tous les deux, c'était Noël... C'est arrivé, voilà tout. »

Elle avait tout de suite compris ce que cela signifiait, pourtant, contre toute raison, elle espérait encore un miracle.

147

« Tu disais qu'il y avait plus d'un an que vous ne...

— C'était la vérité. C'est la seule fois. C'est venu comme ça, le champagne... Après coup, je n'ai moi-même pas compris ce qui nous était arrivé.

— Tu es sûr que l'enfant est de toi ?

— Oui », dit Andrew.

Son vertige s'accentua. Elle ouvrit la bouche pour crier, mais aucun son ne franchit ses lèvres.

3

Janie Brown détestait être obligée de faire la sieste tous les jours après le déjeuner pendant les vacances. C'était une énorme perte de temps. En plus, c'était absurde : quand il y avait école, elle ne risquait pas de faire la sieste puisqu'elle ne rentrait à la maison qu'au milieu de l'après-midi et que personne ne lui demandait rien.

Mais Mum insistait sur cette demi-heure de calme, peu importait que Janie affirme qu'elle n'était pas du tout fatiguée. Un jour où Mum s'était fâchée très fort pour se faire obéir, elle lui avait dit : « J'ai besoin de temps à moi, voilà tout ! » Depuis, Janie soupçonnait que sa mère l'envoyait faire la sieste uniquement pour ne pas avoir à s'occuper d'elle. Après déjeuner, elle s'installait toujours dans le séjour, ou l'été sur le petit balcon, et elle fumait cinq ou six cigarettes à la file. C'était sa façon de se détendre, avait-elle expliqué à Janie. Mum devait travailler dur. Elle avait un emploi dans une laverie, où elle lavait et repassait le linge d'autres personnes, et elle était toujours éreintée. En temps ordinaire, elle prenait sa pause de midi sur place, à la laverie, mais quand Janie était en vacances et qu'elle ne pouvait pas déjeuner à la cantine de l'école, elle se dépêchait de rentrer à la maison pour lui préparer quelque chose à manger. Elle, c'est tout juste si elle y touchait.

« Je me nourris de cigarettes », disait-elle souvent et Janie pensait que ça ne devait pas la nourrir beaucoup parce que Mum était très maigre. A deux heures, elle repartait à la laverie, ensuite elle ne rentrait à la maison que le soir. Janie se sentait parfois très seule. Les mamans de ses amies étaient à la maison, elles jouaient avec leurs enfants, l'après-midi, elles leur préparaient du chocolat chaud et des tartines de confiture. En échange, il fallait reconnaître que ces filles n'étaient pas très dégourdies. Elle avait entendu la maman de son amie Sophie dire à sa maman : « Je suis toujours étonnée de voir combien votre Janie est indépendante. »

Parfois, quand elle se sentait triste d'être seule, elle y pensait et ça allait tout de suite mieux. Elle avait aussi entendu d'autres choses, et ça, c'était moins agréable. Elle savait qu'on appelait sa maman « mère célibataire » et que ça provoquait chez beaucoup de gens une pitié qui ressemblait à du mépris. Mme Ashkin, qui habitait deux étages en dessous de chez elles, avait dit à sa voisine que le père de Janie était inconnu et elle avait ajouté : « Sans doute qu'il y en a trop de possibles... » Janie n'avait pas compris ce qu'elle voulait dire par là, mais le ton et l'expression de Mme Ashkin lui avaient laissé penser que Mum devait de nouveau avoir fait quelque chose qui inspirait du mépris aux autres.

Janie avait toujours eu envie d'avoir un père. A vrai dire, pas toujours, mais au moins depuis l'époque où elle s'était rendu compte que sa vie n'était pas tout à fait comme celle des autres enfants de son âge. Quand elle avait commencé à aller à la garderie et à être invitée chez des petits camarades ou à des goûters d'anniversaire, elle avait découvert que dans les autres familles il y avait un papa. Les papas, c'était vraiment super. Pendant la semaine, ils travaillaient et ils gagnaient de l'argent pour que les mamans puissent rester à la maison et s'occuper des enfants. Le week-end, ils emmenaient les enfants à la piscine, ils organisaient des promenades à vélo ou ils apprenaient aux enfants à faire du skateboard. Ils recollaient les jouets cassés, ils réparaient les pneus crevés des vélos, racontaient des histoires drôles et aidaient à construire des cabanes. Ils emmenaient leur famille au zoo ou à la pizzeria. Ils n'étaient pas énervés et tout maigres et ils ne disaient pas tout le temps qu'ils avaient besoin de se reposer. Souvent, ils étaient d'accord pour faire des choses que les mères avaient peur qu'ils fassent. Par exemple longer les rives d'un bras de la Great Ouse dans un canot pneumatique. C'est ce qu'avait fait le père de Katie Mills, avec cinq enfants à bord, et Janie avait eu du mal à le croire quand elle avait été invitée à participer à la sortie. Il y avait eu un petit problème, c'est vrai, quand Alice Munroe, qui est un peu empotée, était tombée à l'eau, mais, mis à part qu'après elle était mouillée des pieds à la tête et que ça avait fait rire tout le monde, il ne s'était rien passé. Ils s'étaient seulement super amusés.

Janie ne voyait pas du tout sa mère en train de faire une chose comme celle-là. Une sortie en bateau, un week-end avec cinq enfants... Non, ce n'était pas imaginable. Mum, avec sa nervosité, ses maux de tête permanents et son incapacité, quand elle ne travaillait pas, à tenir plus de dix minutes sans allumer une cigarette... Mum ne voulait même pas qu'elle invite une amie à la maison le samedi ou le dimanche. Et elle ne pouvait même pas faire une vraie fête pour son anniversaire, au mois de septembre.

« Tu peux amener une petite camarade, répétait Mum, et je te donnerai de l'argent pour que tu puisses vous acheter un gâteau pour vous deux. »

C'était tout. Si elle avait eu un papa... Si Mum tombait amoureuse d'un monsieur et qu'ils se mariaient...

Il arrivait drôlement vite, son anniversaire. Aujourd'hui, c'était le 28 août. Vendredi prochain, ce serait déjà le 1er septembre. Et le 17, elle aurait neuf ans. Cette année, son anniversaire tombait un dimanche. Ce serait tellement bien si elle pouvait inviter toutes ses amies ! Elle distribuerait des cartes d'invitation avec un texte pré-imprimé : *Chère... Je suis heureuse de t'inviter à mon anniversaire le... à ... heures. Viens, je compte sur toi. Signé...*

Janie avait déjà choisi les cartes à la papeterie. Elles étaient vert pâle avec plein de petites coccinelles et de trèfles à quatre feuilles imprimés dessus. Elle savait déjà précisément qui en recevrait une. Elle avait fait une liste qu'elle avait rangée dans le tiroir de son bureau. Elle avait prévu les gâteaux qu'il y aurait, les jeux auxquels elles joueraient et comment seraient les petits cadeaux que ses invitées pourraient gagner. Tout était parfaitement au point. Sauf que Mum ne serait pas d'accord. Elle le savait.

Dehors, il pleuvait à seaux. Janie trouvait moins pénible de devoir faire la sieste aujourd'hui par rapport à hier dimanche, où il avait fait si beau et où Mme Ashkin, le matin, avait dit que c'en serait bientôt fini de l'été. Janie aurait tellement aimé jouer toute la journée en bas, dans la cour, où le gardien de l'immeuble avait installé une balançoire. Mais elle avait dû rester sur son lit, dans la belle lumière du soleil tamisée par les rideaux jaunes de sa chambre. Aujourd'hui, tout était gris, sa chambre était triste.

Elle n'arrêtait pas de penser au monsieur qu'elle avait rencontré vendredi. C'était à la papeterie, quand elle regardait avec envie, pleine d'indécision, le présentoir de cartes d'invitation. Il lui avait adressé la parole.

Il était si gentil. Et elle avait eu l'impression qu'il la comprenait vraiment. Il paraissait être de son côté, sans dire du mal de Mum – de toute façon, elle ne le lui aurait jamais permis.

« Mais c'est tout naturel que tu veuilles organiser une fête pour ton anniversaire, avait-il dit. Toutes les petites filles que je connais en ont envie. Et ce sont ces cartes que tu as choisies ? Je dois dire qu'elles sont ravissantes ! »

Il était tellement aimable. Gentil, rassurant, compréhensif. Elle se demandait depuis s'il avait des enfants. A la réflexion, il avait sûrement des enfants. Il ressemblait à un papa. Il était un petit peu copain, et en même temps un exemple qu'on pouvait suivre. On sentait bien qu'il devait savoir consoler quand on tombait et qu'on s'écorchait les genoux, et qu'il ne se fâcherait pas parce qu'on avait déchiré son jean. Il dirait que ce n'était pas bien grave. Tout le contraire de Mum. Mum se mettait terriblement en colère quand vous abîmiez vos vêtements. Elle criait tellement qu'elle oubliait de vous consoler.

Cependant, ce à quoi Janie ne pouvait cesser de penser, c'est à ce que le monsieur avait dit :

« Ça me ferait plaisir d'organiser une fête pour toi. Sais-tu que je suis le meilleur organisateur de goûters d'anniversaire du monde ? J'en ai déjà organisé tant que je suis quasiment un expert !

— Mais ma maman ne le permettra pas, avait-elle objecté. Elle dit que notre appartement est trop petit. Et quand on s'amuse et court partout, on casse forcément des choses. Ma maman a très peu d'argent, vous savez. C'est pour ça qu'elle a toujours peur que quelque chose tombe et se casse. »

Le monsieur avait tout à fait compris.

« C'est très compréhensible. Et maintenant que je sais ça, je pense que votre appartement n'est peut-être pas le bon endroit pour faire cette fête. »

Il lui avait alors fait une proposition trop tentante : « Pourquoi n'inviterais-tu pas tes petits amis chez moi ? J'ai une grande maison avec un jardin. S'il fait beau, la fête aura lieu dehors. S'il pleut, ce n'est pas un problème non plus. Il y a une immense salle de jeu au sous-sol, qui est parfaite pour faire des fêtes ! »

Cela paraissait trop beau pour être vrai. Le monsieur avait voulu l'emmener tout de suite en voiture voir sa fantastique maison, mais elle avait eu peur d'être en retard pour le déjeuner. Maman avait horreur qu'on soit en retard. Quand ça arrivait, les punitions tombaient tout de suite, et elles étaient drôlement sévères : interdiction d'aller jouer dehors, interdiction de regarder la télévision ou suppression de l'argent de poche. Janie n'avait pas voulu courir le risque.

Il avait alors fait une suggestion : « Ton anniversaire n'est pas tout de suite. Tu as le temps de réfléchir. Mais il faudrait que tu voies ma maison avant, pour que nous puissions prévoir notre organisation. Ecoute : normalement, je viens ici acheter mon magazine de moto tous les lundis. Aujourd'hui, c'est une exception. Et pour toi, je vais faire une autre exception : je vais revenir demain. A la même heure. Qu'en penses-tu ? Tu pourras être là ? »

Hormis quelques rares fois, Mum travaillait aussi le samedi. Il est vrai, seulement jusqu'à quatre heures, mais ça pouvait tout de même peut-être aller.

« Oui, je crois bien. Mais pas à cette heure. Parce que là, il faut toujours que je rentre déjeuner. »

Il avait vraiment été gentil et arrangeant.

« Tu sais, en ce qui concerne l'heure, pour moi, en fait, c'est égal. A quelle heure penses-tu pouvoir être là ? »

Elle avait réfléchi. Mum repartait à la laverie un peu avant deux heures. Si elle se levait tout de suite après, s'habillait et partait aussitôt, elle pouvait être à la papeterie à deux heures dix. Pour être sûre, elle compta cinq minutes de plus.

« A deux heures et quart. Ça serait bien.

— Pour moi, deux heures et quart, c'est parfait, avait affirmé le monsieur. Je t'attendrai ici, et de ton côté tu as tout le temps de réfléchir.

— Merci beaucoup », avait-elle marmonné.

Il avait souri. « Tu es une petite fille particulièrement jolie, Janie. Et en plus, intelligente et bien gentille. Je me réjouis de pouvoir te faire plaisir. »

Il avait brièvement réfléchi puis ajouté : « Tu sais, Janie, je crois que pour le moment, il vaudrait mieux que notre plan reste secret. Ça ne m'étonnerait pas que ta maman ne soit pas contente d'apprendre que tu veux faire une fête sans elle autre part que chez vous. »

Ça, elle en était certaine, elle aussi.

« Mais elle va bien s'en rendre compte si je ne suis pas là le jour de mon anniversaire !

— Bien sûr. Aussi, on va tout lui dire juste avant. Si tu préfères, je m'en chargerai. Mais alors il faudra que tout soit déjà parfaitement organisé. Je veux dire qu'il faudra que nous ayons déjà bien réfléchi à ce que nous allons servir aux invités, à ce à quoi nous allons jouer et dans quel ordre. Il faudra peut-être que la salle de jeu soit déjà décorée, ou que nous ayons déjà accroché les lampions dans le jardin. Si elle sait, et mieux encore, si elle peut voir tout le mal que nous nous sommes donné, elle trouvera sûrement que notre idée est fantastique. »

Il ne connaissait pas Mum. Janie n'avait pas le souvenir que sa mère ait déjà trouvé quelque chose fantastique. Mais ça valait peut-être la peine d'essayer.

« Et il ne faut pas non plus que tu en parles déjà à tes petites amies, poursuivit le monsieur, parce que si ça ne marche pas, tu te sentiras ridicule et tu ne sauras plus quoi dire.

— Pourquoi est-ce que ça pourrait ne pas marcher ? avait-elle demandé, d'un coup très inquiète.

— Eh bien, peut-être que ta maman va vouloir tout de même s'y opposer. Ou bien, finalement, ma maison ne te plaira pas du tout ! »

Que sa maison ne lui plaise pas, elle ne pouvait pas l'imaginer, c'était impossible. Que sa maman ne soit pas d'accord, en revanche, elle l'imaginait tout à fait. Elle en avait même très peur.

« Oui. Vous avez raison.

— Promis ? demanda-t-il. Pas un mot, à personne ?

— Promis », avait-elle répondu d'un ton solennel.

Il lui avait caressé les cheveux. « Ce sera ton plus bel anniversaire, Janie », avait-il dit. Et avant-hier, patatras ! La catastrophe. C'était samedi.

Déjà, le matin, Mum lui avait semblé toute pâle et à midi, juste après le déjeuner, où, comme d'habitude, elle avait à peine mangé, elle avait vomi. Elle avait dit qu'elle se sentait malade à crever et qu'avec la meilleure volonté du monde elle ne pouvait pas aller à la laverie. Janie avait compris que c'était sérieux, car Mum se serait traînée à son travail à genoux si elle l'avait pu. Elle avait vomi une seconde fois et finalement téléphoné à la laverie pour s'excuser, puis elle s'était allongée sur le canapé du salon et avait dit qu'elle croyait bien qu'elle allait mourir. Janie avait eu très peur, mais elle avait été presque plus inquiète à cause du monsieur inconnu. Ils devaient se voir à deux heures et quart. Elle avait demandé à Mum si elle pouvait aller chez son amie Alice, c'était sa dernière chance. Pour le coup, Mum s'était vraiment fâchée : « Je suis malade ! Je pourrais avoir besoin de toi ! Et toi, tu veux t'en aller ! C'est gentil de ta part, ça c'est sûr ! »

Janie était restée à la maison. En fin d'après-midi, elle avait fait du thé pour sa mère et lui avait râpé une pomme. Il y avait longtemps qu'elle n'avait pas été aussi malheureuse. Le monsieur allait lui en vouloir, c'était sûr, et il ne serait pas près de revenir à la papeterie.

Le lendemain, Mum était guérie, mais le dimanche, ça n'aurait servi à rien d'aller au magasin et Janie, malheureuse comme les pierres, avait traîné toute la journée dans l'appartement. Elle ne pouvait que faire des prières pour qu'il vienne bien le lendemain, lundi. Pour acheter son magazine de moto.

Par chance, Mum n'était pas retombée malade. C'était un jour férié, mais elle était tout de même allée au travail. Combien d'employeurs dans toute l'Angleterre payaient double salaire, même à leur employée en chef, quand on faisait comme si un jour férié était un jour comme les autres ? Et le matin, Mum avait expliqué qu'elle saurait bien quoi faire de quelques livres supplémentaires. Elle sortait à présent du séjour où elle avait fumé en regardant le mur en face d'elle. Elle traînait les pieds, comme d'habitude. Janie se demandait comment il était possible qu'une personne soit tout le temps fatiguée à ce point.

Mum décrochait maintenant son imperméable du portemanteau. Elle l'enfilait. Elle lissait une dernière fois ses cheveux devant la glace. Poussait un grand soupir. Elle soupirait chaque fois qu'elle quittait l'appartement pour aller à la laverie. Un jour, elle avait dit à Janie que le travail là-bas était la pire chose qu'elle ait jamais imaginé faire dans sa vie.

Le trousseau de clés qui était posé sur la commode sous la glace fit un petit bruit métallique quand Mum le prit pour le mettre dans son sac à main. La porte d'entrée s'ouvrit. Juste après, elle claqua. Les pas de Mum résonnèrent dans l'escalier.

Le cœur battant, Janie rejeta sa couverture. Devait-elle vraiment... Ce n'était pas facile de faire une chose dont elle était certaine que Mum ne l'approuverait pas. Puis elle repensa aux petites cartes d'invitation vert pâle avec les coccinelles et les trèfles à quatre feuilles. Aux lampions dans le jardin, aux saucisses qu'ils feraient griller ensemble. Il fallait qu'elle y aille. Oui, il le fallait.

Elle sauta dans son jean, enfila un sweat-shirt. Prit des chaussettes propres dans le placard et mit ses tennis. Elle se brossa les cheveux, les fourra dans une barrette pour ne plus les avoir sur le front. Elle voulait être jolie et toute propre. Pourvu qu'elle n'arrive pas trempée comme une soupe au magasin. Elle sortit de sa chambre, enfila sa veste de pluie.

Son cœur battait à se rompre quand elle quitta l'appartement.

Elle savait pourquoi. Elle avait terriblement peur qu'il ne soit pas là.

4

Il était près de deux heures et demie quand Virginia gara sa voiture sur la Tuesday Market Place de King's Lynn, une place au cœur de la ville où jadis avaient lieu les exécutions publiques et où l'on dressait les bûchers pour brûler les sorcières. En dépit de la pluie qui continuait à tomber à verse et des nuages qui pesaient sur la ville, elle se sentait mieux que la veille et l'avant-veille. Elle ignorait à quoi cela tenait mais sentait confusément que le fait qu'elle ait commencé à parler de Michael n'y était pas étranger. Des années durant, elle s'était interdit de seulement penser à lui. A présent, elle passait des heures à tout raconter de lui à un parfait inconnu. Et à parler d'elle et de leur histoire commune, à lui et elle.

Mais elle ne disait pas vraiment tout. Elle était fermement décidée à ce que Nathan Moor n'apprenne pas tout.

Elle avait prévu de rendre visite à Livia à l'hôpital, puis d'aller chercher Kim. Avant, cependant... Elle n'était pas arrivée sur cette place par hasard. Juste au moment de partir, sur un coup de tête, elle avait pris une décision un peu folle : elle allait s'acheter une robe et ce soir elle appellerait Frederic pour lui dire qu'il pourrait compter sur elle à Londres vendredi.

Son propre courage lui donnait des palpitations, elle n'avait pourtant encore aucune raison de se sentir sous pression. C'était ce soir, quand elle aurait parlé à Frederic, qu'elle aurait des motifs de se sentir engagée. Pour l'heure, elle seule était au courant. L'idée lui appartenait. Elle pouvait jouer avec, l'affiner, la rejeter, en faire ce qu'elle voulait. Libre à elle.

Ne te rends pas malade avec ça, se répétait-elle. Tu vas t'acheter une robe. Point. Il n'y a pas de quoi en faire une montagne. Au pire, tu auras jeté de l'argent par les fenêtres.

Elle descendit de voiture et traversa en courant la place, sautant par-dessus les flaques. Elle avait stupidement oublié de prendre un parapluie. Tant pis. On la connaissait dans l'élégante petite boutique située en retrait derrière la place et on la recevrait aimablement, même si elle déboulait ruisselante de pluie.

A mi-chemin, elle s'arrêta et décida d'entrer dans la librairie-papeterie devant laquelle elle passait pour acheter quelque chose à Livia, un magazine ou un livre de poche. Elle n'était pas dupe, elle savait qu'un commerce identique était implanté dans le hall de l'hôpital et qu'elle cherchait essentiellement à repousser de quelques minutes l'achat de la robe.

La librairie-papeterie était bondée, mais il devait s'agir pour l'essentiel de passants désireux d'échapper à la pluie, non de véritables clients. Cela n'avait pas échappé au propriétaire des lieux, un homme grisonnant aux lunettes cerclées d'acier, qui paraissait fulminer derrière sa caisse, mais comment lui en tenir rigueur ?

Au rayon de la presse internationale, Virginia dénicha deux magazines allemands qui dataient un peu mais feraient certainement plaisir à Livia. Si tant est qu'elle les remarque. Au dire de Nathan, rien ni personne ne parvenait à la faire réagir.

Elle choisit ensuite un album de coloriage pour Kim puis se fraya un chemin jusqu'à la caisse. Son arrivée redonna fugitivement le sourire au propriétaire qui désespérait d'avoir un seul vrai client de la journée.

— Ils sont là à attendre qu'il arrête de pleuvoir. Ils ne font qu'encombrer le magasin, maugréa-t-il. Est-ce que c'est à ça que je dois servir ?

— Il faut dire que c'est un vrai déluge, dehors, dit aimablement Virginia en sortant son porte-monnaie.

Elle faillit lâcher son sac quand brusquement l'homme explosa :

— Ah, mais ça suffit, maintenant ! Je ne vais pas te le dire une autre fois ! Enlève tes pattes de là !

Tout le monde sursauta et se retourna. Tout au fond du magasin, une petite fille vêtue d'un imperméable bleu se tenait devant le rayon des cartes de vœux. Il y en avait pour toutes les occasions : anniversaires, deuils, mariages, invitations... La fillette rougit jusqu'à la racine des cheveux et lutta visiblement pour ne pas fondre en larmes.

— Elle est tout le temps là à tripoter les cartes pour les goûters d'anniversaire ! s'emporta le propriétaire du magasin. Je l'ai déjà prévenue ! Ecoute-moi, ma petite dame, soit tu achètes les cartes tout de suite, soit tu arrêtes de me les salir avec tes doigts pleins de graisse ! Ça ne va pas se passer comme ça !

— Ce n'est qu'une enfant ! intervint Virginia dans l'espoir de l'apaiser.

Son vis-à-vis la dévisagea, l'air indigné.

— Justement ! Ce sont les pires. Ils fichent tout en l'air. Vous n'imaginez pas ce que je découvre parfois après qu'une horde de gamins a envahi mon magasin... Ils touchent à tout, vandalisent les livres, les journaux, les souvenirs. Et ils barbotent tout ce qu'ils peuvent. Vous savez, de nos jours, c'est dur. Ça me coûte de l'argent que je n'ai pas !

Elle le comprenait. Mais la petite fille, qui pleurait à présent toutes les larmes de son corps, ne méritait assurément pas sa colère. Ce n'était pas elle qui aurait volontairement abîmé un livre ou un journal.

Virginia paya ses achats et quitta le magasin. La pluie ne faiblissait pas et il en serait sans doute ainsi jusqu'au soir. Maintenant, elle ne pouvait plus tergiverser : il fallait qu'elle aille acheter la robe.

Avant de laisser à nouveau son angoisse prendre le dessus, elle courut jusqu'à la boutique en tenant le sac avec les journaux au-dessus de sa tête pour se protéger de la pluie. Un grand choix de robes de cocktail lui fut proposé. Elle se décida pour une robe bleu nuit dont le décolleté, à peine échancré devant, plongeait gracieusement mais sans excès dans le dos. Elle pourrait y assortir les saphirs que Frederic lui avait offerts pour la naissance de Kim.

Très élégant, songea-t-elle. Et parfait pour une soirée chez les conservateurs, ajouta-t-elle ironiquement.

Il était à présent trois heures et quart, largement temps de filer à l'hôpital.

Livia Moor avait été installée dans une chambre à trois lits avec deux autres femmes. Elle occupait le lit situé près de la fenêtre et gisait, parfaitement immobile, le visage tourné à l'opposé de la porte. Les deux autres femmes étaient environnées de fruits et de livres et entretenaient une conversation animée qu'elles interrompirent quand Virginia pénétra dans la chambre. Elle sentit leurs regards dans son dos quand elle s'approcha du lit de Livia.

— Livia, appela-t-elle doucement, vous m'entendez ? C'est moi, Virginia.

La jeune femme était dans un état à faire peur. La dernière fois qu'elle l'avait vue, à Skye, elle lui avait paru très affectée par l'accident et déjà fait l'effet d'une somnambule, mais son hâle et ses cheveux ébouriffés par le vent lui donnaient alors un air de bonne santé. Depuis, ses joues avaient fondu et pris une teinte presque cireuse. Ses mains, qui reposaient le long de son corps sur le drap blanc, étaient agitées de trémulations involontaires. Ses cheveux non lavés avaient été coiffés en arrière, dévoilant un réseau de fines veines bleues sur ses tempes. Son nez avait-il toujours été aussi pointu ? Ses doigts aussi fins ? Son cou aussi décharné ?

Elle ouvrit les yeux quand Virginia lui adressa la parole, mais elle ne tourna pas son regard vers elle. Elle semblait regarder dehors, au-delà de la fenêtre, mais elle ne donnait pas l'impression d'avoir conscience de la pluie qui tombait, ni même de la pelouse détrempée qui s'étendait au pied du bâtiment.

— Livia, je vous ai apporté un peu de lecture.

Virginia sortit les magazines du sac en plastique mouillé en sachant déjà que Livia ne les regarderait pas.

— J'ai pensé que les journées devaient être bien longues pour vous, ici...

Livia ne fit aucun geste. Seules ses mains continuaient à trembler doucement par à-coups.

— C'est en psychiatrie qu'elle devrait être, marmonna une des femmes dans le dos de Virginia. Je me demande ce qu'elle fait ici.

A l'évidence, Livia n'était pas appréciée. Ses compagnes de

chambre étaient des femmes robustes qui, roses et resplendissantes de santé comme elles l'étaient, devaient être sur le point d'être renvoyées chez elles. Elles avaient sûrement espéré accueillir une troisième pipelette qui aurait apporté du sang neuf dans leur petite communauté et démultiplié les sujets de conversation. Au lieu de cela, elles devaient s'accommoder d'un sac d'os inerte et silencieux, qui n'ouvrait pas la bouche et dont les mains étaient en permanence agitées de tremblements nerveux. Ça les rendait hargneuses.

— Il faut d'abord qu'on la remette physiquement sur pied, répliqua Virginia. Il sera bien temps de s'occuper du reste après.

Elle aurait volontiers ignoré les deux commères, mais Livia valait qu'elle plaide pour un peu de compréhension.

— Elle n'a pas bronché une seule fois depuis qu'elle est arrivée, dit l'autre femme. Et elle n'arrête pas d'agiter les mains ! C'est crispant de la regarder !

Virginia se tourna de nouveau vers Livia et lui caressa doucement les cheveux.

— Tout va s'arranger, Livia, dit-elle doucement.

Elle espérait que Livia l'entendait et comprenait ce qu'elle disait.

— Nathan vit en ce moment chez nous, expliqua-t-elle.

Elle avait volontairement dit « nous » pour que Livia ne se fasse pas de fausses idées. Il était inutile qu'elle sache que Frederic était à Londres. Bien qu'il fût peu probable qu'elle s'intéresse seulement à ce genre de détails. Elle semblait se trouver dans un état crépusculaire qui la retenait dans un autre monde.

Virginia demeura encore quelque temps près d'elle, lui caressant le dos des mains, puis Livia referma les yeux, et que quelqu'un se trouve ou non à son chevet parut ne plus avoir grande importance.

Quand Virginia se leva, une des deux femmes ne put résister à son envie de satisfaire sa curiosité :

— C'est vrai qu'elle a manqué se noyer, là-haut, dans les Hébrides ?

— Leur voilier a été éperonné par un cargo, confirma Virginia.

— Qu'est-ce que son mari est beau ! intervint l'autre femme. Mince alors, quand je l'ai vu arriver hier, j'aurais sacrément aimé avoir vingt ans de moins ! Il a un charme, celui-là... A tomber. C'est drôlement dangereux, je trouve. Avoir un homme pareil et être couchée là sans pouvoir se rendre compte de rien ! J'aimerais pas ça, je vous le dis !

L'autre femme gloussa en prenant un air entendu.

— Tu veux dire qu'il en profite pour...

— Pardi ! Un comme ça, on ne doit pas beaucoup le lâcher ! Avec sa belle gueule et balancé comme il est... Toutes les femmes doivent lui courir après !

Elles éclatèrent de rire. Virginia marmonna un bref au revoir et se hâta de sortir de la chambre. Voir Livia l'avait émue, le bavardage de ses compagnes de chambre la troublait. Dans le couloir, elle s'arrêta, s'adossa au mur et s'appliqua à respirer à fond. Nathan Moor était-il un homme qui faisait un tel effet aux femmes qu'elles se transformaient en bécasses infantiles comme les deux commères de la chambre ?

A-t-il sur moi aussi cet effet ?

Il y avait naturellement longtemps qu'elle s'était rendu compte qu'il était beau. En fait, dès qu'il avait franchi la porte de la cuisine de Mme O'Brian, à Skye. De même que sa femme, livide et tremblante, il n'y avait alors pas vingt-quatre heures qu'il avait échappé à la mort en se jetant à la mer et qu'il ne possédait plus rien sur terre que ce qu'il avait sur le dos, et pourtant il émanait de lui une énergie puissante, animale, et une inébranlable assurance. Bronzé, détendu, ses cheveux bruns un peu trop longs négligemment rejetés en arrière, il aurait pu passer pour un vacancier tranquille de retour d'un long footing en bord de mer et non pour un homme dont tous les biens gisaient par des dizaines de mètres de fond. Elle revit l'image de Nathan, ce matin, quand elle était entrée dans la cuisine, ses larges épaules moulées dans le tee-shirt de Frederic...

Je ne devrais pas rester aussi longtemps seule avec lui dans une maison.

161

C'était une bonne chose que Kim rentre aujourd'hui. Et c'était une bonne chose qu'elle aille à Londres vendredi, si angoissée qu'elle se sente encore à cette seule idée. S'en irait-il à ce moment-là ? Ou penserait-il pouvoir rester seul dans la maison pendant qu'elle était près de son mari à Londres ? Si elle acceptait qu'il reste, ça se passerait très mal avec Frederic, et ce ne serait que mérité. Cependant, maintenant qu'elle avait vu Livia, il lui paraissait effectivement difficile que Nathan rentre en Allemagne avec elle. Etait-elle seulement transportable ? Etait-il envisageable de lui faire subir un nouveau bouleversement de son environnement ?

Elle décida d'en parler le soir avec Nathan. S'il voulait rester à King's Lynn à cause de Livia, il faudrait qu'il aille à l'hôtel. Mais avec quoi payerait-il l'hôtel ? Au pire, elle en serait quitte pour lui prêter de nouveau de l'argent. Mais ne pouvait-il pas demander une avance à son éditeur ? Si ses livres se vendaient bien, il devait y avoir de l'argent qui rentrait dans les caisses pour lui. Sinon, son éditeur devait pouvoir lui faire une avance.

Où était le problème, dans ce cas ?

Elle quitta l'hôpital à pas pressés. Lorsqu'elle pensait plus d'une minute à Nathan Moor, elle se sentait mal à l'aise. Elle arrivait toujours à se heurter à quelque chose qui ne collait pas. A y regarder de plus près, sa situation présente s'avérait certes délicate mais nullement dénuée de solutions, du reste, à en juger par son insouciance et son calme, lui-même ne devait guère considérer qu'elle soit réellement désespérée. L'état de sa femme représentait incontestablement un problème. Mais était-ce si approprié que cela pour Livia d'être soignée dans un hôpital anglais ? Hormis son mari – qui était rarement à son chevet –, les seules personnes, médecins ou infirmières, qui essayaient de communiquer avec elle, de percer sa nuit, le faisaient dans une langue qui n'était pas la sienne. Livia parlait très bien anglais, mais Virginia était convaincue que dans son état on obtiendrait de bien meilleurs résultats en lui parlant dans sa langue maternelle. Un argument de plus à soumettre à Nathan. Si elle trouvait le courage de lui parler.

Il devrait y penser tout seul, songea-t-elle, agacée, en

remontant dans sa voiture dont les vitres, à cause de l'humidité, se couvrirent instantanément de buée. Il ne devrait même pas me mettre en situation d'être plus ou moins contrainte de lui demander de déguerpir. Si je lui dis que je vais à Londres, il devra de lui-même dire tout de suite que lui aussi aura quitté la maison au plus tard vendredi.

Cependant, elle pressentait que ce n'était pas ce qu'il ferait. De quoi Frederic l'avait-il qualifié ? De tique. Ce n'était pas aimable. On ne se débarrassait pas facilement d'une tique. On pouvait se secouer, se gratter, elle ne tombait pas, elle ne faisait plus qu'une avec sa source de nourriture. Il n'y avait que lorsqu'elle était rassasiée, gorgée de sang à en éclater, qu'elle lâchait prise. Grosse et grasse, elle se laissait alors choir lourdement sur le sol. Mais, dans certains cas, elle pouvait avoir auparavant inoculé à sa victime une maladie suffisamment grave pour être mortelle.

Stop, il faut que j'arrête, maintenant, se sermonna-t-elle en se glissant dans le flot des voitures qui toutes roulaient prudemment en raison de la pluie et du manque de visibilité. Ce n'est pas honnête de dire ça de quelqu'un. Il n'est pas une tique. Il ne me pompe pas le sang.

Que veut-il, dans ce cas ?

De l'argent ? Il s'était mis en situation qu'elle lui en donne, et cela se reproduirait peut-être, mais il ne s'agissait pas de sommes réellement importantes. Rien qui méritât qu'on en fasse une histoire. Et il n'avait jamais demandé plus. Un homme intéressé par l'argent aurait profité de l'absence de Frederic pour essayer d'obtenir une rallonge. Il aurait pu invoquer mille choses – le paiement anticipé des frais d'hospitalisation de Livia, par exemple. Il n'en avait rien fait.

La question restait entière : que voulait-il ?

Elle repensa au moment où, la veille, dans la cuisine, il lui avait montré la photo. « Qu'est devenue cette belle jeune femme naturelle et pleine de vie ? Où est-elle ? Que lui est-il arrivé ? »

Il l'avait écoutée. Il l'avait écoutée hier, et de nouveau ce matin. En se concentrant sur ses paroles, sans jamais relâcher son attention, sans manifester le moindre signe de lassitude ou d'ennui. Pourquoi ?

Il me veut. Elle est là, la réponse. Il me veut, moi.

L'idée lui fit si peur qu'elle faillit piler net au milieu de la circulation. Elle se reprit à temps mais ne put éviter de déraper et de mordre sur la file voisine. Elle entendit des coups de klaxon furieux et réintégra vite sa file. Le conducteur de la voiture qu'elle avait failli emboutir la dépassa en lui faisant un signe obscène avec le majeur. Elle enregistra du coin de l'œil, sans plus. Elle avait d'autres préoccupations.

Quand elle tourna dans Gaywood Road, la rue qui menait au lotissement où habitait la petite camarade de Kim, elle manqua une seconde fois d'enfoncer la pédale du frein. Il y avait un café au coin de la rue, et à l'instant où elle passait devant, un homme traversait la terrasse entre les parasols fermés ruisselants de pluie et les chaises et les tables de bistrot empilées les unes sur les autres. Virginia ne le vit que de dos, mais elle aurait reconnu entre mille la haute silhouette, les cheveux bruns, les larges épaules moulées dans le tee-shirt trop petit : Nathan Moor. Cela ne pouvait être que Nathan. Que faisait-il là ? Comment était-il venu en ville sans voiture ? Et pourquoi ? Quand elle était partie, il n'avait rien dit, il n'avait en rien donné l'impression de...

L'impression de quoi ? Il n'avait donné aucune impression. Elle avait seulement présumé qu'il resterait à Ferndale, qu'il ferait peut-être un tour dans le parc, puis qu'il s'installerait avec un livre dans le canapé du salon. Au fond, il n'avait pas manifesté la moindre intention de faire quoi que ce soit. Restait la question du comment. Il avait pu faire le trajet à pied, mais cela représentait une heure de marche, et avec ce qui tombait du ciel, il fallait être solidement motivé. Son chemin avait peut-être croisé celui de Jack, qui se serait trouvé aller lui aussi en ville et lui aurait offert de l'emmener. L'idée ne lui plaisait pas du tout, car alors les Walker savaient qu'un homme vivait avec elle dans la maison en l'absence de Frederic. Ce serait officiel au plus tard au retour de Kim, mais elle avait espéré pouvoir au moins cacher le fait que Nathan était là depuis samedi.

Elle fut un instant tentée d'entrer sur le parking qui se trouvait juste derrière le café, de ranger sa voiture et d'aller voir s'il s'agissait réellement de Nathan. Puis elle se dit que la rencontre, si rencontre il y avait, risquait d'être embarrassante. Rien ne l'autorisait à contrôler ses faits et gestes ou à lui demander de justifier ce qu'il faisait de ses journées. Il pouvait aller dans tous les cafés qu'il voulait. Ce soir, elle glisserait simplement dans la conversation qu'elle croyait l'avoir vu en ville. Soit il lui donnerait une explication plausible, soit il contesterait avoir bougé de la maison. Il était également possible qu'il soit simplement gêné d'avoir été vu en train de prendre un café quelque part plutôt qu'à l'hôpital, au chevet de sa femme. De toute évidence, aller la voir pour lui tenir la main ne l'enthousiasmait que très modérément.

Et son mariage ne me regarde pas non plus, songea Virginia.

Et si ça se trouve, ce n'était pas du tout lui.

Du reste, elle n'était déjà plus du tout sûre d'elle.

Mardi 29 août

1

Quand le mardi matin, à sept heures et quart, trois policiers se présentèrent chez eux, Claire Cunningham comprit tout de suite qu'il s'agissait de Rachel. Leur expression ne laissait rien présager de bon, pourtant Claire s'accrocha quelques secondes au fol espoir qu'on allait lui annoncer que la petite avait été retrouvée, qu'elle s'était tout bonnement perdue, qu'elle allait bien, qu'un médecin de la police était actuellement en train de l'examiner...

Tout va bien, madame Cunningham. Les enfants sont comme ça. Ils décident quelque chose sur un coup de tête, partent le nez au vent, ne font attention à rien qu'à leur idée fixe, et d'un coup d'un seul il fait nuit et ils ne savent plus comment retrouver le chemin de la maison !

Il y avait deux jours et deux nuits qu'elle n'avait pas dormi, excepté un bref assoupissement, lundi en fin d'après-midi, dont elle s'était réveillée trop vite et nullement reposée. La pluie de la veille avait déclenché chez elle une telle angoisse que le médecin avait dû venir deux fois lui faire une piqûre.

« Tu vois la pluie ? Tu vois la pluie ? » criait-elle.

Elle s'était laissée tomber sur les genoux et avait martelé le sol de ses deux poings, cherchant dans la douleur physique de quoi apaiser quelques secondes sa souffrance intérieure. Robert, son mari, avait vainement essayé de la contenir.

« Mon enfant est dehors ! Mon enfant est dehors sous la

166

pluie ! Mon enfant est dehors sous la pluie ! » avait-elle répété jusqu'à se briser la voix.

Quand elle avait commencé à se labourer le visage avec les ongles, Robert avait rappelé le médecin qui était venu le matin, lorsqu'elle avait craqué une première fois. Après l'injection, Claire s'était calmée, mais l'absolu désespoir que reflétaient ses yeux et la lenteur de ses gestes, ajoutée à ses efforts pour essayer de prononcer des mots qu'elle ne parvenait pas à construire, furent alors pour son mari peut-être encore plus difficiles à supporter que sa frénésie. Quand, dans la soirée, une psychologue de la police vint proposer son aide, ce fut au tour de Robert de craquer. Il s'en prit à la jeune femme :

« Notre fille a disparu depuis hier matin ! Nous avons prévenu la police dès le début de l'après-midi. Depuis, trente-deux heures se sont écoulées, pendant lesquelles nous avons dû faire face seuls, complètement seuls ! Et maintenant, maintenant que ma femme ânonne comme un bébé parce qu'elle est abrutie de calmants, quelqu'un a fini par se dire que ça vaudrait peut-être la peine de nous envoyer quelqu'un ?

— Calmez-vous, s'il vous plaît ! répliqua la psychologue d'un ton énergique. »

C'est alors qu'elle découvrit Claire, son visage labouré de griffures, ses mains, ses poignets couverts d'ecchymoses bleu foncé, noires, jaunâtres ou violet vif. Elle émettait des sons sans parvenir à former des syllabes. Sa lèvre inférieure, dont elle ne contrôlait plus les muscles, pendait mollement, à demi ouverte.

« Mon Dieu, mais dans quel état est votre femme ! »

Robert passa la main sur son visage fatigué et pâle. Il s'était ressaisi.

« Excusez-moi. C'est bien que vous soyez là. Ma femme est effectivement dans un état épouvantable. Elle a des crises d'angoisse, elle panique. Hier, ça allait encore, mais à présent qu'il pleut et qu'il fait froid...

— Je comprends, dit la psychologue.

167

— J'ai réussi à l'empêcher de se mutiler avec un couteau, heureusement. Et le médecin l'a calmée, mais... c'est... »

Sa voix avait tremblé. Il n'appartenait pas à la génération à qui l'on avait appris qu'un homme ne doit pas pleurer, mais il s'interdisait visiblement de laisser couler ses larmes. Peut-être parce que Claire était alors très mal et qu'il pensait qu'il devait être fort. Peut-être aussi parce qu'il pressentait, s'il leur donnait libre cours, que la souffrance et l'inquiétude le ravageraient et qu'il serait finalement dans le même état que Claire.

Et quand Rachel reviendrait, elle trouverait ses deux parents abrutis et ânonnant, et ça, ce n'était pas envisageable !

« Où est votre autre fille ? voulut savoir la psychologue, qui à l'évidence s'était informée. Vous avez une seconde fille plus jeune, n'est-ce pas ?

— Oui. Sue. Elle est chez une sœur de ma femme, à Downham Market. Nous avons pensé qu'il était mieux pour elle de ne pas être directement mêlée à tout ça...

— Vous avez bien fait. »

La psychologue s'appelait Joanne. Elle prépara une petite collation et insista pour que Robert mange quelque chose. Dehors, l'obscurité gagnait lentement le jardin. Il pleuvait toujours. Second soir sans Rachel. Second soir sans savoir où elle se trouvait. Robert se détestait presque d'être là, à l'abri, assis devant une tranche de pain et une tomate. Il but trois verres de vin, et ce fut l'une des rares choses qui en ce jour épouvantable l'aidèrent un peu.

Cela lui fit du bien de parler à quelqu'un de calme et posé. Joanne devait bien connaître son métier car elle réussit à lui redonner un peu de sérénité. Ils avaient évoqué ensemble l'éventualité d'un enlèvement.

« Est-ce une hypothèse que retient la police ? » demanda la jeune femme. Robert soupira en secouant tristement la tête.

« Pour le moment, ils n'excluent encore rien, dit-il. Mais le fait est qu'aucun kidnappeur ne s'est manifesté. Nous n'avons reçu ni lettre ni coup de téléphone. Rien. Et à la vérité...

— Je vous écoute ?

— Eh bien, j'ai du mal à imaginer que ce soit à notre famille que l'on choisisse de s'en prendre pour obtenir de l'argent. Nous sommes loin d'être riches. Nous n'aurons pas fini de payer la maison avant je ne sais combien d'années. Je vends des programmes informatiques à des sociétés, je les installe et j'assure ensuite la formation des employés. Je suis payé à la commission, et la conjoncture n'est pas particulièrement favorable. Pour l'essentiel, Claire s'occupe des enfants. Elle écrit de temps à autre des critiques de théâtre pour le *Lynn News*, mais ce n'est qu'un travail d'appoint. Nous ne sommes pas à plaindre, cependant... »

Il n'acheva pas sa phrase. Il savait au fond de lui-même que personne ne viendrait lui réclamer de rançon.

« Ecoutez, dit-il d'un ton empreint de désespoir, hormis le fait que mon plus cher désir est que Rachel soit en ce moment parmi nous et mon deuxième plus cher désir qu'elle se soit perdue et ait été récupérée par des gens corrects qui vont nous la rendre, mon troisième vœu serait qu'elle ait été enlevée par quelqu'un pour de l'argent. Elle a peut-être été confondue avec une autre enfant, qui sait ? Il y aurait alors une chance qu'elle nous revienne saine et sauve. Reste une quatrième hypothèse, la pire. Ce serait que... »

Il lui était si difficile de prononcer ces mots. Il vit de la compassion dans les yeux de Joanne et dut à nouveau lutter contre les larmes. Il se força à continuer : « Ce serait qu'elle soit tombée entre les mains d'un pervers. Comme cela vient d'arriver à cette autre petite fille de King's Lynn. Quand je pense qu'il est peut-être justement en train de la... »

Il étouffa un gémissement et se cacha le visage dans les mains. Joanne lui serra brièvement le bras.

« N'y pensez pas. Ne vous torturez pas avec des images effroyables. Je sais que c'est facile à dire. Mais cela ne sert à rien que vous vous rendiez malade. Vous avez besoin de toutes vos forces et de garder les idées claires. »

Ils parlèrent un peu de Rachel, il montra à Joanne des photos, lui raconta quelques anecdotes. Elle partit vers vingt-trois heures. Robert se réfugia dans son bureau, à surfer au hasard sur le net. A trois heures du matin, il entendit Claire commencer à aller et venir. Apparemment, l'effet des tranquillisants s'atténuait et elle pouvait à nouveau se mouvoir. Puis il entendit la télévision.

C'est bien. Regarder la télévision est bien. Surfer sur le net est bien. La psychologue était bien. Nous devons survivre. Nous devons venir à bout de cette nuit. Mon Dieu, faites qu'il n'y ait pas d'autres nuits comme celle-ci !

Les trois officiers de police étaient maintenant dans le séjour et l'on devinait à leur expression qu'en cet instant ils détestaient leur métier. Robert regarda dans la direction de Claire. Elle portait son peignoir blanc et s'était peignée, mais elle était toujours dans un état pitoyable.

— C'est pour Rachel ? demanda-t-elle.

Sa voix et les muscles de son visage lui obéissaient à nouveau. Un des officiers s'éclaircit la gorge.

— Nous ne savons pas s'il s'agit de votre fille, je me dois de le préciser, cependant...

Pourquoi êtes-vous là, alors, se dit Robert, si vous ne le savez pas ?

La police disposait d'une description précise de Rachel. Taille, poids, couleur des cheveux, des yeux. Les vêtements qu'elle portait ce dimanche. S'ils avaient trouvé une enfant, quel que soit son état, ce ne devait pas être difficile de savoir si c'était elle ou pas.

— Tôt ce matin, un joggeur a découvert le corps d'une fillette.

Le policier réussissait à s'adresser à Claire et Robert sans les regarder.

— Il est possible... Il est possible qu'il s'agisse de Rachel.

Claire vivait ce qu'elle avait si souvent lu dans des romans, dans la presse, vu au cinéma ou à la télévision. Rien que la semaine précédente, elle avait regardé une émission dans laquelle la mère de Sarah Alby racontait comment sa vie avait basculé avec l'assassinat de sa fille. A chaque fois qu'elle avait été confrontée à ce type de scène – la perte d'un enfant victime d'un crime –, elle s'était intimement sentie en empathie avec les parents et s'était demandé comment un être pouvait supporter une telle souffrance et continuer à vivre. Elle avait toujours pensé que ce n'était pas possible : il était peut-être possible d'exister, de respirer, de dormir, de veiller sur quelqu'un, de manger et boire, mais il ne devait plus être possible de vivre. Trop de choses mouraient. Le plus important mourait.

Elle était là, dans la salle de séjour de la confortable maison que Robert et elle avaient acquise, par un petit matin d'août gris et froid, là au cœur de leur vie, de leur monde heureux qui déjà se fissurait, et elle expérimentait par elle-même cet instant qu'elle avait cru impossible à supporter. Et elle le supportait. Anesthésiée et comme au-delà d'elle-même. A la fois partie prenante et observatrice. Par la suite, elle pensa que c'était cette distance, ce dédoublement, qui lui avait permis de ne pas devenir folle.

Elle entendit Robert demander :

— Où... cette enfant a-t-elle été... ?

— Tout près du château de Sandringham. A quelques mètres des parkings, dit l'un des deux autres policiers qui n'avaient pas encore parlé.

— Sandringham... est loin de chez nous, remarqua Robert.

— Il n'est pas sûr qu'il s'agisse de votre fille, souligna une seconde fois le premier policier. Nous avons besoin de votre aide. Si l'un de vous deux, ou tous les deux, pouviez nous accompagner pour identifier l'enfant...

Claire avait l'impression de s'éloigner de plus en plus du petit groupe, de les observer d'une distance de plus en plus grande.

— Comment l'enfant est-elle morte ? s'entendit-elle demander.

— Nous ne disposons encore d'aucun rapport du médecin légiste. Cependant, d'après ce que nous avons pu constater, elle aurait été étranglée.

— Et a-t-elle été... A-t-elle subi des...

— Des violences sexuelles ? Ainsi que je le disais précédemment, tant que le médecin légiste n'aura pas rendu ses conclusions, nous ne pourrons rien affirmer. Pensez-vous que... Vous sentez-vous en mesure de nous accompagner ?

Robert aurait aimé leur demander d'appeler Joanne. Il se rendait compte que parler avec elle lui avait fait du bien, et si elle était à leurs côtés, l'épreuve serait moins pénible, mais il n'osa pas le dire. Il hocha simplement la tête.

— Je vous accompagne. Claire, tu restes là. L'un de vous pourrait-il rester près de ma femme le temps que je revienne ? demanda-t-il ensuite en regardant les policiers.

— Bien sûr.

Il se tourna vers Claire.

— Reviens vite, dit-elle.

Il serait un autre homme quand il reviendrait, elle en avait la certitude. Et elle serait une autre femme. Elle savait que c'était Rachel qui l'attendait là-bas.

2

Michael

Les semaines qui suivirent le voyage à Rome furent épouvantables. Virginia se rendait chaque jour à l'université, mais les cours passaient au-dessus de sa tête sans qu'elle sache de quoi les professeurs parlaient. Elle errait sur le campus comme une âme en peine, fuyant ses amis pour se réfugier sur les bords de la rivière où elle regardait couler l'eau en essayant de chasser Andrew Stewart de ses pensées. Il avait été son grand amour, du moins était-ce ce qu'elle avait cru et ainsi qu'elle l'avait aimé, ce qui revenait au même. Elle se demandait ce qui était le plus douloureux : le fait qu'elle l'ait perdu, qu'elle doive renoncer à tout espoir d'avenir avec lui, ou le fait qu'elle ait été trompée. Elle repensait à leur merveilleux long week-end dans le Northumberland. Dix jours plus tard, il faisait un enfant à Susan.

A chaque fois qu'elle y songeait, elle se sentait submergée d'incompréhension et de souffrance.

Avec Michael, elle se montrait irritable et capricieuse. Fidèle à lui-même, il lui offrait en retour sa patience et sa tristesse. Jamais il ne se serait opposé à quoi que ce fût venant d'elle. S'il le fallait, il acceptait même qu'elle le maltraite. Il vivait dans une telle crainte de la perdre qu'il ne voulait rien faire qui puisse l'inciter à le quitter.

A la fin de l'été, pour la première fois depuis qu'ils étaient adultes, il avait reparlé mariage. En dépit de son refus, il avait insisté pour accompagner Virginia lors d'une promenade, un soir, dans les jardins du King's College.

« Michael, ne viens pas, j'ai envie d'être seule.

— Il faut que je te parle de quelque chose... »

Il avait fait preuve d'une opiniâtreté dont il n'était pas coutumier et elle avait fini par céder. C'était une fin de journée magnifique, les pelouses fraîchement tondues embaumaient l'herbe coupée, le soleil couchant teintait de rouge cuivré le ciel, les eaux de la rivière et les murs des bâtiments. Il y avait des gens partout, des étudiants, des professeurs. Des rires, des voix qui s'appelaient résonnaient dans l'air léger.

Virginia était silencieuse et pensive, comme toujours au cours de ces derniers mois. Elle sursauta quand brusquement Michael lui adressa la parole. Perdue dans ses pensées, elle en avait presque oublié sa présence. Ils s'étaient arrêtés sur un pont et regardaient l'eau couler, appuyés à la rambarde.

« Veux-tu devenir ma femme ? » demanda Michael aussi subitement que solennellement.

Elle le dévisagea, presque épouvantée. « Quoi ? »

Il eut un sourire gêné.

« J'ai peut-être été un peu direct, mais... finalement, on le veut depuis toujours, alors je...

— Mais nous étions des enfants !

— Mes sentiments pour toi n'ont jamais changé.

— Michael...

— Je sais. Je ne suis peut-être pas tout à fait l'homme dont tu rêves, mais... Je veux dire, j'imagine que ce Canadien avec lequel tu étais fiancée était plus excitant... »

Son fiancé canadien... Il y avait des lustres qu'elle n'avait pas pensé à lui. Et Michael qui croyait qu'elle avait du mal à l'oublier !

« Mais il avait sa part d'ombre, poursuivit Michael. Il te battait, il buvait... Avec moi, il ne t'arrivera rien de ce genre. »

Elle le regarda. Non, songea-t-elle, avec toi il ne m'arrivera rien du tout. C'est même ça, le problème. J'aurais l'impression de passer à côté de ma vie.

« Tu sais, je vais commencer à travailler l'année prochaine. Dès que j'aurai un job, j'aimerais qu'on trouve vite un nouvel endroit pour nous. A la longue, ce n'est plus possible, ce minuscule appartement. Je me disais qu'une petite maison avec un jardin... Qu'en penses-tu ? On aurait alors de la place pour... » Il s'interrompit.

« De la place pour quoi ? demanda Virginia.

— Pour des enfants. »

Michael s'éclaircit la gorge.

« Je ne veux pas faire pression sur toi, Virginia, mais j'aimerais tant avoir des enfants. J'aime les enfants. Je serais heureux d'avoir une vraie famille. Qu'en penses-tu ? »

Elle en pensait que ça allait beaucoup trop vite. Se marier, emménager dans une maison, avoir des enfants. Et tout ça avec un homme dont elle partageait l'intimité, qu'elle aimait beaucoup, mais qui était bien loin de susciter en elle ce qu'Andrew y avait fait naître. Le souvenir des nuits qu'ils avaient partagées, de ce qu'il y avait eu entre eux, lui effleurait à peine l'esprit que ses yeux s'emplirent de larmes. Elle détourna le visage pour que Michael ne remarque rien.

Il était cependant suffisamment réceptif pour se rendre compte que quelque chose n'allait pas.

Il lui caressa gauchement le bras.

— Je suis désolé. Je t'ai un peu bousculée, avec tout ça. C'est seulement que... Je t'aime tellement, Virginia !

Quelques jours plus tard, Virginia tomba sur Andrew en plein centre-ville. Il était accompagné d'une jolie femme blonde enceinte jusqu'aux yeux. Susan.

Quand Andrew reconnut Virginia, il se figea, puis il détourna les yeux et poursuivit son chemin d'un pas pressé. Virginia eut un tel choc qu'elle traversa la rue en tremblant comme une feuille, s'engouffra dans le premier café venu, s'effondra sur une chaise et fut incapable de prononcer une phrase correcte quand la serveuse lui demanda ce qu'elle désirait. Susan, le fantôme, avait soudainement un visage. Sans parler de l'énorme ventre qu'elle arborait et qui abritait le fruit de l'infidélité d'Andrew. En repensant à la frayeur qu'elle avait vue dans les yeux d'Andrew et à la promptitude avec laquelle il avait détourné le regard et poursuivi sa route, elle se sentit rougir de honte. C'était avec cet homme qu'elle avait rêvé d'avenir. C'était cet homme qui lui avait menti des semaines durant et qui des mois durant l'avait fait lanterner. Et à présent elle devait supporter qu'il feigne de ne pas la connaître quand il la croisait dans la rue.

Le soir même, elle dit à Michael qu'elle était d'accord pour chercher une maison avec lui. A une condition : que ce ne soit pas dans Cambridge.

Elle préférait vivre ailleurs. Devoir y aller tous les jours à la fac était un problème suffisant. Elle n'avait aucune envie de tomber sur Susan et un bébé braillard dans une poussette la prochaine fois qu'elle se rendrait à la boulangerie ou au supermarché.

Ils emménagèrent à Saint Ives. Suffisamment près de Cambridge pour pouvoir y travailler, et suffisamment loin pour ne pas croiser Andrew et sa petite famille à tout bout de champ. Michael avait prudemment argumenté en faveur d'un lieu plus proche de l'université, d'autant qu'il allait se voir confier un poste d'assistant dès la rentrée suivante et qu'il serait très sollicité. S'épargner de longs trajets lui simplifierait la tâche. Mais Virginia s'était entêtée, sans toutefois donner d'explication. Trop heureux d'en avoir déjà obtenu tant, Michael ne se risqua pas à insister. Bien qu'il ne les comprît pas, il jugea plus sage de se ranger à ses idées.

Ils n'avaient pas beaucoup d'argent, la maison de Saint Ives était modeste, mais c'était leur premier véritable foyer commun. Ils avaient été tellement à l'étroit dans leur studio. A présent, ils disposaient d'un séjour avec cheminée, d'une cuisine suffisamment spacieuse pour y prendre les repas et de deux autres petites pièces qui donnaient à l'arrière sur un jardin et qu'ils aménagèrent l'une en chambre, l'autre en bureau. Ils achetèrent des meubles bon marché auxquels ils donnèrent un peu de peps avec des coussins colorés, et quelques métrages de cotonnade que Virginia transforma plutôt mal que bien en rideaux pour les fenêtres. Ils plantèrent des fleurs dans le jardin et, après avoir obtenu l'accord du bailleur, entreprirent de démonter la clôture qui les séparait de la rue pour donner plus d'ampleur au jardinet. La maison étant construite sur un dévers, le jardin de devant consistait en une pente raide avec d'un côté un escalier qui menait à la porte d'entrée située en surplomb et de l'autre une rampe d'accès au garage. Virginia et Michael ne possédant pas de voiture, le garage fut transformé en annexe du jardin et bientôt envahi de tout un matériel de jardinage, de pots de fleurs et de caissettes de semences et autres produits phytosanitaires.

Virginia s'investit dans le jardin avec un enthousiasme dont elle-même s'étonna. Jamais auparavant elle n'avait éprouvé l'envie de gratter la terre ou de planter des fleurs. A présent, elle avait l'impression de s'être inconsciemment cherché une thérapie. S'activer en plein air, l'odeur de la terre et de l'herbe, le plaisir de regarder pousser et fleurir ses plantations l'aidèrent à surmonter sa souffrance. Petit à petit, elle progressait sur le chemin de la guérison. Vivre à l'écart de Cambridge lui fit également du bien. Elle se rendait certes tous les matins à l'université et y prit de surcroît un job d'appoint à la bibliothèque, mais elle ne quittait que rarement l'enceinte du collège et risquait donc peu de se trouver soudainement nez à nez avec la famille d'Andrew. Et à Saint Ives, elle n'avait rien à craindre. Elle marchait beaucoup, puis elle commença à faire régulièrement du jogging et noua des liens avec ses voisins. Des gens dont elle ne partageait pas nécessairement les idées mais qui étaient charmants.

Pour la première fois depuis des années, sa vie prit un tour paisible, chaque jour était une réplique de la veille, tout était tranquille et prévisible.

Le problème, c'était Michael. S'il avait laissé passer quelques mois sans remettre le sujet du mariage sur le tapis, ce fut pour redémarrer en janvier avec d'autant plus de force. Une famille, des enfants – à croire qu'il ne pensait plus qu'à ça.

« Je ne veux pas d'enfants maintenant », répétait Virginia en s'efforçant de garder son calme.

Ce à quoi il répliquait immanquablement :

« Mais il ne faut pas attendre trop longtemps. Les années passent vite. Un jour, on se réveille et il est trop tard !

— Michael, j'ai juste un peu plus de vingt ans ! J'ai largement le temps !

— Tu as presque vingt-cinq ans !

— Oui, et alors ? En plus, je n'ai pas fini mes études.

— Tu pourrais terminer cette année et…

— Et quoi ? Me mettre à pouponner ? Je ne suis pas folle. Et pour en arriver là, ce n'était pas la peine d'aller à la fac ! »

C'étaient des discussions stériles qui ne menaient à rien, sinon à des disputes ou des silences boudeurs.

« On pourrait au moins se marier… disait Michael.

— Pourquoi ? Ça changerait quoi ?

— Pour moi, ça changerait quelque chose. Le mariage est… une autre façon de se déclarer.

— Je n'ai pas besoin de cette déclaration », prétendait Virginia.

En vérité, et elle en était consciente, elle aurait dû dire : je ne veux pas me déclarer pour toi.

Quand une jeune famille emménagea dans la maison voisine, Michael se prit aussitôt d'amitié pour eux, notamment pour leur fils de sept ans, Tommi.

« C'est un fils comme lui que j'aimerais avoir », répétait-il à Virginia, jusqu'à ce qu'un jour, excédée, elle lui jette à la figure : « Maintenant, fiche-moi la paix avec ça ! Si c'est une machine à pondre des gosses que tu veux, cherche-toi une autre femme ! »

Il se le tint pour dit, toutefois, même s'il n'en parlait plus, le sujet était constamment présent entre eux et Virginia commençait à se demander combien de temps la vie à deux serait possible dans de telles conditions. Au fond, elle savait qu'elle le quitterait dès qu'elle aurait léché ses plaies suffisamment longtemps, dès qu'elle aurait retrouvé sa confiance en elle et sa pleine et entière joie de vivre. Cela lui donnait parfois mauvaise conscience. Puis elle se disait que Michael devait s'être rendu compte depuis longtemps qu'elle ne répondait que très fraîchement à ses sentiments : s'il s'entêtait à vouloir croire autre chose, c'était son problème.

Tommi, leur petit voisin, fut bientôt presque tous les jours chez eux. Le soir, quand ils rentraient de Cambridge, il était souvent devant leur porte, à les attendre.

« Michael ! criait-il alors. Michael ! »

Et Michael courait vers lui, le soulevait dans ses bras et le faisait tourner dans les airs. Il l'emmenait dans la cuisine, où Tommi l'aidait à préparer les repas et avait le droit de tout mettre sens dessus dessous, ou bien il regardait la télévision avec lui, ou il le laissait jouer sur son ordinateur. Quand, l'été venu, Michael eut économisé assez d'argent pour acheter une voiture, Tommi ne voulut plus entendre parler d'autre chose. Ils restaient des heures dans la voiture, Michael sur le siège passager avant, Tommi au volant, les joues en feu, les yeux brillants. Parfois, Michael mettait le moteur en marche. Tommi jouait alors à être le grand coureur automobile qui laissait tous les autres derrière lui sur les circuits de Monza ou de Monaco.

La situation agaçait confusément Virginia. Il fallait toujours que Michael exagère. Quand il aimait quelqu'un, il s'accrochait à lui, l'envahissait, l'engloutissait. Il le faisait depuis des années avec elle, et maintenant avec ce gamin. Comme s'il fallait qu'il enchaîne à lui les gens qu'il aimait pour qu'ils ne lui échappent pas.

Elle le trouvait excessif et terriblement immature.

En même temps, cet emballement pour Tommi offrait à Virginia une appréciable liberté de mouvement. Quand il était avec lui, elle pouvait vaquer à ses occupations sans craindre en permanence qu'il ne l'assaille avec son histoire de mariage. En outre, elle espérait qu'il oublierait un peu son désir de paternité s'il pouvait assouvir ailleurs son amour des enfants. Elle s'abstint donc de tout commentaire, et plutôt que de lui demander d'arrêter elle se contentait de secouer la tête dans son dos.

« Ce serait bien que nous débarrassions le garage pour la voiture, déclara un soir Michael. Tommi en est dingue. J'ai peur qu'un jour il ne s'installe dedans en mon absence et ne débloque le frein à main. Avec la pente, elle dévalerait la rue. »

Entre-temps, une quantité considérable d'outils et de matériel de jardin s'était accumulée dans le garage.

« Mais ce n'est pas possible ! Qu'est-ce que je ferais de tout mon matériel ?

— Eh bien...

— Michael, c'est toi qui l'as rendu dingue de cette voiture ! Ne me demande pas maintenant d'en assumer les conséquences. »

Comme de coutume, il préféra ne pas risquer de se disputer avec elle.

— OK. OK. Mais nous devrons alors toujours veiller à bien fermer la voiture. Comme ça, il ne se passera rien.

— Entendu, acquiesça gentiment Virginia. Je ferai attention. Promis.

Elle aimait Tommi. Pas avec le même fanatisme que Michael, mais elle aussi s'était prise d'affection pour l'enfant.

Michael sourit.

— J'aime ma vie ici avec toi, dit-il.

Elle le regarda et songea : Si tu savais comme tu m'ennuies !

3

— Oui, dit Virginia, c'était ainsi. Nous vivions à Saint Ives une petite vie tranquille et sans histoires dans laquelle Michael commençait à se sentir très à l'aise... si ce n'est que, question mariage, il se heurtait avec moi à un mur et que je ne voulais pas entendre parler d'enfants non plus. Je pensais beaucoup à Andrew, je m'investissais corps et âme dans le jardinage et j'avais chroniquement mauvaise conscience...

Ils étaient dans la cuisine, assis l'un et l'autre devant leur quatrième ou cinquième tasse de café. Nathan avait proposé de préparer un petit déjeuner, mais Virginia avait objecté qu'elle n'avait pas faim et Nathan, sans rien dire, s'était rallié à son avis. Il était encore tôt, et bien que la pluie ait cessé, l'ambiance était automnale. Aucun rayon de soleil ne filtrait à travers le feuillage dégouttant de pluie des arbres, qui paraissaient s'être encore rapprochés de la maison. Virginia, qui à six heures avait fait son jogging dans le parc et pour l'heure défiait le froid avec un gros pull-over et des chaussettes en laine, se demandait si elle devait mettre le chauffage en route.

Alors que c'était encore le mois d'août.

Nathan était apparu dans la cuisine au moment où elle mettait du café dans la cafetière. Elle fut étonnée d'en éprouver autant de plaisir. En temps normal, cela ne l'ennuyait pas d'être seule le matin dans la cuisine, de boire son café en laissant ses pensées vagabonder, mais depuis quelques jours ce n'était plus tout à fait pareil, quelque chose en elle était en train de changer. Et pas forcément en mieux. Elle était moins sereine. Elle supportait moins bien la solitude. La nuit, elle se retournait dans son lit sans trouver le sommeil et, le jour, des images lointaines, des souvenirs, venaient la hanter.

Elle savait bien quelle en était la cause. Michael n'était plus enfermé dans ses souvenirs. Ni Tommi. Le petit garçon que Michael avait tant aimé. Elle avait commencé à s'ouvrir et à présent le flot voulait sortir, avec plus de force et de violence qu'elle ne l'aurait imaginé. Que cela lui plaise ou non, elle ne pouvait plus revenir en arrière.

Elle avait pris la décision de ne plus parler de Michael à Nathan, pourtant, en ce petit matin froid et triste, elle s'y était remise. Elle avait continué à raconter, en s'étonnant une fois de plus d'accorder tant de confiance à un étranger. Peut-être était-ce précisément parce qu'il était étranger. Mais pas seulement. Cela tenait aussi à lui, à sa personnalité. Cet homme remuait quelque chose en elle. Elle n'aurait pas su dire quoi et elle n'était pas certaine de vouloir savoir ce qu'était ce quoi. Peut-être même valait-il mieux ne pas y penser du tout.

— Dans un sens, ce que vous viviez à l'époque a des similitudes avec ce que vous vivez aujourd'hui, dit Nathan.

Elle était en train de penser à lui, non plus à son passé avec Michael, et mit quelques secondes à comprendre de quoi il parlait.

— Que voulez-vous dire ? demanda-t-elle, surprise.

180

— Eh bien, vous me faites l'impression d'être un peu comme la Virginia d'il y a une douzaine d'années. Pas réellement heureuse dans votre couple, mais très protégée, très rassurée. Il n'empêche... que ce n'est pas ce que vous recherchez.

Elle tripotait sa tasse. Se pouvait-il qu'il ait raison ? Et devait-elle le laisser entrevoir ces pans entiers de sa vie ?

J'ai de moi-même commencé à parler, je ne vais pas maintenant m'indigner, songea-t-elle. La porte de la cuisine s'ouvrit et Kim entra. Elle était en pyjama, pieds nus, et avait le téléphone à la main.

— C'est papa au téléphone ! annonça-t-elle.

Virginia était tellement ailleurs en pensée qu'elle n'avait pas entendu la sonnerie. Elle aurait bien aimé savoir si Kim avait parlé à son père de la présence de Nathan dans la maison, mais il était trop tard pour le lui demander.

— Allô ? Frederic ?

Il ne l'avait pas appelée la veille au soir. Et elle ne l'avait pas appelé non plus. Pour l'un et l'autre, parler du sujet qui les opposait était devenu une épreuve.

— Bonjour, dit Frederic, d'un ton distant. Tu as bien dormi ?

— Oui. Plus ou moins. Je...

— Je ne t'ai pas appelée hier soir pour ne pas t'ennuyer. Je ne voulais pas que tu te sentes contrainte.

— Frederic, je...

— Kim vient de me raconter quelque chose d'extraordinaire, poursuivit Frederic. C'est vrai que cet Allemand est chez nous ?

Virginia ne s'attendait pas à ce que Kim tienne sa langue, elle avait seulement espéré avoir un peu plus de temps.

— Oui, dit-elle, temporairement. Il...

— Ça dure depuis quand ?

Elle ne voulait pas mentir à son mari. Pas pour Nathan, et encore moins en sa présence.

— Depuis samedi.

Elle entendit Frederic qui à l'autre bout de la ligne eut une sorte de hoquet.

— Samedi ? Et tu ne m'as rien dit ?

— Je connais ta position.

— Et sa femme ?

— Elle est hospitalisée ici, à King's Lynn. Elle est en état de choc. Ce n'était pas possible de la soigner là-haut, à Skye.

— Ah. Et en Allemagne non plus ?

Que lui répondre ? Elle se posait elle-même la question.

— En fait, je voulais t'annoncer une super nouvelle, dit-elle avec précipitation.

Ce n'était pas vrai. Elle n'avait nullement eu l'intention de lui annoncer qu'elle irait à Londres. C'était prématuré. De l'instant où il le saurait, elle ne pourrait plus revenir en arrière. Elle serait prise au piège.

— Je me suis acheté une nouvelle robe hier après-midi, poursuivit-elle sur sa lancée. Je t'accompagnerai vendredi à cette soirée.

Silence sur la ligne.

— Vraiment ? demanda Frederic après de longues secondes de sidération.

— Oui. Et je...

Elle réfléchissait en même temps qu'elle parlait. Devait-elle s'avancer encore ? Puis elle se dit brusquement qu'elle devait accélérer les choses. Il fallait qu'elle soit vite avec Frederic.

— Je serai là dès jeudi, si ça te convient. Après-demain, donc. Ce sera moins stressant que si je pars seulement vendredi.

Elle l'avait à nouveau tellement surpris qu'il en resta un instant sans voix. Quand il recouvra la parole, il paraissait si heureux que Virginia eut presque honte. Il s'agissait d'une banalité et son mari ne pouvait croire à son bonheur.

— Virginia, dit-il doucement, tu n'imagines pas à quel point cela me fait plaisir.

— A moi aussi, Frederic, mentit-elle.

Elle évitait de croiser le regard de Nathan, qui se rendait parfaitement compte qu'elle était tendue et mal à l'aise.

— Tu viens en train ?

— Oui. Je te dirai lequel je prends.

Il se réjouissait réellement. Elle l'entendait à sa voix. Et il ne se réjouissait pas seulement à cause de la soirée, de cela aussi elle se rendait compte. Il se réjouissait simplement de la voir.

— C'est formidable que tu viennes un jour plus tôt. Nous irons dîner quelque part, rien que nous deux. Dans un bon restaurant... Et après, on pourrait peut-être aller dans un pub, qu'en penses-tu ? Il y a une éternité qu'on n'a pas dansé.

— C'est... c'est une bonne idée.

Elle espérait qu'il allait arrêter de faire des plans. Elle ne voulait pas que la migraine la reprenne.

— Kim ira chez Grace ? voulut-il savoir.

— Je n'en ai pas encore parlé à Grace, mais il n'y aura pas de problème. Elle adore Kim.

— Alors tout devrait marcher, dit Frederic d'un ton quasi incantatoire.

Jusqu'à ce que je descende du train jeudi à Londres, il sera sur les nerfs, songea Virginia. Elle commençait à avoir du mal à déglutir.

— Je te rappelle, dit-elle en hâte.

— Virginia... commença Frederic. Non, rien. Prends soin de toi. Je t'aime.

Elle savait qu'il avait été sur le point de l'interroger sur Nathan Moor. Sur ce qu'elle avait l'intention de faire pour qu'il soit parti d'ici à jeudi. Mais le sujet était hyper sensible et, pour l'heure, il devait prioritairement lui importer de préserver l'humeur de sa femme. Le problème Nathan Moor passait en second.

Sans compter qu'il doit se dire que je ne suis pas folle au point de partir en lui laissant la maison, songea-t-elle en coupant la communication. Il ne doit pas aller jusqu'à m'en croire capable.

— Je vais dormir chez Grace et Jack ? demanda Kim en commençant à sautiller sur place. C'est vrai, maman ?

— S'ils sont d'accord... oui.

Kim exultait. Grace faisait toujours des gâteaux, elle autorisait Kim à regarder beaucoup plus la télévision qu'elle n'en avait le droit à la maison et elle lui préparait du chocolat chaud autant qu'elle en voulait. Elle avait déjà couché une ou deux fois chez Grace et Jack et elle avait trouvé ça formidable.

— Vous allez après-demain à Londres ? demanda alors Nathan.

— Oui.

Elle prit une profonde inspiration.

— Cela signifie qu'il faut que vous vous trouviez un autre point de chute, Nathan. D'ici à jeudi.

— Bien sûr, dit-il. D'ici à jeudi.

Ils se regardèrent. Elle lut dans les yeux de Nathan quelque chose qui lui fit brusquement monter le rouge aux joues. Un frisson brûlant lui parcourut le corps. Désemparée, elle rejeta ses cheveux en arrière pour s'occuper les mains. Il émanait quelque chose de Nathan qu'elle n'aurait su exprimer par des mots. Peut-être était-ce l'intensité qu'il mettait dans tout ce qu'il faisait, dans chaque regard, chaque mot, chaque geste, ne serait-ce qu'un simple effleurement. « Un charme... à tomber », avait dit l'une des détestables compagnes de chambre de Livia. Il était assurément d'une sensualité à tomber. Il devait suffire qu'il caresse lentement le dos d'une femme – elle repensa brusquement à la scène où elle avait sangloté dans ses bras sur le canapé – pour que ça ressemble déjà à un début d'acte sexuel.

— Maman, je peux aller tout de suite chez Grace pour lui demander ? supplia Kim.

Virginia sourit.

— Vas-y. Mais dis-lui que je vais passer tout à l'heure pour lui en parler. Et habille-toi avant de sortir !

Kim partit comme une flèche.

— Vous voulez vraiment aller à Londres ? demanda Nathan.

— Oui.

Elle s'efforçait de parler d'une voix ferme et de ne pas ciller, mais elle avait la nette impression de n'y parvenir qu'à moitié.

— Je suis invitée à une soirée avec mon mari.

— C'est bien. Cela vous fait sûrement plaisir ?

— Naturellement. Pourquoi est-ce que cela ne me ferait pas plaisir ?

Elle eut brusquement une terrible envie de fumer. D'avoir une cigarette à laquelle s'accrocher, quelque chose qui la calme. La fumée, la nicotine qui détend le corps… Où était donc le paquet qu'elle avait acheté l'autre jour ?

Elle s'étonna à peine quand Nathan sortit un paquet de cigarettes de la poche de son pantalon et le lui tendit.

— Servez-vous. Ça aide parfois.

Elle prit une cigarette et Nathan lui tendit du feu. Elle enregistra mentalement le beau briquet en argent et la force et la chaleur qui irradiaient de ses mains. Quand ses doigts touchèrent les siens, un frisson parcourut ses bras et ses poils se soulevèrent.

— Comment se fait-il que vous ayez soudainement des cigarettes ? demanda-t-elle.

— Parce que j'en ai acheté hier à King's Lynn, répondit-il d'un ton égal.

Elle avait complètement oublié de lui demander si c'était lui qu'elle avait aperçu de loin, la veille. Le soir, ils avaient préparé le repas ensemble, ils avaient dîné, puis ils étaient restés autour de la table de la cuisine et avaient joué à des jeux avec Kim. L'atmosphère était détendue et si gaie que Virginia n'avait plus pensé à sa stupéfaction et à sa perplexité de l'après-midi. Jusqu'à cet instant.

— Je vous ai vu hier devant un café en ville, dit-elle. Cela m'a beaucoup surprise. Vous n'aviez pas dit que vous aviez l'intention de…

Il sourit.

— Je ne savais pas que je devais vous en tenir informée.

Elle tira nerveusement sur sa cigarette.

— Ce n'est pas ce que je voulais dire. Vous ne devez rien du tout, bien évidemment. Ça m'a simplement… étonnée.

— Je m'ennuyais, expliqua Nathan. J'ai eu envie de m'asseoir deux heures dans un café pour lire tranquillement le journal. J'apprécie beaucoup de temps en temps.

— Ça fait loin, sans voiture.

— J'aime bien marcher.

— Même sous une pluie battante ?

— La pluie ne me gêne pas.

Il alluma à son tour une cigarette, puis dit, sans transition :

— Je retourne dans ma chambre travailler encore un peu.

— Vous écrivez ?

— C'est mon métier. Et je crains qu'il ne soit grand temps que je songe à regagner de l'argent.

— A quoi travaillez-vous ?

— Au récit d'un tour du monde.

— Mais...

— C'est bien parti pour commencer par un naufrage. Il arrive que le cours d'un tour du monde soit un peu... capricieux.

— Mais vous n'allez pas pouvoir poursuivre le voyage.

Il évita son regard.

— Non, pas comme je l'avais prévu. Ce sera un voyage différent... très différent.

— Je lirai peut-être un jour ce livre, dit Virginia.

— Peut-être.

Ils finirent de fumer leur cigarette en silence. La fumée bleutée flottait dans la cuisine. Ils entendirent Kim jaillir de la maison. De l'autre côté de la fenêtre, les arbres semblaient caresser les murs de la maison.

J'ai assez envie de faire abattre quelques arbres, songea Virginia. Ce serait agréable de voir le ciel. Et dans l'instant qui suivit, elle dit et répéta dans sa tête : Je ne veux pas aller à Londres. Je ne le veux pas !

— Je viens de l'entendre il y a une demi-heure à la radio, dit Grace. C'est épouvantable !

Les fenêtres de la cuisine de Grace avaient des rideaux à fleurs. Un angle de la pièce était occupé par un vieux canapé sur lequel dormait un gros chat. Une impressionnante collection de tasses à l'effigie des membres de la famille royale était disposée sur des étagères peintes en blanc, entre les bouquets de lavande séchée qui étaient accrochés partout sur les murs. Le prince de Galles souriait à côté de sa mère la reine, puis c'était le portrait d'un enfant, le prince William, à l'âge de trois ans. Il devait bien y avoir une cinquantaine de tasses. Chaque jour, Grace les époussetait avec amour, un travail délicat qui ne laissait pas d'impressionner Virginia.

De Jack, seules les jambes étaient visibles. Il était allongé par terre sur le dos, la tête sous l'antique évier, à demi caché par le rideau froncé qui dissimulait le dessous de l'évier. Il jurait à mi-voix.

— Je ne sais pas ce que tu fourres là-dedans, Grace, fit-il d'une voix assourdie. Au moins une fois par semaine, faut que je me glisse là-dessous et que je dévisse ce fichu siphon parce qu'une fois de plus tu as tout bouché !

L'évier était plein à ras bord d'une eau mousseuse.

— Que veux-tu, les tuyaux sont trop vieux, protesta Grace. C'est tout juste si j'ose encore faire la vaisselle. Il y a toujours quelque chose qui se coince et ça ne se vide plus.

— Maman, Grace a dit que je pouvais rester chez elle, dit Kim qui se tenait accroupie devant le canapé et regardait dormir le chat.

— Cela ne vous pose réellement aucun problème, Grace ? demanda Virginia. Ce serait seulement de jeudi soir à samedi soir.

— Non, je vous assure, dit Grace. Vous savez combien on aime avoir la petite, Jack et moi !

Un grognement approbateur provint de dessous l'évier. Virginia baissa la voix.

— Grace, après ce que vous venez de m'apprendre, s'il vous plaît, ne quittez pas Kim des yeux. Ne la laissez pas s'éloigner, pas même dans l'enceinte du parc.

Ce que Grace avait appris à la radio une demi-heure plus tôt, c'est que le corps de Rachel Cunningham, la fillette disparue, venait d'être retrouvé derrière un parking du château de Sandringham. La police se refusait encore à dire si elle avait été violentée ou pas.

— Savez-vous si la police pense que ces deux affaires de disparition sont liées ? demanda Virginia.

Elle parlait toujours à mi-voix. Mais Kim, qui avait commencé à gratter doucement le ventre du chat qui ronronnait, ne les entendait plus.

— Ils ne s'avancent pas, dit Grace. Tout de même, deux fillettes de King's Lynn en l'espace de si peu de temps, ça

187

donne à réfléchir. Si la petite Rachel a elle aussi été violée, là, je me dirai qu'il y a un cinglé qui rôde par chez nous !

— Sarah Alby avait quatre ans. Rachel Cunningham, huit...

— Et alors ? Ça ne fait jamais que quatre ans de différence ! Quand un cinglé veut des petites, qu'elles aient quatre ou huit ans, ça ne doit pas faire une grande différence !

Virginia pensa que Grace avait probablement raison.

Kim avait sept ans. Virginia ne doutait pas que Grace et Jack la surveilleraient comme le lait sur le feu, mais ils n'étaient plus tout jeunes et Kim était un petit tourbillon plein de vie. L'immense parc était son terrain de jeu, elle était habituée à s'y promener, à grimper aux arbres, à nourrir les écureuils et à construire des cabanes secrètes dans les fourrés pour ses poupées. Il était clos, mais le mur n'était pas de ceux qui auraient dissuadé quelqu'un de l'escalader pour passer de l'autre côté. Kim pouvait faire une mauvaise rencontre à quelques mètres du pavillon de Grace et Jack sans qu'ils en sachent rien.

Et c'est le moment que choisissait sa mère pour aller à Londres... Non, elle n'avait pas choisi d'aller à Londres. Au contraire, elle se sentait presque mal à la seule idée de devoir y aller. Devait-elle appeler Frederic ? Lui parler de la deuxième fillette assassinée et lui demander de renoncer à sa présence ? Il ne comprendrait pas. Parce qu'il connaissait le couple de régisseurs aussi bien qu'elle. Parce qu'il savait que même sa propre mère ne prendrait pas mieux soin de Kim que ces deux personnes.

Comme si elle devinait les pensées qui tournaient dans la tête de Virginia, Grace lui posa la main sur le bras.

— Ne vous inquiétez pas, madame Quentin. Nous ne laisserons jamais notre chère petite se mettre en danger. Nous ne la quitterons pas des yeux, vous pouvez nous faire confiance.

Jack s'extirpa de dessous l'évier.

— Dites, madame Quentin, avez-vous jamais eu une raison de vous plaindre ? Pensez bien que nous sommes les premiers à vouloir qu'il n'arrive rien ! Et je vais vous dire une chose : si je prends ce pervers à rôder dans le parc, je lui flanque un coup de chevrotines dans le cul ! Et après je lui coupe la...

— Jack ! intervint vivement Grace. Pas devant la petite !
Jack grommela dans sa barbe, attrapa un tournevis et
replongea sous l'évier.

Kim continuait de caresser le chat.

Grace souriait, confiante et rassurée, au milieu des visages
bienveillants de la famille royale.

L'image était harmonieuse. Il faisait bon dans la cuisine de
Grace et Jack.

Virginia savait qu'elle n'avait aucune raison de s'inquiéter
pour Kim. Elle ne trouverait aucun prétexte à invoquer pour
annuler son voyage à Londres.

Jeudi, à seize heures quinze, Frederic viendrait la chercher à
la gare de King's Cross.

Elle eut subitement une telle envie de pleurer qu'elle prit
précipitamment congé des Walker et, sa fille à la main, sortit
presque en courant du pavillon. Elle avait besoin de retrouver
sa propre cuisine, les grands arbres du parc qui au-delà des
fenêtres cachaient la lumière et tenaient le monde hostile à
distance.

Mercredi 30 août

1

Liz Alby se demandait si elle avait eu tort de demander un arrêt maladie. Le médecin, qui connaissait son histoire, n'avait fait aucune difficulté pour le lui accorder.

« Vous avez besoin de temps pour surmonter cette terrible épreuve, avait-il dit, et c'est effectivement une bonne chose que vous vous reposiez quelques jours. Il est toutefois préférable que vous ne restiez pas trop longtemps chez vous à ressasser des idées noires. Et vous avez besoin d'être aidée. »

Il lui avait donné une liste avec les coordonnées de plusieurs thérapeutes spécialisés dans l'aide aux victimes et à leurs proches et dont certains étaient également formés au travail avec des parents ayant perdu un enfant. La mère de Liz avait ricané avec mépris quand Liz lui avait dit qu'elle envisageait de suivre une thérapie.

« Tu veux aller chez un de ces baveux ? C'est rien que du vent, leur baratin, et ça coûte un paquet de billets ! Là, ma fille, je te croyais pas aussi bête !

— Mais ça va peut-être m'aider, maman. Je n'arrête pas de rêver de Sarah. Et je ne peux pas m'empêcher de... »

Déjà les larmes lui montaient aux yeux.

« Je ne peux pas m'empêcher de me demander pourquoi je ne l'ai pas laissée faire du manège. »

Betsy Alby avait exagérément soupiré.

« Bonté divine, voilà que tu recommences avec ce manège ! Laisse tomber cette histoire. Tu crois peut-être qu'elle ne

190

serait pas morte si elle avait pu faire trois tours de dada sur ce stupide machin ! »

Liz aurait voulu répondre « je ne sais pas », mais les larmes qu'elle n'avait pu retenir plus longtemps l'en avaient empêchée. Dès qu'il était question du manège, du dernier plaisir qu'elle avait refusé à Sarah, elle pleurait. Curieusement, elle se reprochait plus ce refus que d'être partie au kiosque en laissant sa fille toute seule.

Sa mère ne lui était d'aucun réconfort, mais à la vérité elle n'en attendait pas grand-chose. La mort dramatique de sa petite-fille ne laissait pas Betsy Alby indifférente, simplement elle était une femme aigrie qui tentait de surmonter le choc à sa façon, c'est-à-dire en buvant encore plus que de coutume et en faisant marcher la télévision vingt-quatre heures sur vingt-quatre. Parfois Liz se réveillait vers trois heures du matin et entendait sa mère, qui était encore ou déjà devant le petit écran. C'était nouveau. Avant, au moins, la nuit, Betsy dormait à poings fermés, en ronflant doucement.

La dramatique histoire de Liz avait été abondamment relayée par la presse, si bien qu'elle avait acquis une sorte de notoriété et obtint sans difficulté un rendez-vous avec deux des thérapeutes de sa liste. Toutefois, elle s'enfuit presque du premier cabinet après que le psychologue, un très jeune praticien idéaliste, eut voulu à toute force la faire parler de sa difficile relation avec son père, dont Liz ne gardait quasiment aucun souvenir et encore moins l'impression que leur éphémère relation méritât que l'on s'attarde dessus. Chez le deuxième praticien, elle dut s'asseoir sur un canapé, prendre le thérapeute dans ses bras et crier aussi fort qu'elle le pouvait. Cela lui fut extrêmement difficile, ce que le thérapeute parut trouver inquiétant, mais elle ne parvenait pas à sortir d'elle-même et n'avait aucune envie de devoir désormais s'exercer au cri primal semaine après semaine et pendant des mois en s'accrochant à un homme qui sentait de la bouche et ne serait jamais content d'elle. Elle chiffonna la liste en boule et la jeta dans la corbeille à papier.

Il se produisit alors ce contre quoi le médecin l'avait mise en garde : elle resta chez elle à broyer du noir. Le spectacle de sa mère suffisait à durablement la dissuader de noyer son déses- poir dans l'alcool ou en s'abrutissant d'âneries devant la télé- vision, mais ce n'était pas mieux de rester toute la journée plantée devant la fenêtre et de repasser à l'infini dans sa tête les images de la courte vie de Sarah. Sarah bébé, si chaude et confiante, lovée dans les bras d'une mère qui ne cessait de pleurer. Sarah, petit château branlant qui faisait ses premiers pas. Sarah qui prononçait ses premiers mots. Sarah qui hurlait « Mammaaaan ! » quand elle tombait en jouant au bac à sable. Et maman qui alors... Maman qui ne consolait pas souvent. Qui s'énervait, qui la houspillait. Qui au fond avait détesté chacune des secondes de temps que l'enfant lui avait volées. Et qui à présent se rendait compte qu'un lien plus fort et plus profond qu'elle ne l'avait imaginé avait existé entre sa fille et elle.

Elle lui manquait. Sarah lui manquait à chaque minute, à chaque instant de ces journées qui ne finissaient jamais.

Si je pouvais seulement parler à quelqu'un, songeait Liz, simplement parler. De comment nous vivions, de toutes les erreurs que j'ai commises...

Ce matin-là, alors qu'elle se demandait si reprendre sa place derrière la caisse du drugstore ne l'aiderait pas à penser à autre chose, une idée lui vint à l'esprit. La veille, elle avait appris avec consternation la mort de la petite Rachel Cunningham, elle aussi de King's Lynn. Ce matin, elle était allée acheter le journal. La police devait donner une conférence de presse dans le courant de l'après-midi, mais les spéculations allaient déjà bon train. Les journalistes n'hésitaient pas à mettre le cas en parallèle avec celui de Sarah Alby et, bien qu'aucune infor- mation ne soit encore disponible, ils paraissaient considérer comme acquis qu'il s'agissait également d'un crime sexuel.

« Qui sera la prochaine victime ? » s'interrogeait un quoti- dien à la une, faisant écho au « Nos enfants sont-ils encore en sécurité ? » d'un confrère.

La photo de la petite Rachel était partout. Une jolie fillette avec de longs cheveux et un sourire avenant.

La mère de Rachel sait exactement ce que l'on ressent, songea Liz. Si je pouvais lui parler...

L'idée fit son chemin dans sa tête. Elle avait conscience qu'il était bien tôt pour prendre contact avec Mme Cunningham alors qu'il y avait à peine vingt-quatre heures qu'elle avait appris l'assassinat de sa fille, mais elle craignait que plus tard ce ne soit plus possible. Les Cunningham seraient bientôt harcelés par la presse et, tôt ou tard, soit ils ne répondraient plus au téléphone soit ils feraient changer leur numéro.

Elle prit l'annuaire et s'enferma dans la chambre de son enfant disparue avec le téléphone. Betsy était trop absorbée par la télévision pour se soucier de ce qu'elle faisait. Liz feuilleta l'annuaire. Il y avait plusieurs Cunningham, mais elle avait lu dans le journal que le père de Rachel s'appelait Robert. Elle trouva un *R. Cunningham* et un *Cunningham Robert*. Elle essaya le deuxième. Ses mains étaient glacées.

De toute façon, je peux raccrocher quand je veux, se disait-elle.

La sonnerie retentit longtemps. Liz était sur le point d'abandonner quand quelqu'un décrocha.

— Allô ? fit une voix d'homme, prudente, réservée.

— Monsieur Cunningham ?

— Qui est à l'appareil ?

— Je suis Liz Alby.

Elle marqua une pause pour lui donner le temps de comprendre à qui il parlait.

— Oh, dit-il enfin, madame Alby...

Elle rassembla son courage.

— Vous êtes bien le papa de... de Rachel Cunningham ?

Elle n'avait pas encore vaincu sa méfiance.

— Etes-vous réellement Liz Alby ? Vous n'êtes pas une journaliste ?

— Non, non. Je suis réellement Liz Alby. Je... voulais vous dire combien... combien je comprends votre peine. Je suis tellement désolée pour votre fille.

— Merci, dit-il.

— Je sais ce que vous ressentez. Ça ne vous aide pas beaucoup, évidemment, mais je voulais tout de même vous le dire.

— Si, madame Alby, cela fait du bien. Oui, cela fait du bien.

Sa voix était infiniment lasse.

— On est complètement perdus, fit Liz. On n'est plus capables de faire quoi que ce soit correctement. En tout cas, c'est comme ça pour moi.

— Nous sommes nous aussi désemparés... dit Robert Cunningham, qui après une hésitation ajouta : Ma femme est très mal. Elle est sous sédatifs. Les doses sont telles qu'elle est parfois à peine consciente.

— Ce doit être terrible.

Liz se dit qu'elle aimerait peut-être, elle aussi, perdre parfois conscience. C'était plus humain que s'accrocher à un thérapeute et pousser des cris.

— Je voulais vous dire aussi... si vous ou votre femme vouliez parler... Je veux dire, à quelqu'un qui a vécu la même chose... je suis là. Vous pouvez m'appeler.

— C'est très aimable à vous, madame Alby. Pour le moment, ma femme n'est pas en état de parler, mais plus tard, peut-être...

— Voulez-vous noter mon numéro de téléphone ?

— Oui, volontiers. Je prends de quoi écrire...

Elle l'entendit s'affairer.

— J'y suis, dit-il. Je vous écoute.

Elle lui donna son numéro de téléphone. Lui redit combien elle était désolée de ce qui leur était arrivé. Elle eut l'impression que sa voix se brisait quand il la remercia d'avoir appelé.

Après avoir raccroché, Liz fixa pensivement l'appareil. Les Cunningham lui faisaient sincèrement de la peine, mais au moins ils étaient deux. Ils se soutenaient mutuellement. C'était pire quand on n'avait personne. Personne en dehors d'une mère alcoolique et d'un ex-petit ami qui n'avait jamais perçu leur enfant autrement que comme un fardeau potentiel, une menace.

Elle n'avait personne pour la prendre dans ses bras. Personne sur l'épaule de qui pleurer.

Assise sur le petit lit de sa fille, elle continuait à regarder le téléphone silencieux, obstinément muet. Elle savait que c'était hautement improbable, pourtant elle ne souhaitait rien tant qu'il se mette à sonner.

La journée s'ouvrait devant elle. Grise, interminable. Comme sa vie. Tout lui paraissait gris et interminable.

2

Frederic Quentin regagna son appartement en fin d'après-midi. Il avait passé le matin en rendez-vous à la banque avec des clients importants, déjeuné le midi avec un député, puis enchaîné avec un entretien en tête à tête avec un des leaders du parti conservateur. Il était fatigué mais très satisfait du tour pris par ces contacts. Ces derniers temps, la chance semblait être de son côté. Quoi qu'il entreprenne, il réussissait ; quant à ses projets politiques, on ne cessait de lui proposer de nouveaux appuis. Il avait l'impression que tout collait. Il avait les bonnes idées au bon moment et au bon endroit, partout il rencontrait les bonnes personnes. Il ne croyait pas que l'on puisse être investi d'un destin ou d'une mission, cependant s'il devait exister quelque chose de la sorte, alors force était de constater que tout et tous semblaient agir dans le sens de la mission de Frederic Quentin, de sa destinée : représenter sa circonscription du Norfolk à la Chambre des communes.

Il jeta un œil à sa montre. Il était seulement cinq heures et demie. D'ordinaire, il évitait de boire de l'alcool avant six heures, mais aujourd'hui il s'autoriserait une exception. Après tout, il avait quelque chose à fêter. Car si la chance lui souriait, il n'avait pas osé rêver qu'elle lui serait favorable au point de lui envoyer Virginia à Londres. Depuis que la veille au matin elle lui avait annoncé qu'elle l'accompagnerait chez sir Woodward, il passait alternativement de l'euphorie à l'angoisse, la crainte qu'elle ne change d'avis.

Il l'avait appelée la veille au soir, puis à nouveau le matin. Non pour accentuer la pression mais pour s'assurer qu'elle venait. Il avait parlé du temps, de Kim, un peu de politique. Il avait évité le sujet Nathan Moor qui pourtant lui brûlait les lèvres car il avait l'impression que Virginia ne comprenait pas sa réaction. Elle paraissait croire qu'il cherchait à l'acculer. Il trouvait stupéfiant et extrêmement désagréable que ce drôle de naufragé vive chez lui à Ferndale depuis maintenant cinq jours, seul avec Virginia puisque apparemment Kim n'avait pas couché à la maison deux nuits d'affilée et que la malheureuse Livia avait été fourrée dans un hôpital. Non qu'il ait craint qu'il se passe quelque chose entre Nathan Moor et Virginia qui puisse menacer son couple, car il avait une confiance absolue en Virginia et il était à ses yeux impensable qu'elle renonce un jour à sa vie avec lui et Kim. Mais il ne supportait pas ce type, il lui avait déplu à la seconde même où il l'avait vu. Il n'avait aucune confiance en lui, s'il y avait seulement un tiers de vrai dans ce qu'il racontait, c'était bien le maximum. Et ce qui se passait aujourd'hui semblait confirmer ses intuitions. Le bonhomme s'accrochait à Virginia comme une tique. Il avait réussi à la pister jusque dans le Norfolk, à se procurer son adresse, et une fois sur place à se faire inviter chez elle, à se faire offrir le gîte et le couvert. Et il y avait des chances pour qu'elle le fournisse aussi en argent de poche. Il lui avait servi une histoire quelconque à propos de l'état de sa femme et devait avoir toute une série d'arguments en réserve pour justifier qu'ils ne rentrent pas en Allemagne.

Restait à comprendre comment Virginia pouvait se faire manipuler à ce point.

Il se disait qu'elle devait être beaucoup plus seule qu'elle ne le laissait entrevoir. L'austère Ferndale House n'était pas un endroit pour une jeune femme dont le mari était aussi souvent absent. Mais c'était ce qu'elle avait voulu. Elle avait déclaré qu'elle ne pourrait pas vivre ailleurs. Elle l'avait supplié à genoux d'accepter d'y vivre avec elle. Elle avait prétendu être instantanément tombée amoureuse de la maison, et que c'était précisément son côté ténébreux et austère qui la séduisait.

Qu'aurait-il pu dire ? Avec quels arguments aurait-il pu la faire changer d'avis ?

Et aujourd'hui, elle se sent si seule qu'elle est trop contente que des pique-assiette sonnent à sa porte, songea-t-il.

En la matière, le vendredi qui s'annonçait serait peut-être un début. Si elle surmontait son appréhension et – qui sait ? – prenait plaisir à sortir ainsi avec lui, elle viendrait alors peut-être plus souvent à Londres. Et cela ne pourrait que lui faire du bien.

Au téléphone, ils avaient donc parlé de choses et d'autres, puis, les deux fois, tout à la fin, il avait dit :

« Cela me fait tellement plaisir que tu viennes ! »

— Cela me fait très plaisir aussi », avait-elle à chaque fois répliqué.

Le ton manquait de conviction, mais elle semblait disposée à faire l'effort de se montrer positive. Puis, la seconde fois, elle lui avait appris qu'une autre fillette de King's Lynn avait été assassinée.

« Cela fait la deuxième, Frederic ! Je me demande si c'est bien prudent que je parte en laissant Kim seule justement maintenant... »

Il avait eu une peur bleue.

« Virginia, c'est terrible à dire, mais il y a tous les jours des enfants qui sont assassinés quelque part. Si tu t'arrêtais à cela, tu ne sortirais plus jamais de chez toi.

— Oui, mais là c'est dans notre ville !

— Tu sais à quel point les Walker aiment Kim. Je suis bien certain qu'ils ne la quitteront pas des yeux.

— Ils ne sont plus tout jeunes et...

— Mais ce ne sont pas non plus des vieillards impotents. Virginia, ce n'est pas bon pour Kim que sa mère la suive partout comme son ombre. Veux-tu en faire une personne dépendante qu'un rien effarouche et qui un jour ne pourra plus faire un pas sans sa maman ? »

Il l'entendit soupirer.

« Est-ce si difficile à comprendre que je m'inquiète ? demanda-t-elle.

— Non. Mais dans le cas présent, tu t'inquiètes à tort. Crois-moi.

— Je vais venir, Frederic, dit-elle doucement. Je te l'ai promis. »

Il aurait apprécié qu'elle manifeste un peu plus d'enthousiasme, mais vu comment cela se présentait, il devrait se contenter qu'elle soit prête à faire un effort pour lui.

Il se servit un sherry et déambula dans l'appartement, son

verre à la main. Le lendemain à cette heure-ci, Virginia serait arrivée. Ils seraient assis sur le canapé et mettraient au point leur soirée en buvant un verre. Avec un peu de chance, elle lui raconterait comment elle s'était enfin débarrassée de Nathan Moor, puis elle mettrait une robe magnifique et ils iraient dîner, puis, après le dîner, danser. Il avait libéré toute sa soirée.

Il s'arrêta devant la photo de leur mariage posée sur une étagère. Il rayonnait, sur cette photo.

Virginia avait son air mélancolique habituel, même si elle s'efforçait de sourire. Elle ne donnait pas l'impression d'être malheureuse. Mais pas non plus d'être la femme la plus heureuse de la terre, tout juste mariée à l'homme qu'elle aime. Virginia était le jour de son mariage comme elle était toujours : ni triste ni gaie. D'une façon assez singulière, on aurait dit que ce qui se passait autour d'elle, ce qui la concernait directement, la touchait peu. Elle paraissait ailleurs, repliée sur elle-même, plutôt tournée vers l'intérieur que l'extérieur. Frederic s'était maintes fois ému de cette manière d'être, pourtant c'était cet aspect-là de sa personnalité qui, lorsqu'il l'avait connue, l'avait séduit. Son calme, ce côté pensif, solitaire... Aucune personne le connaissant n'aurait imaginé qu'il puisse être timide, pourtant, vis-à-vis des femmes, il l'était. Pour peu qu'elles parlent un peu trop et un peu trop fort, qu'elles soient trop vives, trop pimbêches, voire un peu trop entreprenantes, il se sentait agressé, déstabilisé, et il rentrait comme un escargot dans sa coquille. Avec Virginia, il en avait été tout autrement. Elle lui était apparue comme la réponse à ses aspirations les plus profondes. Belle, intelligente, cultivée, réservée, avec ce voile de mélancolie qui lui donnait le sentiment d'être son protecteur, la force qui la guidait sur le chemin de la vie. Les sentiments qu'il associait à une union, au mariage, étaient démodés, mais il ne pensait pas qu'ils en étaient moins légitimes pour autant.

Il était trop intelligent pour ignorer que tout a un prix. Le prix à payer pour la douceur de Virginia était sa peur de la société, peur dont résultait vraisemblablement son incapacité à être l'épouse qu'un homme politique ambitieux pouvait s'estimer en droit d'espérer. Il savait combien il lui en coûtait de devoir l'accompagner à cette soirée mondaine. Elle le faisait par amour pour lui.

Alors qu'il regardait la photo, il se sentit brusquement coupable d'avoir exercé une telle pression sur elle.

— Je veux que tu sois heureuse, murmura-t-il à l'image de Virginia. Je ne te forcerai pas à faire ce que tu ne veux pas.

Des mots sincères, dictés par son désir le plus cher.

Le sourire contraint de Virginia lui répondit avec une netteté cruelle qu'il n'avait même pas été capable de la rendre heureuse le jour de son mariage.

3

Livia Moor ne comprenait pas où elle était, et pendant quelques instants elle ne sut qui elle était, aucun souvenir ne se fit jour en elle. Un brouillard dense l'enveloppait, une masse grise irréelle et mouvante, dans laquelle elle respirait, existait, mais ne vivait pas vraiment. Au-dessus d'elle un plafond blanc sale, autour d'elle des murs de la même couleur déplaisante. Elle était couchée sur le dos dans un lit, ses mains trituraient le drap qui la couvrait. L'odeur qu'elle percevait ne lui était pas familière, et elle était même déplaisante, elle aussi. Elle s'efforçait mentalement d'en reconstituer les éléments. Encaustique. Produits désinfectants. Relents de mauvaise cuisine.

Je ne suis pas là de mon plein gré, songea-t-elle.

Puis elle tourna lentement la tête sur le côté. Un homme était assis sur son lit. Bronzé, les cheveux bruns. Il portait un tee-shirt trop petit pour sa carrure. Il l'observait froidement, avec indifférence. Brusquement, elle sut qui il était. C'était Nathan. Son mari.

— Je suis Livia Moor, dit-elle à mi-voix.

Il se pencha en avant.

— Tes premiers mots depuis des jours, dit-il.

Livia vit deux femmes en robe de chambre et pantoufles, derrière Nathan, qui l'enveloppaient littéralement du regard.

Elles paraissaient résolues à ne pas perdre une miette de la scène qui se déroulait devant leurs yeux.

Lentement, des images se formèrent dans son esprit. Nathan et elle. Une maison avec un jardin. Des gens qui circulaient dans les pièces, choisissaient les plus belles choses. Puis le bateau. Elle lançait sa valise par-dessus le bastingage, l'entendait retomber sur le pont. Elle sautait ensuite à bord, en serrant les dents pour retenir les larmes qui lui brûlaient les yeux. Nathan qui hissait les voiles. Le vent jouait dans ses cheveux. Le ciel était dégagé, il faisait frais. Les vagues battaient la coque.

Les vagues. La mer.

Elle s'assit brusquement sur son lit.

— Notre bateau !

Sa propre voix lui parut étrangère.

— Notre bateau a coulé !

Nathan hocha la tête.

— Oui. Dans les Hébrides.

— Quand ?

— Le 17 août.

— Quel jour sommes-nous ?

— Le 30 août.

— Alors... ça vient juste d'arriver...

Nathan hocha de nouveau la tête.

— Il y a deux semaines.

— Où suis-je ? demanda-t-elle.

— Dans un hôpital. A King's Lynn.

— King's Lynn ?

— Norfolk. Grande-Bretagne.

— Nous sommes toujours en Angleterre ?

— Tu n'étais pas transportable. T'amener jusqu'ici n'a pas été une mince affaire. Tu étais à peine consciente. Par moments, les gens ont dû penser que je trimbalais une morte vivante.

Une morte vivante... Son regard balaya la pièce hideuse, croisa les regards hostiles et frustrés des deux femmes en robe de chambre. Nathan et elle se parlant en allemand, sans doute ne comprenaient-elles pas un traître mot de leur conversation. Etait-ce cela qui leur déplaisait tant ?

— Que m'est-il arrivé ?

Il sourit tranquillement. Elle se souvint de ce sourire. C'était le sourire dont elle était tombée amoureuse, il y avait des années de cela. Depuis, elle le connaissait suffisamment pour qu'un bref frisson la parcoure quand il le lui accordait.

— Tu as subi un choc quand le bateau a coulé. Il faut dire aussi que tu as failli couler avec lui. On a erré toute la nuit dans le canot de sauvetage. Depuis, tu n'es plus la même.

Elle essaya de comprendre le sens de ce qu'il venait de dire.

— Tu veux dire que je... que je suis folle ?

— Tu souffres des séquelles d'un choc. Ce n'est pas la même chose qu'être folle. Tu avais cessé de manger et de boire. Tu étais complètement déshydratée. Et tu as commencé à délirer. Ici, on te nourrit artificiellement.

Elle se laissa lentement retomber sur son oreiller.

— Je veux rentrer à la maison, Nathan.

De nouveau il sourit tranquillement.

— Nous n'avons plus de maison, chérie.

Il dit cela comme d'autres auraient dit : « Il n'y a plus de beurre dans le frigo, chérie. » D'un ton badin, en passant. Comme s'il n'y avait pas un drame derrière cette phrase.

Elle s'efforça de ne pas se laisser atteindre par la cruauté des mots.

— Où habites-tu ? demanda-t-elle.

— Chez les Quentin. Ils ont une maison dans les environs, et ils ont eu la gentillesse de proposer de m'héberger. Tu te souviens des Quentin, n'est-ce pas ?

En fait, les Quentin lui revinrent seulement à cet instant à l'esprit. Sa raison et sa mémoire fonctionnaient encore très lentement.

— Virginia, dit-elle avec difficulté, oui, je sais. Virginia Quentin a été très gentille avec moi.

Elle lui avait prêté du linge et des vêtements et leur avait offert de loger dans sa maison de vacances. La jolie maison avec une cheminée et des meubles en bois... Et le grand jardin balayé par le vent... Livia s'y revoyait, regardant la mer par la fenêtre. Brusquement, le fil se rompit. Entre la petite fenêtre donnant sur la vue magnifique et cette abominable chambre d'hôpital, il n'y avait rien. Aucun souvenir.

— Je peux rester chez eux jusqu'à ce que tu ailles mieux et sois à nouveau capable de voyager, poursuivit Nathan.

Livia s'efforçait d'éviter les regards insistants des deux femmes.

— Je ne veux pas rester ici, chuchota-t-elle bien qu'il fût peu probable qu'elles comprennent, même si elles entendaient. Ces deux femmes ne me supportent pas.

— Trésor, cela fait presque une semaine que tu es ici, mais tu n'es consciente que depuis environ dix minutes. Tu ne connais pas ces femmes. D'où saurais-tu qu'elles t'aiment ou ne t'aiment pas ?

— Je le sens.

Les larmes lui montèrent aux yeux.

— Et l'odeur est épouvantable. Nathan, s'il te plaît, je ne veux pas rester ici.

Il lui prit la main.

— Le médecin vient juste de me dire qu'il veut te garder au moins jusqu'à vendredi. Organisons-nous en fonction de ce qu'il dit.

— Vendredi... Quel jour sommes-nous ?

— Aujourd'hui, nous sommes mercredi.

— Après-demain...

— Ce n'est pas très long. Tu tiendras jusque-là. Tu verras.

Elle pensait ne pas pouvoir tenir dix minutes de plus, mais elle sentait que Nathan ne céderait pas. S'il y avait une chose de lui qu'elle avait appris à connaître, c'était son inflexibilité, la fermeté d'acier derrière son sourire. Nathan n'irait pas parlementer et discuter avec le médecin jusqu'à ce qu'il l'autorise à faire sortir sa femme un ou deux jours plus tôt. Il la laisserait là aussi longtemps qu'il le pourrait.

Ensuite...

Elle songea avec désespoir qu'il n'y avait pas de *ensuite*. Ils n'avaient plus de maison. La dernière chose qu'ils possédaient était le bateau, et il gisait à présent au fond de la mer du Nord. Ils n'avaient pas d'argent, ils n'avaient rien.

Les larmes emplirent ses yeux, roulèrent sur ses joues sans qu'elle puisse les retenir. Il détestait qu'elle pleure et s'ils avaient été seuls il aurait violemment réagi. Là, cependant, il était obligé de se contenir.

— Tu souffres des séquelles d'un choc important, répéta-t-il d'un ton patient. Un choc qui de surcroît a été diagnostiqué et traité beaucoup trop tard. C'est normal que tu te sentes si mal aujourd'hui et que tu voies tout en noir. Ça va aller mieux, je t'assure.

— Mais... où allons-nous habiter ?

Sa voix n'était plus qu'un souffle.

— Nous pouvons nous installer chez les Quentin.

— Mais pas pour toujours !

— Bien sûr que non.

Cette fois, il y avait de l'impatience dans sa voix. Il était irrité. Il ne voulait pas parler de cela.

— On trouvera une solution.

— Quelle solution ? demanda-t-elle.

Il se leva. Il ne parlerait plus. Et il pouvait partir à tout instant. Elle, elle devait rester, elle n'avait pas le choix.

— Nathan, ne peux-tu pas rester encore un peu... ?

Il lui tapota la main. Le geste n'avait rien d'affectueux.

— Chérie, j'ai emprunté la voiture de Virginia Quentin. Il faut que je la lui rende.

— Seulement quelques minutes. S'il te plaît !

— En plus, je suis garé en infraction. Si je ne me dépêche pas, je vais ramasser un PV, et pour le payer...

Il sourit à nouveau. Désarmant, charmeur. Elle ne connaissait que trop l'effet dévastateur de ce sourire sur les femmes.

— Pour le payer, ma douce, nous risquons d'avoir quelques difficultés !

Elle ne trouva pas ça drôle. Avant, elle se serait tout de même arraché un sourire pour lui faire plaisir. A présent, elle se sentait trop malade et trop épuisée.

— Tu reviens demain ?

— Naturellement. Maintenant, tu dors un peu, d'accord ? Il faut que tu retrouves ta sérénité, et pour cela, il n'y a rien de tel que le sommeil.

Et l'amour, songea-t-elle en le regardant s'éloigner. Les larmes inondaient son visage. Ses deux compagnes de chambre la dévisageaient.

Elle se détourna et recommença à regarder le plafond. Trois mots tournaient dans sa tête. Pas de maison, pas de maison, pas de maison…

Le martèlement s'accéléra, cruel, impitoyable.

Pas de maison, pasdemaisonpasdemaisonpasdemaison…

4

Janie n'avait envie que de pleurer. Lundi, elle avait traîné dans la papeterie jusqu'à cinq heures. Le monsieur n'était pas venu. Le propriétaire du magasin l'avait disputée très fort parce qu'elle avait touché aux cartes d'invitation, pourtant, elle avait fait très attention, elle n'avait rien dérangé, rien abîmé. Le magasin était plein de gens qui s'abritaient de la pluie. Il pleuvait vraiment beaucoup. Janie espérait de tout son cœur que le monsieur avait préféré ne pas sortir par un temps pareil. Et qu'il s'était peut-être dit qu'il pleuvait trop pour qu'elle vienne. Naturellement, il était également possible qu'il ait été mécontent qu'elle ne soit pas venue au rendez-vous qu'il lui avait fixé la semaine précédente. En fin de compte, c'était elle qui espérait quelque chose de lui, pas l'inverse.

A cinq heures, elle était toujours devant les cartes, au bord des larmes. Le propriétaire du magasin s'était mis dans une grosse colère : « Dis donc, jeune demoiselle, je commence à en avoir assez, maintenant ! C'est pas une salle d'attente ici ! Soit tu achètes quelque chose, soit tu disparais. Et plus vite que ça ! »

Elle avait apporté tout son argent de poche. Comme elle n'en recevait pas beaucoup – et pas régulièrement, seulement quand maman avait de quoi et en plus était de bonne humeur, deux choses qui n'arrivaient pas souvent –, en comptant tout, elle possédait juste une livre, ce qui correspondait au prix de cinq cartes. Mais elle voulait inviter au moins quinze amis. D'un autre côté, c'était idiot d'acheter ne serait-ce qu'une seule carte car, vu qu'il ne se montrait toujours pas, peut-être que son bienfaiteur avait changé d'avis et qu'il n'y aurait pas de fête du tout. Rien que d'y penser, les larmes lui étaient montées aux yeux, et elle avait bien eu l'impression que le propriétaire du magasin en personne allait fondre sur elle pour la mettre dehors sous la pluie. Sans réfléchir plus longtemps, elle avait murmuré : « Je voudrais cinq cartes, s'il vous plaît. »

A la maison, elle avait rangé les cartes tout au fond du tiroir de son bureau, mais elle n'arrêtait pas de les ressortir pour les regarder. Ce que lui avait proposé le monsieur inconnu était trop attirant, elle ne pouvait pas encore renoncer à l'espoir que son rêve se réalise. Hier, mardi, elle était retournée au magasin car c'était peut-être vraiment à cause de la pluie que le monsieur n'était pas venu, de sorte qu'il était possible qu'il vienne le lendemain, mais elle ne l'avait pas vu. Cette fois, elle avait attendu dehors car désormais le propriétaire de la papeterie l'avait à l'œil et elle n'osait plus entrer. D'autant qu'elle n'avait plus un seul penny à dépenser. Elle y était de nouveau allée le matin, cette fois encore pour rien. Il ne lui restait plus qu'à espérer qu'il serait là lundi. Ce serait alors déjà le 4 septembre. Deux semaines avant son anniversaire.

Et là, à table, pendant le repas du soir, même sa mère, qui elle-même ressassait dans son coin, se rendit compte que quelque chose n'allait pas.

— Qu'est-ce qu'il y a ? demanda-t-elle. Tu fais une tête de quatre pieds de long !

— Je ne sais pas... Je...

— Tu es malade ?

Doris Brown tâta le front de sa fille.

— Tu n'as pas de fièvre, constata-t-elle.

Janie prit peur. Il ne fallait surtout pas que Mum pense qu'elle était malade, sinon elle n'aurait plus le droit de sortir du tout.

— Non. Je vais très bien, affirma-t-elle. Je suis seulement triste parce que les vacances sont bientôt finies.

— Bah, je trouve que tu as bien assez traîné comme ça. Il

est temps que tu recommences l'école. Sinon, tu vas faire des bêtises !

— Hum, fit Janie en grignotant son sandwich.

Maman faisait de bons sandwichs, avec du jambon, des cornichons et de la mayonnaise, et d'habitude Janie les dévorait. Mais ce soir-là, elle n'avait pas du tout d'appétit. Elle hésitait à lancer un ballon d'essai.

— C'est bientôt mon anniversaire... commença-t-elle.

— Je sais, répondit Doris. Et si tu as je ne sais quel vœu extravagant, tu peux tout de suite te le sortir de la tête. Je n'aurai pas de quoi l'exaucer, même en raclant les fonds de tiroirs !

— Oh, mais je ne veux rien du tout ! répliqua vivement Janie.

Sa mère haussa les sourcils.

— Ça, c'est une nouveauté !

— En fait, si, j'ai un vœu, un seul, mais ce n'est pas directement un cadeau... Enfin, pas une chose que tu peux acheter dans un magasin.

— Je serais curieuse de savoir ce que c'est.

— J'aimerais tellement faire une fête, maman. Inviter mes amis et...

Sa mère ne la laissa pas achever sa phrase :

— Tu recommences ! On en a déjà parlé l'année dernière. Et l'année d'avant !

— Je sais, mais... Cette année, mon anniversaire tombe un dimanche. Tu n'aurais pas besoin de demander un jour de congé ou des choses comme ça, et... on pourrait tout préparer le samedi après-midi, quand tu seras à la maison, et...

— Et tu te figures que c'est un cadeau qui ne coûte pas d'argent ? Avec tous les enfants que tu vas inviter et qu'il faudra que je nourrisse ?

— On peut faire les gâteaux nous-mêmes...

— Janie !

Doris rejeta une seconde la tête en arrière et ferma les yeux. Janie vit sur les tempes de Mum les délicates veines bleues qui battaient sous la peau blanche. Au-dessus de ses oreilles, des mèches grises se mêlaient à ses cheveux blonds, pourtant

Mum n'était pas vieille du tout. Elle avait l'air si fatiguée, si usée, que brusquement Janie comprit. Ça ne servait à rien. Elle pouvait supplier et demander tout ce qu'elle voulait. Mum dirait non. Mum n'avait peut-être vraiment pas la force.

Doris rouvrit les yeux et regarda sa fille. Elle paraissait soudain beaucoup moins énervée et impatiente que d'habitude. Elle avait presque quelque chose de tendre.

— Janie, je suis désolée mais je ne peux pas le faire, dit-elle doucement. Je suis vraiment désolée. Ton anniversaire est un jour exceptionnel, pour moi aussi. Mais je n'y arriverai pas. Je suis trop fatiguée.

Elle paraissait si triste et si épuisée que Janie s'empressa de la rassurer :

— Ça ne fait rien, maman. Je t'assure, ce n'est pas si grave.

Doris reprit son sandwich. La discussion n'avait pas tourné en faveur de Janie, cependant elle reprit espoir. Mum avait paru si triste que Janie avait eu l'impression qu'elle souffrait vraiment de ne pas pouvoir exaucer le vœu le plus cher de sa fille. Cela voulait dire qu'elle ne s'opposerait peut-être pas à ce que Janie fasse une fête dans le jardin du monsieur. Elle pourrait faire plaisir à sa fille sans puiser dans des forces qu'elle n'avait pas.

Il était d'autant plus important de retrouver le mystérieux monsieur de la papeterie. Toute la soirée, Janie chercha et chercha encore comment s'y prendre pour le revoir.

Jeudi 31 août

1

Il avait même un instant hésité à l'attendre sur le quai avec une rose rouge. Il n'avait aucune disposition au romantisme, mais il aurait aimé montrer à Virginia combien il se réjouissait de sa venue. Et combien il appréciait qu'elle se dépasse ainsi pour le soutenir. En fin de compte, il avait renoncé, à la fois parce qu'à son âge et après neuf ans de mariage il avait craint d'être ridicule, et aussi par peur qu'elle imagine que son geste n'était pas sincère ou désintéressé. Etre aussi naturel que possible avait des chances d'être ce qu'il y avait encore de mieux. Et sans doute se sentirait-elle moins stressée s'il ne transformait pas sa venue en événement de l'année. S'il faisait comme si tout était parfaitement normal.

Il n'en arriva pas moins à la gare de King's Cross avec une demi-heure d'avance. Il aurait aimé qu'il fasse beau, que Londres se montre sous son meilleur jour, mais août s'achevait dans la grisaille et septembre s'annonçait sous les mêmes couleurs. Le ciel était encombré de nuages, avec ici et là de rares touches de bleu. Au moins, il ne pleuvait pas.

Il avait tellement de temps devant lui avant l'arrivée du train qu'il s'arrêta dans une cafétéria et prit un café qu'il but debout en regardant le flot des voyageurs qui allaient et venaient dans la gare. Il aimait les gares. Et les aéroports. Il aimait les lieux qui marquaient un départ, qui étaient empreints de mouvement, d'une certaine fièvre, d'urgence. Des notions avec lesquelles il se sentait particulièrement en phase. Il était

208

lui-même au seuil d'un nouveau départ, il voulait avancer, aller plus loin. Cela n'avait pas toujours été le cas. Il avait longtemps cru que diriger la banque dont il avait hérité et préserver, voire accroître, la fortune familiale suffiraient largement à son bonheur. Quand il avait épousé Virginia, quand Kim était née, la famille était devenue le centre de sa vie, les affaires, la banque étaient passées au second plan. Il ne s'était pas posé de questions jusqu'à ce que Kim ait environ trois ans et que, la routine étant passée par là, la vie avec sa femme et sa fille ne soit plus l'émerveillement de chaque instant qu'elle avait été. Il s'était brusquement senti inquiet, presque triste, à l'idée que le reste de sa vie serait la banque, la banque tous les jours, les discussions avec des clients ennuyeux et l'organisation de réceptions sinistres où tout le monde lèverait le coude à ses frais. Il devait courtiser les gros investisseurs même s'il les abominait, et jamais il n'avait le sentiment de faire bouger quelque chose dans sa vie, et encore moins dans son pays. Il faisait ce que ses ancêtres avaient fait, mais sans avoir la satisfaction d'avoir construit quelque chose de ses mains. Son arrière-grand-père avait fondé la banque. Son grand-père et son père l'avaient développée de façon notable. Lui ne faisait qu'entretenir ce que d'autres avaient fait sortir de terre.

Il militait déjà aux côtés des conservateurs alors qu'il était étudiant. Il avait établi quelques bonnes relations qu'il avait par la suite longtemps négligé d'entretenir. Quand sa phase d'inquiétude avait commencé – c'est toujours en ces termes qu'il pensait à cette période : « ma phase d'inquiétude » –, il avait progressivement renoué avec ses anciens contacts. Il n'était pas certain d'avoir d'emblée songé à faire carrière dans la politique. C'était probable. Il devait avoir toujours porté en lui l'idée de siéger aux Communes et de contribuer activement à l'avenir de son pays.

Il regarda sa montre. Encore dix minutes avant l'arrivée du train. Il y avait longtemps qu'il avait fini son café. Il laissa quelques pièces de monnaie sur la table et prit lentement la direction du quai.

La première fois qu'il avait vu Virginia, c'était également dans une gare. Pas celle de King's Cross, celle de Liverpool

Street. Ils attendaient tous les deux le train pour le Cambridgeshire et le Norfolk. Il se rendait à King's Lynn à la demande de Jack Walker, le régisseur de sa propriété, qui l'avait appelé deux jours auparavant. Un violent coup de vent avait fortement endommagé la toiture de la maison principale. Jack ne pouvait pas réparer lui-même les dégâts et, compte tenu de l'importance des frais à engager, il souhaitait s'entretenir auparavant avec son patron. Frederic avait renâclé. C'était le mois de décembre et, comme toujours en fin d'année, il était surchargé de travail et croulait sous les rendez-vous. En même temps, il se rendait compte qu'il ne pouvait pas laisser son régisseur prendre seul des décisions qui représentaient un enjeu financier de cette ampleur. Tandis qu'il attendait son train, frigorifié, les mains enfoncées dans les poches de son manteau, il s'était sérieusement demandé s'il ne ferait pas mieux de vendre Ferndale House. Il n'y vivrait jamais, déjà qu'il n'aimait pas y passer ses vacances... Pour lui, Ferndale était essentiellement un boulet qui coûtait une fortune à entretenir. Seule sa loyauté envers des ancêtres pour lesquels la maison avait constitué une sorte de lieu de rassemblement pour toute la famille l'avait jusque-là retenu de prendre une décision définitive.

Virginia attendait aussi, à quelques pas de lui. Une jeune femme blonde, pâle et très mince, emmitouflée dans un manteau noir qu'elle serrait contre elle. La tristesse de son expression l'avait fasciné. Il s'était à plusieurs reprises surpris à la regarder ; elle paraissait avoir si froid qu'il lui aurait volontiers proposé son manteau. Quand le train était arrivé, il l'avait suivie et avait feint d'entrer par hasard dans le même compartiment, où il s'était assis en face d'elle. Il ne pouvait s'empêcher de la regarder. Il se sentait insistant, stupide, vaguement pitoyable. Avant même que le train démarre, elle avait sorti de son sac à main un livre dans lequel elle s'était plongée tandis qu'il fixait la couverture en cherchant désespérément un moyen d'engager la conversation. Quand elle avait enfin levé la tête et regardé un instant le paysage blanc de givre de l'Essex qu'un crépuscule hivernal précoce commençait déjà à assombrir, il s'était jeté à l'eau.

« Excellent livre, fit-il d'un ton anecdotique. Je l'ai lu aussi. »

Ce n'était pas vrai. Il ne connaissait ni le titre ni l'auteur. La jeune femme le regarda, surprise.

« Ah bon ?

— Oui. Il y a environ... six mois... »

Il avait volontairement choisi une date éloignée pour, au cas où ils viendraient à en discuter, avoir une excuse pour sa mémoire défaillante.

Elle plissa le front.

« Ce n'est pas possible. Ce livre vient juste de sortir... »

Il se serait giflé.

« Ah ? Vous en êtes sûre ? »

Elle tourna les pages en arrière pour retrouver la date de parution.

« Oui. Ah, voilà... octobre. Il y a donc environ huit semaines.

— Hum... »

Il fit comme s'il examinait plus attentivement le titre.

« Je crois que je me suis trompé, reconnut-il alors en se sentant très bête. Je ne connais effectivement pas ce livre. »

Elle s'était replongée dans sa lecture sans rien ajouter.

Il avait tout gâché, mais il ne baissa pas les bras. Quand il n'avait plus rien à perdre, il lui arrivait d'être pris de l'audace qui habituellement lui faisait défaut.

« Je ne me suis pas trompé, dit-il. Je savais que je ne connaissais pas ce livre. »

Elle leva les yeux, parut légèrement agacée.

« Ah ?

— Je voulais engager la conversation avec vous. Je reconnais que ce n'était pas une entrée en matière très subtile... »

Il eut un sourire embarrassé.

« Je m'appelle Frederic Quentin.

— Virginia Delaney. »

Elle s'était présentée, ce n'était pas si mal. Elle aurait pu replonger dans son livre sans répondre. Tout n'était peut-être pas perdu.

Ils s'étaient mariés au mois de septembre suivant, deux semaines après que la princesse de Galles eut perdu la vie dans un accident de voiture à Paris. Il se souvenait que tous les invités n'avaient parlé que de cela, à croire que tous considéraient que le deuil qui frappait la famille royale était plus palpitant que le oui pour la vie que deux êtres venaient d'échanger. Il n'en avait pas été affecté. Il était si heureux que rien n'aurait pu assombrir son bonheur.

Il regarda sa montre. Le train allait entrer en gare d'une seconde à l'autre. Il vérifia une nouvelle fois qu'il se trouvait sur le bon quai. Son cœur battait réellement un peu plus vite, exactement comme lors de ce jour glacial de décembre. Après neuf ans de mariage, il n'aimait pas moins Virginia qu'au premier jour, peut-être même l'aimait-il encore plus.

Il avait hâte de la serrer dans ses bras.

2

Vingt minutes plus tard, il était complètement désemparé.

Le train était arrivé à l'heure prévue, les portes s'étaient ouvertes et des flots de voyageurs avaient jailli sur le quai. Ne sachant pas dans quelle voiture se trouvait Virginia, il s'était posté de manière à avoir une vue d'ensemble du quai. Il n'était pas possible qu'il ne la voie pas. Il attendit, attendit encore. Il espéra qu'elle n'avait pas voyagé en queue du train et devait maintenant traîner ses bagages sur tout le quai. Il serait bien allé à sa rencontre, mais il n'osait pas quitter son poste d'observation, de peur de la manquer. Il essaya de l'appeler sur son portable, mais soit elle l'avait éteint, soit elle ne l'entendait pas. Il tomba sur sa messagerie : « Bonjour, vous êtes bien sur le portable de Virginia Quentin. Laissez-moi un message, je vous rappelle dès que... »

Quand la foule se fut suffisamment clairsemée pour qu'il ne risque plus de passer à côté d'elle sans la voir, il remonta le train. Plus personne n'en descendait, la plupart des voyageurs qui partaient en sens inverse et avaient attendu sur le quai étaient même déjà montés en voiture. Quelques personnes s'attardaient encore ici et là, des gens qui venaient juste de se retrouver et s'embrassaient, deux jeunes auto-stoppeurs qui triaient leurs innombrables sacs, une dame âgée qui essayait de déchiffrer un plan de la ville dont elle ne comprenait pas le système de pliage. Un employé de la gare ramenait à la borne les chariots à bagages qui traînaient sur le quai. Mais aucune trace de Virginia.

Frederic pressa le pas, tendant le cou pour regarder par les fenêtres à l'intérieur des voitures. Elle s'était peut-être endormie et ne s'était pas rendu compte que le train était arrivé. Ou bien elle était tellement absorbée par un livre qu'elle en avait oublié où elle se trouvait...

Que s'était-il passé ?

Où était Virginia ?

Elle lui avait dit qu'elle arriverait par le train de seize heures quinze, il en était certain. A King's Cross. De cela aussi il était certain. Il l'avait noté dans son agenda, lui en avait demandé confirmation le lendemain.

La peur qui au fond de lui commençait à prendre corps n'était pas nouvelle, elle ne venait pas juste d'éclore sur ce quai de gare. Il la portait en lui depuis que Virginia lui avait promis de venir. Il connaissait sa femme. Il savait au milieu de quelles angoisses elle se débattait. Au cours des dernières nuits, elle devait avoir à peine dormi, et jusqu'à la dernière seconde avoir hésité à revenir sur sa décision. Elle n'en avait rien dit, mais elle devait être au supplice.

Etait-il possible qu'elle ne soit pas montée dans le train à King's Lynn ?

En tout état de cause, elle n'était pas descendue à Londres. Le doute n'était plus possible. Elle n'était pas sur le quai, il ne pouvait pas l'avoir manquée, il était impossible qu'elle soit passée à côté de lui sans qu'il la voie. Le train était reparti depuis longtemps. Les voyageurs pour le train suivant arrivaient déjà sur le quai.

Il ne cessait d'essayer de la joindre sur son portable mais n'obtenait toujours que sa messagerie. Il finit par lui laisser un message : « Virginia, c'est moi, Frederic. Je suis à King's Cross. Il est cinq heures moins vingt. Où es-tu ? S'il te plaît, rappelle-moi ! »

Si elle se trouvait quelque part dans la gare et le cherchait, elle l'aurait appelé, aurait au moins laissé son portable allumé. C'était absurde. Elle n'était pas là.

Il se décida à composer en hésitant le numéro de Ferndale. En hésitant, car il avait très peur qu'elle réponde. Ce qui signifierait qu'elle avait changé d'avis, qu'elle ne viendrait pas.

La sonnerie retentit six fois, puis le répondeur s'enclencha. Frederic raccrocha sans laisser de message. Il ne voulait pas lui prêter l'intention d'être restée à la maison. Il retourna à la cafétéria, commanda à nouveau un café. De la table haute où il s'était installé également la première fois, il avait une vue d'ensemble sur le hall de la gare. Il recommença à scruter les flots de voyageurs qui passaient devant lui alors même qu'il ne croyait plus qu'elle soit dans la gare. Il y avait longtemps qu'elle aurait essayé de le localiser avec son portable. A moins qu'elle n'ait oublié de le prendre en partant. Ce qui lui paraissait peu probable, attendu qu'il représentait son lien avec Kim. Et puis comment croire à tant de hasards ? Ils commençaient par se manquer, ce qui était déjà peu plausible, puis il s'avérait qu'elle avait oublié son portable...

Non. C'était bien plus simple : elle était restée à la maison et ne décrochait pas le téléphone parce qu'elle se doutait que c'était son mari qui appelait.

Quelque chose en lui espérait encore. Il ne s'agissait pas de la soirée du lendemain, qui ne le préoccupait plus du tout, mais de sa déception personnelle. Cela lui faisait tellement mal qu'elle l'ait laissé tomber.

Son café bu, il chercha un panneau des arrivées et constata que le prochain train en provenance de King's Lynn était prévu cinquante minutes plus tard. Il décida de l'attendre, sans nourrir trop d'espoirs.

Il était cinq heures.

A cinq heures et demie, il n'y tint plus et appela chez les Walker. Il avait longtemps repoussé cette possibilité car il ne voulait pas se mettre en situation de dévoiler ainsi au couple de régisseurs que sa femme lui avait fait faux bond. Mais Grace et Jack constituaient son unique source potentielle d'informations. Son anxiété finit par l'emporter sur sa fierté. Jack décrocha à la troisième sonnerie.

— Ferndale House, dit-il comme de coutume, au lieu de se présenter par son nom.

Frederic savait qu'il était très fier de travailler sur un domaine aussi ancien.

— Jack, Frederic Quentin à l'appareil. Je me trouve à la gare de King's Cross, à Londres et...

Il eut un rire embarrassé et se demanda dans le même temps pourquoi il compliquait encore les choses en riant.

— ... et j'attends vainement ma femme. Elle n'était pas dans le train qu'elle avait convenu de prendre. Et...

— Vraiment ? fit Jack, surpris.

— Non. Et je voulais vous demander si... Elle devait vous amener Kim. L'a-t-elle fait ?

— Oui. Après déjeuner. Comme prévu.

L'information rasséréna un peu Frederic. Au moins jusqu'à une certaine heure, Virginia avait bien eu l'intention de se rendre à Londres.

— Vous l'avez conduite à la gare ? voulut-il savoir.

— Elle a refusé.

Jack paraissait vexé.

— Je lui ai proposé mes services, vous pensez bien. Elle a préféré prendre sa voiture et la laisser là-bas. Si vous voulez mon avis, je ne trouve pas ça bien raisonnable. Mais...

Il n'acheva pas sa phrase. Frederic l'imaginait haussant les épaules, l'air offensé.

A vrai dire, lui aussi trouvait cela curieux. Quoique... Elle devait être très tendue. Peut-être n'avait-elle eu simplement aucune envie d'écouter les inévitables discours politiques de Jack. Ce n'était pas tous les jours qu'on se sentait d'humeur à supporter des analyses d'un tel simplisme. Il était déjà arrivé à Frederic de refuser l'aide de Jack pour cette seule raison.

— J'aimerais parler à Kim, dit-il.

— Elle est dehors avec Grace. Elles cueillent des mûres. Je vais voir si elles sont dans les parages.

Frederic entendit le bruit de l'écouteur que l'on posait, puis les pas de Jack qui s'éloignaient. Une porte grinça. La voix lointaine de Jack appelant tour à tour Grace et Kim lui parvint, étouffée par la distance. Puis il entendit une galopade légère et la voix de Kim, excitée :

— C'est papa au téléphone ?

Dans la seconde qui suivit, elle haleta dans le téléphone :

— Papa, papa ! On a cueilli plein de mûres ! Elles sont énormes et très bonnes !

— C'est merveilleux, ma douce.

— Tu viens bientôt ? Je te montrerai où on en trouve. Il y en a encore plein !

— Je viens bientôt, promit-il, avant d'ajouter : Dis-moi, maman t'a bien dit qu'elle venait me rejoindre à Londres, n'est-ce pas ?

— Oui. Et que vous rentreriez ensemble samedi.

— Hum. Elle ne t'a pas parlé d'un changement quelconque ?

— Non. Tu ne sais pas où est maman ?

Il entendait Jack et Grace, en arrière-plan derrière Kim :

— ... veut dire ? demandait Grace. Elle n'est pas à Londres ?

— Ça veut dire ce que ça veut dire, grommelait Jack. Elle a dû se tromper de train. Je voulais l'amener à la gare, mais elle a refusé ! Elle a prétendu qu'elle se débrouillerait très bien toute seule !

— Tu ne sais pas où est maman ? insista Kim.

— Maman s'est probablement trompée de train, répondit Frederic, reprenant la supposition de Jack, bien qu'il n'y crût pas vraiment. Ne t'inquiète pas. Maman est une grande personne. Elle sait ce qu'il faut faire. Elle va changer de train et venir me retrouver à Londres.

— Je peux tout de même rester chez Grace et Jack ?

— Bien sûr. Au fait, Kim...

Il fallait qu'il pose la question.

— Qu'est devenu ce... comment s'appelle-t-il déjà ? Nathan. Qu'est devenu Nathan Moor ?

— Il est très gentil, papa. Hier, il est venu se promener avec

216

moi. Il m'a montré comment on faisait des repères pour retrouver son chemin. Il faut...

— Ma douce, je préférerais que tu me racontes ça une autre fois, d'accord ? Dis-moi seulement si maman l'a conduit quelque part aujourd'hui. Dans une autre maison, ou à la gare ?

— Non, répondit Kim, décontenancée.

Il soupira. Si Kim était chez les Walker depuis le début de l'après-midi, elle ne pouvait pas savoir où Nathan Moor avait fichu le camp. Ou plutôt : où on l'avait envoyé planter sa tente. Il y avait peu de chances pour qu'il ait eu la décence de partir de lui-même.

— Monsieur Quentin, dit Grace, qui avait pris le téléphone des mains de Kim, ça ne me plaît pas, cette histoire. Ne voulez-vous pas que je fasse un saut à la maison pour voir ? Je veux dire, pour vérifier que Mme Quentin est bien partie. Parce que...

— Pourquoi, Grace ?

— Eh bien, il ne faudrait pas qu'elle ait fait une mauvaise chute et ne puisse pas bouger ou quelque chose comme ça !

Il n'avait pas pensé à cela. Ce n'était pas sot d'envoyer Grace s'assurer que tout allait bien à la maison. Il se demanda si Virginia avait permis à ce détestable Nathan de rester sur place même pendant son absence et s'il devait prévenir Grace qu'elle risquait de tomber sur lui, puis résolut de n'en rien faire. Apparemment, les Walker n'avaient pas remarqué la présence de l'Allemand et Kim ne leur avait pas encore parlé de lui. Il préférait que cela continue ainsi.

— Entendu, Grace, c'est très gentil. Et rappelez-moi pour me tenir au courant. Je suis joignable sur mon portable.

Il demanda à Grace de lui repasser Kim, dit au revoir à sa fille et raccrocha. Il était presque six heures moins le quart. Encore une dizaine de minutes à attendre avant que le train suivant arrive. Pourquoi était-il à ce point certain que Virginia ne serait pas dedans ?

Question suivante : si elle n'était effectivement pas dans le train et que Grace ne la trouvait pas à la maison non plus, que devrait-il faire ? Prévenir la police ?

Le train entra en gare avec vingt minutes de retard. Frederic, à l'entrée du quai, fouillait la foule du regard quand Grace le rappela.

— Il n'y a personne là-bas, monsieur, dit-elle. Et la voiture n'est pas là non plus. Tout indique que Mme Quentin est bien partie. Tout est complètement fermé, les portes, les fenêtres, même les volets.

Il ressentit un étrange mélange de soulagement et d'inquiétude. De soulagement car apparemment Virginia était bien partie, parce qu'elle avait tenu sa promesse – ou avait l'intention de la tenir. D'inquiétude car quelque chose ne s'était pas passé comme prévu. Elle n'était pas non plus dans le train suivant. Elle ne se manifesta pas. Elle avait disparu sans laisser de traces. L'inquiétude commença à supplanter le soulagement.

Que s'était-il passé ?

Et quel rôle, se demanda-t-il subitement, jouait Nathan Moor dans la disparition de Virginia ?

A neuf heures du soir, il n'y tint plus. Il avait attendu un troisième train puis était allé directement de la gare à son appartement avec l'infime espoir que Virginia y aurait atterri au terme d'improbables détours, mais chez lui tout était vide et silencieux. Deux flûtes en cristal étaient posées sur la table devant la fenêtre, dans le réfrigérateur se trouvait une bouteille de champagne qu'il avait eu l'intention de boire avec elle. Il avait même mis des bougies blanches neuves dans tous les bougeoirs de la pièce, sorti un briquet pour l'avoir à portée de main. Quel crétin romantique ! Il aurait dû se douter que ça ne marcherait pas.

Ne t'en prends pas à elle, maintenant, se sermonna-t-il. Elle est peut-être dans un sacré pétrin !

Tous les quarts d'heure, il essayait de la joindre sur son portable, alors même qu'il était évident qu'elle ne voulait pas ou ne pouvait pas lui répondre. Mais il fallait qu'il fasse quelque chose et, pour le moment, rien d'autre ne lui venait à l'esprit. Il laissa deux nouveaux messages sur sa messagerie. C'était son unique minuscule possibilité d'établir un semblant de contact avec elle.

Devait-il prévenir la police ? Pour autant qu'il le savait, lorsqu'il s'agissait de la disparition de personnes majeures, la police n'intervenait pas avant un certain délai. Combien de temps était-ce ? Vingt-quatre heures ? Plus ? Il aurait été incapable de le dire. En tout état de cause, si l'on se référait à l'heure d'arrivée du train dans lequel elle aurait dû se trouver, il y avait à peine cinq heures que Virginia avait disparu : il ne trouverait pas un officier de police pour lever le petit doigt ce soir.

Il ne tarda pas à se rendre compte qu'il allait devenir fou s'il passait la nuit à faire les cent pas dans son appartement.

Attendre sur place n'était pas absurde, mais quelque chose lui disait que Virginia n'était pas venue à Londres. Neuf heures plus tôt, elle était à Ferndale. Grace et Jack l'avaient vue quand elle leur avait amené Kim. C'était la seule certitude. Le reste n'était que spéculation.

Il appela de nouveau chez les Walker. Quand il eut Jack au bout du fil, il lui annonça qu'il arrivait.

— Dois-je aller vous chercher à la gare demain matin ? demanda Jack. Vous n'avez pas de véhicule et...

— Non. Je ne veux pas attendre jusqu'à demain matin. Je vais louer une voiture. Si vous avez Mme Quentin au téléphone, dites-lui, s'il vous plaît, que je serai à la maison vers minuit.

— Entendu, monsieur, dit Jack.

Frederic avait décidé de louer une voiture à l'aéroport de Stansted, où il se rendrait en métro. Situé au nord-est de Londres, Stansted était une bonne base de départ pour le Norfolk, en outre il éviterait les voies de contournement de Londres, toujours très chargées, même à une heure aussi tardive. Il y avait une station de métro juste devant sa porte. Ce serait toujours mieux que ne rien faire.

Il était un peu plus de dix heures quand il s'engagea sur la M11 en direction du Norfolk au volant d'une voiture de location. Aussi près de la ville, la circulation était encore dense. Il roulait plus vite que la vitesse autorisée, quand il s'en rendait compte il ralentissait, mais pour constater au bout de quelques minutes qu'il avait à nouveau accéléré. Il était terriblement inquiet. Il ne parvenait pas à trouver d'explication logique à la disparition de Virginia. Elle avait prévu de prendre un train tout à fait normal, en plein jour, sur une ligne très fréquentée. Comment aurait-il pu lui arriver quelque chose ? Elle avait soigneusement fermé la maison, déposé sa fille chez les régisseurs. A l'évidence, elle avait eu l'intention de partir.

Le véritable point d'interrogation était ce qui s'était passé entre Ferndale House et la gare de King's Lynn, où elle n'était peut-être jamais arrivée. En même temps, si elle avait eu un accident, les Walker auraient été prévenus depuis longtemps.

Les pensées de Frederic tournaient de plus en plus autour de Nathan Moor. Il présumait qu'il s'était trouvé en voiture avec Virginia. Comment, sinon, serait-il allé de Ferndale en ville ? Elle avait très certainement eu l'intention de le conduire à l'hôpital où se trouvait sa femme. Y était-il arrivé ?

Aller voir Livia Moor à l'hôpital était la première chose qu'il ferait demain matin. Elle saurait peut-être où son mari se trouvait. Et si elle ne le savait pas ? Si elle n'avait pas de nouvelles non plus ?

Au cours de la journée où il avait été obligé de côtoyer les Moor, à Dunvegan, la veille de leur départ, une évidence était apparue à Frederic, qui se targuait de posséder une bonne connaissance de l'âme humaine : Nathan Moor n'éprouvait plus le moindre sentiment pour sa femme. Quelles qu'aient été les raisons qui un jour l'avaient incité à l'épouser, elle lui était désormais parfaitement indifférente. Il l'avait fait hospitaliser à King's Lynn, Frederic en était certain, uniquement dans le dessein de se rapprocher de Virginia. Et il avait eu la chance de tomber sur une Virginia seule, une Virginia temporairement sans mari ni fille.

Que lui voulait-il ?

Peut-être en avait-il seulement après son argent. Depuis qu'il avait mis un pied dans la maison de Dunvegan, il se faisait entretenir. Frederic préférait ne pas savoir de combien d'argent il avait soulagé Virginia au cours des derniers jours. *Le grand auteur de best-sellers !* Qui pour de mystérieuses raisons n'avait pas l'espoir d'un seul euro de rentrées sur un compte bancaire allemand...

Ou alors c'était la voiture qui l'intéressait. Et il avait fichu le camp avec. Mais qu'avait-il fait de Virginia ? Comment s'était-il débarrassé d'elle ?

Frederic frappa du poing sur le volant et accéléra encore alors qu'il roulait déjà beaucoup trop vite. Il se serait giflé. Il aurait dû faire un véritable scandale quand il avait appris que Nathan Moor s'était installé chez lui. Toutes les alarmes s'étaient pourtant déclenchées dans sa tête. Il se souvenait encore de son indignation quand Virginia l'avait mis au courant. Et de la peur mal définie qui avait éclos quelque part au fond de lui, une peur en rapport avec son aversion pour le personnage, avec la méfiance qu'il lui avait inspirée à la seconde même où il faisait sa connaissance.

Bien sûr. Mais il n'aurait pas fallu qu'autre chose lui tienne alors davantage à cœur. Inutile de se cacher la vérité : c'était la grande soirée du lendemain qui occupait alors l'essentiel de ses pensées. Et sa priorité était d'y paraître avec Virginia. Il n'aurait pas risqué un seul instant de la faire changer d'avis en se disputant avec elle au sujet de Nathan Moor. Son appréhension, la petite voix qui le mettait en garde, son indignation, il les avait mises de côté, si bien refoulées qu'il avait presque réussi à les oublier. Il s'était concentré sur le vendredi. Sur Virginia qui était sur le point d'arriver. Sur leur soirée en amoureux. Sur la réception chez sir James Woodward, laquelle, si tout s'était déroulé comme prévu, aurait été le prélude à d'autres soirées, à d'autres actions en faveur de sa carrière politique...

Quel imbécile il avait été ! Se préoccuper ainsi de ses seuls désirs immédiats ! Résultat, il était là, fonçant pied au plancher dans la nuit noire. Il aurait de la chance si la police ne l'arrêtait pas. Et il ignorait encore ce qui allait lui tomber dessus.

Vendredi 1er septembre

1

Il était un peu plus de minuit quand il franchit le portail de Ferndale House. L'allée sinueuse était jalonnée de lanternes qui éclairaient la ramure des arbres. Ils paraissaient immenses. On avait l'impression de s'enfoncer dans une forêt profonde.

Les membres ankylosés, il s'extirpa de la petite voiture de location et sortit ses clés. Il désactiva l'alarme, ouvrit la porte d'entrée. Dans le hall, des effluves du parfum de Virginia flottaient dans l'air. Ils provenaient des vêtements et des foulards suspendus au portemanteau. Il plongea brièvement le visage dans une veste en mohair, mousseuse et douce. C'était si chaud, si réconfortant.

— Où es-tu, Virginia ? murmura-t-il. Où es-tu ?

Il alluma la lumière, alla dans la cuisine. Le robinet de l'évier gouttait. Il le resserra machinalement. La cuisine était rangée, les plans de travail et la table étaient impeccablement essuyés. Les plantes du rebord de la fenêtre – essentiellement des fines herbes – avaient été arrosées. Les soucoupes de tous les pots étaient pleines d'eau.

Il se rendit dans le salon, prit un verre dans le placard, la bouteille de whisky dans le bar, et se servit une double dose de Chivas. Qu'il but d'un trait. L'alcool lui brûla la gorge, puis une chaleur agréable se répandit dans son estomac. Il remplit à nouveau son verre. Il n'avait pas pour habitude de noyer ses problèmes dans l'alcool, mais il avait la sensation d'avoir besoin de quelque chose pour ne pas craquer.

Son verre à la main, il déambula dans la maison. Tout était comme d'habitude, nulle part le moindre indice de ce qui avait pu arriver à Virginia. Dans la chambre à coucher, les lits étaient faits. Il ouvrit l'armoire de sa femme, mais devant la quantité de vêtements il aurait été incapable de dire si quelque chose manquait. Il remarqua seulement que la petite valise rouge qui était habituellement glissée entre l'armoire et le mur avait disparu. Virginia avait fait des bagages. Elle avait quitté la maison avec une valise.

Il hésita puis entra dans la chambre d'amis. Là où Nathan Moor devait avoir dormi.

La pièce ne lui fournit aucune information. Le lit était fait, l'armoire était vide. Rien n'indiquait que Nathan Moor avait occupé les lieux.

De toute façon, même s'il avait découvert une de ses vieilles chaussettes, ça ne l'aurait pas mené bien loin, songea-t-il avec lassitude.

Il sortit de la pièce, regagna sa chambre et se déshabilla avec des gestes lents. Dans le grand miroir de la porte de l'armoire, il vit un homme fatigué, gris, dévasté. De la peur et de l'incompréhension se lisaient dans son regard. C'était une expression qu'il ne se connaissait pas. La peur et l'incompréhension n'étaient pas des sentiments dont il était coutumier. Mais il ne s'était jamais trouvé dans une telle situation. Rien jusque-là ne lui avait serré la gorge comme la disparition de Virginia. Rien ne l'avait encore autant déstabilisé.

Il enfila son peignoir bleu foncé. Inutile de se coucher, il ne parviendrait pas à fermer l'œil. Il irait voir Livia Moor aussi tôt que possible. Auparavant, il faudrait qu'il appelle sa secrétaire à la banque. Quelques rendez-vous devraient être annulés, d'autres pourraient être assurés par ses collaborateurs. Quant à la soirée qui était probablement à l'origine de l'inquiétante disparition de Virginia, il ne savait pas ce qu'il devait faire. Il pourrait toujours retourner à Londres dans le courant de l'après-midi et s'y rendre seul, en inventant une excuse quelconque pour justifier l'absence de Virginia. Mais en serait-il capable s'il ne savait toujours pas où elle se trouvait ? Il avait du mal à l'imaginer.

Incapable de rester en place, il redescendit au rez-de-chaussée. Dans le salon, il alluma les lampes placées devant la fenêtre. Des journaux étaient posés sur le canapé. Le premier de la pile était celui de la veille. Il le prit. L'assassinat des deux petites filles faisait la une. « Que compte faire la police ? » s'interrogeait un journaliste sur trois colonnes avant de rappeler les similitudes présentées par les deux cas et d'en conclure que ces deux crimes, selon toute vraisemblance, avaient un seul et même auteur. Les deux fillettes, Sarah Alby et Rachel Cunningham, âgées respectivement de quatre et huit ans, étaient toutes deux originaires de King's Lynn. Toutes deux avaient disparu en plein jour, apparemment sans que rien vienne éveiller la suspicion de quiconque. Toutes deux avaient subi des violences sexuelles puis avaient été étranglées. Les deux corps avaient été découverts en des lieux isolés mais aisément accessibles en voiture. La population était inquiète, poursuivait l'auteur de l'article, les parents ne laissaient plus les enfants jouer dans la rue sans surveillance et des groupes d'accompagnement s'étaient constitués afin que les enfants ne soient jamais seuls sur le chemin de l'école. De façon plus générale, on en appelait à la création d'une cellule spéciale qui se consacrerait exclusivement à l'élucidation de ces deux épouvantables crimes. Frederic savait que les cellules spéciales représentaient un gros effort pour une police chroniquement en sous-effectif, mais lui aussi pensait que des mesures énergiques s'imposaient. Il était suffisamment versé en politique pour percevoir d'emblée que ce sujet chargé d'émotion ferait un excellent thème de campagne.

Pour l'heure, il avait de tout autres soucis. Il se plongea dans la lecture des journaux pour essayer de se changer les idées. Il en lut un, puis un autre et un autre encore, du début jusqu'à la fin, pages des sports comprises, ce qui habituellement ne l'intéressait que modérément. Quand les premières lueurs de l'aube filtrèrent entre les rideaux dans la pièce, sa tête tomba en arrière sur le dossier du canapé et il s'endormit, épuisé.

2

La mémoire lui était complètement revenue mais Livia n'était pas certaine de devoir s'en réjouir. A vrai dire, elle aurait préféré ne pas avoir de souvenirs aussi précis. Elle ne cessait de revoir Nathan sur le *Dandelion*, qui la poussait par-dessus bord, le ciel noir au-dessus de sa tête, la mer noire et mouvante devant elle. Et Nathan qui hurlait : « Saute ! Mais saute, bon sang ! »

Elle avait eu l'impression de sauter dans la mort. Elle n'aimait pas beaucoup l'eau, elle n'avait jamais aimé la mer et elle détestait les bateaux. Elle avait toujours eu peur de se noyer, à tel point qu'elle ne supportait même pas de voir des naufrages en film.

Et elle ne parvenait pas à se départir du sentiment d'avoir vu la mort en face, d'avoir senti l'étreinte funeste de ses bras. Elle savait qu'elle était vivante. Elle savait qu'elle avait réussi à échapper à l'immensité noire, liquide et bruissante qui voulait l'engloutir, et à grimper dans le canot de survie. Depuis que le bateau de pêche avait surgi et qu'on l'avait fait monter à bord. Depuis que sur le quai de Portree, enveloppée dans une couverture, à la main la bouteille d'eau que quelqu'un lui avait donnée, elle avait senti la terre ferme sous ses pieds. Elle avait conscience à l'instant même d'être vivante. Mais elle ne parvenait pas à chasser l'idée de la mort. Elle était là, la mort était là, tout près d'elle. Sous l'apparence de vagues noires qui clapotaient et gargouillaient.

Tôt le matin, le médecin était venu lui annoncer qu'elle pouvait sortir.

« Physiquement, vous êtes rétablie, avait-il expliqué. C'est le but que nous nous étions fixé. Nous ne pouvons pas faire plus pour vous. Il est cependant indispensable que vous rencontriez un thérapeute. Il ne faut pas plaisanter avec les chocs psychologiques. »

Elle avait pris son petit déjeuner dans son lit, sans toutefois parvenir à avaler plus de deux gorgées de café et une cuillerée de confiture. Ses compagnes de chambre avaient tenté à plusieurs reprises de l'entraîner dans leur conversation, mais elle avait fait semblant de peu comprendre l'anglais et de le parler très mal, si bien qu'elles avaient fini par renoncer. Mais elle ne supportait plus d'être dans cette chambre.

Elle se leva, gagna tant bien que mal la salle de bains en s'appuyant au mur, dévisagea le fantôme aux joues creuses qu'elle découvrit dans le miroir. Elle pouvait sortir ! Il en avait de bonnes, le médecin. Sans Nathan, elle n'irait pas loin, et depuis qu'elle l'avait attendu en vain la veille, sa crainte qu'il ne vienne pas davantage aujourd'hui grandissait de minute en minute. Elle resterait en plan, sans lit, sans argent, sans savoir où aller. Livrée aux regards méprisants des deux bonnes femmes de la chambre, qui devaient commencer à flairer que quelque chose clochait dans son couple.

Elle se lava superficiellement. Ses cheveux étaient gras mais elle n'avait pas de shampoing et, à vrai dire, elle se souciait peu de ne pas avoir les cheveux propres. Elle regagna la chambre, sortit ses vêtements du placard. Ou plutôt les vêtements de Virginia Quentin. Elle-même ne possédait plus rien sur cette terre. Plus rien du tout.

Le jean et le pull-over qui s'étaient trouvés pile à sa taille étaient désormais trop grands. Elle devait avoir perdu beaucoup de poids. Le pantalon tombait sur ses hanches efflanquées et on aurait pu en mettre deux comme elle dans le pull-over. Elle devait ressembler à un épouvantail.

A un épouvantail squelettique. Se souvenir de Virginia Quentin lui avait toutefois donné l'idée de chercher le numéro de téléphone de sa protectrice et de l'appeler. Il n'y aurait que par ce biais qu'elle pourrait joindre Nathan. Il fallait qu'il s'occupe d'elle. Elle espéra de toutes ses forces trouver les Quentin dans l'annuaire ou que les renseignements téléphoniques pourraient la mettre en relation avec eux.

Elle rangea ses rares affaires dans le sac de toile que Nathan avait fourré dans le placard le jour de son admission. Le jour où il l'avait fait hospitaliser... Il y avait un blanc de deux semaines dans sa mémoire. Elle ne savait pas ce qui s'était passé à Skye, ce qui avait conduit Nathan à la faire hospitaliser ici. Elle n'avait aucun souvenir du voyage jusqu'à King's Lynn, ni de son entrée à l'hôpital. Son corps amaigri, sa faiblesse prouvaient cependant que Nathan n'avait vraisemblablement pas eu d'autre choix que de la confier à des médecins. Constater qu'il n'avait pas uniquement cherché à se débarrasser d'elle la rassurait.

Elle marmonna un au revoir, auquel il ne fut pas répondu, à l'attention de ses compagnes de chambre, puis quitta la pièce. Dans la salle des infirmières, comme on s'étonnait qu'elle veuille partir si tôt et si vite, elle prétendit que son mari l'attendait déjà en bas dans le hall. Elle avait bien fait d'insister avant leur départ pour qu'ils souscrivent une assurance maladie qui les couvre pendant leur voyage. Au moins, elle ne devait rien à l'hôpital, c'était déjà ça.

A cette heure matinale, le hall d'entrée était désert. La cafétéria n'était pas encore ouverte. Le vendeur de journaux commençait à disposer la presse du jour dans le tourniquet blanc qu'il venait de rouler devant l'entrée de son kiosque. Il bâillait et à en juger à son air maussade la journée qui s'annonçait ne le réjouissait guère.

Un vieil homme en robe de chambre se déplaçait à petits pas à l'aide d'un déambulateur dans la galerie commerciale. Il regardait les vitrines des quelques magasins mais rien ne paraissait réellement l'intéresser. La déprimante atmosphère d'hôpital à laquelle Livia pensait avoir échappé en quittant sa chambre l'assaillit avec un regain de violence. Elle ne connaissait que trop sa fragilité psychologique. Il fallait qu'elle quitte cet endroit au plus vite.

Dans un coin du hall, elle découvrit un téléphone public et, posés à côté, quelques vieux annuaires défraîchis. Elle posa son sac et prit le premier annuaire. La tête lui tournait légèrement et le moindre geste la mettait en nage. Elle était restée trop longtemps allongée et avait trop peu mangé. Si Nathan ne venait pas la chercher, elle ne ferait pas cent mètres.

Encore faudrait-il qu'elle ait un endroit où aller.

Tout en constatant, à son désarroi, que de nombreux Quentin vivaient à King's Lynn ou dans les environs, elle perçut du coin de l'œil que la double porte coulissante de l'entrée s'ouvrait. Plus machinalement que par réelle curiosité, elle tourna la tête. Un homme vêtu d'un jean et d'un pull-over, ni peigné ni rasé, pénétra dans le hall. Il lui parut aussitôt familier mais il fallut plusieurs secondes à son cerveau pour le resituer. Tout son corps fonctionnait au ralenti, elle était lente, ses gestes étaient lents, sa mémoire aussi, tout ce qu'elle ressentait était ralenti. Puis elle comprit, referma l'annuaire et tenta de courir derrière l'homme qui se dirigeait vers les ascenseurs.

— Monsieur Quentin ! appela-t-elle. Monsieur Quentin, attendez !

Elle fut prise de vertige, au point de devoir s'accrocher à une colonne au milieu du hall.

— Monsieur Quentin ! appela-t-elle une nouvelle fois avant que sa voix se brise.

Dieu merci, enfin il l'entendit. Il se retourna, la vit et la rejoignit en quelques pas.

— Madame Moor ! s'exclama-t-il, surpris.

Il la dévisagea.

— Mais que vous est-il...

Il n'acheva pas sa phrase. Livia comprit à son expression combien elle devait avoir l'air pitoyable.

— Où est votre mari ? demanda-t-il.

Elle secoua la tête.

— Je ne sais pas.

Elle aurait aimé parler plus fort car elle se rendait compte que Frederic Quentin devait faire un effort pour la comprendre, mais elle était tellement affaiblie qu'elle ne pouvait que murmurer.

— Il n'est... Il n'est pas chez vous ? Il m'a dit que... qu'il habitait temporairement chez vous.

— Tout ça est un peu compliqué, répondit Frederic.

Elle lui fut reconnaissante de lui prendre le bras car elle n'était pas loin de s'effondrer.

— Ecoutez, madame Moor, je crois que nous devrions monter voir un médecin...

— Non !

Elle secoua la tête, affolée.

— Non ! répéta-t-elle comme si sa vie en dépendait. Je veux

228

partir d'ici ! Je veux partir d'ici ! Le médecin m'a dit que je pouvais partir. S'il vous plaît, aidez-moi à...

— Entendu, entendu. C'était simplement une suggestion. Sortons de cet hôpital, je vous emmène. Vous avez des bagages ?

Elle fit un signe en direction de la cabine téléphonique.

— Oui, ce sac, là-bas.

Ils traversèrent le hall pour prendre le sac. Frederic tenait solidement le bras de Livia.

— Je crains que dans un café vous ne tombiez à la renverse, dit-il. Je pense qu'on va aller à Ferndale. Chez moi. Cela vous convient-il ? Vous pourrez vous allonger sur le canapé, et je vais bien trouver quelque part dans la pharmacie familiale de quoi vous retaper un peu. Etes-vous bien certaine que vous êtes autorisée à sortir ?

— Oui.

Elle avait l'impression qu'il ne la croyait qu'à moitié, mais il n'essaya pas de la faire remonter au premier.

— Mon mari n'est donc pas là ? demanda-t-elle par acquit de conscience alors qu'ils se dirigeaient vers la sortie. Il n'est pas chez vous ?

Frederic pressa les lèvres. Il paraissait en colère. Très en colère.

— Non, répondit-il. Il n'est pas chez moi. Et j'avoue que j'espérais que vous me diriez où il est.

Une heure et demie plus tard, Livia était totalement désemparée. Physiquement, elle allait mieux, la tête ne lui tournait plus, elle n'avait plus de suées. Assise dans la cuisine de Ferndale House, elle buvait sa troisième tasse de café. Frederic lui avait préparé un toast grillé qu'elle grignotait du bout des lèvres. Elle mangeait lentement, pour ne pas être prise à nouveau de nausées, mais elle avait conscience qu'elle ne pouvait pas rester plus longtemps l'estomac vide.

Frederic ne s'était pas assis, il arpentait la cuisine, sa tasse à la main. Il lui avait raconté comment, après avoir vainement attendu Virginia à la gare, il avait pris la décision de venir à

King's Lynn. Que sa fille, comme convenu, avait été confiée au couple de régisseurs. Que la valise de Virginia manquait, que sa voiture n'était pas là, qu'il avait trouvé la maison fermée. Et qu'il n'y avait rien qui indiquât que Nathan Moor avait séjourné là au cours des jours précédents.

— J'ai vu ma fille tôt ce matin, dit-il. Malheureusement, je n'ai pas appris grand-chose de plus. Sa mère lui a dit qu'elle venait me retrouver à Londres et que nous serions de retour samedi soir. Elles ont préparé les affaires de Kim ensemble, puis elles sont allées chez les Walker. Lorsque ma fille a dit au revoir à votre mari, il regardait du sport à la télévision dans le séjour. A Mme Walker, ma femme a simplement dit qu'elle avait encore ses bagages à faire. Elle a refusé l'offre de M. Walker de la conduire à la gare. Mais rien ne permettait de supposer qu'elle n'avait pas l'intention de partir.

Livia avala un nouveau minuscule morceau de toast. Elle avait l'impression que son estomac était littéralement noué. La moindre bouchée de nourriture mettait des heures à se frayer un chemin.

— Je n'y comprends rien, dit-elle. Je n'arrête pas de penser à la dernière visite de mon mari à l'hôpital. Avant-hier. Le problème est que je n'allais réellement pas bien. Je ne sais pas si j'ai seulement compris tout ce qu'il a dit. Je me souviens qu'il est parti en promettant de revenir le lendemain. Hier, donc. Mais il ne l'a pas fait.

— Vous ne vous souvenez vraiment de rien d'autre ? la pressa Frederic.

Elle devinait qu'il avait très envie de la secouer pour réamorcer le cours de ses souvenirs. Il ne se maîtrisait que difficilement.

Il a peur, songea-t-elle, il a réellement peur pour Virginia.

— Quand… quand il m'a dit que je serais autorisée à sortir deux jours plus tard, je lui ai demandé où nous irions. Il a répondu que nous pourrions rester quelque temps ici… chez vous.

Elle n'osait pas le regarder. Elle aurait voulu rentrer sous terre. Aussi lentement que fonctionnât son cerveau, elle avait compris depuis longtemps que Frederic Quentin n'avait que très modérément apprécié que les Moor surgissent à King's Lynn et encore moins goûté le fait que Nathan Moor s'installe chez lui. Que s'il n'avait tenu qu'à lui, il se serait débarrassé des Moor à Skye même. Qu'il maudissait la bonté de sa femme à l'égard de ces naufragés de malheur.

— Il avait emprunté la voiture de votre femme, poursuivit-elle. Oui, c'est aussi une chose qu'il a mentionnée...

— Il était vraiment comme chez lui ! dit Frederic d'un ton sarcastique. Super !

Elle reposa le toast sur l'assiette. Il était exclu qu'elle puisse encore avaler quelque chose.

— Je... suis désolée, s'excusa-t-elle dans un murmure.

Frederic se radoucit :

— Vous n'y êtes pour rien, Livia. Excusez-moi si j'ai été un peu vif. C'est simplement que... je m'inquiète beaucoup. Ça ne ressemble pas à Virginia de disparaître ainsi sans donner de nouvelles. Elle n'a même pas appelé les Walker pour leur demander comment allait Kim ou pour lui dire bonsoir. C'est tellement inhabituel que je...

Il laissa sa phrase en suspens. Il posa sa tasse de côté, mit ses deux mains à plat sur la table et planta son regard dans celui de Livia.

— Il faut que je sache ce qui se passe avec votre mari, Livia. Et je vous demande d'être tout à fait honnête. Il y a quelque chose qui ne va pas. Votre mari est soi-disant un auteur à succès mais vous n'avez pas un penny devant vous. Vous êtes tous les deux ressortissants allemands. Il y a ici en Angleterre une ambassade d'Allemagne, laquelle est habilitée à vous prendre en charge, en premier lieu à s'occuper de votre rapatriement. Pourtant votre mari ne semble pas songer à s'adresser à eux. Au lieu de cela, il s'accroche à ma famille comme un crampon. Ma femme fait sa valise pour venir me retrouver à Londres, achète son billet de train et s'évapore dans la nature. Et avec elle, votre mari, et sa voiture. *Livia, bon Dieu, que se passe-t-il ?*

Livia sursauta. Frederic avait parlé très fort, presque crié.

— Je ne sais pas, dit-elle.

Sa voix trembla. Elle dut se retenir de ne pas fondre en larmes.

— Je ne comprends pas ce qui se passe. Je ne sais pas où est mon mari.

— Vous êtes sa femme. Vous devez le connaître. Vous devez connaître sa vie. Il n'est pas possible que vous en sachiez aussi peu que vous voulez bien le dire !

Livia haussa timidement les épaules. Elle aurait voulu disparaître.

— Je ne sais rien, murmura-t-elle.

Frederic était en rage, ses lèvres n'étaient plus qu'un trait pâle.

— Je ne vous crois pas, Livia. Vous ne savez pas où il se trouve actuellement, ça, je veux bien l'admettre. Mais vous pouvez me parler de lui, me donner des informations qui peut-être m'aideront à découvrir où se trouve ma femme. Maintenant, ça suffit : dites-moi ce que vous savez ! Vous êtes au moins redevable de cela à Virginia, pour l'aide qu'elle vous a apportée !

Livia commença à trembler.

— Nathan... Nathan n'est pas quelqu'un de malfaisant. Il... il ne ferait jamais de mal à Virginia...

Frederic se pencha un peu plus vers elle.

— Mais ?

La voix de Livia était à peine audible.

— Mais... dans ce qu'il a dit... il y a des choses qui... qui ne sont pas tout à fait vraies.

— Lesquelles ? Qu'est-ce qui n'est pas vrai ?

Elle commença à pleurer. C'était un cauchemar. Un cauchemar qui avait commencé bien avant le naufrage du *Dandelion*.

— Ce n'est pas vrai qu'il est écrivain. Je veux dire : il écrit des livres, c'est vrai, mais... rien de lui n'a jamais été publié. Pas... pas une ligne.

— Je m'en doutais. De quoi avez-vous donc vécu, toutes ces années ?

— De... de l'argent de mon père. Je prenais soin de lui. En

contrepartie, nous vivions chez lui, et sur sa pension. Nathan écrivait. Je m'occupais de la maison et du jardin.

Un rictus étira les lèvres de Frederic.

— Je pressentais que ce n'était pas clair. Je savais que quelque chose clochait, avec ce type.

— Mon père est mort l'année dernière. J'ai hérité de sa maison. Elle était grevée d'une lourde hypothèque. De plus, c'était une vieille maison, qui avait besoin d'être rénovée de fond en comble. La vente ne m'a pas rapporté beaucoup d'argent, mais cela aurait suffi pour nous maintenir quelque temps à flot, Nathan et moi. Le temps que Nathan trouve un travail. J'espérais qu'il allait enfin arrêter de se prendre pour un grand écrivain...

— Mais ce n'est pas ce qui s'est passé ?

Elle secoua la tête. Le souvenir de cette époque d'incompréhension glaciale entre Nathan et elle lui revint en mémoire. Ses supplications. Ses démarches pour trouver un emploi. En même temps qu'elle comprenait chaque jour un peu plus qu'il voulait partir. Qu'il ne ferait aucun effort pour leur procurer un toit et une existence stable.

— Nathan n'a jamais réellement travaillé. Il a fait des études diverses : de l'anglais, de l'allemand, de l'histoire... Rien qui débouche sur grand-chose. Mais il n'a même pas essayé de chercher. Il en revenait toujours à son tour du monde à la voile. Il en parlait déjà depuis longtemps, mais il avait toujours été implicite que je ne laisserais pas mon père seul. Puis...

— Puis il a investi ce que vous avez hérité de votre père dans un bateau ?

Elle acquiesça.

— En totalité. Nous n'avions plus rien. Hormis le bateau. Son idée était de gagner un peu d'argent en travaillant dans les ports où nous relâcherions quelque temps. Il voulait se consacrer à son livre. Il disait que ce serait sa rupture. Qu'il avait été jusque-là dans un cul-de-sac, qu'il fallait qu'il en sorte. La maison, la petite ville, mon père... tout cela l'avait paralysé.

— C'est tellement commode... dit Frederic sur le même

ton sarcastique que précédemment. Quand on peut rendre les autres responsables de ses échecs, pourquoi s'en priver ?

Elle savait qu'il avait raison, en même temps, c'était plus compliqué. Elle songea à la maison, vieille, sombre, avec son escalier qui grinçait, l'odeur de renfermé qui collait aux murs quoi qu'on fasse, les fenêtres mal ajustées, le chauffage qui tombait systématiquement en panne au plus froid de l'hiver. Elle songea à l'entêtement de son père, de plus en plus près de ses sous avec l'âge, au point de refuser de faire réaliser les travaux de rénovation les plus urgents. Qui excluait même de faire repeindre les pièces pour apporter un peu de clarté dans la maison et venir enfin à bout de l'odeur. Les dernières années, vivre avec son père avait été une vraie punition. La petite ville où tout le monde se connaissait, où les commérages et les ragots allaient bon train, où chaque pas, chaque mot des voisins était épié et jugé, quand on n'y était pas habitué, cela avait de quoi vous assombrir l'humeur. C'était là où elle avait grandi, la sensation d'être dans une impasse, la mesquinerie, elle savait ce que c'était. Ce que Nathan jugeait paralysant et mortifère lui était au moins familier. Pour avoir beaucoup souffert à la mort de son père, elle n'en avait pas moins compris que Nathan veuille mettre des océans entiers entre lui et le lieu qui, douze années durant, avait représenté son foyer.

Elle soupira. Elle était perdue, fatiguée, angoissée.

— Nous n'avons plus rien. Plus rien du tout. Vous dites que l'ambassade d'Allemagne peut nous rapatrier. Mais nous rapatrier où ? Nous n'avons pas de maison, pas d'argent, pas de travail. Rien. Nous n'avons rien ! Je présume que c'est pour cette raison que Nathan s'accroche ainsi à vous et à votre famille. Pour avoir un toit au-dessus de sa tête. Parce qu'il ne sait pas où aller. Au sens strict du terme.

Frederic se redressa, repoussa lentement ses cheveux en arrière.

— Quel merdier ! lâcha-t-il.

Nul doute qu'il songeait alors au fait qu'il avait fallu que ce soit Virginia qui tombe sur ce minable de Nathan.

— Quel fichu merdier, vraiment ! J'aimerais seulement savoir ce que votre mari s'imagine. Qu'il va rester éternellement chez moi ? Ou bien a-t-il un plan quelconque pour rattraper le coup ?

— Il pense à demander des dommages-intérêts en réparation du...

Frederic éclata de rire.

— Il n'est sûrement pas aussi bête ! Vous n'avez pour ainsi dire aucune chance de découvrir qui vous est rentré dedans cette nuit-là. Et en admettant que vous y parveniez, vous en aurez pour des années de procédure judiciaire. Vous vivrez de quoi, pendant ce temps-là ?

Elle leva les yeux, regarda Frederic.

— Je ne sais pas, dit-elle. Je ne le sais vraiment pas. J'étais très malade. Je ne me suis pas rendu compte de ce qui se passait. Je n'ai aucun souvenir des derniers jours. Je ne sais pas où est Nathan. Je ne sais pas où est votre femme. Je vous jure que je n'en ai aucune idée. Je vous demande seulement de ne pas me mettre à la rue. Je n'ai nulle part où aller.

Il n'y avait pas de mépris dans le regard qu'il lui lança, mais comme un soupir muet. Elle ferma quelques secondes les yeux, devant le sentiment de s'être abaissée plus bas que terre.

Au moins, il ne la mettrait pas à la porte.

Deuxième partie

Vendredi 1ᵉʳ septembre

1

Ils roulaient déjà depuis deux heures quand elle se rendit compte qu'elle avait faim. Quand elle s'était réveillée, dans le froid et l'obscurité du petit matin, elle avait cru qu'elle ne serait plus jamais capable d'avaler quelque chose. Tout son corps lui faisait mal. Son cou était raide ; quand elle avait essayé de bouger la tête, un gémissement de douleur lui avait échappé. Il faisait froid et humide. En dépit de l'obscurité, elle s'était rendu compte qu'un brouillard épais stagnait sur la campagne.

Et dormir dans une voiture, s'était-elle dit, n'est à l'évidence plus de mon âge.

Elle avait ouvert la portière de la voiture, s'était propulsée à l'extérieur, puis s'était laborieusement extirpée de son jean et de son slip et s'était accroupie dans la bruyère humide pour faire pipi. Il faisait sombre et de toute façon l'endroit était absolument vierge de toute trace humaine. Ils s'étaient arrêtés sur le bas-côté d'une route départementale déserte qui s'étirait sur le nord de l'Angleterre, à plusieurs kilomètres de Newcastle. Ils ne devaient plus être loin de l'Ecosse.

La veille, ils s'étaient sentis l'un et l'autre trop fatigués pour continuer. Virginia se serait volontiers mise en quête d'un *bed & breakfast* où passer la nuit, mais Nathan avait objecté qu'ils pouvaient très bien dormir dans la voiture. Elle supposa qu'il lui était pénible que ce soit elle qui paye son hébergement. Elle avait payé à la station-service, elle avait payé pour le repas du

239

soir acheté dans l'épicerie d'un minuscule village. Ils avaient à peine osé espérer trouver quelque chose de comestible dans ce petit magasin perdu au milieu de nulle part, pourtant les sandwichs qu'ils avaient achetés étaient étonnamment bons. Ils avaient arrosé leur repas d'eau minérale et goûté à la paix et au calme qui régnaient autour d'eux et que seuls quelques moutons curieux étaient venus troubler. Il faisait nettement plus frais que dans le Norfolk. Virginia avait sorti un gros pull-over de sa valise, s'était assise sur le capot de la voiture et avait mordu dans son sandwich en laissant son regard errer sur l'horizon, où des nuages gris s'amoncelaient. Le paysage avait déjà ses couleurs d'automne. A sa grande surprise, elle s'était sentie envahie d'un sentiment de sérénité qu'elle n'avait pas éprouvé depuis longtemps, d'une impression de liberté et de parfait accord avec elle-même qui s'était répandue dans les moindres recoins de son corps et de son âme. Elle avait aspiré à pleines goulées l'air frais et limpide et, tandis que l'obscurité commençait à allonger les ombres, redécouvert la magie de l'instant où la nuit succède lentement au jour. Elle avait déjà vécu des moments identiques, mais les années en avaient effacé le souvenir. Des heures où elle avait eu l'impression d'être libérée du temps, où elle n'avait appartenu qu'au seul instant présent, où il n'y avait plus ni passé ni futur. Ce qu'elle avait ressenti en consommant du haschisch lorsqu'elle était étudiante lui était revenu à la mémoire. C'était exactement la même fascinante sensation de se fondre dans l'instant. Elle y parvenait aujourd'hui sans produits euphorisants. L'étrange clair-obscur du jour qui déclinait et la paix qui l'entourait y suffisaient.

Nathan l'avait laissée seule, il était parti marcher pour détendre ses muscles endoloris. Quand, une heure plus tard, elle l'avait vu reparaître dans le crépuscule naissant, un autre souvenir lui était brusquement revenu à l'esprit et le charme avait été rompu. Elle s'était souvenue de l'autre effet que le haschisch avait sur elle : l'extraordinaire embrasement de sa libido. A l'époque, les soirées où les joints et les gâteaux fortement dosés en marijuana circulaient se terminaient souvent en une débauche de sexe. Virginia avait le souvenir confus de s'être plus d'une fois retrouvée à finir ainsi la nuit dans les bras d'un inconnu. Le désir la submergeait. Et toutes ses inhibitions volaient en éclats.

Nathan s'était arrêté devant elle, avait humé l'air du soir déjà légèrement humide. Les traits de son visage commençaient à s'estomper dans les premières ombres de la nuit. Non, ce n'est pas possible, s'était-elle dit, je n'ai pourtant rien fumé !

Non, elle n'avait rien fumé, pourtant, à cet instant, elle le voulait, là, tout de suite. Sur le capot de la voiture, ou à l'intérieur sur le siège arrière, ou juste là à ses pieds, par terre, sur le sol sablonneux. Pourvu que ce soit tout de suite, rapide et violent. Sans avant et sans après. Du sexe et rien d'autre.

Ce n'est pas possible ! Je suis aussi folle qu'après avoir fumé trois pétards !

Elle avait cru voir à son expression qu'il savait à quoi elle pensait. Il avait souri d'une drôle de façon. Son regard disait qu'il attendait, qu'il était prêt mais qu'il la laissait décider. Si plus tard elle en fut soulagée, sur le coup, que ce ne soit pas tout à fait comme avant, contrairement à ce qu'elle avait cru, ne lui avait donné que des regrets. Ses inhibitions ne s'étaient pas envolées, du moins pas complètement. Elle en avait eu encore suffisamment pour se laisser promptement glisser du capot et déclarer, d'un ton froid :

« On devrait faire encore un bout de chemin avant qu'il fasse complètement nuit.

— OK », avait-il acquiescé à mi-voix.

A présent, elle n'éprouvait plus rien de la sorte. Elle aurait pu pleurer. Les douleurs dans sa nuque étaient insupportables. Elle aspirait à une douche chaude, à une brosse à dents, à la mousse parfumée d'un shampoing sur ses cheveux, au souffle chaud et au bourdonnement rassurant de son sèche-cheveux. Et par-dessus tout, elle aspirait à une grande tasse de café chaud.

Elle observa Nathan à la dérobée. S'il se ressentait autant qu'elle de cette nuit dans la voiture, ça ne se voyait pas. Il n'était pas différent de la veille. Il n'avait même pas l'air fatigué. Il se concentrait sur la conduite, regardait droit devant lui en se guidant dans le brouillard sur la bande herbeuse du bas-côté gauche de la route. Une route étroite et mouillée qui serpentait dans un paysage de landes et de tourbières... Le bout du monde. Par quel miracle trouverait-elle une tasse de café ?

— Il faut que je mange et boive quelque chose, finit-elle par dire. J'ai froid, j'ai mal partout. Je jure que je ne dormirai pas une autre nuit dans cette voiture !

Il garda les yeux fixés sur la route.

— Nous allons bientôt quitter cette départementale, nous ne sommes plus loin d'une autoroute. Là, nous trouverons certainement un endroit où prendre un petit déjeuner.

— Ah oui ? Et c'est parce que tu connais le coin par cœur que tu dis ça ?

— J'ai regardé la carte avant de partir.

— J'espère que tu l'as regardée correctement. Moi, je ne trouve pas qu'on se dirait près d'une autoroute. J'ai plutôt l'impression qu'on va atterrir dans des marais ou une prairie à moutons !

Il tourna enfin la tête et la regarda.

— Tu es vraiment surprenante, dit-il. Qu'est-ce qui t'arrive ?

Elle se massa la nuque.

— Je suis complètement nouée. Tout mon corps me fait mal. Si je n'ai pas bientôt un café, je vais avoir une migraine épouvantable.

— Tu vas avoir bientôt un café, dit-il.

Elle pressa ses paumes contre ses tempes.

— Je me sens mal, Nathan. Brusquement, je ne sais plus si ce que je fais est bien.

— As-tu jamais su si c'était bien ? Hier, j'ai eu l'impression qu'il s'agissait essentiellement de te mettre à l'abri. De te préserver. Tu étais au bord du désespoir.

— Oui, dit-elle en regardant le brouillard par la vitre de sa portière. Oui, c'était bien le cas.

Elle se revit allongée sur son lit, dans sa chambre, à

Ferndale. Ecrasant de tout son poids la nouvelle robe qu'elle avait commencé à plier afin de la ranger dans la valise. Elle avait fait tout ce qu'elle avait résolu de faire. Elle avait acheté un billet de train, communiqué l'horaire à Frederic, préparé le sac de Kim, déposé la petite chez les Walker, sorti et ouvert sa valise, rangé dedans des sous-vêtements, des bas, des chaussures. Puis elle avait décroché sa nouvelle robe de son cintre, s'était demandé si ce ne serait pas mieux de la transporter dans une housse à vêtements pour ne pas la froisser, mais il lui avait finalement paru plus simple de n'emporter qu'une valise, surtout qu'elle pourrait toujours donner un coup de fer à sa robe sur place. Elle l'avait étalée sur le lit, avait commencé à replier les manches – et s'était sentie brusquement incapable de continuer. Elle avait regardé la robe et compris qu'elle ne parviendrait pas à la ranger dans la valise. Elle ne parviendrait pas à aller à Londres, à monter dans le train. Il lui était impossible d'arriver au bras de son mari à cette soirée, impossible d'être la parfaite épouse d'un homme politique ambitieux.

Quand Nathan l'avait trouvée, elle était sur le lit, en pleurs. Elle ne sanglotait pas, ses larmes étaient parfaitement silencieuses, mais elles coulaient sans discontinuer.

« Je ne peux pas, avait-elle murmuré. Je ne peux pas. Je ne peux pas. »

Elle se souvenait confusément qu'il l'avait attirée à lui et prise dans ses bras. C'était bon de pouvoir poser la tête sur son épaule. En même temps, elle avait commencé à pleurer plus fort.

« Je ne peux pas, avait-elle répété. Je ne peux pas. »

La voix de Nathan était tout près de son oreille.

« Alors ne le fais pas. Tu entends ? *Ne le fais pas !* »

Elle n'avait rien pu répondre. Elle pouvait seulement pleurer.

« Où est passée la femme solide et déterminée ? avait-il doucement demandé. La femme qui ne faisait pas ce qu'elle ne voulait pas faire ? »

Les larmes avaient continué à jaillir de ses yeux. Des années de larmes accumulées.

« Que veux-tu, Virginia ? Où veux-tu aller ? »

Elle n'y avait jamais réfléchi. Elle venait seulement de prendre conscience de là où elle ne pouvait pas aller. Elle ne pouvait pas aller à Londres. Elle ne pouvait pas se mêler à la vie aux côtés de Frederic.

Elle avait relevé la tête.

« A Skye, avait-elle dit. J'aimerais aller à Skye.

— D'accord, avait-il répondu d'un ton calme. Allons-y. »

La stupéfaction avait interrompu ses larmes.

« Mais ce n'est pas possible !

— Pourquoi ? » avait-il simplement demandé.

Aucune réponse ne lui était venue à l'esprit.

— Pour toi, c'était une excellente solution, dit-elle.

Elle cherchait toujours à l'agresser. Peut-être étaient-ce les prémices de la migraine qui la mettaient dans cet état, ou le brouillard qui encerclait la voiture comme un mur, qui semblait vouloir s'infiltrer dans l'habitacle.

— Je veux dire : que je refuse d'aller à Londres.

Il haussa les épaules.

— Tu pleurais sur ton lit. Je n'avais rien fait pour cela.

— Tu aurais pu essayer de me convaincre de respecter la parole que j'avais donnée à Frederic.

— Eh !

Il rit doucement.

— Je croyais que tu n'étais pas du tout dans ce trip. Accepter que les autres te disent ce que tu avais à faire. Tu voulais aller à Skye, nous y allons.

— Hier, il s'en est fallu de peu que je te débarque de ma voiture devant l'hôpital où est Livia. Tu n'aurais même pas su où passer la nuit.

— Elle n'aurait pas été pire que celle que je viens de passer.

— Ah ? Toi aussi tu as mal partout ?

— Bien sûr. Sans compter que je suis un tantinet plus grand que toi. Tu crois que ça m'a été plus facile de me plier en quatre ?

D'un coup la colère de Virginia s'évanouit.

— Il faut que j'appelle Kim, dit-elle d'un ton las.

— Fais-le.

Elle regarda le téléphone portable posé devant elle sur la

plage avant. Il était éteint. Elle se doutait que Frederic devait essayer de l'appeler toutes les minutes depuis la veille, depuis l'heure où elle aurait dû arriver. Il avait certainement déjà parlé aux Walker, et à Kim. Sa fille savait donc que sa mère avait disparu.

— Que dois-je dire à Kim ? Que je vais à Skye avec toi ?

— Je m'en abstiendrais, dit Nathan. A moins que tu ne veuilles voir ton mari débouler ?

Elle rentra la tête dans les épaules et frissonna.

— Non. De toute façon, je crois que je ne pourrai plus jamais le regarder en face.

Quand elle songeait à ce qu'il devait penser d'elle en cet instant, elle se sentait affreusement mal.

Ainsi que Nathan l'avait dit, ils débouchèrent effectivement sur l'autoroute qui menait à Glasgow et purent enfin rouler plus vite. Le brouillard se dissipait lentement.

— Ce soir, nous serons à Skye, dit Nathan.

Il avait promis qu'ils s'arrêteraient à la prochaine station-service. Virginia, qui se rongeait à l'idée que Kim, ravagée par les larmes, puisse s'interroger sur le sort de sa maman, finit par se décider à allumer son portable. Sans surprise, l'annonce qu'elle avait reçu vingt-quatre appels durant son « absence » s'afficha en clignotant furieusement sur l'écran ; en outre plusieurs messages avaient été déposés sur sa boîte vocale, libre à elle de composer le 888 pour les écouter. Elle se garderait bien de le faire. Elle ne se sentait même pas capable d'entendre la voix de Frederic.

Elle composa le numéro des Walker. Grace décrocha à la deuxième sonnerie.

— Allô ?

— Grace ? Virginia Quentin à l'appareil. Je...

Elle ne put en dire plus. Grace eut une sorte de hoquet puis l'interrompit :

— Madame Quentin ! Bonté divine ! Nous nous sommes fait tellement de souci ! Où êtes-vous ?

— Cela n'a aucune importance. Je voudrais parler à Kim. Est-elle là ?

— Oui, mais...

— Je souhaiterais lui parler. Tout de suite.

— M. Quentin est arrivé de Londres, dit Grace. Il est là-bas, à la maison. Il ne va pas bien du tout. Il...

Virginia prit un ton dur qu'elle n'avait jamais opposé à Grace.

— Je souhaite parler à Kim. Rien d'autre.

— Comme vous voulez, dit Grace d'un ton pincé.

Au même instant, elle entendit la voix de Kim :

— Maman ! Tu es où ? Papa est là. Il te cherche !

— Kim, ma douce, je vais bien. Ne t'inquiète pas, tu m'entends ? Tout va bien. J'ai simplement changé mes plans.

— Tu ne veux plus aller à Londres chez papa ?

— Non. C'est... Il y a eu un contretemps. Je suis partie ailleurs. Mais je vais bientôt revenir.

— Quand ?

— Bientôt.

— Lundi, quand l'école va recommencer, tu seras là ?

— J'essaierai, d'accord ?

— Je peux rester chez Grace et Jack jusqu'à ce que tu reviennes ?

Virginia remercia le ciel que Kim aime tant le vieux couple. Elle aurait sûrement beaucoup moins bien réagi à l'étrange comportement de sa mère si cela n'avait pas été le cas.

— Bien sûr, ma douce. Mais tu iras aussi voir papa, entendu ? Grace m'a dit qu'il était là...

— Oui, il est passé ce matin très tôt.

— Sois bien sage, Kim, obéis bien à Grace et Jack. Et ne t'éloigne pas de la maison, entendu ? Même dans le parc !

Kim soupira.

— Grace n'arrête pas de me le dire ! J'ai compris, maman. Je ne suis plus un bébé !

— Je sais. Et je suis très fière de toi. Je te rappelle bientôt, d'accord ? Au revoir, ma douce, je t'aime !

Elle coupa la communication pour ne pas donner à Grace la possibilité de s'emparer de l'appareil et de recommencer à lui faire des reproches. La politesse aurait voulu qu'elle la reprenne en ligne, au moins pour lui demander si Kim pouvait rester plus longtemps qu'initialement prévu, mais elle ne voulait pas prendre le risque de se faire extorquer une information sur l'endroit où elle se trouvait. Sans compter que si Jack était là, Grace devait l'avoir envoyé dare-dare chercher Frederic et qu'elle essaierait de garder Virginia aussi longtemps que possible au bout du fil. Or elle ne voulait en aucun cas parler à Frederic.

— Ça va mieux ? demanda Nathan.

Elle hocha affirmativement la tête.

— Oui. Du moins un peu mieux que tout à l'heure. Quoique... Frederic est rentré. Il paraît qu'il est dans tous ses états.

— C'était à prévoir, dit Nathan d'un ton uni. Tiens, regarde, une station-service. Tu vas enfin avoir ton café.

2

Après deux grandes tasses de café noir et une assiette d'œufs brouillés, Virginia se sentit revivre. La station-service était propre, soignée, chaude et accueillante. Les toilettes sentaient le désinfectant et étaient à l'évidence régulièrement nettoyées. Seule devant l'alignement de lavabos, Virginia put se laver les mains, le visage, brosser longuement ses cheveux, mettre un peu de rouge à lèvres. Quand elle rejoignit Nathan à la cafétéria, sa confiance en elle avait remonté d'un cran. Il n'y avait aucune animation en ce début de matinée sombre et triste qui faisait plus penser à novembre qu'aux premiers jours de septembre. Ils étaient les seuls clients, avec un autre homme qui lisait le journal assis à une table. On entendait de la musique en sourdine. C'était bon d'être là sur ces chaises confortables, de pouvoir étendre ses jambes, de réchauffer ses doigts sur la porcelaine chaude de la tasse. Les sens de Virginia se réveillaient, peu à peu le sentiment de liberté, d'aventure, de légèreté qu'elle avait éprouvé la veille reprenait corps.

Elle se rendit compte qu'elle souriait.

Nathan haussa les sourcils.

— A quoi penses-tu ? demanda-t-il. Tu me fais penser à une chatte qui ronronne.

— Je devrais avoir honte. J'ai laissé tomber mon mari, j'ai disparu dans la nature, je lui ai causé une grande inquiétude... et je me sens bien. Oui...

Elle se tut un instant, parut s'interroger, réfléchir.

— Oui, je me sens vraiment bien. Trouves-tu cela grave ?

Il répondit à sa question par une autre question :

— Et cette sensation, tu penses qu'il s'agit de quoi ? Comment la décrirais-tu ?

Elle n'eut pas besoin de réfléchir.

— Je me sens libre. C'est la liberté. Je la sens tout au fond de moi, qui remonte, qui veut sortir... Je sais que ce que je fais est brutal, insensé, égoïste. Mais je ne pourrais pas faire demi-tour. Je ne veux pas faire demi-tour.

— Dans ce cas, ne le fais pas, dit-il.

Elle acquiesça silencieusement. Elle le regardait par-dessus le bord de sa tasse de café, consciente que depuis quelques minutes ses yeux pétillaient. Dehors, il se mit à pleuvoir.

— C'est presque comme...

— Presque comme quoi ? demanda Nathan.

Elle posa sa tasse, prit une longue inspiration.

— Presque comme avant la mort de Tommi, dit-elle.

3

Michael

En 1995, le 25 mars fut particulièrement chaud. C'était une journée de printemps très ensoleillée. Un samedi. Dans le jardin de Virginia, les crocus et les narcisses étaient en fleurs et les grosses branches roses qui dépassaient du mur du fond se balançaient doucement au rythme du vent.

Ce matin-là, Michael avait un mal de cheveux carabiné, un état rarissime chez lui. La veille, l'un de ses amis du club de sport de Saint Ives avait fêté son anniversaire en offrant de généreuses tournées dans un pub. Michael, qui s'était rendu au pub à vélo, se demandait encore comment il avait réussi à remonter sur sa selle et à rentrer.

« Je voulais t'appeler pour que tu viennes me chercher avec la voiture, dit-il à Virginia, mais je n'ai pas osé. »

Elle hocha la tête, l'air absente. Comme de coutume, elle ne l'écoutait que distraitement. Il n'était pas rare qu'elle n'attache guère plus d'intérêt à ce qu'il disait qu'à un quelconque bruit de fond.

« Je crois qu'il faut que je prenne de l'aspirine... » dit Michael en allant chercher un verre d'eau et un comprimé dans la cuisine.

Quand il revint dans le séjour, il se laissa tomber dans un fauteuil, regarda en plissant douloureusement le front le comprimé se dissoudre dans l'eau et commença à se lamenter sur son mal de tête. Virginia, qui savait pourtant combien on pouvait se sentir mal avec une solide gueule de bois, ne lui témoigna aucune indulgence. Ses éternelles jérémiades lui tapaient sur les nerfs. Le temps, le travail, les gens autour de lui – il y avait toujours quelque chose qui n'allait pas. Et naturellement il y avait Virginia, qui refusait d'entendre parler mariage, qui refusait d'avoir un enfant. Quand rien ne lui venait à l'esprit, il revenait sur le passé et dissertait avec des accents tragiques sur le comportement irresponsable de son père, le divorce de ses parents, la dépression de sa mère, sa triste fin.

« Je crois que si tu n'avais subitement plus de raisons de te plaindre, tu deviendrais fou », lui disait parfois Virginia. Il levait alors les yeux sur elle, vexé, et la regardait avec un air d'animal blessé.

Ce matin-là, cependant, elle ne dit rien. Elle s'inventa une occupation dans le jardin et laissa Michael avec son mal de tête. Il y avait encore suffisamment de vieux branchages à ramasser sur la pelouse avant les beaux jours. Virginia était heureuse de pouvoir s'occuper.

Plus tard, longtemps plus tard, quand Michael et elle reviendraient sur le déroulement de cette matinée et se demanderaient comment le drame avait pu se produire, ce qui leur paraîtrait le plus inexplicable était qu'ils aient pu ne pas remarquer la présence de Tommi. D'habitude, quand il venait chez eux, il les appelait, leur faisait signe. Ne l'avait-il pas fait, cette fois-là ? Ou bien avait-elle été absorbée dans ses pensées au point qu'elle n'aurait pas entendu une bombe exploser à côté d'elle ?

Michael, pour sa part, ne pouvait pas l'avoir vu car il avait fini par s'allonger sur le canapé du salon et s'était assoupi.

Tommi devait être arrivé vers onze heures. Il avait prévenu sa mère. Comme elle savait qu'il était le bienvenu chez ses voisins, elle l'avait laissé partir l'esprit tranquille. Sans que Michael et Virginia s'en rendent compte, il devait avoir tout de suite essayé de monter dans la voiture garée dans le raidillon du garage devant la maison, et l'avoir de fait trouvée ouverte. Il s'était alors probablement glissé derrière le volant et avait desserré le frein à main. La voiture avait dû instantanément partir en roue libre.

Virginia, qui se trouvait derrière la maison au fond du jardin et venait juste de commencer à mettre les branchages ramassés dans des sacs en plastique, entendit tous les bruits en provenance de la rue en même temps. La déflagration déchira le silence. Des hurlements de freins, un coup de klaxon qui vrillait les tympans, un choc sourd, un froissement de tôle d'une violence inouïe.

Elle se redressa, comprit aussitôt : un accident. Juste devant leur maison !

Elle fit le tour de la maison et regarda la pente du garage qui descendait vers la rue.

Ce fut un de ces instants où le cerveau refuse de comprendre ce qu'il voit alors même que les faits sont évidents et ne peuvent être interprétés que d'une seule façon. Virginia vit que sa voiture n'était plus garée devant la porte du garage. Elle avait disparu. La portière côté conducteur gisait en bas de la pente, seule, comme abandonnée, au pied du gros poteau marron qui délimitait le terrain et auquel elle s'était vraisemblablement accrochée avant d'être arrachée. Trois voitures étaient imbriquées les unes dans les autres au milieu de la chaussée. On ne comprenait pas d'emblée si elles s'étaient percutées ou si elles s'étaient immobilisées ainsi après avoir dérapé à la suite de quelque manœuvre désespérée.

Une des voitures – l'information se fraya lentement un chemin dans le cerveau anesthésié de Virginia – était la sienne.

« Qu'est-ce qui s'est passé ? »

Michael venait de surgir à côté d'elle, les cheveux en désordre, tout juste tiré de son somme sur le canapé, pâle comme un linge car la nausée le tourmentait toujours.

Il regarda fixement la route. « C'est notre voiture ! »

Il tourna la tête vers la gauche, là où la voiture aurait dû se trouver. « Que... comment la voiture est-elle... ? »

Il regarda Virginia et tous deux s'exclamèrent en même temps : « Tommi ! »

Ils dévalèrent le raidillon. Les quelques mètres suffirent pour que sous le coup de la peur Virginia arrive en bas essoufflée et avec un violent point de côté. Michael paraissait sur le point de vomir.

Ils virent Tommi étendu sur la chaussée, immobile. Un homme qui saignait d'une plaie à la tête était penché sur lui. Affolé, maladroit, il cherchait son pouls. Une femme blonde était assise au volant d'une Rover noire dont le capot était pointé vers la maison des parents de Tommi ; elle fixait son tableau de bord, les yeux écarquillés, comme s'il recelait quelque chose de fascinant à regarder. Elle paraissait en état de choc, comme paralysée.

L'homme qui était blessé à la tête leva les yeux. « Il y a un pouls. Je le sens ! »

Virginia se laissa tomber sur les genoux à côté de Tommi. Il gisait allongé sur le ventre, face contre le macadam, mais elle n'osa pas le tourner de peur, en le bougeant, d'aggraver d'éventuelles blessures internes.

« Tommi, murmura-t-elle, Tommi !

— Il a surgi à reculons de l'entrée, dit l'homme. Je... j'ai freiné comme un fou, mais... tout est allé si vite... »

Michael regardait, hébété, pâle comme un mort.

« Michael, bouge ! s'exclama Virginia. Appelle une ambulance ! Vite ! »

Michael se mit en mouvement.

« Je... je l'ai heurté de plein fouet, et il a été éjecté », poursuivit l'homme.

Il éprouvait manifestement le besoin de parler, mais Virginia ne voulait pas entendre ce qu'il avait à dire. Elle voulait seulement que Tommi se tourne, elle voulait voir son visage constellé de taches de rousseur, elle voulait le voir sourire, dévoiler les trous irréguliers de ses dents de petit garçon et l'entendre dire : « Ça, c'était vraiment une grosse bêtise. Je m'excuse, je m'excuse vraiment ! »

Tommi ne bougea pas.

L'homme continuait de parler :

« ... la femme avec la Rover est arrivée. Elle roulait beaucoup trop vite. C'est une zone résidentielle, ici. Je ne sais pas à combien elle allait ! Elle lui est arrivée dessus. Elle ne pouvait pas l'éviter. Elle allait beaucoup trop vite pour freiner...

— Tommi, murmura Virginia. Tommi, dis quelque chose !

— Regardez, la portière de la voiture est là ! dit l'homme. Le gamin ne l'avait pas correctement fermée. C'est pour ça qu'il a été éjecté. Tout de même, comment pouvez-vous autoriser votre fils à grimper comme ça dans votre voiture... Je veux dire, à son âge... »

Elle n'avait aucune envie de discuter avec lui. Il était probablement aussi choqué que la conductrice de la Rover. Mais tandis qu'elle était incapable de bouger, lui paraissait ne plus pouvoir arrêter de parler.

Elle perçut un mouvement dans le jardin des parents de Tommi. La mère de Tommi jaillit sur le trottoir. Elle cria quelque chose que Virginia ne comprit pas. Dans le même instant, Michael réapparut à côté d'elle.

« L'ambulance arrive », dit-il.

Il était d'une pâleur que Virginia n'aurait pas crue possible chez un être humain. Il secouait la tête, atterré, incrédule.

« Mon Dieu, non, ce n'est pas possible, murmurait-il, je n'ai pas fermé la voiture ! Pourtant, j'aurais juré... J'ai dû oublier ! Comment ai-je pu ? Mon Dieu... »

Il la regardait, une expression d'absolu désespoir dans les yeux. A cet instant, elle crut presque voir quelque chose se briser en lui.

4

Vers cinq heures de l'après-midi, ils arrivèrent à Kyle of Lochalsh, le port d'où l'on prenait autrefois le ferry pour Skye. Depuis, l'arc gracieux d'un pont impressionnant enjambait le loch Alsh pour relier l'île au continent. Skye, qui paraissait toute proche, émergeait d'une mer gris ardoise tempétueuse. Le point culminant des Black Cuillins disparaissait dans de lourds nuages noirs menaçants que le vent chassait dans le ciel. Par instants, la masse de nuages se déchirait sur un morceau de ciel bleu et une lumière théâtrale tombait droit sur la terre, transformant le gris mat de la mer en de l'argent brillant et donnant vie à d'étranges ombres sur la côte. Puis la déchirure se refermait et le paysage retombait dans le gris morne du crépuscule.

Ils attendaient dans la voiture, sur le parking du Lochalsh Hotel, un imposant bâtiment uniformément blanc. Chacun avait sur les genoux une bouteille d'eau minérale qu'ils venaient d'acheter dans un magasin du village et qu'ils vidaient l'un et l'autre à longues goulées avides. Il n'y avait personne à part eux. L'été était fini, les touristes ne s'aventuraient plus si haut dans le Nord. Des mouettes volaient en criant au ras des rochers qui plongeaient dans la mer devant l'hôtel. Il n'y avait pas âme qui vive dans les environs.

Virginia aurait aimé rappeler Kim, mais elle ne le faisait pas de peur que Frederic n'ait pris ses quartiers chez les Walker et ne décroche lui-même le téléphone dès qu'il sonnerait. Depuis qu'elle avait appelé une première fois, il devait miser sur le fait qu'elle allait de nouveau se manifester. A moins qu'il ne soit retourné à Londres. La soirée si importante pour lui avait lieu quelques heures plus tard. Peut-être s'y rendrait-il, il marmonnerait quelque excuse à propos de la défection de sa femme brusquement souffrante, puis naviguerait sans enthousiasme d'un groupe d'invités à un autre. Probablement pâle, les traits tirés, soucieux. Il savait que Virginia était en vie, mais il ignorait où elle se trouvait et ce qui s'était passé. Il ne devait cesser de se poser des questions. Soupçonnait-il que sa disparition avait un lien avec Nathan Moor ? Elle l'imaginait s'angoissant, cherchant à comprendre. C'étaient précisément cette angoisse et cette incompréhension qu'elle redoutait. S'il s'était décommandé auprès de ses relations londoniennes et attendait chez les Walker à côté du téléphone, elle les prendrait de plein fouet. Elle ne savait pas comment les affronter.

— J'espère seulement que Kim n'est pas inquiète à cause de moi, dit-elle.

Nathan but une longue gorgée d'eau.

— D'après ce que tu m'as dit, elle est gâtée pourrie par les Walker et très heureuse d'être chez eux, observa-t-il. Et depuis que tu l'as appelée ce matin, elle sait que sa maman va bien, qu'il ne lui est rien arrivé. Elle doit être très heureuse de son sort.

Virginia hocha la tête.

— J'espère que tu as raison.

Elle colla son front à la vitre de la portière. Toujours, lorsqu'elle arrivait, elle était envoûtée par la beauté du paysage. Elle aurait voulu pouvoir se fondre dans l'eau, le ciel et la lumière pour s'en rassasier. Elle n'en avait jamais assez. Même en cette journée déjà assombrie par la mélancolie de l'automne, la magie opérait. C'était un retour à la maison, les retrouvailles avec un lieu dont elle avait souvent pensé qu'elle le connaissait depuis plusieurs vies.

— Et si nous nous attaquions maintenant au pont ? Qu'en penses-tu ? demanda Nathan.

Elle secoua la tête. C'était elle qui avait émis le souhait de rester encore un moment sur le continent avant d'aborder le pont qui menait à l'île. Elle n'avait donné aucune explication, mais elle avait cru deviner que Nathan comprenait ce qu'elle ressentait. Aller sur l'île, passer de l'autre côté, cela impliquait quelque chose d'irréversible. Il y avait presque deux jours qu'ils sillonnaient les routes d'Angleterre et d'Ecosse pourtant, et la possibilité d'un retour avait été constante. Elle avait eu le sentiment de pouvoir à chaque instant retourner à Ferndale, retrouver son ancienne vie. Cela signifiait s'expliquer avec Frederic, accepter d'être bombardée de questions, de reproches, sans doute s'expliquer aussi avec une Grace déconcertée et un Jack qui aurait beaucoup de mal à comprendre – mais elle ne s'était pas encore réellement coupée d'eux. Elle pouvait toujours se justifier aux yeux de Frederic, invoquer un accès de panique à l'idée de devoir assister à la soirée à Londres, et elle trouverait bien quelque chose à jeter en pâture aux Walker. Mais à l'instant où elle quitterait le continent et mettrait le pied sur l'île avec Nathan, elle couperait le lien. Elle ne couperait pas le lien des autres avec elle, mais elle se couperait d'eux. Le pas franchi, il n'y aurait plus de retour possible, elle le sentait.

— Pas encore, dit-elle.

— Comme tu veux, répliqua Nathan.

Elle aimait sa façon de ne jamais insister. Il paraissait toujours comprendre quand elle ne souhaitait pas fournir d'explication.

Et il pouvait l'écouter des heures en silence. Elle avait parlé de Michael et Tommi pendant presque tout le voyage. Il l'avait à peine interrompue, tout en lui prouvant par quelques remarques qu'il ne décrochait pas, qu'il suivait son récit avec la plus grande attention. Traverser ces paysages austères et désolés en se libérant du passé, en laissant remonter à la surface toute cette tristesse, avait été une étrange expérience.

— Tommi... il n'a pas survécu à l'accident ? fit Nathan.

Elle fut une fois de plus surprise par son empathie : à cet instant, elle aussi pensait précisément au petit garçon.

— Non. C'est-à-dire, si, quelques jours. Il vivait quand il a été transporté à l'hôpital. Mais il était dans le coma et ne s'est jamais réveillé. Il souffrait de blessures à la tête gravissimes. Les médecins disaient que, même s'il en réchappait, il en garderait toujours des séquelles. Les lésions étaient irréversibles, il ne redeviendrait jamais comme avant, son cerveau resterait à vie celui d'un petit enfant. Ses parents espéraient tout de même et priaient pour qu'il vive.

— C'est compréhensible.

— Du point de vue des parents, oui. Pour ma part, j'étais très partagée. Parfois, je me disais... que pour lui, il valait mieux qu'il meure.

— Comment Michael a-t-il vécu cette période ?

— Mal, horriblement mal. La veille du jour de l'accident,

avant de rejoindre ses amis au pub en vélo, il était allé à Cambridge. En voiture. Moi, j'étais restée à la maison pour préparer un exposé. Ensuite, j'avais travaillé dans le jardin. Michael était rentré en fin d'après-midi. Il avait garé la voiture dans l'allée du garage. Et apparemment oublié de la verrouiller. Il se rendait responsable de l'accident, ce qui naturellement était très difficile à vivre. Il allait tous les jours à l'hôpital, il restait au chevet de Tommi, il le veillait, pleurait, priait. Il ne dormait presque plus, maigrissait...

— Tu le rendais toi aussi responsable ? demanda Nathan.

Elle effleura Nathan du regard puis se concentra sur un point de l'horizon. Le vent déchira un bref instant les nuages qui couraient au loin dans le ciel de Skye. Le sommet du Sgurr Alasdair apparut quelques secondes dans le soleil, puis une nouvelle masse nuageuse l'enveloppa et il disparut.

— C'était un accident, dit-elle. Un dramatique accident. Personne n'était responsable.

— Mais tu n'as pas pu en convaincre Michael, n'est-ce pas ?

— Non. Nous en parlions continuellement. Il considérait qu'il avait pratiquement commis un crime, il ne voulait pas entendre autre chose. Puis, le 11 avril, Tommi est mort. C'est devenu encore pire.

L'enterrement du petit garçon lui revint en mémoire. Michael était anéanti. Il était plus mal que les parents. Livide, hébété, une expression de vide absolu dans le regard. Anéanti.

— Michael a essayé tant bien que mal de redonner un cours normal à sa vie, mais il y parvenait de plus en plus difficilement. Au début, je pensais qu'avec le temps il retrouverait ses marques, puis j'ai eu l'impression que son désir de s'en sortir s'effritait, qu'il avait de moins en moins de force en lui. Certains jours, il n'allait pas travailler du tout, il restait à la maison et ne faisait rien. Il ne se montrait plus à son club de sport, où il aimait tant aller auparavant, il ne voyait plus ses amis. Il était écrasé de culpabilité. On aurait dit que... qu'il ne voulait plus vivre lui non plus puisque Tommi était mort. Je sais qu'il a pensé au suicide. Mais Michael n'est pas quelqu'un qui se serait supprimé. Il manque pour cela de détermination.

— Peut-être aurais-tu pu amortir le choc en acceptant enfin de l'épouser, remarqua Nathan. Cela l'aurait certainement stabilisé.

— Sans doute. Mais ce n'était pas possible. Je m'étais déjà tellement éloignée de lui avant. Sa tristesse, cette façon permanente de se plaindre – en fait, il y avait longtemps que je ne le supportais plus. Et c'était devenu pire. Je n'allais pas subitement m'en accommoder.

Elle rejeta ses cheveux en arrière, les yeux toujours rivés sur l'île et son ciel tourmenté.

— Je savais parfaitement à quoi notre vie allait dès lors ressembler. Tout n'aurait plus tourné qu'autour de cette histoire de faute et de culpabilité. Michael n'aurait jamais cessé. Pour arrêter, il aurait fallu qu'il commence à se pardonner, et il aurait eu alors le sentiment de trahir Tommi.

— As-tu songé à le quitter ?

— Oui. J'y pensais en permanence. Tous les jours. Mais je me rendais compte que ça l'aurait brisé un peu plus. Je commençais à perdre pied à mon tour. Je me sentais liée à Michael, alors qu'avant l'accident je m'étais joué des centaines de fois la scène de notre rupture. C'est une période que je... que je ne voudrais plus jamais revivre.

Elle se tourna enfin vers Nathan.

— Finalement, c'est lui qui a mis un terme à notre cohabitation. J'ai passé un week-end à Londres chez une amie, et quand je suis rentrée, il avait disparu. Et avec lui deux valises et la plupart de ses affaires. Il y avait une lettre d'adieu pour moi sur la table du séjour. Il y décrivait le désespoir dans lequel il vivait depuis la mort de Tommi, et il remettait ça avec sa culpabilité. Il ne s'accusait pas uniquement de ne pas avoir fermé la voiture, il se reprochait son affection pour Tommi. S'il ne l'avait pas aimé, Tommi ne se serait pas attaché à lui, il ne serait pas venu constamment chez nous. Et il n'y aurait pas eu d'accident... En fait, il écrivait dans cette lettre tout ce qu'il répétait à longueur de temps. Puis il concluait en me rendant à demi-mot ma liberté.

— Où est-il allé ?

Elle haussa les épaules.

257

— Il ne devait pas encore le savoir lui-même. Je crois qu'il avait dans l'idée de vivre plus ou moins en nomade. Un jour ici, demain là. Il espérait qu'être perpétuellement en mouvement lui procurerait au moins un peu d'oubli. Il me demandait de ne pas le chercher, de vivre ma vie.

— As-tu essayé de le retrouver ? demanda Nathan.

— Non.

— Tu ne sais absolument pas ce qu'il est devenu ?

Elle secoua la tête.

— Je n'ai jamais eu de nouvelles, plus jamais entendu parler de lui. Il a complètement disparu. C'était comme s'il n'avait jamais existé.

— Quel échec, dit pensivement Nathan. Un jeune homme intelligent, qui avait devant lui une belle carrière à l'université, qui serait peut-être devenu professeur à Cambridge... et cette histoire. Où est-il aujourd'hui ? Que fait-il ? Vit-il dans la rue ? A-t-il sombré dans l'alcool ? A-t-il réussi à se reconstruire quelque chose ailleurs ?

— Je ne sais pas, dit Virginia.

— Tu n'aimerais pas le savoir ?

— Je ne crois pas, non.

Il la regarda.

— Ce que je ne comprends pas, c'est... pour quelles raisons ces événements t'ont-ils à ce point affectée ? Je comprends que la mort du petit Tommi t'ait bouleversée, qui n'aurait pas été touché ? Et je me doute que le destin de Michael ne te laisse pas indifférente. Il t'arrive peut-être d'avoir des remords de ne pas l'avoir cherché, en quelque sorte de ne pas lui avoir porté secours. Mais pour moi ça ne suffit pas à expliquer ce que tu es devenue. Qu'est-ce qui t'a poussée à te réfugier dans les ténèbres de Ferndale, Virginia ? De quoi te caches-tu, derrière ces arbres ? Qu'est-ce qui te tourmente au point que tu t'exclues de la vie ?

Elle gardait les yeux rivés sur l'horizon. Le sommet du Sgurr Alasdair surgit à nouveau d'entre les nuages, éclairé par la lumière du couchant. Au lieu de répondre à sa question, elle fit un signe de la tête à Nathan.

— Allons-y, maintenant, passons le pont, dit-elle.

Samedi 2 septembre

1

Il y avait des heures qu'il fixait le téléphone. Au début, il était plein d'espoir, puis, le temps passant, il se démoralisa, se sentit fatigué et frustré. Il ne croyait plus que Virginia téléphonerait. Depuis que Jack l'avait informé de son appel, il campait dans la salle de séjour des Walker, devant l'appareil, dans l'espoir de pouvoir parler à Virginia. Il était presque certain qu'elle n'appellerait pas chez eux. A l'évidence, c'était uniquement à Kim qu'elle souhaitait parler et tant qu'elle la saurait chez les Walker, c'est là qu'elle chercherait à la joindre. Bien qu'elle se doutât peut-être qu'elle risquait là aussi de tomber sur son mari.

Il avait de nouveau tenté de la joindre sur son portable mais, comme les fois précédentes, n'avait obtenu que sa messagerie. Il était clair qu'elle avait coupé son téléphone, ce qui était une façon de dire qu'elle ne voulait pas que son mari l'importune.

Pourquoi ? Mais pourquoi, au nom du ciel ? Que s'était-il passé ? Que lui avait-il fait ? Il se perdait en conjectures.

Etait-ce à cause de la soirée ? Lui avait-il mis une telle pression qu'il avait fallu qu'elle s'enfuie ? Elle avait certes hésité avant d'accepter, beaucoup hésité, il n'avait cependant pas eu l'impression qu'elle s'était sentie acculée. Elle s'était même acheté une robe. La démarche lui avait paru positive. Une femme qui s'achète une nouvelle robe pour une soirée ne peut pas être complètement désespérée. Du moins était-ce ce qu'il s'était dit à ce moment-là. Aujourd'hui, il n'en était plus si sûr.

259

Il avait téléphoné aux personnes qui organisaient la réception pour se décommander ainsi que sa femme, prétendant qu'elle était souffrante, qu'il ne pouvait pas la laisser seule. A l'autre bout de la ligne, la réaction fut très polie, mais il eut l'impression qu'on ne le croyait pas. Il appela ensuite un ami du parti pour l'informer à son tour qu'il ne pourrait pas être présent. Il en resta à la version de la maladie de sa femme et eut à nouveau l'impression de ne pas être tout à fait cru.

« Ça tombe vraiment mal que ce soit justement cette soirée que tu décommandes, avait regretté l'ami en question.

— Je sais. Je ne l'ai pas choisie exprès.

— Je suppose que tu sais ce que tu fais. »

Oui, songeait-il, je sais ce que je fais. Et je dois l'assumer.

Les aiguilles de l'horloge de parquet qui occupait un coin de la pièce indiquaient minuit et demi. Il y avait plus de quinze heures qu'il était là. Grace avait offert de lui préparer quelque chose à manger. Il avait seulement accepté du café. Le téléphone avait sonné deux fois au cours de la journée et une fois dans la soirée. Il s'était précipité pour décrocher. La première fois, il s'agissait d'un artisan qui confirmait un rendez-vous, la deuxième d'une amie de Grace, enfin, la troisième, d'un ami de Jack qui voulait mettre au point leur traditionnelle tournée dominicale des pubs. Sinon, personne ne se manifesta.

Elle n'appellerait plus.

Il aurait dû rentrer à Londres et assister à cette soirée au lieu d'attendre ici, bêtement, que se produise quelque chose qui ne se produirait pas. La colère commençait à poindre sous la fatigue. C'était tellement déloyal de sa part. Quelles que soient ses raisons, si compréhensibles qu'elles puissent être... il était déloyal de partir ainsi. Elle aurait dû lui parler. Lui lancer éventuellement des horreurs à la figure. Pas disparaître comme ça.

Il ne faut pas que je m'énerve. Je n'ai pas assez d'énergie pour ça. Si je me mets en colère, je vais craquer.

Il sursauta quand quelqu'un éternua derrière lui. C'était Grace, qui faisait son entrée dans la pièce vêtue d'une longue robe de chambre blanche brodée d'une myriade de boutons de roses rouges.

— Bonté divine, vous êtes encore là ! Sauf votre respect, monsieur, vous avez l'air mort de fatigue !

Elle éternua une seconde fois.

— Ah, et voilà que je m'enrhume !

Il se prit brièvement le visage dans les mains. Il avait l'impression de ne pas avoir dormi depuis des siècles.

— Ah, Grace, c'est vous ! J'arrive à peine à garder les yeux ouverts. Comment va Kim ? Elle dort ?

— Comme une marmotte. Monsieur, vous devriez vous aussi vous mettre au lit. Ça m'étonnerait que... que Mme Quentin téléphone maintenant. Elle ne voudra pas risquer de nous réveiller ou de réveiller Kim.

Elle avait raison, il le savait. Il ne se passerait plus rien cette nuit.

Il se leva.

— Je rentre. Si jamais elle appelle...

— Je vous préviens tout de suite, monsieur, promis. Rentrez, maintenant, et essayez de dormir un peu. Vous faites pitié à voir...

Elle l'accompagna jusqu'à la porte, lui fourra la lampe torche de Jack dans la main pour qu'il regagne sans encombre la maison. Il s'enfonça dans le parc, aspirant à longues goulées l'air frais de la nuit. Cela lui fit du bien, marcher également. Il était resté beaucoup trop longtemps assis devant ce téléphone.

Arrivé chez lui, il ouvrit la porte sans faire de bruit et entra à pas de loup. Il ne voulait pas réveiller Livia, qui avait elle aussi certainement besoin de récupérer. Pourtant, quand il alluma la lumière de l'escalier, il la découvrit assise sur les marches, enveloppée dans une couverture verte. Dessous, elle portait la chemise de nuit de Virginia qu'il lui avait prêtée. Elle était pâle comme un linge.

— Livia ! Mais qu'est-ce que vous faites dans le noir ?

— Je n'arrivais pas à dormir.

— Mais pourquoi n'avez-vous pas allumé la télévision ? Ou pris un livre ?

Elle haussa les épaules.

— Je réfléchissais.

— A quoi ?

— A la situation. A ma situation. Au fait que...

— Que quoi ?

— Que je sois là...

Elle fit un signe de la main qui englobait l'escalier et la maison.

— ... dans cette chemise de nuit qui n'est pas à moi, avec cette couverture qui ne m'appartient pas sur les épaules. Vous savez à quoi je viens juste de penser ? Je n'ai même plus de passeport. Et plus de permis de conduire. Plus aucun papier.

— C'est un problème que votre ambassade devrait pouvoir vous aider à résoudre.

— Je sais.

Il soupira, passa la main sur ses yeux irrités de fatigue.

— Mais on a déjà parlé de ça. Et l'ambassade ne vous procurera pas un nouveau logement. C'est...

Il secoua la tête.

— Je devrais me taire. Je suis bien trop fatigué pour avoir les idées claires.

— Vous avez besoin de dormir, dit Livia, qui, après une courte hésitation, ajouta : Elle... n'a pas rappelé, n'est-ce pas ?

— Non. Je présume qu'elle se doutait que j'attendais la langue pendante devant le téléphone. Et comme elle ne veut manifestement pas me parler...

Il réfléchit. Il avait beau être recru de fatigue, des questions le hantaient. S'il ne les déballait pas, il ne fermerait pas l'œil de la nuit.

— Grace Walker et Kim ont la certitude que Virginia se trouvait dans une voiture lorsqu'elle a téléphoné. Et d'après Grace, elle ne donnait pas l'impression d'être émue ou aux abois. Elle ne semblait pas être dans cette voiture contre sa volonté.

— Cela vous étonne ?

Il hocha la tête.

— Un peu, oui. Je me disais que Nathan l'avait peut-être...

— Quoi ? Enlevée ?

— N'est-ce pas l'idée qui vient à l'esprit quand deux personnes disparaissent simultanément et qu'au moins l'une des deux ne s'est jamais comportée avec une telle désinvolture ?

— Mais pourquoi Nathan enlèverait-il Virginia ?

— Je ne sais pas... Pour de l'argent ?

— Non, sûrement pas.

Elle secoua énergiquement la tête.

— Il n'est pas comme ça. Nathan n'est pas un criminel. Il raconte des histoires, il transforme la réalité jusqu'à ce qu'elle lui convienne, mais ça ne va pas plus loin. Si Virginia est avec lui, elle l'est de son plein gré. Je n'ai pas le moindre doute là-dessus.

Si angoissante qu'ait paru à Frederic l'idée que Virginia avait été enlevée, qu'elle soit partie d'elle-même avec Nathan Moor lui paraissait au moins aussi désagréable et aussi inquiétant. L'éventualité allait de pair avec des images qu'il ne voulait pas voir, même dans ses pires cauchemars.

— Tout dépend de ce que l'on met sous le terme *criminel*, répliqua-t-il d'un ton agressif. Personnellement, je trouve que ce que vous m'avez raconté sur lui témoigne pour le moins d'une vraie tendance à flirter avec la criminalité. Se faire entretenir pendant des années par son beau-père, écrire quelque roman fumeux que personne ne veut publier, et que personne, évidemment, ne risque de lire, ce n'est déjà pas commun. Mais que fait-il ensuite ? Votre père à peine disparu, il vend tout ce qui en réalité vous appartient et s'achète un bateau pour faire un tour du monde dont *vous-même* n'avez aucune envie. Arracher ainsi une femme à sa maison pour la traîner sur les mers du globe requiert une dose assez remarquable d'égoïsme. Et une plus remarquable encore pour la contraindre à travailler ici et là dans les ports histoire d'améliorer l'ordinaire du ménage. Là-dessus, il réussit à tout perdre en se faisant rentrer dedans par un cargo, et pour couronner le tout, il vous flanque dans un hôpital et prend la poudre d'escampette ! Vous seriez où, en ce moment, si je ne vous avais pas rencontrée à l'hôpital ? Dans la rue ? Qu'est-ce qu'il se figure ? Que vous allez vivre dans un foyer pour sans-abri ?

Elle le regardait silencieusement. Des larmes brillaient dans ses yeux. Une se détacha et roula sur sa joue.

— Je ne sais pas ce qu'il pense. Je ne sais pas.

Il fallait qu'il pose la question. C'était humiliant pour eux deux, mais s'il ne le faisait pas, il ne trouverait pas le sommeil.

— Livia, excusez-moi d'être aussi indiscret... mais, je veux dire, est-ce que votre mari... Y a-t-il eu un jour des histoires de femmes dans votre couple ?

Elle releva la tête, le dévisagea.

— Qu'est-ce que vous voulez dire ?

— Exactement ce que je viens de dire. Avez-vous eu des problèmes à cause d'autres femmes ?

— Que voulez-vous savoir, au juste ?

Il prit une longue inspiration. C'était vraiment très désagréable.

— Vous disiez que si ma femme était avec lui, elle l'était de son plein gré. Vous êtes certaine qu'il ne l'a pas emmenée de force, enlevée ou contrainte d'une façon ou d'une autre à le suivre. Une question se pose alors... Pensez-vous que... qu'il fonde des espoirs sur elle ?

Livia demeura un long moment silencieuse. Puis elle dit :

— Pourquoi me demandez-vous ça ?

— Eh bien, parce que...

— Si Virginia est partie de son plein gré avec lui, c'cst une question que vous pouvez aussi vous poser.

Elle parlait très bas. Sans animosité.

— Pensez-vous que Virginia fonde quelque espoir sur Nathan ? demanda-t-elle. Avez-vous jamais eu des problèmes à cause d'autres hommes ?

Ce fut comme un coup sur la tête. Il ne sut que répondre. Et il avait beau être fatigué à en pleurer, il sut qu'il ne fermerait pas l'œil de la nuit.

2

Il était très tôt quand le téléphone sonna, tirant Liz Alby d'un sommeil agité. Elle était en train de rêver de Sarah. Ce n'était pas un rêve agréable. Sarah criait et pleurnichait et ne cessait d'essayer de grimper sur le toit d'un immeuble. Elle se déplaçait accrochée à la rambarde d'un balcon. Liz, qui était en dessous, savait que sa fille allait tomber. Elle courait d'une extrémité du balcon à l'autre pour être là au moment fatidique et la recueillir dans ses bras ouverts, mais elle ne parvenait jamais à calculer le point de chute du petit corps. Il suffisait qu'elle soit à un endroit pour que Sarah paraisse devoir tomber à l'autre. Liz était au désespoir quand soudain elle entendit hurler une sirène. Les pompiers venaient à son secours. Dans la seconde qui suivit, elle se réveilla et comprit que le téléphone sonnait.

Elle regarda le réveil sur sa table de chevet. Six heures et demie. Qui appelait d'aussi bonne heure ?

Le téléphone était posé à côté du réveil. Liz s'assit, alluma la lumière et décrocha.

— Allô ? fit-elle d'une voix encore brouillée par le sommeil. Pas de réponse.

— Allô ? répéta Liz d'un ton impatient.

Une voix enfin lui répondit, aussi peu claire que la sienne, mais elle n'était pas endormie. Elle était sans force.

— Madame Alby ?

— Oui. Qui est à l'appareil ?

— Claire Cunningham.

Liz mit quelques secondes à réagir, puis elle comprit.

— Oh, fit-elle, surprise, madame Cunningham...

— Je sais que ce n'est pas une heure pour téléphoner, dit Claire.

Elle parlait lentement, en dérapant légèrement sur la fin des mots. Jugeant peu probable que Claire Cunningham soit ivre à six heures et demie du matin, Liz supposa que c'était l'effet de sédatifs.

— J'étais déjà réveillée, prétendit Liz, soulagée que quelqu'un ait mis un terme au rêve dans lequel elle se débattait.

— Mon mari s'est enfin endormi, dit Claire. Depuis... depuis que...

Elle prit une inspiration et se lança :

— Depuis qu'il a identifié Rachel, il n'a pas vraiment réussi à dormir. Là, il dort profondément. Je ne veux pas le réveiller.

— Je comprends.

— Mais je crois que je vais devenir folle. Il faut que je parle. Si je ne parle pas, je vais étouffer. Il faut que je parle de Rachel. Que je parle de... de ce qui lui est arrivé.

— C'était comme ça pour moi aussi, pendant les premiers jours, dit Liz.

Elle se souvint de ses vaines tentatives pour établir un dialogue avec sa mère. Elle avait presque mendié. Sa mère, bien sûr, n'avait rien voulu entendre.

— Mon mari m'a dit que vous aviez téléphoné, dit Claire, et que vous aviez proposé de parler avec moi. Je sais que ce n'est pas une raison pour téléphoner aussi tôt...

— Vraiment, madame Cunningham, je vous assure que ça ne me dérange pas. Je suis contente que vous ayez appelé. Je... Moi aussi, j'ai besoin de parler.

— Nous avons changé de numéro de téléphone, dit Claire. Il y avait trop de gens qui appelaient. Principalement des journalistes. Je ne veux pas leur parler. Ils cherchent seulement à exploiter la mort de ma fille.

Liz pensa au magazine télévisé qui l'avait invitée peu après la mort de Sarah. Ce n'est que plus tard qu'elle avait compris qu'elle avait été manipulée.

— Oui, il faut faire attention, dit-elle.

— Pourriez-vous... Pensez-vous que nous pourrions nous rencontrer ? demanda timidement Claire. Je ne sais pas si vous avez du temps, mais...

— J'ai le temps. Voulez-vous que nous convenions tout de suite d'un rendez-vous ? Ce matin ?

— Ce serait formidable !

Claire paraissait soulagée.

— Quelque part dans le centre-ville, ce serait bien. Je pourrais m'y rendre en bus. Je ne peux pas conduire en ce moment... Je prends trop de médicaments.

Elles se donnèrent rendez-vous à onze heures dans un café sur la place du marché.

— Je vous ai vue à la télévision, je vous reconnaîtrai... dit Claire, avant d'ajouter, en hésitant : Vous m'avez fait infiniment de peine ce jour-là. Je ne me doutais pas que je me trouverais...

Elle se tut. La violence de la douleur était à peine supportable.

Une ordure, ce type, songea Liz après avoir reposé l'écouteur. Une belle ordure ! Il détruit les enfants et il détruit tout le monde autour d'eux. Saloperie d'ordure !

Il était clair qu'elle ne se rendormirait pas. Elle se leva, mit son peignoir, enfila de grosses chaussettes sur ses pieds éternellement froids. Elle ouvrit les rideaux et, debout derrière la fenêtre, regarda pensivement le jour se lever.

Il détruit tout le monde...

Pensait-elle également à elle en prononçant ces mots dans sa tête ? L'idée d'être détruite était effrayante. Sa mère était à ses yeux une femme détruite et elle s'était juré de ne pas devenir comme elle. Elle était encore si jeune. Elle voulait vivre. Rire, danser, être gaie. Aimer. Ce serait si bon de rencontrer un jour un homme aimant, sincère, affectueux, un homme qui répondrait à ses sentiments avec tendresse et amour. Les femmes détruites étaient-elles encore capables d'aimer ?

Le jour se levait sur un ciel bas chargé de pluie. Une fois de plus. L'été était bien terminé. Elle avait peut-être besoin de soleil pour aller mieux.

Cela pouvait au moins faire office de projet. C'était une idée, une perspective. Quelle forme cela pourrait prendre, elle n'en savait rien. Mais pour la première fois depuis ce jour du mois d'août où elle était allée à la plage de Hunstanton, une idée, de partir, d'aller quelque part où il faisait chaud, lui donna un soupçon d'énergie. D'énergie positive. Un autre pays. L'Espagne. Le midi de la France. L'Italie. Du ciel bleu, du soleil, des oliviers, de l'herbe haute et sèche qui ondule sous le vent. La nuit, des ciels de velours noir. Le murmure de la mer, le sable chaud sous les pieds. Ne plus tenir la caisse du drugstore. Ne plus devoir assister à la déchéance physique et morale de sa mère. Et peut-être avoir à nouveau des enfants. Pas pour remplacer Sarah. Comme une preuve de confiance dans la vie.

Le front contre la vitre, elle commença à pleurer.

Le vent qui les avait accueillis la veille à Kyle of Lochalsh et avait chassé les nuages pour qu'ils franchissent le pont de Skye dans la lumière argentée du soir s'était transformé en tempête au cours de la nuit. Il arrivait de la mer, glacé, et balayait l'île en hurlant. Au large, les lames atteignaient plusieurs mètres de hauteur. Les arbres ployaient presque jusqu'au sol. Dans le ciel, des lambeaux de nuages filaient, poussés par une force déchaînée, s'amoncelaient en gigantesques paquets puis, l'instant d'après, se déchiraient à nouveau et poursuivaient leur course folle en tourbillonnant.

Les sifflements et les mugissements du vent réveillèrent Virginia, tout étonnée d'avoir dormi si profondément au milieu d'un tel déchaînement. Le long voyage en voiture devait l'avoir épuisée. La veille, la fatigue s'était abattue sur elle d'un coup. Subitement, elle s'était sentie vidée de toute son énergie, de toutes ses forces. Elle avait ouvert la maison, était montée dans sa chambre et avait tout juste réussi à faire son lit, se brosser les dents, puis enfiler un pyjama. Elle s'était alors glissée entre ses couvertures et, la tête à peine posée sur l'oreiller, elle avait sombré dans un sommeil sans rêves.

Il était sept heures, le jour pointait. Elle apercevait le ciel par la fenêtre. Il était pâle, froid, des taches de couleurs pastel apparaissaient et disparaissaient entre les nuages. Plus tard, il serait d'un bleu vif.

Elle bondit hors du lit, frissonna. La chambre était froide. En arrivant, elle n'avait pas eu le courage de mettre le chauffage de la maison en marche. Elle passa rapidement un pull-over en laine par-dessus son pyjama, enfila une paire de gros chaussons fourrés qui lui montaient à la cheville. Telle qu'elle sortait du lit, ni peignée ni lavée, elle avait l'impression d'être un épouvantail, mais ça lui était égal. Elle avait d'urgence besoin d'un café. Elle se remettrait au lit avec une grande tasse de café brûlant et laisserait lentement la journée commencer. Nathan devait certainement dormir encore.

Elle se trompait. Quand elle entra dans la salle de séjour, il était là, face à la fenêtre. Il portait un jean et un pull-over à col roulé qui appartenaient à Frederic ; le pull, comme le tee-shirt, moulait ses épaules. Une odeur de café flottait dans l'air. Nathan avait un mug à la main.

Il ne se retourna pas mais il savait à l'évidence qu'elle venait d'arriver.

— Tu as vu la lumière, dehors ? Cette tempête, ces nuages... C'est incroyable.

Elle approuva d'un hochement de la tête qu'il ne pouvait pas voir.

— C'est magnifique, dit-elle. Ce sont des jours comme ça qui me rappellent pourquoi j'aime tant le Nord.

— Plus que le Sud ?

— Oui. Beaucoup plus.

Il se retourna, la regarda. Une barbe naissante creusait des ombres sur son visage.

— Moi aussi, dit-il. J'aime beaucoup plus le Nord que le Sud.

Sans qu'elle se l'explique, son cœur se mit à battre plus fort.

— Je croyais que j'étais la seule à présenter cette particularité.

— Non. Tu n'es pas la seule.

— Et je préfère l'automne au printemps.

— Moi aussi.

— Le vin blanc au vin rouge.

Il rit.

— Moi aussi !

— J'aime mieux lutter contre les vents déchaînés d'une tempête d'hiver que me promener l'été au soleil.

Il fit un pas vers elle.

— A quoi aspires-tu réellement, Virginia ? demanda-t-il doucement.

— Réellement ?

— Tu n'aimes pas ce qui est aimable. Doux, chaud, flatteur. Tu aimes ce qui est rude, froid, exigeant. Tu aimes tout ce qui te rappelle que tu vis. Tu aspires tant à vivre, Virginia. Comme on peut y aspirer de toutes ses fibres quand on est enfermée dans une vieille bâtisse entourée d'arbres immenses qui tiennent le soleil, le vent, le monde entier à distance...

A son désarroi, elle sentit les larmes lui monter aux yeux. *Mon Dieu, non, pas maintenant !* Quel point sensible avait-il touché pour la faire ainsi pleurer ?

— Je veux...

Elle se tut.

— Oui ? Qu'est-ce que tu veux, Virginia ?

Elle prit une longue inspiration.

— Je voulais seulement un café, dit-elle.

Il posa son mug sur la table et fit un nouveau pas vers elle.

— Et quoi d'autre ? Que voulais-tu d'autre ?

Troublée, elle évita son regard. En deux minutes, elle s'était laissé entraîner sur un nouveau terrain. Le ton entre eux avait changé. Pourtant, n'avaient-ils pas uniquement parlé de ce qu'ils aimaient ? Ils semblaient avoir échangé de tout autres informations. Elle comprenait encore mal ce qui s'était passé et pourquoi.

— Que voulais-tu d'autre, Virginia ? Pourquoi es-tu venue avec moi à Skye ?

— Je ne sais pas.

— Si, Virginia. Tu le sais.

— Non.

— Tu le sais, insista-t-il en s'approchant encore d'elle.

Il était tout près. Elle sentait l'odeur du savon avec lequel il s'était lavé. Sa bouche qui souriait était là, si proche. Son souffle caressait sa joue.

Elle fut émerveillée de ne pas éprouver le besoin de reculer.

Ils s'aimèrent la journée entière. Ils abandonnèrent leur lit deux heures, au début de l'après-midi, pour aller marcher sur la plage, dans le vent et la tourmente de nuages, de soleil et de gouttes de pluie clairsemées. Ils coururent main dans la main le long du fjord de Dunvegan, goûtèrent au sel sur leurs lèvres, humèrent les odeurs d'algues. Ils étaient seuls, aussi loin que le regard portait. Les mouettes, ailes déployées, se laissaient entraîner par le vent dans de furieux loopings en poussant des cris qui rivalisaient avec le vacarme de la tempête.

Ils marchèrent jusqu'à être saturés d'air, à avoir les

poumons en feu, des points de côté, les joues rouges, puis ils remontèrent lentement vers la maison, étroitement enlacés, et se recouchèrent. Ils reprirent là où ils s'étaient arrêtés, avec une fatigue dans leurs corps qu'ils n'avaient pas éprouvée le matin, plus tendrement, plus calmement, plus patiemment. Depuis Andrew, Virginia ne s'était pas sentie aussi violemment, aussi irrésistiblement attirée sexuellement par un homme. Elle n'en était jamais rassasiée, elle le voulait encore et encore, et, son désir assouvi, elle se blottissait contre lui, percevait les battements de son cœur dans son dos, sentait revenir ce qui l'avait désertée depuis si longtemps et qu'elle croyait définitivement perdu : la vie, la paix, la confiance, la sérénité, le bonheur. L'audace et la curiosité. L'espoir dans l'avenir.

Parce qu'il est là, songea-t-elle avec émerveillement, *il suffit qu'il soit là pour que tout change.*

Il était presque six heures du soir quand ils se rendirent compte qu'ils avaient faim.

— Et pour tout dire très soif, dit Nathan en lançant ses jambes hors du lit. A part le café de ce matin, je n'ai rien bu de la journée...

— Je n'en ai même pas bu, dit Virginia, et jusque-là, ça ne m'a pas réellement manqué non plus.

Ils s'habillèrent, descendirent au rez-de-chaussée et inspectèrent le garde-manger. Il y avait plusieurs boîtes de conserve et quelques bouteilles de vin. Ils mirent du vin blanc à rafraîchir puis Virginia entreprit de préparer à dîner tandis que Nathan allait chercher du bois dans le jardin pour allumer un feu dans la cheminée du séjour. Debout devant la cuisinière, les yeux brillants, elle regardait par la fenêtre l'extraordinaire jeu de lumière qu'offrait dehors la tempête dans le jour déclinant, l'alternance tumultueuse de nuages noirs et de trouées dorées. Retenir cet instant, songea-t-elle. Ces heures, ces jours sur l'île. Avec cet homme. Les retenir un peu, seulement encore un peu.

Dans la seconde qui suivit elle eut conscience que ce vœu était une façon implicite de reconnaître que son bonheur se jouait hors du temps, qu'ils étaient totalement coupés du monde extérieur. Quoi qu'ils vivent encore ensemble, ce ne serait pas sans problèmes.

Le feu crépitait dans l'âtre ; au-delà de la fenêtre, la nuit tombait lentement sur l'île. Au fond du jardin, les arbres courbés par la tempête n'étaient plus que des ombres. Assis par terre devant la cheminée, Virginia et Nathan partageaient un modeste repas qui leur paraissait meilleur que tout ce qu'ils avaient mangé jusque-là, ils buvaient du vin, ils se regardaient, encore et encore, étonnés et émerveillés. Après les jours et les nuits à Ferndale où il ne leur serait pas venu à l'esprit de se toucher, ils étaient stupéfaits de l'intensité de la passion qui les avait emportés dès le pont franchi, la terre ferme laissée derrière eux, et leur commune impression d'entrer dans une autre réalité.

— Nous devrons rentrer, dit Virginia après un moment de silence. Skye, cette maison, ça ne peut pas être pour toujours.

— Je sais, dit Nathan.

Elle secoua la tête, non en signe de dénégation, simplement avec étonnement.

— Je n'avais encore jamais trompé Frederic, dit-elle.

— Tu as l'impression de le tromper ?

— Pas toi ?

Il réfléchit.

— C'était inévitable. Nous n'aurions rien pu faire contre. Depuis que j'ai vu cette photo de toi, cette vieille photo prise à Rome, j'ai su…

— Qu'est-ce que tu as su ? Que tu voulais coucher avec moi ?

Il rit.

— Que je voulais retrouver cette femme. Et elle est là. Je l'ai retrouvée.

Elle but une gorgée de vin, regarda pensivement les flammes.

— Que ressens-tu quand tu penses à Livia ?

— J'avoue que jusque-là je n'ai pas pensé à elle. Parce que toi, tu as pensé toute la journée à Frederic ?

272

Il paraissait si désemparé qu'elle ne put s'empêcher de rire.

— Non, bien sûr que non. Mais en ce moment je pense à lui. Je me demande ce que je vais lui dire.

— Tant qu'à faire, la vérité.

— Tu vas dire la vérité à Livia ?

— Oui.

— Que vas-tu lui dire ?

— Que je t'aime. Que je ne l'ai jamais aimée.

Elle avala sa salive.

— Je crois que je n'ai jamais aimé Frederic non plus, dit-elle à voix basse.

Elle soupira. Ce qu'elle ressentait à cet instant, ce qu'elle pensait, disait, Frederic ne l'avait pas mérité, elle le savait. C'était cependant la vérité.

— Il s'est trouvé là à un moment de ma vie où j'avais besoin de quelqu'un. A un moment de grande tristesse et de solitude. Après la mort de Tommi et la disparition impromptue de Michael. Il était compréhensif, attentionné. Il m'aimait. Il me donnait de l'affection, de la sécurité. Il était comme un port dans lequel je pouvais me réfugier. Mais je ne l'aimais pas. C'est sans doute pour cette raison que je ne parvenais pas à réellement émerger de la torpeur dans laquelle la mort de Tommi m'avait plongée. J'étais toujours seule, je le ressentais simplement avec moins d'acuité.

Elle regarda Nathan.

— Penses-tu que c'est ainsi que cela se passe ? Que lorsqu'on vit aux côtés d'un être que l'on n'aime pas, on reste seule ?

— Oui. Tout au moins lorsqu'on était seul auparavant. Une part importante de nous-mêmes reste hors d'atteinte. Nous ne sommes plus isolés, mais nous restons seuls.

— J'étais comme morte de solitude, dit Virginia. C'est seulement à la naissance de Kim que c'est allé mieux. Mais Kim est une enfant. Elle ne peut pas être une partenaire.

Il effleura tendrement sa joue d'un doigt. Elle venait de se rendre compte combien elle aimait la douceur de ses mains.

— Mais je suis là maintenant, murmura-t-il.

Il poussa délicatement les verres de côté et de son poids

contraignit lentement Virginia à s'allonger sur le sol. Elle soupira de bien-être et de désir. Ils firent l'amour à la lueur des flammes qui dansaient dans l'âtre tandis que dehors la nuit s'étendait sur l'île.

Dimanche 3 septembre

1

Il se demanda comment il n'y avait pas pensé plus tôt.

C'était la première fois depuis ce jeudi où tout avait changé qu'il avait réellement dormi, non qu'il se soit soudainement senti plus calme ou plus confiant, mais sa fatigue avait pris une ampleur telle que même la nervosité et l'inquiétude n'avaient pu le tenir éveillé plus longtemps. Cela était peut-être également dû au fait qu'il avait bu plusieurs verres d'alcool fort au cours de la soirée. Toujours est-il qu'il s'était endormi comme une masse. Lorsqu'il s'était réveillé, il faisait déjà jour au-dehors et une pluie fine fouettait les vitres de la fenêtre de sa chambre.

Il s'assit dans son lit et ce fut comme une illumination : Skye. Et si elle était à Skye ?

Virginia aimait l'île, elle aimait la maison qu'ils y possédaient, son grand jardin sauvage. Si quelque chose n'allait pas, s'il lui était arrivé quelque chose – et il lui était arrivé quelque chose, sinon elle ne se serait pas enfuie de cette façon –, il était raisonnable d'imaginer qu'elle se réfugie dans un endroit qui avait toujours signifié beaucoup pour elle.

Frederic se leva, enfila son peignoir. La douleur sourde qui aussitôt lui martela le crâne lui confirma qu'il avait effectivement un peu trop forcé sur l'alcool avant de se coucher.

Il avait passé une partie du samedi à hésiter entre colère et désespoir pour finir par s'abîmer dans une sorte de résignation. Le matin, il avait repris son poste devant le téléphone des

275

Walker, et s'était senti finalement si honteux qu'il avait abandonné sa garde et emmené Kim au zoo. Tous les adultes autour d'elle avaient beau lui assurer que tout allait bien, la fillette sentait que quelque chose n'allait pas. La vue des animaux cependant la mit en joie. Le temps était nuageux et frais mais il ne pleuvait pas et Frederic avait réussi quelque temps à ne prêter attention qu'à l'enthousiasme de sa fille. Après le zoo, ils étaient allés chez McDonald's, où ils avaient pris des hamburgers et des milk-shakes au chocolat.

« Veux-tu revenir à la maison avec moi ? » avait demandé Frederic à sa fille.

Kim, qui se plaisait pourtant beaucoup chez les Walker, avait dit oui avec un empressement qui lui avait fait chaud au cœur. Sa fille lui était au moins complètement acquise.

De retour à Ferndale, son premier geste n'en avait pas moins été de s'arrêter chez les Walker pour leur demander si Virginia n'avait pas téléphoné. Grace et Jack arboraient le même air soucieux. L'état de Grace s'était détérioré, elle avait les yeux fiévreux et un foulard autour du cou.

« Non, monsieur, avait-elle répondu en secouant la tête. Et nous n'avons pas quitté la maison. Personne n'a téléphoné. »

Grace regretta que Kim réintègre Ferndale House avec son père, mais comme elle avait très mal à la gorge, elle jugea elle-même que c'était plus raisonnable. A la maison, Livia et Kim avaient étalé de grandes feuilles de papier sur la table de la cuisine et commencé à faire de la peinture ensemble. Frederic, qui se sentait épuisé et vidé, fut reconnaissant à Livia de le libérer pour quelques heures. Il s'était retiré dans la bibliothèque, avait marché d'une fenêtre à l'autre en regardant les arbres, dehors, dont les branches sombres touchaient presque les vitres.

Pourquoi ne les faisons-nous pas enfin abattre ? Qu'est-ce que Virginia trouve de si plaisant à s'enterrer vivante dans cette maison ?

Il n'avait su que répondre. C'est alors que l'idée qu'il ne connaissait peut-être que très peu la femme avec laquelle il était marié depuis neuf ans lui était pour la première fois venue à l'esprit.

Puis il avait bu un premier verre, suivi de nombreux autres. Recru de fatigue, il était ensuite monté au premier, et quand il avait constaté que Livia lisait une histoire à Kim et qu'on n'aurait plus besoin de lui jusqu'au lendemain, il s'était couché.

Il était à présent un peu plus de huit heures. Il allait tout de suite appeler Dunvegan. Virginia ne prenant pas les appels qui arrivaient sur son portable, il était naturellement possible qu'elle ne réagisse pas non plus à la sonnerie du téléphone fixe, mais peut-être ne s'attendait-elle pas à ce qu'il téléphone là-bas et décrocherait-elle automatiquement.

La maison était silencieuse, Livia et Kim ne devaient pas être encore réveillées. Il descendit dans le séjour, ferma la porte derrière lui. Il ne voulait pas être dérangé.

Il laissa le téléphone sonner en regardant la pluie tomber. Un temps de novembre. Il avait froid.

Il était perdu dans ses pensées quand, à la quatrième sonnerie, quelqu'un décrocha :

— Oui ? Allô ?

C'était Virginia. Il eut besoin d'un instant pour se ressaisir.

— Virginia ? fit-il d'une voix incertaine quand il eut recouvré la parole.

Il s'éclaircit la gorge.

— Virginia ? répéta-t-il.

— Oui ?

— C'est moi. Frederic.

— Je sais.

Il s'éclaircit une nouvelle fois la gorge.

— Je suis étonné que tu aies décroché.

— Je ne peux pas fuir éternellement.

— Tu es donc à Skye ?

La question n'était pas très fine, mais Virginia fit comme si elle était au moins justifiée.

— Oui, je suis à Skye. Tu sais bien que...

— Que quoi ?

— Tu sais combien j'aime l'île.

— Tu as beau temps ? s'enquit-il poliment et sur un ton désintéressé, hésitant à se lancer dans la vraie discussion.

— C'est la tempête mais il fait sec.

— Ici, il pleut depuis ce matin.

Elle ne le suivit pas sur le terrain des considérations climatiques.

— Comment va Kim ?

— Bien. Elle est revenue ici. Grace a pris froid, elle n'est pas très en forme...

Il l'entendit soupirer.

Il fallait qu'il pose la question suivante, bien que la seule idée de la réponse lui donnât des sueurs froides.

— Est-ce que... est-ce que Nathan Moor est avec toi ?

— Oui.

Un simple *oui*. Pas d'explications. Comme si le fait qu'elle soit partie de la maison avec un autre homme en laissant tout le monde dans l'incertitude était la chose la plus naturelle du monde.

Etait-elle partie avec lui ? Qu'impliquait l'expression « partir avec un homme » ?

— Pourquoi, Virginia ? Pourquoi ? Je ne comprends pas.

— Que veux-tu dire ? Pourquoi Nathan Moor ? Pourquoi Skye ? Pourquoi maintenant ?

— Tout. Je présume que tout va de pair.

Le silence qui suivit fut si long qu'il se demanda si Virginia n'avait pas raccroché. Il était sur le point de s'en assurer quand elle dit :

— Tu as raison. Tout va de pair. Je ne voulais pas aller à Londres.

Il réprima un gémissement.

— Mais pourquoi ? Un dîner ! Un simple dîner ! Grands dieux, Virginia !

— Ce n'était pas possible, voilà tout.

— Mais tu aurais dû me le dire ! J'ai attendu des heures à la gare. J'ai essayé je ne sais combien de fois de te joindre sur ton portable. Je me suis fait un sang d'encre. J'ai rendu fous les Walker, qui ne comprenaient pas plus que moi ce qui avait pu se passer. Nous étions tous malades d'inquiétude ! Virginia, ça ne te ressemble pas. Je ne t'ai jamais connue aussi... aussi

278

dénuée de scrupules, je ne t'ai jamais vue te comporter d'une façon aussi égoïste !

Elle ne répondit pas. Au moins, elle n'essayait pas de se justifier.

Ça n'en était pas plus facile de l'interroger sur le rôle joué par Nathan Moor dans l'histoire, mais Frederic ne pouvait plus tergiverser :

— C'était son idée ? C'est Nathan Moor qui t'a convaincue...

— Non. Personne n'a eu besoin de me convaincre. Je voulais partir. Il m'y a simplement aidée.

— Aidée ? Sais-tu l'impression que cela donne ? Cela donne l'impression que quelqu'un a dû t'aider à t'enfuir ! Comme si tu avais été enfermée chez nous, retenue contre ta volonté, emmurée, emprisonnée...

— Arrête, l'interrompit-elle, ce n'était pas comme ça. Et tu sais que ce n'est pas ce que j'ai voulu dire.

— Mais tu veux dire quoi, alors ? Quel était le problème ? Ce n'est réellement que cette histoire de réception ?

— Je crois que je ne peux pas te l'expliquer.

— Ah bon ? Tu ne penses pas qu'après ce qui vient de se passer j'ai au moins droit à une explication ?

— Si, bien sûr.

Elle parut brusquement lasse.

— C'est seulement que je ne suis pas certaine que le téléphone soit très adapté...

— C'est toi qui es partie au lieu de me parler. Ce n'est pas moi qui ai décidé de ne plus communiquer avec toi autrement que par téléphone.

— Je n'essaye pas de te faire porter la responsabilité de tout ce que j'ai fait, Frederic.

— De tout quoi ? Qu'est-ce que tu as fait ?

Elle ne répondit pas. Il se fit agressif :

— Qu'est-ce qu'il y a entre toi et Nathan Moor ?

Elle continua à garder le silence. Il sentit la peur monter en lui, une peur glacée mêlée pour moitié de colère. Puis il eut l'impression que la colère prenait légèrement le dessus.

— Qu'y a-t-il entre toi et Nathan Moor ? répéta-t-il. Bon Dieu, Virginia, dis la vérité ! Tu me dois au moins ça !

— Je l'aime, dit-elle.

Il en eut presque le souffle coupé.

— Quoi ?

— Je l'aime. Je suis désolée, Frederic.

— Tu fiches le camp avec lui à Dunvegan, dans *notre* maison, et tu me dis tranquillement au téléphone que tu l'aimes ?

— C'est toi qui as demandé. Et tu as raison, tu as droit à la vérité.

Il avait la tête qui tournait, il se débattait dans un mauvais rêve.

— Depuis quand ? Depuis quand y a-t-il quelque chose entre vous ? Depuis qu'il a débarqué à Ferndale ?

A sa voix, elle paraissait au supplice.

— Je ne l'ai compris qu'ici, à Skye. Mais je crois que...

— Je t'écoute...

— Je crois, dit-elle doucement, que je suis tombée amoureuse de lui à la seconde où je l'ai vu. C'était ici, à Skye. Juste après l'accident.

Frederic eut l'impression que les murs de la pièce se rapprochaient de lui, prêts à l'écraser.

— C'est donc ça. C'était donc ça, ta soudaine fibre humanitaire... Je me demandais aussi pourquoi il fallait absolument que tu aides ces parfaits inconnus... A Skye, et après ici. Maintenant, tout s'explique. Il n'y avait pas que ton aide que tu étais prête à offrir, pas vrai ? Nathan Moor pouvait espérer bien plus que ça.

— Tu es blessé et je comprends que...

— Ah oui ? Tu comprends que je sois blessé ? Tu te sentirais comment, dans la situation inverse ? Si je disparaissais un jour dans la nature puis t'annonçais froidement que j'étais tombé amoureux de quelqu'un d'autre ?

— Ce serait affreux. Mais... c'était plus fort que moi, Frederic. Je n'ai rien pu y faire.

L'effet du choc s'atténuait. Les murs étaient à nouveau droits. Frederic se redressa.

— Tu sais que tu es tombée sur un arnaqueur et un imposteur ? demanda-t-il d'un ton froid.

— Frederic, il est clair que tu...

— T'a-t-il avoué qu'il n'était pas plus écrivain qu'auteur de best-sellers ? Ou bien continue-t-il à se vanter de ses fantastiques succès ?

— Je ne sais pas de quoi tu parles...

— Ce serait peut-être bien que tu discutes un peu avec Livia. Parce que, au cas où tu l'aurais oublié, je te rappelle que ton nouvel amant est marié. Mais je crains que ça ne te dérange pas plus que ça. Finalement, toi aussi tu es mariée et ça ne t'a pas empêchée de sauter dans son lit.

Elle demeura silencieuse. Bien sûr, enragea-t-il, qu'aurait-elle pu répondre à ça ?

— Le fait est qu'il n'a pas publié un seul livre. Aucun éditeur ne s'est jamais montré disposé à faire imprimer ses écrits fumeux. Nathan Moor a vécu pendant douze ans exclusivement aux crochets de son beau-père. Et quand il est mort, il a mis la main sur tout ce qui appartenait à Livia. Ce sont les manières élégantes de ce parasite ! Mais du moment qu'il est bon au lit, qu'importe, c'est ça ?

— Que veux-tu que je réponde à ça ? demanda-t-elle, désemparée.

— Parce que c'est à moi de te le dire, en plus ? s'exclama-t-il.

Il raccrocha violemment.

Il fixa le téléphone comme s'il pouvait lui fournir une quelconque explication aux abominations qu'il venait d'entendre, mais le malheureux combiné noir resta muet. Comme la pièce. Comme la maison entière. Personne ne s'approcha pour lui dire : C'était un rêve, Frederic. Un mauvais, un très mauvais rêve. Ou une blague. Une blague de très mauvais goût, certes, mais une blague. Rien de tout cela ne s'est réellement produit.

Il se laissa tomber sur le canapé, se prit la tête dans les mains. Cela s'était réellement produit. Peut-être même avait-il déjà soupçonné la vérité quand il avait vainement attendu Virginia sur le quai de la gare, à Londres. Oui, force lui était de le reconnaître, il s'était douté de quelque chose de ce genre.

Depuis qu'il avait appris que Nathan Moor avait pris ses quartiers à Ferndale House sans que Virginia l'en informe, l'idée, à la fois vague et vertigineuse, avait germé en lui, simplement, il ne l'avait pas laissée s'installer. Certaines choses étaient si insupportables que l'on pouvait réussir à ne pas les voir même quand elles vous crevaient les yeux. Il avait toujours cru qu'il était peu habile à refouler. Il allait devoir réviser son jugement : il excellait dans cet exercice.

Il releva la tête, regarda les arbres qui au-delà de la fenêtre cernaient la maison. Les arbres auxquels Virginia avait tenu, qui étaient comme le symbole de sa mélancolie, de son repli sur elle-même. A l'instant, au téléphone, c'est une autre Virginia qu'il avait entendue. Il n'avait perçu aucune trace de la tristesse qui l'habitait à chaque instant depuis qu'il l'avait accostée, il y avait des années de cela, dans un train, un soir d'hiver. A l'époque, il avait appris qu'après des années de vie commune son compagnon, qui se sentait responsable de la mort de leur petit voisin, était parti, un jour, et n'avait plus jamais donné de nouvelles. Il lui avait paru normal et compréhensible que cette histoire l'attriste et la porte si souvent à s'isoler, à broyer du noir. Il s'habitua tant à sa tristesse qu'il ne songea pas à se demander s'il était normal qu'elle dure ainsi des années. La tristesse était devenue une part de Virginia, quelque chose qui lui appartenait au même titre que ses jambes, ses bras, ses cheveux blonds et ses yeux bleu foncé. Il était dans le caractère de Virginia d'être souvent mélancolique. D'éviter les autres. De vivre dans une maison étouffée par la végétation au point que même en plein été il fallait allumer la lumière. Rien de cela ne l'avait jamais réellement étonné.

Aurait-il dû s'étonner ? Aurait-il dû parler avec elle ? Pouvait-il se reprocher d'avoir été aveugle, de s'être montré indifférent ? Il s'était bien rendu compte qu'elle était en permanence plus ou moins dépressive. Aurait-il été de son devoir de s'intéresser un peu plus au problème, de lui proposer de l'aide ? Il lui avait souvent demandé comment elle allait. « Tout va bien », répondait-elle, ce dont il s'était toujours satisfait alors même, il en avait conscience aujourd'hui, qu'il pressentait que justement tout n'allait pas bien. Mais il était plus confortable de se satisfaire de cette réponse que de chercher à en savoir plus. Fort de ces « tout va bien », il regagnait Londres et ses ambitions politiques, enchaînant absence sur absence. Devait-il se le reprocher ?

Tout de même, ce n'est pas une raison pour aller coucher avec un autre, songea-t-il. Nous sommes mariés, nous avons un enfant. Si elle était malheureuse avec moi, elle aurait dû me le dire. Nous aurions pu en parler. Rencontrer un conseiller conjugal. Est-ce que je sais ? Nous aurions pu nous battre. Ça ne se fait pas de ficher le camp comme ça !

Pour lui, le plus incompréhensible était que ce soit cet arnaqueur de Nathan Moor, ce vautour, ce va-nu-pieds baratineur, qui en moins de temps qu'il n'en fallait pour le dire avait apparemment trouvé le chemin de l'âme de Virginia. Les clés de sa tristesse. Cet endroit que Frederic n'avait jamais pu découvrir. Nathan Moor aurait mis le doigt sur quelque chose que personne jusque-là n'était parvenu à atteindre !

Foutaises, décida-t-il. Rien que des foutaises.

Mais c'était quoi, dans ce cas ?

Il se leva, le poids du monde sur les épaules. Kim allait bientôt se réveiller. De même que Livia. Devait-il la mettre au courant ? A la réflexion, il n'avait aucune envie de se retrouver associé à cette pitoyable Livia, subitement uni à elle par un sort identique. Deux cocus attendant de concert le retour des infidèles. Pour autant qu'ils aient l'intention de revenir un jour.

Je rentre à Londres, décida-t-il. Je ne vais pas rester ici pour l'accueillir, au cas où elle en aurait brusquement assez de son nouvel amant. Ou au cas où elle se serait souvenue qu'elle a une fille.

Qu'elle vienne. Mais qu'elle ne compte pas sur moi.

2

Aujourd'hui dimanche, cela faisait exactement une semaine que Rachel avait disparu.

Le 27 août, le dimanche 27 août, elle avait pris le chemin de l'église et elle n'était jamais revenue. Et puis Robert avait dû aller identifier son corps.

Une semaine. Sept jours. Et cela paraissait si lointain, à un monde de là, une vie, une éternité.

Au milieu de tout ce qu'elle avait enduré au cours des jours écoulés, ce dimanche matin parut à Claire Cunningham particulièrement douloureux. Elle revivait, heure par heure, ce qui s'était passé sept jours plus tôt.

C'est à cette heure-là que je me suis levée. Là, j'étais dans la cuisine et je préparais le petit déjeuner. C'est à peu près à cette heure-là que Rachel est apparue dans la cuisine. Dans son pyjama bleu clair, avec sa queue de cheval ramenée sur le devant. Je n'étais pas contente parce qu'elle était pieds nus et que le carrelage de la cuisine est toujours glacé. Me suis-je réellement fâchée ? Non. J'ai parlé un peu vivement parce que je lui avais déjà dit cent fois de mettre ses chaussons avant de descendre. Parce qu'elle attrape si facilement mal à la gorge. Parce qu'elle attrapait si facilement mal à la gorge... Nous ne nous sommes pas disputées. J'ai seulement dit : « Bon sang, Rachel, tu es encore pieds nus ? Combien de fois faudra-t-il que je te dise que le carrelage est glacé ? » Elle a marmonné quelque chose, est remontée dans sa chambre puis elle est redescendue avec ses chaussons aux pieds. Nous ne nous sommes pas disputées. Non. Je ne me suis pas mise en colère.

Jusque-là, elle n'avait pas repensé à cet incident. L'incident des chaussons. Il ne lui était revenu à l'esprit qu'après sa rencontre avec Liz Alby. Parce que Liz lui avait dit n'avoir pas cessé de regretter l'épisode du manège. Apparemment, elle n'avait pas simplement refusé de payer un tour de manège à sa fille, elle s'était impatientée, l'avait grondée parce qu'elle pleurait.

« Si au moins je savais que les dernières heures de sa vie ont été heureuses... » avait dit Liz lorsqu'elles s'étaient trouvées assises l'une en face de l'autre dans le café de la place du marché.

Liz avait commandé un café. Claire un thé. Ni l'une ni l'autre n'avaient souhaité manger quelque chose. Du reste, depuis la disparition de Rachel, Claire n'avait presque rien mangé. Elle avait l'estomac noué, elle ne parvenait pas à avaler.

« Vous savez, Claire, si je la voyais assise sur le manège, poussant des cris de joie, ses cheveux flottant dans le vent... ce serait plus facile », avait poursuivi Liz.

Puis elle avait fondu en larmes. Claire aurait aimé pleurer elle aussi, mais elle n'y parvenait pas. Elle était dans une sorte d'état de sidération. Figée sur sa chaise, elle tournait mécaniquement sa cuillère dans la tasse de thé. Il y avait en elle des flots de larmes qui attendaient de pouvoir enfin se déverser, mais depuis qu'elle savait que Rachel ne reviendrait pas, elle ne pouvait plus pleurer. C'était comme avec son estomac, les larmes étaient bloquées, retenues derrière une porte qui ne s'entrouvrait pas d'un millimètre. Claire se demandait si elle devait souhaiter que la porte s'ouvre. A certains moments, elle avait l'impression que pleurer lui apporterait un soulagement. Mais elle avait une peur bien plus grande de ce qui l'attendait au-delà de la sidération. Elle souffrait comme elle n'avait encore jamais souffert de sa vie, et elle pressentait qu'elle n'avait pas encore été confrontée à la pleine mesure de sa souffrance. Une main charitable la maintenait temporairement à l'écart du pire.

Elle n'était pas certaine que la rencontre avec Liz Alby lui ait apporté quelque chose. A vrai dire, de prime abord, Liz ne lui avait pas beaucoup plu. Trop ordinaire, trop primaire dans sa façon d'être, même si le chagrin lui donnait une profondeur et une sensibilité qu'elle ne possédait probablement pas auparavant. Sa manière de parler, de bouger trahissait ses origines modestes. En outre, en dépit de ses larmes et d'une souffrance dont on ne pouvait douter qu'elle fût authentique, Claire comprit vite que la jeune femme n'avait pas nourri beaucoup d'affection pour sa fille. La malheureuse petite Sarah avait été une enfant non désirée qui était arrivée au mauvais moment dans la vie d'une femme qui cherchait elle-même encore sa place et qui ne voyait dans la petite créature braillarde qu'un poids, un cruel obstacle à ses projets et ses rêves. Tandis qu'elle l'écoutait s'accabler, Claire s'était plusieurs fois laissée aller à penser qu'il ne lui était arrivé que ce qu'elle avait mérité car il était manifeste que Liz n'avait eu de cesse de se débarrasser de la petite.

Mais pourquoi moi ? C'est tellement injuste ! J'ai tant aimé Rachel. Elle était mon premier enfant, un miracle, un rêve devenu réalité. Elle était un cadeau du ciel. Il n'y a pas eu un instant où Robert et moi n'avons été reconnaissants qu'elle soit entrée dans nos vies.

Puis elle s'horrifiait de son agressivité, ce n'étaient pas des réflexions convenables, Liz Alby ne méritait pas plus que quiconque de vivre un tel drame. Surtout, Sarah n'aurait jamais dû connaître une telle fin. Aucun enfant ne devrait être victime d'une telle cruauté.

Sans entrain, lentement, elle se déplaça de la cuisine à la salle à manger, une pièce confortable, avec une grande table en bois à laquelle Rachel s'asseyait souvent pour dessiner ou peindre. Avec sa cheminée, ses rideaux à fleurs et la vue sur le jardin délicieusement sauvage, c'était l'endroit de prédilection de la famille, au détriment du salon, qui donnait sur la rue. Ils avaient passé tant d'heures, ici, tous les quatre. Ils avaient joué ensemble à des jeux de société, assis autour de la table, les filles avaient passé de longs moments de rare complicité à découper des vêtements pour leurs poupées en papier tandis que Robert et Claire lisaient dans les fauteuils devant la cheminée. Ou buvaient un verre de vin en bavardant à mi-voix.

C'était un temps qui ne reviendrait plus. Même s'ils devaient s'efforcer, pour Sue, de reconstruire l'environnement qui lui était familier, même s'ils devaient tout mettre en œuvre pour qu'elle ait une enfance heureuse. La famille était amputée à jamais. La mort de Rachel était une plaie ouverte qui ne se refermerait pas.

Le dimanche précédent, c'est là que la table avait été dressée pour le petit déjeuner. Des corn-flakes avec du lait et des fruits pour les filles, des toasts, différentes sortes de confitures. Rachel avait bu du chocolat et comme toujours, lorsqu'elle avait reposé sa tasse, il lui restait une grosse moustache au-dessus des lèvres. L'histoire des chaussons n'avait pas assombri son humeur. Elle était gaie, toute contente d'aller à l'église.

Aujourd'hui, la table était vide. Ni Claire ni Robert n'avaient envie de manger. Sue était toujours à Downham Market. Il faudrait qu'ils aillent bientôt la chercher. Elle ne savait pas ce qui était arrivé, mais elle devait commencer à s'interroger. Rachel avait toujours été jalouse de Sue. Cela va passer, se disait Claire, c'est normal. L'existence de sa sœur avait-elle plus affecté Rachel que ses parents ne l'avaient pensé ? Que signifiait *normal* dans un tel contexte ? Auraient-ils dû se montrer plus compréhensifs à l'égard de ses accès de colère envers la petite ? Les prendre plus au sérieux ? Ne pas les minimiser ?

Auraient-ils dû, auraient-ils dû, auraient-ils dû... Ils s'interrogeraient toujours. Sans espoir de réponse, sans la plus petite chance de pouvoir changer quelque chose à ce qui avait été, de pouvoir réparer ce qui avait été brisé.

Quand on frappa doucement à la porte de l'entrée, Claire se détourna de la pièce dont les murs abritaient tant de souvenirs et sortit dans le couloir. Robert, qui était dans son bureau, au premier étage, ne devait pas avoir entendu frapper. Claire ouvrit la porte sans appréhension. Elle ne voulait certes pas avoir à répondre à des journalistes, mais elle n'aurait pas craint d'envoyer promener un importun. Du reste, aujourd'hui, il n'y avait plus rien qui lui faisait réellement peur. Sans doute était-ce ainsi quand le pire vous était déjà arrivé.

La personne qui s'encadra sur le seuil était le pasteur de la paroisse, Ken Jordan. Elle le sentit sur la réserve. Il est vrai qu'elle n'était pas une de ses ouailles.

— Si je tombe mal, je vous en prie, dites-le-moi. Je ne voudrais pas vous déranger. J'ai pensé que peut-être... Cela fait juste une semaine que...

— Vous ne devriez pas être à l'église ? demanda Claire.

Il sourit.

— J'ai encore un peu de temps.

Elle le fit entrer dans le salon. Une photo encadrée de Rachel était posée sur une étagère. Elle avait été prise au mois de mars, lors d'une sortie avec sa classe. Rachel portait son anorak rouge, ses cheveux étaient décoiffés par le vent et elle rayonnait.

— Une enfant vraiment charmante, dit Ken.

Elle hocha la tête.

— Oui.

— Et là, c'est votre seconde fille ?

Juste à côté de celle de Rachel, il y avait une photo de Sue. Une Sue tout sourires, l'été précédent sur la plage de Wells-next-the-Sea. En maillot de bain bleu, un petit chapeau blanc sur la tête.

— C'est Sue.

Et ne dis pas que c'est une chance de l'avoir au moins elle !

Il ne le dit pas. Il n'y avait pas de compensation ou de contrepartie possible et c'était quelque chose qu'il savait.

— Je vous en prie, asseyez-vous, dit Claire.

Il s'assit sur le canapé. Elle trouvait qu'il ne ressemblait pas à un pasteur. Il portait un jean, un pull-over à col roulé gris anthracite et une veste d'une couleur assortie. Il était encore très jeune.

— Rachel aimait bien aller le dimanche au service des enfants, dit-elle. Elle aimait beaucoup Donald Asher. Surtout quand il jouait de la guitare et que les enfants chantaient.

Il sourit.

— Oui, Don a un bon contact avec les enfants. Il sait intuitivement comment leur parler.

— Hier, j'ai rencontré la maman de... de l'autre fillette, dit Claire.

Elle ne savait pas elle-même pourquoi elle lui racontait cela. Peut-être parce qu'il avait une personnalité qui inspirait confiance. Mais peut-être cherchait-elle simplement à faire la conversation. Elle était ainsi. Et il fallait croire qu'elle fonctionnait toujours ainsi, même lorsqu'elle était assommée de chagrin.

— Liz Alby, poursuivit-elle. La mère de Sarah Alby.

— Oui. Je sais. Un cas tout aussi dramatique.

— Elle se fait beaucoup de reproches. Elle n'a pas laissé Sarah faire du manège, juste avant qu'elle... qu'elle disparaisse, alors que la petite en avait tellement envie. Elle s'est énervée après elle. Elle s'en veut beaucoup aujourd'hui. Je la comprends. Depuis ce matin, je...

Elle se mordit les lèvres. Il la regarda avec bonté et compréhension.

— Depuis ce matin, je réfléchis à comment se sont passées mes... mes dernières heures avec Rachel. Je me demande si nous étions en désaccord. Je me suis fâchée parce qu'elle est arrivée pieds nus dans la cuisine. Le sol de la pièce est carrelé, et Rachel attrapait si facilement mal à la gorge. En fait, je ne l'ai pas vraiment grondée, mais j'étais agacée parce que je lui avais déjà dit tant de fois de... Je ne sais plus très bien... Je veux dire, je sais ce que je lui ai dit, mais je ne me souviens plus très bien du ton sur lequel je le lui ai dit, si j'ai crié, ou si j'étais seulement un peu énervée...

Elle ne parvenait plus à parler. Mais qu'elle l'ait bousculée, grondée ou qu'elle ait simplement manifesté un peu d'agacement, c'était de bien peu d'importance, et dans tous les cas bien inutile. Parce qu'elle n'avait pas mis de chaussons !

Ken Jordan se pencha vers elle et lui pressa brièvement la main dans un geste d'apaisement et de consolation.

— Ne vous rendez pas malade avec cela, Claire. Toutes les mères empêchent leurs enfants de faire certaines choses qu'ils aimeraient faire. Toutes les mères se fâchent, se mettent en colère parce qu'ils n'obéissent pas toujours. Et souvent parce qu'ils se font ainsi du mal. Cela ne change rien à l'amour qu'on leur porte. Dimanche dernier, c'était le bien-être de Rachel qui vous animait, rien d'autre. Cela ne vous était pas égal qu'elle attrape ou non mal à la gorge. Et même si Rachel a levé les yeux au ciel quand vous l'avez ennuyée avec cette histoire de chaussons, elle a précisément perçu votre amour et votre désir de la protéger. Soyez-en assurée.

Ses mots lui firent du bien, mais la souffrance était trop forte, trop récente pour qu'un réel réconfort soit possible. Elle ne pouvait même pas imaginer qu'il puisse un jour y avoir un réconfort possible.

— Je me raccroche à l'idée qu'elle était si heureuse ce matin-là d'aller au service, dit-elle. Elle était très impatiente.

A cause de ce pasteur londonien qui devait leur projeter des diapositives. Elle ne tenait plus en place...

Elle soupira, revit Rachel, heureuse, les yeux pétillant d'excitation. Elle était capable de formidables enthousiasmes, c'était un trait de caractère que Claire avait particulièrement aimé chez elle.

— Quel pasteur ? demanda Ken.

Elle le regarda, le vit froncer les sourcils.

— Je ne sais pas exactement, il venait exprès de Londres, expliqua-t-elle, pour présenter des diapositives. Sur... sur l'Inde, je crois. Rachel s'en faisait une joie.

— C'est curieux, dit Ken, je n'ai absolument pas entendu parler de ce projet. Pour moi, il n'y avait rien de prévu, ni pasteur, ni projection de diapos. D'ordinaire, Don en discute toujours au préalable avec moi.

— Mais Rachel en a vraiment parlé. Je ne peux pas me tromper. Elle l'a encore dit en partant. Quand je lui ai demandé pourquoi elle paraissait si contente d'aller au service... Rachel s'intéressait à tout. Rien ne lui était indifférent.

Alors elle commença tout de même à pleurer doucement. Ce n'était pas le flot de larmes libérateur, seulement quelques larmes hésitantes.

Rachel. Ma Rachel. Si je pouvais te tenir encore une fois dans mes bras. Entendre ton rire, voir tes yeux. Contempler les petites taches de rousseur sur ton nez. Sentir encore une fois ta joue brûlante contre la mienne. Si je pouvais avoir encore un jour, seulement un jour avec toi !

— Claire, ce n'est peut-être pas le bon moment, mais vous devriez réfléchir à ce dont Rachel vous a précisément parlé, dit Ken.

Il paraissait très soucieux.

— Je suis presque certain que rien de la sorte n'était prévu. Ni dimanche dernier, ni un prochain dimanche. Donald Asher n'a jamais parlé d'une projection de diapos. Et je ne vois pas ce que Rachel aurait pu mal interpréter. Il est possible qu'il ne s'agisse que d'une broutille, mais il vaut mieux en avoir le cœur net.

Elle releva la tête. Ses larmes s'étaient déjà taries. Le temps des pleurs était encore loin.

— Cela n'a plus grande importance... commença-t-elle.

Ken se pencha en avant.

— Si, Claire, c'est important. Cette histoire peut avoir un lien avec la mort de Rachel. Je vais moi-même me renseigner. Pour commencer, je vais interroger Don. Et nous devons en parler à la police. Claire, vous voulez que la personne qui a fait à Rachel et vous-même tant de mal soit arrêtée, n'est-ce pas ?

Elle hocha la tête. Elle n'en était pas encore au point de le vouloir réellement. Dans l'océan de chagrin au milieu duquel elle se mouvait, cette paille à laquelle se raccrocher n'avait pas encore émergé. L'idée de se battre pour que la mort de Rachel ne reste pas impunie ne lui était pour l'heure d'aucun secours.

Ken le sentit. Il la regarda avec douceur.

— Comment puis-je vous aider, Claire ? Souhaitez-vous que nous priions ensemble ?

— Non, dit-elle.

Elle ne prierait plus jamais de sa vie.

3

Il avait laissé Kim libre de choisir entre rester à la maison sous la surveillance de Livia ou retourner chez Jack et Grace. Kim avait choisi de retourner chez les Walker, où il l'avait déposée en début d'après-midi. En voyant combien Grace était souffrante, il avait eu mauvaise conscience et aurait presque changé d'avis mais Grace, avec sa gentillesse habituelle, s'était empressée de le rassurer :

« Kim est comme notre petite-fille, monsieur, et une petite-fille peut venir voir sa grand-mère même quand elle a un petit rhume. Ne vous inquiétez pas.

— Je dois malheureusement retourner à Londres...

— Bien sûr.

— L'école reprend demain...

— Nous l'y emmènerons et nous irons la rechercher. Ce n'est pas un problème. Ne vous tracassez donc pas. Prenez avant tout soin de vous. Je dois dire, si je peux me permettre, monsieur, que vous ne me plaisez pas du tout. Vous avez une mine de papier mâché. »

C'était vrai. Il s'était regardé dans la glace avant de partir. Il avait une tête épouvantable. Il était blême, avait un solide mal de crâne, ses lèvres étaient décolorées, sa bouche crispée.

« Oui, c'est possible. La situation présente n'est pas... très facile. »

Elle l'avait regardé avec compassion. Dieu qu'il détestait cette compassion ! Et il n'était pas au bout de ses peines. Qu'elle sache seulement pour quelles raisons Virginia s'était enfuie et il allait encore en recevoir des tonnes !

« Votre femme n'a toujours pas rappelé ?

— Non », prétendit-il.

Il n'avait aucune envie de raconter quoi que ce fût à Grace Walker, pas plus la vérité qu'une version édulcorée de celle-ci.

Il reprit la route de Londres avec sa voiture de location. Il était dans un tel état de nerfs qu'il eût été plus prudent qu'il ne prenne pas le volant, il le savait, mais il ne pouvait concevoir de rester assis dans un train sans bouger. Conduire lui permettait au moins de ne pas être inactif. Et comme c'était dimanche, il y avait peu de circulation et il avançait vite.

A quatre heures, il était chez lui. Son premier geste fut de se servir un whisky bien tassé qu'il but d'un trait. Pour la première fois de sa vie, il éprouvait le besoin de boire. De s'alcooliser, de se saouler jusqu'à ce qu'il ne sente plus rien. Jusqu'à ce qu'il ne sache plus qui il était. Ou qui était Virginia. Tant qu'à faire, jusqu'à ce qu'il ne se souvienne même plus qu'il y avait une femme dans sa vie.

L'alcool chassa de sa tête les images qui lui faisaient le plus mal, les images de Virginia dans les bras de Nathan Moor, mais il ne lui apporta pas l'oubli auquel il aspirait. Il se sentit subitement pris du désir puéril de semer le trouble et la zizanie dans les étreintes passionnées que sa maison abritait, là-haut à Skye. Il décrocha le téléphone et expédia un télégramme : *De retour à Londres pour rendez-vous importants – Kim chez Grace qui est malade – L'école reprend demain – Ta fille a besoin de toi – Frederic.*

Il se sentit un peu honteux, mais convint avec lui-même qu'il n'avait rien dit de faux et qu'il était parfaitement justifié de rappeler Virginia à ses devoirs de mère. C'était du reste plus que surprenant qu'elle ait oublié même sa fille. Qu'est-ce que Nathan lui avait fait ? Que lui apportait-il ? Que voyait-elle en lui ?

C'était à devenir fou. Il savait que ce type n'était pas clair, il en avait l'intime conviction, et il était certain que ce jugement n'était pas influencé par la jalousie. Sans compter que Livia lui en avait suffisamment raconté pour le conforter dans son idée. Auteur de best-sellers ! Il y aurait eu de quoi rire si cela n'avait pas été à pleurer.

Livia...

L'idée qu'elle était désormais seule à Ferndale ne le rassurait pas, même s'il n'avait aucune crainte qu'elle disparaisse avec l'argenterie. De toute façon, il n'aurait pas pu la mettre à la porte, en outre il ne s'estimait pas tenu de débarrasser Nathan Moor de son épouse. Ce serait parfait qu'elle soit là pour l'accueillir et lui en faire voir de toutes les couleurs quand il reviendrait de son escapade amoureuse avec Virginia. Quoique Livia soit malheureusement un concentré de crainte et de timidité et qu'il fût peu probable que son mari ait grand-chose à redouter d'elle.

Il l'avait présentée à Grace comme une amie rencontrée en vacances qui désirait séjourner quelque temps en Angleterre. Grace était trop discrète pour poser des questions, mais elle ne devait pas manquer de s'interroger. Par Kim elle devait savoir depuis longtemps que Nathan avait lui aussi passé quelques jours à Ferndale. La soudaine disparition de Virginia pouvait fort bien l'avoir amenée à des conclusions guère éloignées de la vérité. Peut-être s'en était-elle ouverte à Jack, qui depuis appelait peut-être son patron « le Cocu »...

Vers cinq heures et demie, il ne supporta plus son appartement. Dehors, le temps était à la pluie. Il enfila sa Barbour, sortit, marcha au hasard des rues pour arriver finalement à Hyde Park. En dépit de la bruine, le parc était étonnamment fréquenté. Des jeunes en skate-board, des familles avec des enfants, des quinquagénaires qui s'astreignaient aux séances de footing prescrites par leurs médecins. Et des amoureux. Essentiellement des amoureux, semblait-il. Main dans la main ou étroitement enlacés, ils se promenaient dans les allées, s'arrêtaient, s'embrassaient, visiblement oublieux du reste du monde. Il les regardait, fasciné, et se rendit compte que beaucoup paraissaient comme envoûtés, unis dans un cocon qui les tenait à distance du monde et des banalités du quotidien. Il fouilla dans sa mémoire, mais ne parvint pas à se souvenir d'avoir jamais vécu pareille communion, pareil mutuel envoûtement avec Virginia. Pas même dans les premiers temps. Pour être tout à fait honnête, il savait qu'en ce qui concernait Virginia il avait éprouvé le même enchantement que celui qu'il lisait sur les visages des jeunes gens qu'il voyait autour de lui. Mais cela n'avait pas été partagé. Il avait aimé Virginia. Il l'avait désirée, admirée. Il l'avait idolâtrée. Il en avait été fou. Pris dans ce tourbillon de sentiments, il ne s'était pas rendu compte de la faiblesse de l'écho qui lui était renvoyé. Elle répondait à ses « Je t'aime » du bout des lèvres. Elle avait accepté très vite de devenir sa femme. Mais tandis qu'il aurait cru mourir si elle ne l'avait pas épousé, elle demeurait d'humeur égale et se montra, le jour du mariage, aussi perdue dans ses pensées qu'à l'habitude.

Il regardait fixement une jeune fille blonde suspendue aux lèvres d'un jeune garçon chevelu et apparemment subjuguée par les mots qui tombaient de sa bouche. A la réflexion, ce n'était pas vrai qu'il n'avait rien remarqué. Sa froideur l'avait même parfois rendu malheureux. Mais il l'avait imputée à son caractère, à une tendance naturelle à la mélancolie enracinée au plus profond d'elle-même. Il n'avait pas envisagé une seule seconde que ce pût être un manque de sentiments pour lui qui générait cette retenue. Sans doute n'avait-il pas voulu l'envisager. Il était trop amoureux pour cela, trop ébloui. Lui qui se targuait d'être pragmatique et rationnel avait été hypnotisé par une femme au point d'embellir la vérité, de la transformer jusqu'à ce qu'elle soit acceptable, et il ne s'en était même pas rendu compte. L'exemple type du refoulement. Résultat des courses, il errait dans Hyde Park sous la pluie, frustré, fatigué, et il regardait les amoureux pendant que dans sa maison de vacances des Hébrides un type douteux, un moins que rien, comblait sa femme, la femme qu'il aimait plus que tout au monde et qui ne lui reviendrait peut-être jamais. Qu'est-ce qui, en effet, lui permettait de supposer qu'elle allait revenir ? Il y avait des heures qu'il écrivait et réécrivait dans sa tête le scénario de son retour. Elle était là, devant lui, toute repentante après que Nathan Moor l'avait laissée tomber comme une vieille chaussette, ils parlaient, ils discutaient, il demandait des explications, elle les lui donnait – et à la fin ils se retrouvaient.

Et si elle ne revenait pas ?

Et si je ne pouvais pas la récupérer ? se demanda-t-il.

Il se dirigea vers un banc luisant de pluie, s'y laissa choir. Si seulement une bouteille de vodka pouvait surgir devant lui ! Bien lourde, cent pour cent d'alcool. Il aurait voulu être un clochard, ouvrir la bouche et laisser le liquide brûlant couler dans sa gorge. Pour ne plus penser qu'il avait peut-être perdu Virginia pour toujours.

Ou qu'il ne serait peut-être pas capable de supporter ce qui l'attendait.

4

Il était cinq heures de l'après-midi quand Ken Jordan sonna à la porte des Lewis. Il connaissait bien Steve et Margaret Lewis, les parents de Julia, des membres actifs de la paroisse qui manquaient rarement un dimanche à l'église. Il savait que Julia était très amie avec Rachel Cunningham, aussi ne fut-il pas surpris, quand Margaret lui ouvrit, qu'elle ait le visage marqué par les larmes. Déjà, ce matin, lors de son prêche, au cours duquel il avait longuement parlé de Rachel et de son douloureux destin, elle avait été secouée de sanglots silencieux.

— J'espère que je ne tombe pas trop mal, dit Ken, mais c'est très important.

Elle le fit entrer.

— Non, au contraire. Je suis heureuse de vous voir,

monsieur le pasteur. Je pleure depuis ce matin. Peut-être parce que ça fait juste une semaine que…

Elle se mordit les lèvres, sa voix se brisa.

— Nous avons tous beaucoup de mal, dit Ken.

— Comment peut-on faire ça ? Qui peut faire une chose pareille ?

— Quelqu'un qui est malade, dit Ken. Très malade.

Il la suivit dans la salle de séjour. Steve Lewis était assis devant une tasse de thé à la petite table ronde du bow-window. Il se leva.

— Monsieur le pasteur ! Quel plaisir que vous nous rendiez visite ! Asseyez-vous, je vous en prie.

Ken s'assit. Margaret apporta une tasse et lui servit du thé.

— Je souhaiterais parler à Julia, dit Ken. Mais avant, il faut que je vous pose une question : la semaine dernière, Julia a-t-elle parlé d'une séance diapos qu'un pasteur de Londres devait organiser ?

Margaret et Steve le regardèrent, troublés.

— Non, absolument pas.

— Je ne veux pas m'immiscer dans le travail de la police, dit Ken, ou jouer au détective, mais quelque chose me préoccupe. Je suis passé ce matin chez les parents de Rachel…

Il rapporta brièvement ce que Claire lui avait appris.

— J'ai enfin pu joindre Donald Asher en début d'après-midi. Il aurait pu avoir prévu quelque chose sans m'en parler, bien que c'eût été surprenant. Mais Don n'avait effectivement prévu aucune séance diapos. Et il ne voit pas ce dont Rachel a pu parler. Du coup, je me demande…

— Qu'est-ce qui vous tracasse ? demanda Steve d'un ton tendu.

— C'est peut-être stupide. Mais je me demande s'il n'y a pas un lien. Entre la disparition et la mort de Rachel et cette… rumeur de pasteur de mauvais augure que ni Asher ni moi-même ne connaissons.

— C'est en effet surprenant, acquiesça Steve.

— Je vais chercher Julia, dit Margaret.

Julia descendit de sa chambre. Elle était pâle, son visage, d'ordinaire gai et souriant, était triste. Sa meilleure amie était morte, elle ne reviendrait plus. Elle donnait presque l'impression d'être encore en état de choc.

— Le pasteur souhaiterait te parler, Julia, dit Margaret.

Elle posa sur lui son regard d'enfant. Il se demanda subitement quelle empreinte cette histoire laisserait sur elle et sur sa vie.

Il lui sourit.

— Je ne souhaite te poser qu'une question, Julia. Ensuite, tu pourras remonter jouer dans ta chambre.

— Je ne joue pas, rectifia Julia.

— Non ?

— Non. Je pense à Rachel.

— Tu aimais beaucoup Rachel, n'est-ce pas ?

Julia hocha vigoureusement la tête.

— C'était ma meilleure amie.

— Elles étaient presque comme des sœurs, intervint Margaret.

— Comme des sœurs... répéta Ken. Vous deviez vous confier tous vos secrets, dans ce cas. Je parie que Rachel te disait tout. Peut-être même plus qu'à ses parents ?

— Oui, dit Julia.

— Alors Rachel t'a certainement parlé de la séance diapos ? Un pasteur de Londres voulait l'organiser pour vous, au service des enfants...

Les yeux de Julia s'agrandirent. Une étincelle passa dans son regard. Dans le mille, songea Ken.

— Elle t'en a parlé ? insista-t-il.

Julia baissa la tête sans répondre et fixa le bout de ses pieds.

— Julia, si tu sais quelque chose, tu dois le dire, l'encouragea Steve. C'est très important.

— Donald Asher n'est au courant d'aucun projet de ce genre, poursuivit Ken. Cela signifie que Rachel l'a appris de quelqu'un d'autre. Quelqu'un lui en a parlé. Sais-tu qui c'était ?

Julia secoua vigoureusement la tête.

— Mais tu sais que quelqu'un lui en a parlé.

Julia fit oui de la tête. Elle continuait de ne regarder aucun des adultes.

— Julia, sois gentille, dis-nous ce qui s'est passé, l'encouragea Margaret. Cela aidera peut-être à retrouver la personne qui... qui a fait tant de mal à Rachel.

D'une petite voix à peine audible, Julia souffla :

— J'ai promis à Rachel...

— Qu'est-ce que tu as promis à Rachel ? demanda délicatement Ken. De ne parler à personne du pasteur de Londres ?

Un nouveau oui de la tête.

— Mais tu sais, j'en suis sûr, que maintenant Rachel ne t'en voudrait pas si tu rompais ta promesse. Il est probable que quelqu'un a été très méchant avec elle. Lui a fait du mal. Quelqu'un à qui elle a fait confiance. Elle voudrait sûrement que cette personne soit punie.

— Julia, tu dois dire ce que tu sais, insista Steve. Tu es une grande fille, et tu comprends que c'est important, n'est-ce pas ?

Julia acquiesça derechef. Elle ne paraissait pas tout à fait comprendre pourquoi les adultes s'intéressaient tant à ce qu'elle savait, mais elle les sentait inquiets et comprenait qu'ils insistent, et cela l'avait apaisée d'entendre que Rachel ne lui en aurait pas voulu de parler.

— Le... le monsieur a dit à Rachel qu'il voulait nous montrer des photos. Des diapos. Sur les enfants en Inde.

Tous retinrent leur souffle.

— Quel monsieur ? demanda Ken.

Julia releva enfin la tête.

— Le monsieur devant l'église.

— Tu l'as vu, toi aussi ? demanda Margaret dont le visage s'était brusquement marbré de rouge. Tu lui as parlé ?

— Non.

— Rachel était seule quand elle l'a rencontré ?

— Oui. C'était un dimanche avant... avant... que ça arrive. Ça fait déjà longtemps. Elle allait au service des enfants. Il était dans la rue devant l'église.

— Et il lui a parlé ?

— Oui. Il lui a demandé où elle allait et si peut-être elle pouvait l'aider...

— Et ensuite ?

Julia avala sa salive.

— Ensuite, il a dit qu'il était pasteur, qu'il venait de Londres et qu'il avait plein de photos très intéressantes à nous montrer, je veux dire aux enfants de la paroisse. Sur des enfants en Inde. Mais c'était une surprise et il voulait être certain que Rachel ne le dirait à personne. Même pas à sa mère et à son père parce qu'ils l'auraient dit tout de suite à quelqu'un d'autre et d'un coup tout le monde aurait été au courant...

— Hum, fit Ken, et Rachel, bien sûr, a voulu tout faire comme il disait pour que la surprise soit réussie ?

Julia baissa la tête.

— Elle me l'a quand même dit. Quand elle est revenue de vacances.

— Oui, mais parce que tu étais sa meilleure amie. On raconte toujours tout à sa meilleure amie, il aurait dû le savoir, ce monsieur. Ce n'est pas du tout comme avec ses parents.

— C'est vrai ? demanda Julia sur un ton plein d'espoir.

Risquer de dire du mal de sa meilleure amie à présent qu'elle était morte la mettait à l'évidence au supplice.

— C'est vrai, tu peux être tout à fait rassurée. Quand t'a-t-elle parlé de tout cela ?

— Seulement... seulement le samedi. Le samedi avant... qu'elle disparaisse. Elle venait de rentrer de vacances. Elle est venue tout de suite à la maison.

— Elle devait revoir ce monsieur ?

— Oui. Il avait dit qu'il avait besoin d'une assistante. Et il voulait que ce soit Rachel. Il fallait qu'elle le retrouve à Chapman's Close avant d'aller au service des enfants. Il lui montrerait tout ce qu'il faudrait qu'elle fasse et il l'emmènerait ensuite au service en voiture avec lui.

Margaret ferma une seconde les yeux. Steve aspira une longue goulée d'air.

— Chapman's Close, répéta Ken.

Quelques immeubles, au début de la rue. Puis des champs, de part et d'autre, et pour finir un chemin de terre. Faire monter une petite fille dans une voiture à cet endroit, c'était la quasi-assurance de n'être vu de personne. Et auparavant, on pouvait attendre dans une des rues adjacentes pour s'assurer que sa victime était bien seule. Dans le cas contraire, rien de plus facile que de plier bagage discrètement. Un plan simple à mettre en œuvre et peu risqué.

— J'étais fâchée après elle, dit Julia dont les yeux s'emplirent de larmes. Nous nous sommes disputées.

Ken devina la raison de la dispute.

— Tu aurais toi aussi aimé aider. Etre l'assistante d'un monsieur important.

— Oui. J'étais... vraiment très en colère.

A présent, les larmes roulaient sur les joues de Julia.

— Je trouvais que ce n'était pas juste. C'était toujours Rachel ! Toujours à elle qu'il arrivait des choses trop bien. Je me suis dit que ça ne serait pas possible, si elle était là, devant, avec le monsieur qu'elle avait le droit d'aider, et moi, derrière avec les autres enfants. Je ne voulais plus du tout aller au service.

— Finalement, ton angine est tombée à pic, non ?

Malgré les larmes, Julia poursuivit :

— Ce n'était pas très grave. J'avais seulement... un tout petit peu mal. J'ai dit à maman que j'avais très mal, mais ce n'était pas vrai. C'est seulement que je ne voulais pas aller à l'église. Surtout pas. Je l'enviais tellement. Pourtant...

Julia essuya ses joues avec la manche de son pull-over.

— Pourtant, Rachel a été drôlement gentille. Elle a dit finalement que je pouvais venir. A Chapman's Close. Elle voulait demander au monsieur si moi aussi je pouvais l'aider. Mais j'étais déjà tellement énervée. Je lui ai dit que je ne voulais pas.

— Mon Dieu ! s'exclama Margaret à mi-voix.

Tous se turent. Les trois adultes pensaient la même chose : que se serait-il passé si Julia avait accompagné Rachel ? Aurait-elle subi le même terrible sort ? Ou bien, et plus vraisemblablement, l'homme aurait-il pris la fuite en voyant deux fillettes arriver au lieu d'une ? Rachel serait-elle encore parmi eux, gaie et heureuse de vivre, si Julia et elle ne s'étaient pas disputées ?

Mais si elles ne s'étaient pas disputées, Rachel n'aurait sans doute pas proposé à son amie de venir avec elle, songea Ken Jordan en frottant lentement ses yeux irrités de fatigue. Le quart d'heure qui venait de s'écouler l'avait vidé de son énergie.

— Nous devons mettre la police au courant, dit-il à Steve et Margaret. Je présume qu'ils voudront rencontrer Julia et lui reposer des questions. Je suis désolé, mais...

— Il n'y a aucun problème, le rassura vivement Steve. Nous souhaitons nous aussi que cette personne soit arrêtée. Et les déclarations de Julia vont peut-être y concourir.

— Mais pourquoi ne nous as-tu rien dit ? demanda Margaret, qui pleurait maintenant, à sa fille. Pourquoi Rachel et toi ne nous avez-vous rien raconté ? Je t'ai expliqué tant de fois que tu ne devais pas parler aux étrangers qui t'adressaient la parole dans la rue... Et la maman de Rachel a dû lui dire aussi des milliers de fois. Pourquoi...

— Pas maintenant, Margaret, l'interrompit doucement Steve. Ça ne sert à rien. Nous en parlerons plus tard au calme.

Ken se tourna une nouvelle fois vers Julia. Il avait peu d'espoir qu'elle puisse lui répondre, mais il voulait tout de même lui poser la question :

— Rachel t'a-t-elle dit comment était ce monsieur, physiquement ?

Julia hocha la tête.

— Super, elle a dit. Comme un acteur dans un film.

Ken, Steve et Margaret se regardèrent. Cela pouvait être vrai comme cela pouvait être faux. Rachel avait sans doute un peu magnifié toute l'histoire et prêté à son meurtrier des qualités qu'il n'avait pas. Et même s'il s'agissait d'un homme superbe – cela les avançait à quoi ?

A rien, songea Ken Jordan. La police saura que Rachel a été assassinée par un homme séduisant. Rien de plus.

Dimanche ou pas dimanche, il préviendrait tout de même la police dès son retour chez lui. Elle pourrait peut-être tirer plus de ses maigres informations qu'il ne l'imaginait.

Le ciel de Skye était d'un bleu acier froid, pur, sans voiles. La tempête qui avait soufflé toute la journée avait chassé les derniers nuages. L'air avait la transparence du diamant. La mer, bleu acier comme le ciel, était agitée, semée d'épaisses couronnes d'écume blanche. Le soleil entamait sa descente vers l'ouest. Ce ne serait plus long avant que l'horizon se pare de teintes pastel qui peu à peu gagneraient le ciel entier puis envelopperaient lentement l'île avant que la nuit tombe.

La deuxième nuit. La deuxième nuit avec Nathan.

Virginia était sortie seule. Elle avait éprouvé le besoin de quelques heures pour elle. Nathan l'avait compris sans qu'elle ait besoin de le dire. Il avait déclaré qu'il allait fendre un peu de bois afin de reconstituer leurs réserves pour la cheminée. Elle lui avait lancé un regard reconnaissant et il avait souri en retour.

Elle avait marché plus d'une heure le long de la mer, sur le plateau de Dunvegan Head, sans rencontrer âme qui vive. Seule avec elle-même, elle avait laissé vagabonder ses pensées, puis commencé à les ordonner.

J'aime Nathan.

Cet amour a changé quelque chose en moi. J'ai l'impression de revivre après de longues années.

Je lui ai dit de moi des choses que personne ne sait, pas même Frederic. Surtout pas Frederic.

Je vais lui dire de quoi je suis coupable.

Je ne veux pas retrouver mon ancienne vie.

Je ne renoncerai pas à ce sentiment de liberté, de bonheur, de vie. Jamais.

Je vais tout bouleverser. Je vais quitter Frederic. Ferndale. Peut-être même l'Angleterre.

Tout a changé. Tout.

La position du soleil l'avertit qu'il était temps qu'elle songe à prendre le chemin du retour si elle ne voulait pas se faire surprendre par l'obscurité. Elle se réjouissait de la soirée qui s'annonçait. La chaleureuse pièce commune de la maison où ils s'installeraient. Le feu qui crépiterait dans l'âtre. Le vin. La tendresse de Nathan. Elle aspirait déjà à refaire l'amour avec lui. Elle ne s'en lassait pas.

Au téléphone, Frederic avait paru effroyablement blessé. Choqué. Désespéré. Pourtant, elle ne reviendrait pas en arrière. Elle n'avait pas le choix. Les choses avaient changé. Elle respirait différemment. Elle rêvait différemment. Elle aurait voulu pouvoir enlacer la vie, la serrer contre elle.

En faisant demi-tour, elle eut le vent dans le visage. La tempête avait certes régressé, mais elle devait tout de même lutter pour avancer. L'air était froid, elle releva le col de sa veste.

Elle devrait renoncer à Skye. Tant pis. Nathan et elle trouveraient un autre Skye. Tant qu'ils seraient ensemble, tout irait bien.

Pourquoi s'était-elle sentie comme morte aux côtés de Frederic ? Etait-ce parce qu'elle ne l'aimait pas ? Parce qu'elle avait parfois le sentiment d'être écrasée par son affection, son amour ? Parce qu'elle éprouvait envers lui une culpabilité quasi permanente qui l'étouffait ? Peut-être avait-elle toujours su qu'elle le quitterait un jour. Peut-être avait-elle toujours su qu'il n'était pas l'homme avec lequel elle voulait passer sa vie. Peut-être avait-il fallu qu'elle soit comme morte pour que ces pensées demeurent enfouies. Peut-être était-ce simplement pour ne pas voir la vérité qu'elle se cachait derrière les arbres de Ferndale House.

Jamais, au grand jamais, elle n'avait envisagé l'idée de tout lui dire d'elle, de tout lui dire de sa vie, de sa faute. Il savait qu'elle avait vécu maritalement avec son cousin, il était au courant de la mort tragique du petit Tommi, du départ brutal de Michael, de sa disparition. Un jour, elle avait même fait allusion à ce qu'elle avait éprouvé à l'époque, ce sentiment de culpabilité qui la tourmentait pour s'être sentie soulagée qu'il ne soit plus là, et ne pas l'avoir cherché, l'avoir abandonné à son sort. Mais Frederic n'en savait pas plus. Il ne savait rien de ses folles années à Londres, de ses nombreuses aventures, de ses histoires de drogues. Il ne savait rien d'Andrew. Il ne serait jamais venu à l'esprit de Virginia de lui parler de cela. Peut-être cela tenait-il simplement à son caractère à lui. Il était si conservateur, si respectueux du droit et de l'ordre, si attaché aux règles... Certaines choses se faisaient, d'autres pas. Ce qu'il savait du passé de sa femme était soigneusement filtré et édulcoré. Une image pâle, presque irréelle, pleine de manques dissimulés derrière du vague, du brouillard. Apparemment, cela ne l'avait jamais dérangé. Il ne connaissait pas la femme avec laquelle il était marié, dont il avait un enfant et avec laquelle il voulait vivre jusqu'à la fin de ses jours. Il ne la connaissait pas car il se satisfaisait des quelques bribes qu'elle lui avait lâchées.

Et elle ne lui raconterait pas ce qu'il y avait eu d'autre dans sa vie. Entre elle et Michael. Elle n'en avait toujours rien dit à Nathan. Mais elle savait qu'elle le ferait. Nathan saurait tout d'elle.

Parce que Nathan n'est pas un lâche, songea-t-elle, il aura le courage d'affronter même ce qu'il y a de noir et de laid chez une femme.

Le ciel avait pris les couleurs pastel que Virginia aimait tant. Elle s'arrêta, regarda la mer. L'horizon se teintait de rose pâle, de mauve, d'un rouge très doux, qui se mêlaient au bleu du ciel et atténuaient son éclat. Le soleil était devenu une boule de feu orange dont les rayons s'étaient éteints, qui ne brûlait plus que de l'intérieur et qui bientôt disparaîtrait dans la mer. L'air était plus vif, les cris des mouettes plus perçants.

Elle priverait Kim de son père. Elle détruirait le petit monde préservé dans lequel elle avait grandi jusque-là. Elle prenait une grosse responsabilité, elle l'avait déjà prise, de fait. En partant, en allant à Skye, en voyageant deux jours durant sur les routes d'Angleterre pour mettre le plus de distance possible entre elle et sa vie. En se jetant dans les bras de Nathan. Elle ne trompait pas seulement Frederic. Elle trompait également Kim. Peut-être devrait-elle un jour rendre des comptes. Peut-être lui faudrait-il payer. Malgré tout, elle ne rebrousserait pas chemin.

Elle aperçut de loin la fumée qui sortait de la cheminée du cottage, la lumière derrière les fenêtres, chaude et accueillante dans le jour qui déclinait de plus en plus vite. Elle pressa le pas. Elle avait hâte d'être près de lui.

Il était à demi agenouillé à côté de la cheminée, occupé à

empiler les bûches qu'il venait de fendre. Il paraissait très concentré sur sa tâche.

— Nathan !

Il tourna la tête.

— Virginia !

Il se leva, vint vers elle. Il souriait.

— Tu es belle. J'aime quand tu as les joues rouges et les cheveux décoiffés par le vent.

Intimidée par le compliment, elle remit de l'ordre dans ses cheveux.

— Il commence à faire froid dehors. Et ça souffle drôlement.

Il l'attira à lui, enfouit son visage dans son cou.

— Tu sens bon. Tu sens la mer. Le vent. Tout ce que j'aime.

Elle le regarda. Elle savait que ses yeux brillaient stupidement mais elle ne pouvait rien y faire. Il lui sourit de nouveau. Elle vit à son sourire qu'il avait parfaitement conscience de l'effet qu'il lui faisait.

— Dis-moi, ma belle, si nous sortions ? proposa-t-il à mi-voix. Ça ne me dit rien, ce soir, la boîte de conserve devant le feu. On pourrait aller au pub, non ? J'ai une vraie envie de côtelettes d'agneau aux haricots et de bière brune !

Elle prit peur.

— Il me semble bien qu'il y a une boîte de haricots, dit-elle précipitamment en faisant un pas vers la cuisine.

Nathan la retint par le bras.

— Je me moque des haricots. Je veux sortir avec toi.

— Ce n'est pas vraiment l'époque pour sortir. Ici, hors saison, la plupart des pubs sont fermés...

— Virginia ! J'imagine mal les gens de Skye renonçant ne serait-ce qu'un seul jour à leurs pubs, leur whisky et leur musique ! Il y a bien assez de bistrots ouverts. J'en connais quelques-uns à Portree. Que dirais-tu du Portree House ? Le poisson y est délicieux !

Elle soupira. Lui qui d'ordinaire devinait tout.

— Je ne pense pas que ce soit une bonne idée, observa-t-elle, malheureuse.

Le sourire de Nathan s'effaça.

— Je vois, dit-il. On me cache, c'est ça ? Marcher sur des

305

plages désertes, s'asseoir devant le feu ou baiser pendant des heures derrière des portes soigneusement fermées, c'est bon, mais rien ne doit filtrer à l'extérieur. On nous verrait si nous allions dîner quelque part. Et on te connaît sur l'île. On parlerait. Je me trompe ?

Elle ôta lentement sa veste, la posa sur le dossier d'une chaise. Elle avait le visage en feu.

— Nathan, je ne souhaite pas continuellement te cacher. Ni cacher notre relation. Au contraire. Mais sommes-nous obligés de faire cela à Frederic ? Maintenant ? Sur l'île ? C'est sa maison. Il y reviendra. Les gens savent que j'étais encore ici au mois d'août avec lui. Septembre commence à peine que je reviens avec un autre homme. Devons-nous lui infliger cette humiliation ?

Il haussa les épaules.

— Tu as bien des égards pour lui.

— Il ne m'a rien fait. Il n'y a absolument rien que je puisse lui reprocher. Je lui fais déjà beaucoup de mal. Est-ce indispensable d'aggraver encore les choses en l'exposant pour des années aux ragots des gens d'ici ?

Il était énervé, mais elle avait l'impression qu'il ne lui importait pas réellement de dîner dehors. Cela ressemblait plutôt à une épreuve de force. Il perdait et ça le mettait en rage.

Elle caressa son bras dans un geste d'apaisement.

— Nathan, dit-elle doucement, ne nous disputons pas, je t'en prie. Buvons un verre de vin et...

Il retira son bras.

— Il y a un télégramme pour toi sur la table, dit-il d'un ton bougon.

— Un télégramme ? De qui ?

— Je ne sais pas. Je n'ai pas pour habitude de lire le courrier qui ne m'est pas adressé.

Elle prit l'enveloppe marron sur la table. Elle n'était pas collée, le rabat était simplement glissé dans le pli.

— Mon Dieu, dit-elle à mi-voix après l'avoir lu.

Nathan la regarda interrogativement.

— Qu'est-ce qui se passe ? C'est de qui ?

— De Frederic. Il est à Londres.

Elle lut à voix haute :

— « De retour à Londres pour rendez-vous importants – Kim chez Grace qui est malade – L'école reprend demain – Ta fille a besoin de toi – Frederic. »

— Futé, le gars, lâcha Nathan. Il utilise ta fille pour te détourner de moi. Mais... il en espère quoi, au juste ? Je ne m'y prendrais pas comme ça pour récupérer une femme...

— Je ne pense pas qu'il voie les choses de cette façon non plus. Il doit effectivement être à Londres. Il est probable que Grace est réellement malade, et il est exact que l'école reprend demain.

Virginia se mordit les lèvres.

— Je crains de devoir rentrer, Nathan.

— Je dois dire qu'il a une belle emprise sur toi.

— Kim n'a que sept ans. Et si Grace est réellement malade...

— Il y a toujours son mari, non ?

— Il doit être débordé. Il faut qu'il s'occupe de sa femme, de...

— ... de conduire Kim le matin à l'école, d'aller la rechercher je ne sais quand dans le courant de l'après-midi... Franchement, Virginia, ce n'est pas la fin du monde ! Pour autant que je le sache, Grace n'est pas à l'article de la mort. Si elle n'a qu'un rhume, elle va y survivre.

— Nathan, j'ai un enfant. Je ne peux pas faire comme si...

— Que tu as un enfant, tu le savais déjà jeudi quand tu as pris la décision de venir ici.

Brusquement, la moutarde monta au nez de Virginia.

— Mais comment voudrais-tu que je réagisse ? C'est facile pour toi. Tu as laissé beaucoup moins de choses derrière toi que moi !

— C'est une façon de voir les choses. Tout de même une épouse malade et hospitalisée.

— Dont tu te moques comme... comme...

Elle cherchait la comparaison adéquate. Nathan souriait, mais sans tendresse, sans chaleur. Il y avait du cynisme et de la dureté dans son expression.

— Comme quoi ?

— Comme de ta dernière chemise ! N'essaie pas de me faire

307

croire que tu es bourrelé de remords depuis que tu as couché avec moi !

— Je n'essaye pas. Mais ce n'est pas aussi simple que tu sembles le croire. Je m'inquiète réellement du sort de Livia, mais j'estime ne pas avoir à t'ennuyer avec ça. J'ai une vie, un passé, tout comme toi. A chacun de trouver comment gérer cela au mieux.

— Je ne veux pas t'ennuyer avec Frederic, mais...

— C'est pourtant ce que tu fais. Nous ne pouvons quasiment pas sortir de la maison à cause de Frederic. Frederic envoie à peine un télégramme que tu veux rentrer. Frederic par-ci, Frederic par-là. Le pauvre Frederic à qui tu fais tant de mal ! Le pauvre Frederic que nous devons veiller à ne pas humilier ! Reconnais que jusque-là je suis loin de t'avoir pareillement importunée avec Livia et son amour-propre, tout aussi blessé que celui de Frederic, sois-en assurée !

Elle sentit la migraine la gagner. La discussion lui échappait, essentiellement du fait de Nathan. Elle n'avait parlé de Frederic que parce qu'il l'avait poussée dans ses retranchements avec cette histoire de pub. Il était cependant inutile de le lui faire remarquer, car il ne le reconnaîtrait pas. Il lui en voulait et n'avait pas l'intention de se montrer fair-play.

— Il s'agit avant tout de Kim, dit-elle d'un ton las.

— Absolument pas. Kim est simplement devenue un instrument. Ce télégramme, que tu tiens à la main, est une déclaration de guerre. Frederic va se battre, et il va faire feu de tout bois. Il te le dit clairement.

— Je dois néanmoins rentrer.

— Il faut que tu choisisses.

— Entre ma fille et toi ?

— Entre ton mari et moi. Rentrer maintenant signifie que tu te plies à ses directives. Ce n'est pas précisément le signe d'une femme qui change.

— Je suis aussi une mère. Cela implique une responsabilité dont je ne peux ni ne veux m'affranchir.

— Sans ce télégramme, tu n'y aurais guère pensé.

— Je ne savais pas que Grace était malade. Ni que Frederic était déjà retourné à Londres. Je sais bien qu'il fait sciemment pression sur moi, mais je ne peux pas m'engager avec lui dans un bras de fer qui ne peut se jouer qu'au détriment d'une enfant de sept ans. Nathan, c'est quelque chose que tu comprends certainement !

Il ne répondit rien et Virginia se sentit prise dans un étau : Frederic faisait pression sur elle, mais Nathan aussi, et pas moins, et surtout, il semblait se moquer de ce qu'elle pouvait ressentir. Il montrait de lui un visage qu'elle n'aimait pas. Elle se réfugia dans la contre-attaque :

— Ne fais pas comme si tu étais blanc comme neige ! Tu portes des jugements sur moi et mon comportement comme si tu étais toi-même irréprochable. Pour autant que je sache, ce que tu m'as raconté sur toi est assez loin de la vérité !

Il parut un instant sincèrement étonné.

— Ah ?

— Mais oui. Qu'en est-il, par exemple, de tous les best-sellers que tu aurais écrits ? Et de ta soi-disant notoriété ?

Il recula d'un pas. Plissa les yeux.

— Oh, je vois. On a pris des renseignements ?

— Je ne suis pas du genre à fouiner. C'est Livia qui en a parlé à Frederic.

— Ah. Et naturellement, il n'a rien trouvé de mieux que de s'empresser d'en informer son épouse infidèle.

— Tu ne l'aurais pas fait, à sa place ?

— Je doute que Livia lui ait tout raconté.

— Ça, je l'ignore. Mais j'aimerais savoir : es-tu oui ou non un romancier connu ?

— Quels sont les bas-fonds de ta vie, Virginia ?

— On n'était pas en train de parler de la tienne ?

Ils se tinrent mutuellement tête du regard, puis Nathan se radoucit.

— Nous devrions tout nous raconter, dit-il. Nous n'aurons pas une deuxième chance.

Virginia remarqua avec soulagement que la tension des dernières minutes s'était évanouie. Elle percevait à nouveau la tendresse de Nathan et elle retrouva ses sentiments pour lui. Mais la merveilleuse journée avait perdu de son éclat. C'était la première fois qu'ils se disputaient, et la première fois qu'elle se sentait mal à l'aise en sa présence. Il n'avait montré aucune compréhension pour sa situation, et il n'avait pas contesté les allégations de Livia à son sujet. Ce qui signifiait qu'elles étaient probablement exactes. Subitement, elle se demanda pourquoi il avait choisi ce soir-là et le moment où elle rentrait à la maison pour l'assaillir avec son désir de dîner au restaurant et la rendre malheureuse. Elle ne pouvait s'empêcher de penser que quelque chose était intervenu qui avait troublé sa bonne humeur, et à y bien réfléchir, il ne pouvait s'agir que du télégramme de Frederic. En dépit de ce qu'il avait affirmé, il l'avait donc lu. L'enveloppe n'étant pas collée, rien n'était plus facile. La teneur du télégramme l'avait mis tellement en colère qu'il s'était ensuite employé à provoquer l'affrontement. Il l'avait manœuvrée jusqu'à ce que, dos au mur, elle soit obligée de parler des sentiments de Frederic et de prendre sa défense. Ce qui, par voie de conséquence, avait permis à Nathan de lui reprocher sa loyauté envers son mari. Restait que ses fausses déclarations au sujet de ce qu'il faisait dans la vie ajoutées à l'éventualité qu'il avait lu le télégramme ne concouraient pas à renforcer la confiance que Virginia pouvait avoir en lui. Elle ne put s'empêcher de repenser au fait qu'il avait fouillé dans les tiroirs pour se procurer son adresse dans le Norfolk, puis au matin où il avait surgi dans la cuisine, une vieille photo d'elle à la main.

Il n'est pas comme moi, songea-t-elle. Il ne ressent pas les choses de la même façon. Cela ne veut pas dire qu'il triche ou qu'il est malhonnête.

Il sourit. C'était à nouveau le sourire qui l'emplissait de chaleur et d'un sentiment de plénitude.

— Nous rentrons demain, dit-il. Si c'est ce que tu veux.

Elle prit une longue inspiration.

— Je vais tout te raconter de moi. Tout.

Il hocha la tête.

— Je vais moi aussi tout te raconter de moi.

— Dois-je avoir peur ?

Il secoua la tête sans ambiguïté.

— Non. Et moi ?

— Oui, dit-elle en fondant en larmes.

Lundi 4 septembre

1

Plus que deux semaines avant mon anniversaire, songea tristement Janie.

A vrai dire, cela ne faisait même plus deux semaines entières puisque ce serait le dimanche après celui qui venait. Et elle ne savait toujours pas où son anniversaire aurait lieu.

Aujourd'hui lundi, elle avait une nouvelle chance de rencontrer le gentil monsieur à la papeterie. Mais on aurait bien dit qu'il avait oublié leur rendez-vous. Ou alors il était vraiment fâché parce qu'elle n'était pas venue la première fois. Elle avait tellement envie de lui expliquer que ce n'était pas de sa faute, qu'elle n'avait pas pu faire autrement, mais elle n'en aurait sans doute jamais l'occasion.

Janie soupira. Elle repoussa ses couvertures et se leva. Elle tâtonna jusqu'à son bureau, ouvrit le tiroir et en sortit précautionneusement les cinq cartes d'invitation qui y étaient toujours cachées. Elle les avait si souvent sorties et regardées qu'il y en avait une dont un des coins était déjà corné. Elle le lissa pour effacer la pliure. Ah, comme ce serait bien de pouvoir bientôt les écrire et les distribuer dans sa classe !

— Janie ! appela la voix de sa mère. Il y a école ! Il faut que tu te lèves !

— Je suis déjà debout, maman ! dit Janie en retour.

Doris Brown ouvrit la porte et glissa la tête dans la chambre.

— C'est fini, les vacances, dépêche-toi ! La salle de bains est libre !

311

— J'y vais !

Janie essaya de repousser discrètement les cartes à l'intérieur du tiroir, ce qui eut pour effet immédiat d'éveiller la suspicion de sa mère.

— Qu'est-ce que c'est ?

En deux pas, Doris fut à côté de sa fille et lui prit les cartes des mains. La surprise se peignit sur son visage.

— Je croyais avoir été claire, dit-elle enfin. Je ne veux pas de fête.

— Je sais. Mais…

— Tu aurais pu économiser ton argent.

Elle rendit les cartes à sa fille.

— Et ne crois pas que je vais changer d'avis !

S'il y avait une chose que Janie avait apprise, c'était bien celle-ci. Doris n'était encore jamais revenue sur une de ses décisions.

— J'ai… commença-t-elle avant de s'interrompre.

« … rencontré un monsieur très gentil », avait-elle failli dire. Mais elle n'était pas certaine que ce soit une bonne idée. Mum allait peut-être se mettre très fort en colère et lui interdire de revoir son inconnu. En même temps, c'était l'occasion de révéler le plan à Mum.

Elle avait tellement de choses à raconter.

Maman, ne t'inquiète pas pour la fête. Tu n'auras besoin de t'occuper de rien ! Je connais quelqu'un qui veut bien tout faire. Il a une belle maison avec un grand jardin dans lequel je pourrai inviter autant d'enfants que je veux. S'il pleut, on pourra faire la fête dans le sous-sol. Il a déjà organisé plein de fêtes d'anniversaire. Le seul problème, c'est que je ne le retrouve pas. On s'était donné rendez-vous le samedi où tu as été malade et où j'ai dû rester à la maison. Il m'a dit qu'il était tous les lundis là-bas, là où nous devions nous retrouver, mais je ne l'ai pas revu. Je voudrais y aller aujourd'hui, pour essayer de le voir. Tu peux peut-être m'aider ? Toi, tu sais peut-être comment il faudrait faire pour le retrouver ?

— Oui ? fit Doris. Tu as… quoi ?

— J'ai…

Janie ferma les yeux. Elle aurait tant aimé se confier à sa

maman. Mais Doris Brown était tellement imprévisible. Elle pouvait tout faire tomber à l'eau.

— Rien, dit-elle. Je ne voulais rien dire.

Doris secoua la tête.

— Il y a des moments où tu m'as l'air bien fofolle. Allez, dépêche-toi. Que tu n'arrives pas en retard le jour de la rentrée.

2

— Maman rentre quand ? demanda Kim.

Elle était grognon, ce matin-là, et ses yeux étaient un peu brillants. Grace, qui était presque aphone et n'en pouvait plus d'avoir mal à la tête, posa une main soucieuse sur le front de Kim.

— Tu n'as pas de fièvre, constata-t-elle. Je n'aimerais pas t'avoir repassé ma grippe !

— Je n'ai pas envie d'aller à l'école, marmonna Kim.

— Qu'est-ce qui t'arrive ? Tu as toujours aimé l'école, observa Grace. Pense à tous les petits camarades que tu vas retrouver ! Tu as sûrement envie de les revoir, depuis le temps !

— Non, s'obstina Kim.

Elle souleva son bol, but lentement. Elle était fatiguée. Elle ne voulait pas aller à l'école où il fallait rester assis et écouter la maîtresse pendant des heures. Sa mère lui manquait. Pourquoi n'était-elle pas là pour la rentrée ?

Grace prit un mouchoir et se moucha. Tout son corps était douloureux et elle pouvait à peine déglutir. Elle avait espéré n'avoir qu'un simple refroidissement qui ne résisterait pas à un vigoureux traitement à base de vitamines et de bains de vapeur à la camomille, mais c'était plutôt en passe de tourner à la vraie grippe. Elle était malade comme un chien, de fait. Si elle n'avait pas eu charge d'âme, elle ne se serait pas levée. Et comme si cela ne suffisait pas, Jack était parti au petit matin pour deux jours à Plymouth. Il y avait des semaines de cela, il avait accepté de convoyer un chargement de plaques de polystyrène. En voyant l'état de sa femme, il avait bien failli revenir sur son engagement, mais Grace l'en avait énergiquement dissuadé :

« Il n'en est pas question ! M. Trickle est tellement gentil avec toi. Dès qu'il le peut, il te propose du travail. Et il ne pourra jamais te remplacer au pied levé. Tu ne peux pas lui faire faux bond !

— Mais tu es vraiment mal en point ! » avait-il protesté.

Puis la colère l'avait pris :

« Ce n'est pas correct, ce que fait Mme Quentin ! Que M. Quentin retourne à Londres, c'est normal, ses affaires sont là-bas, il ne va pas annuler tous ses rendez-vous et arrêter de travailler. Mais Mme Quentin, son devoir, c'est d'être ici. Comment une mère peut-elle faire ça ? Ficher le camp du jour au lendemain et laisser les autres s'occuper de sa fille !

— Elle ne pouvait pas savoir que j'allais attraper la grippe, avait objecté Grace. Et je lui ai dit que ça me faisait plaisir d'avoir Kim et qu'elle pouvait rester chez nous aussi long-temps qu'elle le voulait.

— Tout de même, quel sans-gêne ! Sans parler du souci qu'on s'est fait. Vraiment, je trouve que...

— Chut ! Je ne veux pas que Kim t'entende ! »

Jack avait continué à bougonner mais il avait fini par se laisser convaincre de partir. Grace lui avait promis de se recou-cher dès qu'elle aurait accompagné Kim à l'école. De toute façon, elle n'aurait guère pu faire autrement. Elle était brûlante de fièvre et chaque muscle de son corps lui faisait mal.

Elle n'avait vraiment pas besoin de ça.

Jack s'emportant facilement, elle avait préféré jouer la carte de l'apaisement quand il avait commencé à s'en prendre à Virginia Quentin. En réalité, elle aussi était en colère. Très en colère. Elle en savait plus long que son mari. Kim, qu'elle avait interrogée sans malice, lui avait appris que, plusieurs jours durant, Virginia avait hébergé un homme sous son toit. Pendant que son mari était à Londres. Et ils avaient disparu tous les deux.

Grace était capable d'additionner deux et deux. Pauvre M. Quentin ! Trompé dans les grandes largeurs, de surcroît sous son propre toit. Et pour couronner le tout, elle les laissait tomber, lui et leur enfant !

Je n'aurais jamais cru ça d'elle, songea-t-elle. Je me suis bel

314

et bien trompée sur son compte. Toujours si calme, si douce. Mais on le dit assez : rien n'est pire que l'eau qui dort.

— Mais quand rentre maman ? insista Kim.

Grace soupira.

— Je ne sais pas exactement.

Elle éternua et se moucha pour la énième fois. Elle larmoyait, peinait à garder les yeux ouverts tant ils étaient douloureux.

— Tu n'es donc pas heureuse chez nous ? feignit-elle de s'enquérir d'un ton de reproche.

Kim poussa un soupir à fendre l'âme.

— Si. Bien sûr que si. Mais...

Elle faisait tourner son bol entre ses mains.

— Mais quoi ? demanda Grace avant d'éternuer une nouvelle fois.

— Je pensais qu'elle serait là pour la rentrée des classes, expliqua Kim en éternuant à son tour.

Nous voilà bien, songea Grace.

Virginia Quentin avait beau être l'épouse du patron de Jack, elle lui servirait quelques vérités désagréables à entendre dès qu'elle la reverrait.

En admettant qu'elle remontre un jour son joli minois. Ce dont Grace était loin d'être certaine. Mais pour l'heure Kim n'avait pas besoin de le savoir. Qu'elle commence par franchir la haie du premier jour d'école. Ensuite, on aviserait.

3

L'homme se présenta comme étant le superintendant Baker et expliqua qu'il dirigeait la cellule de crise chargée d'enquêter sur les meurtres de Sarah Alby et de Rachel Cunningham. Liz était installée dans sa chambre, devant une montagne de brochures sur l'Espagne. Elle répugnait à inviter le superintendant Baker à prendre place dans le séjour, où la télévision hurlait et où des relents de mauvais alcool et de transpiration imprégnaient les murs. Liz avait l'impression que la déchéance de sa mère s'aggravait de jour en jour, s'accélérait même. Mais peut-être en avait-il toujours été ainsi et ne s'en était-elle simplement pas rendu compte. Depuis la mort de Sarah, elle était plus sensible, plus réceptive aux émotions qui l'environnaient. Du reste, elle sentait qu'elle allait avoir du mal à supporter sa mère beaucoup plus longtemps.

Elle invita le superintendant Baker à s'asseoir sur son canapé-lit. Elle-même prit place sur un vieux tabouret de cuisine pour lequel elle avait cousu une housse colorée qui lui donnait un petit air pimpant. Pas question qu'elle reçoive des visiteurs dans de telles conditions toute sa vie.

— Je vois que vous préparez des vacances, dit Baker en désignant les documents touristiques.

Trouvait-il cela indécent après la perte qu'elle venait de subir ? Elle secoua la tête.

— Pas des vacances, non. Je... j'aimerais quitter l'Angleterre. Partir loin de tout, vous comprenez ?

Elle fit un signe de la tête en direction du séjour d'où parvenait, forte et distincte, la voix du présentateur du journal télévisé.

— Je comprends, dit Baker. Après ce que vous avez vécu, repartir de zéro est sûrement une bonne idée.

— Je voudrais trouver un endroit qui me plaît. Une fois sur place, je ferai le tour des hôtels pour chercher un job. J'ai souvent travaillé comme serveuse, je fais ça plutôt bien... Et puis, ajouta-t-elle en haussant les épaules, il y fera toujours plus chaud qu'ici. Et je ferai peut-être la connaissance de quelqu'un de bien.

— Je vous le souhaite de tout cœur, dit Baker.

Il paraissait sincère. Puis il s'éclaircit la gorge.

— Mademoiselle Alby, la raison de ma visite est la suivante : nous disposons d'une nouvelle information concernant le... le meurtrier supposé de la petite Rachel Cunningham.

Il lui rapporta brièvement les déclarations de Julia concernant le mystérieux rendez-vous de Rachel avec un homme et les conclusions auxquelles eux-mêmes en étaient arrivés.

— Elle avait fait sa connaissance quelques semaines auparavant et était très impatiente de le revoir. Malheureusement, la description qu'elle en a faite est peu éclairante. Elle a seulement dit à son amie qu'il était « super ». « Comme un acteur dans un film. »

Il soupira.

— Ça ne nous aide guère.

— Non, dit Liz.

— Nous pensons que cet homme s'est peut-être trouvé précédemment en contact avec votre fille. Si l'on veut bien admettre que les deux crimes ont un seul et même auteur, ce qui est notre hypothèse actuelle de travail. Pour qu'une enfant oublie toute prudence, cet homme doit avoir une certaine habileté à promettre monts et merveilles. Votre fille aurait-elle fait allusion à une rencontre de ce genre, mentionné un incident auquel vous n'auriez pas attaché d'importance mais qui, à la lumière des faits, prendrait une autre dimension ? Ou bien l'auriez-vous vue avec quelqu'un ? Y aurait-il là une quelconque possibilité ?

Il la regardait, plein d'espoir.

Ils n'ont pas la moindre piste, songea Liz. Ils sont dans le noir complet. Ils s'accrochent à ce qu'ils peuvent.

Elle réfléchit. Puis :

— Non. Non, je n'ai vu personne rôder autour d'elle. Vous savez, ma fille n'avait que quatre ans. Elle ne se promenait pas toute seule dans la rue.

— Elle aurait pu être un instant sans surveillance au bac à sable...

— Vous voulez dire quoi ? s'emporta Liz. Que je laissais ma fille seule au square ?

— Mademoiselle Alby, loin de moi cette pensée...

— Je sais bien que tous les voisins ont dû se faire un plaisir de parler. De raconter que je suis... que j'étais une mauvaise mère. Que je ne faisais pas assez attention. Que Sarah n'était pas assez aimée. Alors vous vous dites que...

— Mademoiselle Alby, je vous en prie ! dit Baker en levant les paumes pour l'apaiser. Ne prenez rien de tout ceci personnellement et essayez de comprendre que je ne fais que mon travail. En l'occurrence, il m'importe essentiellement de coller derrière des barreaux un type qui a le meurtre de deux fillettes sur la conscience et qui est peut-être déjà en train de préparer un nouveau coup. Je m'efforce de reconstituer des faits, de trouver ce qui aurait pu attirer son attention sur votre fille, ce qui aurait pu lui donner une occasion de l'aborder. Rien de plus.

Elle prit une longue inspiration. Il avait raison. Il ne l'avait pas agressée. Il menait une enquête difficile. Il ne pouvait pas constamment s'interroger sur quelle question risquait de blesser qui.

— Elle ne m'a rien raconté. Je m'en souviendrais. Et je ne l'ai jamais vue avec un étranger. Peut-être... que quelqu'un l'aurait accostée au jardin d'enfants ? Mais ils font très attention, au jardin d'enfants...

Elle secoua la tête.

— En fait, je ne vois pas comment cela pourrait être possible.

— Nous avons prévu de rencontrer également le personnel du jardin d'enfants, dit Baker.

Il paraissait fatigué. Liz devinait que l'affaire lui tenait à cœur.

— Vous avez des enfants ? demanda-t-elle.

— Oui. Deux garçons. Huit et cinq ans.

— Les garçons courent moins de risques, dit Liz.

— Malheureusement non, la contredit Baker. Les pédophiles s'attaquent tout autant à eux. Aucun enfant n'est à l'abri.

— Vous réussissez à toujours surveiller vos enfants, vous ou votre femme ?

— Non. Bien sûr que non. Surtout l'aîné, qui est toute la journée sur son vélo. La plupart du temps avec des petits camarades. Mais s'ils décident de se séparer, nous ne le savons pas. On ne peut pas tenir ses enfants en laisse. On ne peut pas les surveiller vingt-quatre heures sur vingt-quatre. On peut seulement leur expliquer et leur expliquer encore qu'ils ne doivent pas faire confiance à des inconnus. Qu'ils ne doivent pas monter dans la voiture d'inconnus. Qu'ils ne doivent suivre personne. Qu'ils doivent immédiatement nous informer des propositions que leur font des inconnus. Mais...

Il secoua la tête avec résignation.

— ... tout cela, M. et Mme Cunningham n'ont cessé de le répéter à leur petite Rachel. C'était une enfant intelligente, raisonnable. Pourtant, ce que lui a proposé l'inconnu lui a paru si merveilleux qu'elle en a oublié tout ce qu'elle avait appris.

— C'est dégueulasse, dit Liz.

— C'est vrai, acquiesça Baker. Je suis d'accord avec vous.

Il réfléchit.

— Y a-t-il une chose avec laquelle on aurait pu attirer votre fille ? Une chose pour laquelle elle aurait été prête à suivre n'importe qui ?

La grosse pierre retomba sur la poitrine de Liz. Ses yeux se posèrent malgré elle sur les prospectus qui vantaient le ciel bleu et le soleil radieux d'Espagne. Serait-ce là qu'elle pourrait oublier ? Pourrait-elle jamais oublier ?

— Le manège, dit-elle.

Baker se pencha vers elle.

— Le manège ?

— Oui. Le manège de New Hunstanton. Il est juste à côté de l'arrêt des cars. Elle l'adorait.

— Je connais le manège. Elle y est allée souvent ?

Liz opina.

— Oui. En fait à chaque fois que nous allions à la plage à Hunstanton. Elle attendait ces tours de manège avec une telle envie. Sauf que...

Elle ne put poursuivre.

— Qu'y a-t-il, avec ce manège ? la pressa doucement Baker.

— Ce... c'était tellement difficile de lui faire accepter d'arrêter, dit Liz à voix basse. Comment vous expliquer ? Elle ne voulait pas. Quand je disais que c'était fini, elle criait, trépignait. Elle me donnait des coups de pied, me tapait quand je faisais mine de partir...

Il sourit.

— Les enfants sont comme ça. On n'y peut rien.

Liz déglutit.

— Je... je détestais ces scènes. C'est pour ça que...

— Que quoi ?

— Le jour où... c'est arrivé. Je ne l'ai pas laissée monter sur le manège. Je lui ai dit non tout de suite. J'ai... j'ai...

— Que s'est-il passé ?

Les larmes lui serraient la gorge.

— J'avais tellement peu envie d'attendre au soleil devant ce fichu manège, dit Liz au bord du désespoir. Je n'en avais pas le courage, vous comprenez ? Je ne voulais pas l'entendre crier pendant des heures après. Je voulais vite trouver un endroit agréable sur la plage. Poser ma serviette, m'allonger, être tranquille. Je...

Elle se tut pour ne pas fondre en larmes.

— C'est parfaitement compréhensible, dit le superintendant Baker d'un ton égal.

Il était convaincant. Elle sentit qu'il pensait réellement ce qu'il disait et ne cherchait pas seulement à la consoler. Sa sincérité lui mit du baume au cœur.

— Ne vous rendez pas malade avec ça, ajouta-t-il. Il arrive à tous les pères et à toutes les mères de refuser des choses à leurs enfants. Et bien souvent, disons... par égoïsme ordinaire. Parce qu'on n'a pas envie. Parce que brusquement la coupe est pleine. Parce qu'on a la tête ailleurs. Parce qu'il y a quelque chose que l'on juge plus important ou plus urgent. C'est naturel. En devenant parent, on ne laisse pas au vestiaire tout ce qui fait de nous un être humain ordinaire. Notre paresse, notre égoïsme, nos petites mesquineries. Nos défauts, en somme. Nous restons ce que nous sommes. C'est normal.

Elle respira profondément. La blessure était toujours là, mais elle souffrait moins. Elle reprit son récit :

— Elle était terriblement déçue. Elle pleurait, trépignait, ne voulait pas avancer. J'ai dû... la tirer. J'étais tellement en colère. Je lui en voulais. Parce que... j'avais dû l'amener. Parce qu'elle...

— Parce qu'elle... ?

Liz déglutit.

— Parce qu'elle existait... dit-elle dans un murmure.

Baker demeura silencieux. Liz le sentit un instant sur le point de lui prendre la main, mais il ne le fit pas. Ils étaient assis l'un en face de l'autre ; dans la pièce voisine le son de la télévision était toujours aussi fort, quand il s'interrompait on entendait le tic-tac du réveil posé sur la table de nuit. Avec leurs couleurs criardes, les catalogues touristiques parurent brusquement déplacés et agressifs. Il n'y avait rien à dire de plus, Liz le savait. Les gens pouvaient l'écouter avec compassion parler du manège, relativiser ses erreurs et ses négligences, les transformer en banalités. Personne ne ferait disparaître la culpabilité qu'elle portait pour avoir rejeté sa fille. Pour l'avoir toujours considérée comme un poids et jamais, à aucun moment, comme un cadeau du ciel. Tout se tenait. Liz sentait confusément qu'elle ne se tourmenterait pas autant pour un tour de manège refusé à sa fille si elle avait été pour elle une mère aimante et attentionnée. Le manège cristallisait tout ce qui avait été difficile entre elle et Sarah.

Le superintendant Baker rompit le silence. Il avait une enquête à mener. Il devait poursuivre ses investigations.

— Vous disiez que Sarah a réagi énergiquement quand vous lui avez refusé le manège. Autour de vous, les gens pouvaient-ils s'en rendre compte ?

Sa façon d'en revenir strictement aux faits aida Liz à émerger de son chagrin. Elle recouvra la parole :

— Oui, naturellement. Elle mettait toute son énergie à me résister. J'ai dû la tirer sur un bon bout de chemin.

— Est-il également possible que quelqu'un ait compris les raisons de sa colère ?

Liz réfléchit.

— Oui, sûrement. Elle criait vraiment fort qu'elle voulait aller au manège, et j'ai fini par crier moi aussi très fort qu'il n'en était pas question. Les gens qui étaient là ont dû nous entendre.

— Il est donc possible qu'un témoin de la scène vous ait suivies puis ait saisi la première occasion d'aborder votre fille – lorsque vous êtes allée acheter les sandwichs – pour lui proposer un tour de manège. Sarah l'aurait suivi sans problème, n'est-ce pas ?

— Oh oui, confirma Liz. Pour un tour de manège, elle aurait suivi n'importe qui. Sans la moindre hésitation.

— Hum... fit Baker.

— Mais comment cette personne pouvait-elle savoir qu'à un moment Sarah serait seule ? Elle ne pouvait pas se douter que je... que je partirais aussi longtemps.

— Effectivement. Mais ces types misent sur la chance. La

321

plage était noire de monde. Il est concevable qu'au milieu de la foule une mère et son enfant se perdent un instant des yeux. Ou bien la maman somnole, le petit joue à quelques mètres... Il devait avoir compris que ça se passerait en un rien de temps, que Sarah le suivrait tout de suite, puis qu'il pourrait se fondre avec elle dans la foule sans se faire remarquer. Il a tenté sa chance. Et la chance lui a souri.

— Ces fichues quarante minutes, se désespéra Liz. Quarante minutes ! Si je...

— Ne vous tourmentez pas ainsi, dit Baker. Il est très probable qu'il aurait de toute façon réussi à attirer Sarah. Je me doute que ce n'est pas une consolation, mais le savoir vous aidera peut-être à vous faire moins de reproches. Si les choses se sont passées comme je le suppose, il avait repéré votre fille. Et une occasion ou une autre se serait toujours présentée. Vous vous seriez certainement assoupie quelques minutes. En tout cas, moi, quand je suis au soleil, je m'endors toujours.

Mais tes enfants sont toujours en vie, pensa Liz.

Cette fois, elle eut le sentiment qu'il en rajoutait. Cette fois, il essayait de la consoler. Il y avait des gens qui ne quittaient pas leur enfant de quatre ans des yeux. Il ne leur arrivait pas une chose pareille. A elle, c'était arrivé. A cause de son irresponsabilité, de sa frustration, de sa soif de vivre.

— Auriez-vous par hasard le souvenir de quelqu'un, dans le car, qui vous aurait souvent regardées ? demanda Baker. Qui serait descendu au même arrêt que vous ? Ou bien de quelqu'un, sur le parking où s'arrêtent les cars, que vous auriez ensuite revu sur la plage, près de là où vous vous étiez installées ? Sans que sur le moment cela vous paraisse surprenant, mais peut-être après coup, en y réfléchissant...

Il la regarda, plein d'espoir.

Elle fouilla dans sa mémoire, vainement. Quand elle repensait à cette horrible journée, elle ne voyait qu'elles. Elle et sa petite fille. Et elle entendait la musique du manège. Le reste était une mer de visages, de voix, de corps. Une masse immense de gens. Elle ne parvenait pas à en extraire quelqu'un.

— Non, dit-elle, je ne me souviens pas. Je n'ai remarqué personne. Vous savez, déjà dans le car, j'étais plongée dans mes pensées. Je crois qu'on aurait pu me dévisager pendant une heure sans que je m'en rende compte. Et même après... Non, je ne vois rien. Rien du tout.

Baker était visiblement déçu. Il se leva.

— Bien, dit-il. Je vais vous donner ma carte. Si quelque chose vous revenait à l'esprit, appelez-moi immédiatement. N'ayez aucune hésitation, même si vous avez l'impression que c'est une broutille. Tout peut avoir de l'importance. Vraiment tout.

Il lui tendit sa carte.

Jeffrey Baker, lut Liz. Elle l'aimait bien. Il avait été aimable. C'était le premier représentant de la police chez qui elle n'avait perçu aucun mépris. Le premier qui n'avait manifesté aucun signe de réprobation. Le premier qui n'avait pas laissé transparaître en quelle estime il tenait ses piètres qualités de mère.

— Je vous appellerai, promit-elle.

Elle le suivit dans le petit couloir jusqu'à la porte d'entrée. Par la porte du séjour, on apercevait le corps bouffi de Betsy Alby, avachie dans son fauteuil. Le journal télévisé avait cédé la place aux beuglements pénibles des invités d'un magazine d'actualités.

Sur le seuil, Baker se retourna.

Il lui sourit.

— Cette envie d'Espagne, dit-il, votre projet, je trouve que c'est une très bonne idée.

4

Il n'avait pratiquement pas desserré les dents de tout le voyage. La veille, l'atmosphère avait fini par se détendre. Ils avaient malgré tout ouvert une boîte de conserve, allumé des bougies et écouté de la musique. Mais ils n'avaient pas fait l'amour. L'ambiance n'y était plus.

Ils étaient partis à six heures du matin après avoir bu chacun une tasse de thé et rien avalé d'autre tant ils étaient fatigués. Virginia avait mis le mutisme de Nathan sur le compte de l'heure matinale, de sa difficulté à émerger d'un sommeil trop court. Mais ils avaient roulé des kilomètres et des kilomètres, au début encore dans l'obscurité, puis dans la grisaille matinale d'une journée qui s'annonçait morne et nuageuse. Et Nathan ne disait toujours rien. Elle observait à la dérobée son beau profil régulier et elle aurait pu pleurer en songeant au sentiment de liberté et de légèreté qui l'avait gagnée quelques jours plus tôt, lors du trajet en sens inverse, à mesure que le paysage s'ouvrait, devenait plus sauvage, que les habitations se raréfiaient et que la distance avec Frederic grandissait. A présent, ils redescendaient vers le sud, entraient dans la région la plus peuplée d'Angleterre, droit vers les soucis et les problèmes. En plus, il demeurait muet. Ils allaient bientôt atteindre la région industrielle de Leeds. Elle songea à Dunvegan, au vent, au bleu pur et transparent du ciel de la veille. Sa gorge se serra.

Nous allons mettre de l'ordre dans nos passés, se dit-elle, et ensuite, tout s'arrangera.

A la hauteur de Carlisle, elle n'y tint plus.

— Nathan, qu'est-ce qu'il y a ? Tu n'as quasiment pas ouvert la bouche depuis que nous sommes partis. C'est à cause de moi ? J'ai fait ou dit quelque chose qui t'ennuie ?

Il tourna son visage vers elle.

— Il n'y a rien chez toi qui m'ennuie, dit-il.

— Qu'y a-t-il, alors ? Je comprends que ça te pèse de retourner dans le Norfolk, mais...

Il ne répondit pas, décéléra puis s'engagea sur la bretelle d'une aire de repos que des panneaux annonçaient à intervalles réguliers depuis plusieurs kilomètres. Il s'arrêta devant le bâtiment qui faisait office de cafétéria et supérette et où l'on payait l'essence.

— J'ai besoin d'un café, dit-il en prenant quelques pièces de monnaie dans le vide-poches de la plage avant.

Cinq minutes plus tard, il revenait avec deux grands gobelets en carton munis de couvercles.

— Viens, allons nous asseoir quelque part, proposa-t-il.

Virginia eut la brusque impression qu'il ne supportait plus l'espace réduit de la voiture, la sensation d'être enfermé.

Par chance, il ne pleuvait pas et il faisait relativement doux.

Ils s'installèrent avec leurs gobelets de café à une table de pique-nique située à côté d'une aire de jeux pour enfants.

— J'ai réfléchi, dit Nathan.

Le cœur de Virginia s'arrêta un instant de battre.

— Ah ?

Il la regarda. Son regard était doux.

— Ce n'est pas facile de te parler de la façon dont j'ai vécu ces dernières années, commença-t-il. Mais nous nous sommes promis de tout nous dire, et je voudrais trouver les mots pour que tu comprennes comment les choses se sont enchaînées.

Elle respira. Elle avait cru qu'il voulait mettre un terme à leur relation à peine ébauchée. A cause de Frederic. A cause de Livia. A cause de tous les problèmes qu'ils allaient rencontrer.

— C'est vrai, n'est-ce pas ? demanda-t-elle. Tu n'as encore publié aucun livre ?

Il acquiesça.

— C'est exact. Mais il est également exact que j'écris depuis des années. Du moins que j'essaye.

— Qu'est-ce qui n'a pas marché ?

Il détourna les yeux et laissa son regard errer sur les buissons qui formaient une haie épaisse autour de l'aire de jeux. Les feuilles prenaient déjà des couleurs automnales.

— Tout, dit-il. Ou rien. Si l'on préfère. Rien n'a marché.

— C'était un problème d'idées ? D'écriture ?

Elle réfléchit, elle voulait dire quelque chose qui lui aurait montré combien elle le comprenait. Elle se rendit compte qu'elle ignorait tout de la vie et du travail d'un écrivain, et des difficultés qui pouvaient accompagner le processus de création.

— Assurément d'écriture, dit-il. Problème lui-même directement lié à ce qu'était ma vie. C'était une vie mortifère... étriquée, petite, paralysante. J'avais l'impression de manquer d'air, d'étouffer. De littéralement étouffer. Je m'asseyais à mon bureau, fixais l'écran de mon ordinateur et ne sentais rien en moi que du vide. C'était implacable. Epouvantable.

— J'imagine, dit Virginia.

Elle était sincère. Elle tendit timidement la main, effleura son bras.

— Qu'est-ce qui était si paralysant ? Qu'est-ce qui t'étouffait ?

Il se recula. Il parut brusquement drainé de toute énergie, livide sous son hâle. Aussi dénué de couleur que le ciel au-dessus de leur tête, aussi épuisé que le feuillage lourd de pluie qui pendait aux branches. Elle l'avait toujours connu fort, rayonnant, plein d'assurance, solide. Elle découvrait un autre côté de lui-même. Le côté qui avait souffert. Un côté qu'il avait appris à parfaitement dissimuler. Sa fragilité l'émut. Elle aurait voulu le lui dire, mais quelque chose la retint.

— Par où dois-je commencer ? demanda-t-il.

5

— Imagine une petite ville allemande. La plus petite, la plus mesquine, la plus provinciale petite ville que tu puisses imaginer. Tout le monde connaît tout le monde. Ce que les autres pensent de vous est toujours extrêmement important. On ne manque jamais de regarder si le trottoir devant chez le voisin est correctement balayé ou si les rideaux sont régulièrement lavés. Ou la haie proprement taillée ! Des branches qui dépassent inconsidérément peuvent entraîner la création d'une association de quartier !

« Malheureusement, je n'exagère pas.

« J'ai connu Livia à la fac. Pour être honnête, aujourd'hui je me demande pourquoi je suis tombé amoureux d'elle. Je crois qu'il y avait quelque chose dans sa réserve, son calme, qui m'attirait. Je flairais quelque chose derrière, que j'avais très envie de découvrir. J'ai mis longtemps à me rendre compte qu'il n'y avait rien à découvrir. A moins qu'il ne m'ait manqué les dispositions adéquates pour cela. C'est naturellement possible.

« Toujours est-il que nous nous sommes mis en ménage. Je bossais pour le journal de l'université, j'écrivais régulièrement des articles. L'idée d'un grand roman commençait déjà à me trotter dans la tête. Ce que j'en imaginais était encore vague, difficilement formulable. Mais je savais qu'il y avait quelque chose qui demandait à sortir. J'ai demandé à Livia si elle se voyait mariée à un écrivain. Elle s'est réjouie de la demande en mariage que ma question impliquait. Je crois que sur le moment elle ne s'est pas réellement demandé à quoi ressemblerait la vie avec un écrivain qui tirerait le diable par la queue.

« Le week-end, j'allais souvent au bord de la mer. Je ne possédais pas de bateau, mais les parents d'un de mes copains de fac en avaient un que nous pouvions emprunter. J'ai appris à naviguer, et je me suis découvert une passion pour la voile. L'immensité de la mer exerçait sur moi une fascination extraordinaire. Je crois que c'est à cette époque qu'a germé en moi l'idée de faire un jour le tour du monde en bateau. Plus tard, bien sûr, beaucoup plus tard. Livia n'était pas enthousiaste. Je l'ai emmenée plusieurs fois en mer, mais elle ne parvenait pas vraiment à s'intéresser à la voile. Livia a toujours eu plus ou moins peur de l'eau.

« Toutes les trois ou quatre semaines, nous rendions visite à ses parents, mes futurs beaux-parents. Dans la fameuse petite ville. C'était un pensum mais tant que ce n'était pas trop fréquent, ça allait. Et la mère de Livia était excellente cuisinière. Elle était gentille, quoique très respectueuse des fichus usages locaux, et complètement soumise à son mari. Il était en fauteuil roulant, depuis une attaque dont il avait été victime relativement jeune, et nécessitait des soins constants. Sa femme avait beau lui être totalement dévouée, il réussissait à l'asticoter du matin au soir et à la faire régulièrement pleurer avec son sale caractère et ses remarques désagréables. Il était d'une radinerie invraisemblable, pourtant sa retraite était confortable. Il refusait par exemple qu'on embauche une femme de ménage pour soulager sa femme dont la santé n'était guère brillante non plus et qui devait seule assurer l'entretien de cette immense maison mal pratique au possible. En hiver, il interdisait que l'on monte le chauffage, si bien que tout le monde gelait. Il s'opposait à toutes les réparations dont la baraque avait besoin et refusait de payer la moindre intervention. Aucune fenêtre n'était étanche, aucune ne fermait correctement. Il devait être le premier à en subir les conséquences, mais il serrait les dents parce que nous voir souffrir devait lui procurer une intense satisfaction. A mon avis, il nous détestait tous, pour ne pas être comme lui en fauteuil roulant. Dès lors que nous pouvions nous déplacer librement, tout était bon pour nous pourrir la vie.

« J'ai terminé mes études, nous avons fixé la date de notre mariage. Je commençais à prendre les premières notes de mon futur roman. Parallèlement, je bossais à droite et à gauche. J'aimais ce que je faisais. Mes premiers personnages prenaient forme. J'étais impatient de pouvoir commencer. C'était un accouchement, long, très long, mais nullement douloureux, au contraire.

« Puis, patatras. La catastrophe.

« Trois petites semaines avant la date prévue pour notre mariage, la mère de Livia est morte. Subitement. D'un infarctus du myocarde. C'est le père de Livia qui nous a appelés pour nous prévenir. Et c'est moi qu'il a eu en premier au téléphone. Je dois dire que, même dans ces circonstances dramatiques, j'ai eu la nette impression qu'il prenait comme une victoire que ce soit elle qui soit morte la première et que lui, le handicapé, vive toujours.

« Naturellement, Livia s'est tout de suite transportée chez lui avec armes et bagages. Imagine un peu, le vieux ne pouvait même pas pisser seul. Il était incapable de se faire cuire un œuf, et soi-disant également incapable d'ouvrir la porte du frigo pour prendre un yaourt à cause de ses mains toutes tordues. Il lui fallait une assistance pour la moindre des petites choses de la vie. Livia s'est mise à son service à plein temps.

« Pendant ces trois semaines qui ont précédé le mariage, je ne l'ai pas vue. Je l'ai rejointe plus tard, nous nous sommes mariés à la mairie avec deux voisins pour témoins. Nous n'avons même pas pu aller au restaurant après, car Livia devait retourner s'occuper de son père...

« Je me doutais bien qu'elle ne repartirait pas sur-le-champ avec moi, mais je pensais que nous chercherions ensemble une maison de retraite adaptée ou un centre de soins quelconque pour placer le vieux et que nous vendrions ou mettrions en location la maison. Livia a de fait téléphoné à quelques foyers, elle s'est fait envoyer de la documentation, elle a visité une maison de retraite... mais ça n'allait jamais plus loin, elle en restait toujours au stade du projet. Un jour, elle m'a avoué que son père refusait de quitter sa maison, qu'il ne voulait pas que ce soit une personne étrangère qui s'occupe de lui et qu'elle-même ne parvenait pas à lui imposer une chose qu'il excluait avec une telle énergie.

« Et voilà. Les dés étaient jetés. Je compris que Livia resterait chez son père, qu'au fond elle avait déjà accepté le rôle. En fait, elle était comme sa mère. Soumise à la parole de l'homme. Etonnant que ça existe encore, non ? Mais ce n'est peut-être pas aussi rare que cela.

« Je ne voulais pas me séparer d'elle alors que nous venions de nous marier. Je me suis convaincu que l'endroit où j'écrirais mon roman n'avait finalement aucune importance. Tout en ayant bien sûr l'intention de peser de tout mon poids pour que nous trouvions une autre solution. Je pensais qu'on ne resterait pas plus d'un an. Au pire.

« Nous sommes restés douze ans... Douze années peut-être difficilement explicables. Il y avait toujours des tentatives en direction de la maison de retraite. Il y avait toujours des dates que nous nous fixions. Mais il y avait également toujours de bonnes raisons de ne pas sauter le pas. *Attendons jusqu'à Noël. Attendons que son anniversaire soit passé. Laisse-le passer encore l'été ici. Ne choisis pas l'automne pour le mettre dans une maison de retraite, c'est tellement triste, l'automne.* Nous avons ainsi vécu douze ans avec l'idée qu'il allait incessamment partir. Je crois que nous ne nous rendions pas compte que plus le temps passait, plus l'imminence de son départ s'éloignait.

« Et je tournais dans cette petite ville comme un lion en cage. Dix pas dans un sens, dix pas dans l'autre. Je savais que tout le monde me considérait comme un parasite tandis que Livia passait pour une sainte. Quand j'allais me réfugier dans l'unique café de l'endroit pour travailler à mon bouquin, les matrones du coin qui venaient acheter leur pain avec un foulard sur leurs bigoudis me dévisageaient. Si j'avais envie d'être seul et de dîner tranquillement dans le petit restaurant local, c'était le jour de la réunion de la société de tir ou de l'association des mères de famille. Il y avait toujours quelqu'un pour m'affirmer d'un ton péremptoire que notre bout de trottoir n'était pas correctement balayé ou que les branches de je ne sais quel buisson de notre jardin poussaient chez le voisin. On me regardait d'un sale œil parce que je ne me montrais ni à la « table des habitués » du samedi, une institution en Allemagne, ni ne me laissais embobiner pour griller des saucisses le jour de la fête patronale ou animer la course en sac des gamins de l'école. Je ne faisais de mal à personne. Mais je roulais pour moi, je ne me mélangeais pas, et il n'y avait pas de crime plus grave. J'en suis un jour arrivé au point où j'aurais préféré rester enfermé dans l'horrible baraque de mon beau-père. Sauf que j'aurais eu sa sale bobine en permanence sous les yeux, et c'était largement aussi pénible. Il n'y avait aucun endroit où je me sentais bien. Où je pouvais être en paix.

« Et par voie de conséquence, aucun endroit où je pouvais écrire.

« Je jouais avec l'idée de partir, bien évidemment. Ou de poser un ultimatum à Livia. Soit elle se décidait à partir avec moi, soit je partais seul. C'est resté à l'état d'idée. Je savais bien comment ça se terminerait : elle ne partirait pas avec moi. Elle resterait avec son père parce qu'il lui serait impossible de se soustraire à ce qui lui paraissait être son devoir. Et je me retrouverais seul quelque part, avec dans la tête des images. Des images de son père la chicanant. D'elle s'épuisant à obtenir malgré tout son approbation. D'elle physiquement dépassée par l'ampleur de la tâche.

« Est-ce que je l'aimais encore ? Les circonstances ne se prêtaient pas vraiment à l'épanouissement de sentiments amoureux. J'étais frustré, souvent en colère, j'avais l'impression de m'être fourré dans un piège dont je ne parvenais plus à me libérer. Ça me rendait dingue de ne pas gagner d'argent. J'étais entretenu par mon beau-père. Ce n'était pas totalement indu car je faisais beaucoup de choses dans la maison et le jardin, et j'étais toujours là quand il fallait le conduire chez le médecin ou le promener dans son fauteuil. Mais ce n'était pas comme si j'avais exercé un métier et reçu un salaire régulier. En outre, le vieux ne manquait pas une occasion de me faire sentir que je vivais à ses crochets.

« Malgré moi, je rendais Livia responsable de ce gâchis. Intellectuellement, à froid, je savais qu'elle aussi avait été entraînée dans quelque chose qu'elle n'avait pas voulu, cependant je ne pouvais pas m'empêcher de penser que je n'aurais pas été dans cette panade si je ne l'avais pas rencontrée. De là à regretter que son chemin ait un jour croisé le mien, il n'y avait qu'un pas...

« De plus, je commençais à perdre l'estime que j'avais pour elle. Qu'était-elle ? Une femme de plus en plus effacée, de plus en plus mince, incolore et inodore, qui se laissait tyranniser par un vieux grigou. Sa soumission me mettait hors de moi. Pourquoi ne disait-elle pas à son père ses quatre vérités ? Pourquoi n'explosait-elle pas ? Pourquoi ne lui rappelait-elle pas ce qu'il adviendrait de son sort si elle fichait le camp ?

« Mais elle n'est pas comme ça. Elle ne l'a jamais été et elle ne le sera jamais.

« Nous sommes donc restés, et les années ont passé. Puis l'année dernière, un matin, on a trouvé le vieux mort dans son lit. Je n'arrivais pas à y croire. Pourtant, c'était vrai, il avait passé l'arme à gauche. Nous étions libres.

« Je sais que mon idée de faire le tour du monde à la voile ne plaisait pas à Livia. Et ce n'était peut-être pas très fair-play de ma part de lui mettre la pression avec ça. Mais, bon sang, il fallait que je me libère de ces chaînes ! Simplement vendre la maison, s'installer dans une autre ville, amputer de nos mémoires ces années épouvantables et repartir de zéro comme si de rien n'était, ça ne me suffisait pas. Il fallait que je laisse tout derrière moi. Mon pays, les gens que je connaissais, ce que j'étais. Je voulais naviguer, être sur la mer, n'avoir que le ciel au-dessus de la tête, des vagues à perte de vue autour de moi, sentir le goût du sel sur mes lèvres, entendre le cri des mouettes. Je voulais voir d'autres pays, rencontrer d'autres gens.

« Je voulais enfin ne plus avoir de boulets à traîner.

« Je voulais écrire mon livre.

« Ça s'est terminé comme tu le sais. Je n'ai pas dépassé Skye. Où mon bateau a coulé, et tout ce que j'avais avec. J'ai quarante-trois ans et je ne possède plus rien. Plus rien du tout. Depuis, je ne cesse de me demander si ce n'est pas ça la vraie, la grande liberté. Ne plus rien avoir à perdre, ne plus tenir à rien. Est-ce la liberté dont j'ai rêvé pendant douze ans ?

« Ou bien suis-je en réalité moins libre et moins indépendant qu'auparavant ? Un raté, un incapable ? On peut choisir des mots flatteurs pour raconter mon histoire, mais on peut aussi en choisir de très désobligeants. Il est possible que ni les uns ni les autres ne rendent vraiment compte de la réalité. La vérité est peut-être ambivalente, contradictoire, multiple. Les bons jours, je me dis que mon sort est enviable. Les mauvais, je souhaite que cesse enfin ce cauchemar.

« Il y a cependant autre chose. Je le dis pour finir, mais c'est très important. Cela éclaire tout d'une lumière différente.

« Quand j'ai coulé au large de Skye, tu es entrée dans ma vie. Il fallait que je perde tout pour te rencontrer. C'est en cela que cette histoire est réellement exceptionnelle. T'avoir rencontrée a transformé un naufrage en miracle.

« Je parlais tout à l'heure de bons et de mauvais jours.

Depuis le week-end dernier, je crois que les mauvais sont terminés.

6

A quatre heures moins le quart, Janie comprit qu'une fois de plus le gentil monsieur ne viendrait pas. Elle n'avait pas osé entrer dans la papeterie, mais elle avait regardé à travers la devanture et constaté que le magasin était vide. Seul derrière son comptoir, le propriétaire tournait les pages d'un magazine en bâillant.

Janie s'était alors postée sur le trottoir d'en face, où se trouvait une agence immobilière. La vitrine présentait les photos de maisons de la région accompagnées de commentaires que Janie feignit d'étudier avec la plus grande attention. Du coin de l'œil, elle observait la porte de la papeterie. Elle était là depuis trois heures moins le quart. En une heure, seulement trois personnes étaient entrées puis rapidement ressorties. Une dame âgée qui marchait avec une canne ; une jeune fille qui avait teint ses cheveux en noir avec des bandes jaunes ; un jeune homme en costume gris avec une cravate rouge.

C'était tout. L'ami de Janie ne faisait pas partie du lot.

Elle en aurait pleuré. Il avait changé d'avis, ne pas pouvoir compter sur elle l'avait fâché. Il avait peut-être fait la connaissance d'une autre petite fille, une petite fille qui n'avait pas manqué le premier rendez-vous, maintenant c'était pour elle qu'il organisait une fête d'anniversaire.

Janie regarda sa montre. C'était une montre qui avait appartenu à sa mère. Elle la lui avait offerte pour Noël. Janie était fière de la posséder.

Quatre heures dix. Elle pouvait aussi bien rentrer à la maison...

La porte de l'agence s'ouvrit et une femme très élégante en tailleur-pantalon bleu marine s'encadra sur le seuil.

— Dis-moi, jeune fille, désires-tu acheter une maison ? demanda-t-elle sur un ton ironique. Ou bien as-tu découvert quelque chose d'extraordinaire dans notre vitrine ?

Janie sursauta.

— Je... je... trouve les photos très jolies, bafouilla-t-elle.

— Je veux bien le croire. Ça fait plus d'une heure que tu les regardes. Tu dois commencer à les connaître par cœur. Tu n'as pas de maison ?

Janie prit peur. La dame s'intéressait un peu trop à elle. Est-ce que cela se voyait qu'elle était en train de sécher le cours d'éducation physique ?

Parce que c'était ce qu'elle faisait. Sinon, elle n'aurait jamais pu arriver à temps à la papeterie. Cette année, le cours d'éducation physique tombait le lundi, de trois à cinq heures. L'année dernière, c'était différent, le lundi, ils finissaient toujours à deux heures et demie. Janie n'avait pas imaginé que cela pouvait changer. Ce matin, quand on leur avait dicté leur nouvel emploi du temps, la surprise avait été telle qu'elle s'était sentie blêmir. Puis elle s'était dit qu'il y avait pour l'heure des choses beaucoup plus importantes dans sa vie. Elle pourrait toujours devenir une bonne élève consciencieuse plus tard.

— Je m'en vais, dit-elle précipitamment.

La dame la regarda avec insistance.

— Si quelque chose ne va pas... je peux appeler ta maman. Veux-tu que je le fasse ?

Mon Dieu, surtout pas !

— Tout va très bien, dit-elle. J'ai seulement oublié l'heure.

Elle ébaucha un sourire mal assuré puis traversa la rue, les yeux rivés sur la papeterie. C'était sa dernière chance... Mais rien ne se passa, personne n'entra ni ne sortit du magasin. C'était un lundi dénué de toute activité.

Et Janie savait qu'elle allait passer le reste de la journée à avoir très envie de pleurer en regardant les cartes dont l'envoi devenait de plus en plus improbable. Et qu'elle penserait à ce qu'allait lui coûter le fait d'avoir séché le cours de gym.

D'ici que Mum l'apprenne, il faudrait qu'elle se soit trouvé une vraiment bonne explication.

7

A cinq heures, Grace rassembla ses dernières forces et alla chercher Kim à l'école. Elle sentait que sa fièvre avait augmenté mais elle n'osait pas prendre sa température de peur d'être effrayée par le résultat et par contrecoup de ne plus être du tout capable de bouger. Vers trois heures, Jack l'avait appelée. La communication était mauvaise, elle entendait très fort le bourdonnement régulier du moteur et à peine la voix de Jack.

« Comment vas-tu ? » avait-il demandé.

Tout son corps était douloureux, des orteils jusqu'à la racine des cheveux.

« Bien, avait-elle prétendu. Compte tenu des circonstances, plutôt bien.

— A t'entendre, on ne dirait pas.

— Je t'assure que si.

— Je n'aurais pas dû partir.

— C'est très bien ainsi. C'était important que tu partes.

— *Madame* s'est manifestée ? »

Grace comprit qu'il parlait de Mme Quentin. Ainsi utilisé, le mot français « Madame » avait une connotation méprisante. Jamais Jack ne l'avait appelée ainsi. Il fallait qu'elle ait singulièrement baissé dans son estime.

« Non. Je n'ai pas eu de nouvelles. » Il avait marmonné quelque chose que Grace s'était appliquée à ne pas entendre. Il

334

lui avait recommandé de se ménager, puis ils avaient mis un terme à la conversation et Grace était retournée se coucher.

Et maintenant, elle tentait de se motiver pour aller chercher Kim à l'école. Elle joua même un instant avec l'idée d'appeler Livia Moor à la rescousse. Frederic l'avait informée de sa présence, mais qui elle était et pourquoi il l'hébergeait n'était pas très clair. Grace avait néanmoins compris toute seule qu'elle avait un lien avec l'homme en compagnie duquel Virginia Quentin avait fichu le camp. Tout cela ne lui disait rien qui vaille. Elle ne confierait pas son petit trésor à cette personne.

Elle réussit sans trop savoir comment à prendre le volant et à aller jusqu'à l'école et à en revenir. Kim, surexcitée, parla sans points ni virgules pendant tout le trajet. Il y avait deux nouveaux élèves dans sa classe, des nouveaux professeurs, elle avait une nouvelle salle de classe. Sa tristesse du matin s'était envolée. Cependant, Grace craignait que, les heures passant, les papillons noirs ne resurgissent. Tout ce qu'elle racontait à Grace, elle aurait tellement voulu le raconter à sa maman.

Si je n'étais pas aussi mal fichue, je me mettrais franchement en colère, songea Grace.

De retour à la maison, elle prépara un chocolat chaud à Kim, lui mit des biscuits sur une assiette, puis dut renoncer à en faire plus. Elle ne tenait plus debout, elle frissonnait au point de claquer des dents.

— Kim, ma chérie, il faut que je m'allonge un peu, dit-elle. Je suis désolée mais je me sens vraiment patraque. Tu peux regarder la télévision si tu veux. D'accord ?

— Il faut qu'on couvre mes livres, dit Kim.

— Nous aurions dû acheter du papier, se désola Grace. Nous le ferons demain, tu veux bien ? Si à l'école quelqu'un te dispute, tu expliqueras gentiment que j'étais malade mais que je vais m'en occuper.

Le visage de Kim s'assombrit. Elle aurait aimé couvrir ses livres avec du beau papier neuf, puis écrire son nom dans ses cahiers, tailler ses crayons. Tout cela sur la grande table de la cuisine, avec Grace, sous la lampe qui faisait une lumière si agréable.

— Elle revient quand, maman ? demanda-t-elle.

Grace soupira.

— Je ne le sais pas. Et maintenant, sois mignonne. J'ai besoin de me reposer deux heures et ensuite j'irai beaucoup mieux.

Ce ne serait pas le cas, elle le savait. La nuit qui l'attendait ne serait pas bonne. Elle se coucha, se pelotonna en chien de fusil. Elle ne parvenait pas à se réchauffer.

Elle se demanda si elle ne devrait pas appeler un médecin mais elle s'endormit avant de concrétiser l'idée.

Quand elle se réveilla, dehors la nuit était tombée. Un lampadaire éclairait un coin de la chambre. Le vent s'était levé et agitait les branches des arbres, des ombres mouvantes dansaient sur les murs.

Grace se leva lentement. Une douleur sourde avait pris possession de sa tête, tous ses os lui faisaient mal, néanmoins elle se sentait un peu mieux que dans l'après-midi. Un regard à la pendulette lui apprit qu'il était presque vingt heures. Grand temps pour Kim de dîner. Quel amour de ne pas avoir fait un bruit et de l'avoir laissée se reposer !

Elle posa ses pieds par terre. Quand elle se leva, tout se mit à tanguer autour d'elle et elle dut s'appuyer un instant à la table de nuit. Puis le vertige passa. Elle enfila ses pantoufles fourrées, sa robe de chambre, et se dirigea vers la cuisine.

Hormis le chat qui dormait dans sa corbeille, la pièce était déserte. Le bol qui avait contenu le chocolat de Kim était toujours sur la table, à côté de l'assiette qui avait contenu les biscuits. Le bol était vide, l'assiette aussi. Seul le tic-tac régulier de la pendule murale troublait le silence.

Grace se rendit dans le salon, pensant y trouver Kim devant la télévision. La pièce était dans le noir, le téléviseur éteint. Grace fronça les sourcils. Kim se serait déjà mise au lit ?

Une petite pièce attenante à la salle de bains servait de chambre d'amis. Gagnée par une inquiétude grandissante, Grace en ouvrit la porte : la chambre était vide. Le lit n'était pas défait.

— Ce n'est pas possible, marmonna-t-elle pour elle-même.

La salle de bains était vide. Grace descendit à la cave, fouilla la buanderie, la réserve. Rien. Aucune trace de Kim.

Elle se prit la tête à deux mains. Etait-ce la fièvre qui lui jouait un tour ? Kim avait-elle dit qu'elle allait quelque part sans qu'elle l'ait relevé ? Mais elle n'avait pas été dans le brouillard au point de ne pas se rendre compte de ce que disait Kim. Vraiment pas. Au fait, elle voulait couvrir ses nouveaux livres. Etait-elle allée voir chez ses parents s'il n'y avait pas du papier ?

Elle s'exhortait au calme mais son rythme cardiaque ne s'en affolait pas moins.

Allons, allons, il ne s'est pas forcément passé quelque chose. Avant le... l'assassinat de ces deux fillettes de King's Lynn, tu n'en aurais pas fait une montagne.

Kim gambadait dans le parc toute la sainte journée et personne ne s'en inquiétait.

Oui, mais ces meurtres avaient eu lieu. Le temps de l'insouciance était révolu.

Grace composa en tremblant le numéro de la maison. Après un nombre infini de sonneries, enfin quelqu'un décrocha.

— Allô ? fit une voix tout juste audible.

— Grace Walker à l'appareil. Je suis la femme du régisseur de Ferndale. Kim est-elle chez vous ?

— Qui est à l'appareil ? demanda la voix.

Si elle l'avait pu, elle aurait secoué l'être obtus qui se trouvait à l'autre bout de la ligne.

— Grace Walker. La femme de Jack Walker, le régisseur. Nous habitons le pavillon de gardiens qui se trouve tout en bas, à l'entrée de la propriété...

— Ah, oui, d'accord, dit la voix.

— Kim habite en ce moment chez nous. J'ai dormi quelques heures car j'ai pris froid et j'avais besoin de me reposer. Et maintenant, je ne la trouve nulle part. Je me demandais si elle n'était pas chez vous ?

— Non. Je m'en serais aperçue.

— Vous ne voulez pas vérifier ? La maison est grande.

Il est possible que...

Grace laissa sa phrase en suspens.

— Je vais regarder, promit la voix. Je vous rappelle tout de suite.

Grace lui donna le numéro du pavillon et raccrocha.

Bonté divine. On lui confie une enfant de sept ans et elle se met au lit et dort ! Au point de rester sourde et aveugle à tout plusieurs heures d'affilée...

S'il lui est arrivé quelque chose... je ne me le pardonnerai jamais. Jamais.

Mais pourquoi lui serait-il arrivé quelque chose ? Pourquoi penser tout de suite au pire ? C'était stupide. Sans la fièvre, elle ne serait pas dans un tel état de nerfs.

Pour faire quelque chose, elle mit de l'eau à chauffer dans la bouilloire. Le téléphone sonna au moment où elle accrochait un sachet de tisane à la sauge à l'anse d'une tasse.

— Livia Moor à l'appareil. Je suis désolée, madame Walker. J'ai regardé partout. Kim n'est pas là.

Grace sentit le froid l'envahir.

— Ce n'est pas possible, souffla-t-elle.

— J'ai vraiment fouillé le moindre recoin, assura Livia.

Les deux femmes demeurèrent silencieuses.

— C'est... Je ne suis réellement pas bien, avoua finalement Grace. J'ai beaucoup de fièvre. Sinon je ne me serais jamais couchée en plein jour.

— Elle joue peut-être dans le parc, hasarda Livia.

— Mais il fait déjà nuit...

— Tout de même. Elle peut avoir oublié l'heure...

Grace sentit sa gorge se serrer.

— Je n'ose imaginer... Dieu du ciel, elle n'a que sept ans...

— Voulez-vous que je vienne ? proposa Livia. Je pourrais peut-être faire quelque chose pour vous ?

— Ce serait bien aimable, dit Grace du bout des lèvres.

Elle n'avait qu'une envie relative d'accueillir cette inconnue sous son toit, mais avoir quelqu'un à qui parler, même si ce devait être cette étrange dame allemande, l'aiderait peut-être à ne pas devenir folle.

Jack. Ah, si seulement Jack était là !

Elles interrompirent la communication. Grace versa l'eau

bouillante dans sa tasse et sans plus réfléchir appela Jack. Son portable était éteint, mais elle put le joindre à son hôtel.

— Comment vas-tu ? demanda aussitôt Jack.

— Pas bien. Pas bien du tout. Kim a disparu.

— Quoi ?

Grace ne put retenir ses larmes plus longtemps.

— Je me suis allongée et je me suis endormie. J'ai dormi trois heures. Kim voulait regarder la télévision... mais elle n'est plus là. Elle n'est nulle part !

— Elle est peut-être allée chez ses...

— Non. Elle n'est pas là-bas non plus !

— Ecoute, Grace, ne t'affole pas. Elle est forcément quelque part.

— Elle était tellement triste que sa maman ne soit pas là pour la rentrée. Et... et elle était tout heureuse à l'idée de couvrir ses nouveaux livres avec moi. Mais j'ai oublié d'acheter du papier. Elle était déçue et...

— Et quoi ? demanda Jack.

Il y avait de la tension dans sa voix. Grace sentit qu'il était lui aussi inquiet mais ne voulait pas le lui montrer.

— Elle est peut-être partie parce qu'elle était triste et déçue. Et elle...

— Mon Dieu, fit Jack.

— Et elle sera tombée sur ce bonhomme qui... poursuivit Grace, bien que Jack ait compris ce qui lui trottait dans la tête.

— Allons donc ! la rabroua Jack.

C'est quand quelque chose le préoccupait qu'il devenait revêche.

— Grace, j'aimerais pouvoir t'aider, mais même en partant maintenant et en roulant pied au plancher...

— Ne fais rien de tout ça ! Tu as besoin de te reposer.

— Je ne sais pas dans quelle forme tu es, mais tu pourrais peut-être aller voir dans le parc, bien qu'il fasse nuit. La petite y a plein de cachettes. En prenant une lampe torche...

Grace étouffa un gémissement. Elle ne se sentait guère capable d'entreprendre des recherches dans les fourrés du parc.

— Je vais demander à Livia.

— A qui ?

— C'est... Ah, c'est trop compliqué. Jack...

— Oui ?

— J'ai peur.

— Allons, allons, la mauvaise graine est coriace, il n'arrivera rien. Appelle-moi si tu as du nouveau, entendu ?

— Oui. Oui, bien sûr.

— Et, Grace...

— Oui ?

— Appelle-moi aussi s'il n'y a rien de nouveau, dit Jack. Je voudrais... Et... Fait chier ! Je le savais bien, ce matin, qu'il ne fallait pas que je parte ! Je le sentais. D'habitude, je me fie à mon intuition. Pourquoi je ne l'ai pas fait, cette fois ?

8

Livia avait proposé trois fois de parcourir le parc avec une lampe de poche en appelant Kim, et par trois fois elle était revenue sur sa proposition.

— Je ne sais pas... La propriété est si grande, dit-elle pour finir, d'un ton anxieux. Si je me perds et ne retrouve plus la maison...

Maintenant, il faisait noir comme dans un four, dehors. Grace comprit que Livia avait beaucoup trop peur pour s'aventurer dans les bois d'un immense parc.

— Je vais y aller, décida-t-elle.

— Ne faites pas ça ! l'arrêta Livia. Vous êtes brûlante de fièvre. Vous allez attraper une pneumonie.

— Nous n'allons tout de même pas attendre ici les bras croisés !

— Nous devrions peut-être appeler la police...

— Ils interviennent si vite que ça ?

— Après ce qui s'est passé... il y a des chances, oui, répondit doucement Livia.

Lorsqu'elle était à l'hôpital, elle n'avait rien su de ce qui s'était passé, mais, depuis, Frederic lui avait parlé des crimes.

— Si seulement j'avais un chien, poursuivit-elle, je pourrais...

— Oui, mais nous n'avons pas de chien, répliqua Grace, agacée.

Elle avait vite compris que Livia faisait partie de ces personnes indécises, qui se lamentaient mais n'agissaient pas, et qu'il n'y avait aucune aide à attendre d'elle, ou si peu. Elle ouvrait grands les yeux, arrondissait les lèvres et restait les deux pieds dans le même sabot. Grace comprenait presque que son mari l'ait laissée en plan et s'en soit choisi une autre. Mais presque seulement. Parce que, qu'il réussisse, ou ait même déjà réussi à briser le ménage de Frederic et Virginia Quentin, Grace ne le lui pardonnerait jamais.

— J'appelle la police, déclara-t-elle d'un ton ferme. Nous n'allons pas laisser filer le temps comme ça. Il faut qu'ils nous envoient des gens pour fouiller le parc.

Elle alla dans le séjour. Elle était sur le point de décrocher le téléphone quand Livia, qui était restée dans la cuisine, poussa une exclamation.

— Il y a quelqu'un qui arrive !

— Kim ! s'exclama Grace en se précipitant dans la cuisine.

Ce n'était pas Kim. C'étaient Virginia et Nathan.

Livia avait vu les pinceaux lumineux des phares quand ils avaient dû s'arrêter devant la grille du parc pour l'ouvrir.

Grace jaillit hors du pavillon en pantoufles et robe de chambre et courut maladroitement vers l'allée pour arrêter la voiture. Nathan, qui conduisait, écrasa la pédale du frein. Quand Virginia vit Grace, complètement défaite, dans la lumière des phares, elle bondit hors de la voiture.

— Grace ! Que se passe-t-il ? C'est Kim ?

Grace, qui avait réussi à prendre sur elle et à retrouver un peu de sérénité depuis sa conversation téléphonique avec Jack, fondit à nouveau en larmes.

— Elle a disparu, sanglota-t-elle.

— Quoi ? s'exclama Virginia d'un ton suraigu. Comment ça, *disparu* ?

Nathan descendit à son tour de voiture.

— Calmez-vous, dit-il à Grace. Kim a disparu ? Depuis quand ?

Grace fit le récit du déroulement de l'après-midi.

— Je ne tenais plus sur mes jambes, dit-elle, toujours pleurant, alors j'ai voulu m'allonger un petit moment. Je ne voulais pas dormir. Je ne comprends pas comment...

— Personne ne vous fait de reproches, dit Nathan. Vous êtes souffrante, et vous aviez besoin de vous reposer. C'est bien compréhensible.

Virginia se mordit les lèvres.

— Jack n'est pas là ?

— Il devait assurer un transport pour Plymouth. Il ne pouvait pas se décommander.

— Nous devons appeler tout de suite la police, dit Virginia que la panique gagnait.

— Elle est peut-être cachée quelque part dans le parc, dit Grace. Elle passe son temps à se construire des cachettes, des passages secrets, des choses comme ça...

— Mais pourquoi se cacherait-elle ? demanda Virginia.

— Elle était très triste aujourd'hui, elle en avait gros sur le cœur, répondit Grace en évitant le regard de Virginia. C'était le premier jour d'école. Elle ne comprenait pas pourquoi... Eh bien, pourquoi sa maman n'était pas là. Et de mon côté, je ne pouvais pas vraiment m'occuper d'elle. Elle a peut-être tout simplement voulu...

Elle eut un petit haussement d'épaules désabusé.

— Tout simplement voulu partir !

— Mon Dieu ! murmura Virginia.

— Nous avons besoin de lampes torches, dit Nathan. Ce que dit Grace est plausible. Elle s'est peut-être cachée et a peur maintenant de rentrer dans le noir. Partons tout de suite à sa recherche.

— Il faut prévenir la police, dit Virginia.

Non, pas Kim ! Pas Kim !

Nathan posa la main sur son bras.

— Je serais étonné qu'ils interviennent dès maintenant, dit-il. Il n'y a pas longtemps que Kim est introuvable, et elle n'a pas disparu sur le chemin de l'école, d'une aire de jeux, ou d'un lieu public. Elle était ici, chez elle. Personne n'est venu l'enlever, cela me semble du moins très improbable.

— Mais elle...

La pression sur son bras s'accentua. Autoritaire et apaisante.

— Cela ne ressemble pas à l'histoire des deux autres petites filles. Il n'y a aucune similitude. Nous allons la retrouver.

Elle prit une longue inspiration.

— D'accord. Cherchons-la. Mais si nous ne l'avons pas trouvée d'ici une heure, j'appellerai la police.

— Entendu, faisons comme ça, approuva Nathan.

— Je vous donne des lampes torches, dit Grace.

Elle précéda Nathan et Virginia vers le pavillon en toussant et pleurant. Livia se tenait sur le seuil, dans la lumière vive. Elle regarda son mari. Elle était livide.

— Nathan, dit-elle.

Il haussa simplement les sourcils. Virginia garda la tête baissée. Elle n'osait pas regarder Livia.

— Ce n'est vraiment pas le moment, dit Nathan d'un ton ferme quand Livia fit mine d'ouvrir à nouveau la bouche.

Elle tressaillit et se tut. Grace revint de la cuisine avec deux grosses lampes torches.

— Elles sont très puissantes. Avec ça, ça devrait aller.

— Voulez-vous que... je vienne ? demanda doucement Livia.

Nathan secoua la tête.

— Reste là avec Grace. Occupe-toi d'elle. Elle a une fièvre carabinée. Virginia a son portable. Si nous avons besoin d'aide, nous vous préviendrons.

Livia demeura silencieuse. La pâleur de ses joues s'accentua d'un cran. Muette, impuissante, elle regarda son mari et l'autre femme disparaître dans les profondeurs du parc.

Grace, qui quelques minutes plus tôt s'agaçait des hésitations de la jeune femme, glissa un bras compréhensif autour de ses épaules.

— Vous êtes pâle comme la mort, dit-elle. Il ne manquerait plus que vous tourniez de l'œil. Vous savez quoi, il vous faut un petit verre. Pour que vous repreniez figure humaine.

Livia voulut protester, mais Grace secoua la tête.

— Ne discutez pas. J'ai là quelque chose… mon Jack ne jure que par ça. Il dit qu'il n'y a rien de tel pour redonner des forces.

Elle eut un petit sourire maladroit plein de compassion.

— Et des forces, vous allez en avoir besoin, c'est une certitude !

9

Ils progressaient lentement, côte à côte. Au début, ils avaient emprunté les allées sablonneuses que Virginia parcourait tous les matins lorsqu'elle faisait son jogging et ils avaient pu marcher vite tout en fouillant les buissons avec leurs lampes et sans cesser d'appeler Kim. Puis Virginia, à bout de souffle, s'était arrêtée.

— Si elle se cache, dit-elle, ce n'est pas par ici, où l'on peut facilement la trouver. Elle a dû s'enfoncer plus profondément dans le parc, là où elle a l'habitude de jouer.

— Dans ce cas, allons-y, dit Nathan en lui prenant la main. Viens. Essaie de te souvenir des endroits où elle aime bien aller, et nous y tenterons notre chance.

Les endroits favoris de Kim n'étaient accessibles que par des sentiers jalonnés de broussailles et de buissons qui les masquaient parfois totalement à la vue. Dans la lumière fantomatique des torches, les fourrés paraissaient impénétrables, pourtant Virginia et Nathan parvenaient toujours à s'y frayer un chemin. Des branches se prenaient dans leurs cheveux, des ronces restaient accrochées aux manches de leurs pull-overs, ils trébuchaient sur des racines.

— C'est vraiment un paradis pour des enfants…

Une branche fouetta le visage de Nathan, lui coupant la parole, et il réprima un gémissement de douleur.

— Saloperies de branches ! Faut faire cinq têtes de moins pour avancer là-dedans ! On va être dans un état en sortant de là !

Virginia voulait retrouver la haie de ronces sous laquelle Kim avait aménagé un système de passages, la petite carrière dans laquelle sa fille avait construit une ville pour ses poupées, le petit bois où Frederic, l'année précédente, lui avait installé un hamac. Elle connaissait bien tous ces endroits, elle y était souvent venue, mais seulement de jour. Dans l'obscurité, tout paraissait différent. Souvent elle s'arrêtait, regardait autour d'elle, perplexe, ne sachant de quel côté se diriger. Sans cesser d'appeler Kim et de l'appeler encore.

Le parc, sombre et silencieux, ne lui renvoyait aucune réponse.

Ils atteignirent la haie de ronces, éclairèrent le pied des buissons, les alentours, sans découvrir la moindre trace de Kim. Ils ne découvrirent rien non plus à la carrière. Virginia se laissa choir sur une grosse pierre et enfouit son visage dans ses mains.

— Elle est partie, Nathan. Elle est partie. Je sens que...

Il s'accroupit à côté d'elle, écarta ses mains de son visage.

— Qu'est-ce que tu sens ?

— Qu'*il* l'a ! Ce détraqué ! Nathan...

Elle bondit sur ses pieds.

— ... nous perdons notre temps ! Il faut tout de suite appeler la police ! Elle n'est pas ici. Pourquoi serait-elle perdue quelque part dans le parc ?

— Parce qu'elle est désorientée et bouleversée, dit Nathan.

Il se tut un instant puis ajouta d'un ton prudent :

— Tu ne t'es pas demandé si... Frederic n'avait pas quelque chose à voir dans cette disparition ?

— Quoi ?

Elle le dévisagea, interloquée.

— Il pourrait avoir voulu te faire une crasse. Tu l'as trompé, eh bien, voilà tout ce que tu mérites. Il sait où toucher pour te faire mal : en te donnant le sentiment d'être une mauvaise mère.

Brusquement, sans avertissement, à ces mots, les larmes jaillirent de ses yeux.

— Mais c'est ce que je suis, Nathan ! C'est exactement ce que je suis ! Si je n'étais pas allée à Skye avec toi...

Il secoua doucement ses mains qu'il tenait toujours emprisonnées dans les siennes.

— Allons, ne t'accable pas de reproches. Une mère aussi a le droit de craquer et de partir. Tu as confié Kim à Grace et à son mari, tu la savais heureuse et en de bonnes mains. Si Grace n'avait pas eu la grippe, elle se serait merveilleusement occupée de Kim qui, j'en suis certain, n'aurait aucunement souffert de ton absence. A cela s'ajoute le fait que Jack n'a pas été là pour seconder sa femme. C'est un malheureux concours de circonstances. Ce sont des choses qui arrivent.

Elle acquiesça, retira ses mains des siennes, essuya ses larmes.

— Ce n'est pas le moment de pleurer, dit-elle en se levant. Je voudrais encore aller jusqu'à son hamac. Si elle n'est pas là, nous rentrerons à la maison et j'appellerai Frederic puis la police.

Ils arrivèrent, épuisés, au petit bois sombre et touffu où le hamac était installé. Kim n'y était pas. Du reste, l'endroit ne présentait aucune trace de passage récent. Nathan éclaira les alentours. Ni branche cassée, ni herbe foulée, pas la moindre trace de pas.

— Elle n'est pas là et il y a longtemps qu'elle n'est pas venue, dit-il. C'est bon, on retourne à la maison.

Ils rebroussèrent chemin, tout en continuant d'appeler Kim, sans obtenir plus de réponses qu'auparavant. Lorsque les fenêtres éclairées du pavillon des gardiens apparurent entre les arbres, Virginia fut prise du fol espoir que Kim était revenue et se trouvait à l'abri près de Grace. Mais ils étaient à peine visibles de la maison que Grace se précipitait vers eux.

— Vous l'avez trouvée ? appela-t-elle. Elle est avec vous ?

Livia apparut derrière elle. Nathan fit comme si elle n'était pas là.

— Pouvons-nous téléphoner ? demanda-t-il.

— Faites, faites, répondit Grace qui visiblement luttait toujours, ou à nouveau, contre les larmes. L'appareil est dans le salon.

Virginia était déjà dans la maison.

— D'abord Frederic, dit-elle. Ensuite la police.

10

Frederic avait dîné dans un restaurant indien avec des amis politiques. Il avait à peine pris part à la conversation, parfois même décroché au point de ne pas savoir de quoi les autres parlaient avec tant d'animation. Il ne pouvait s'empêcher de penser à Virginia et à ce qu'elle était en train de faire, à Skye, avec cet autre homme. Imaginer sa femme dans les bras d'un autre... Pourquoi faisait-il cela ? Pourquoi ne pouvait-il arrêter ? Et pourquoi cette vision lui causait-elle cette douleur atroce, quasi physique ? Il avait toujours pensé qu'il avait un esprit trop rationnel pour de telles émotions. Un homme trompé ne souffrait pas comme un chien. Contre le chagrin, contre la déception, il existait des mécanismes que l'on déclenchait en faisant intervenir la raison, qui empêchaient que l'on devienne le jouet de ses humeurs. On ne laissait pas les émotions, bonnes ou mauvaises, prendre le dessus. Frederic avait toujours cru à la suprématie de l'intellect sur l'affect.

Il est vrai qu'il n'avait jamais imaginé non plus que Virginia puisse le quitter pour un autre homme. Virginia était la femme de sa vie, la femme à côté de qui il voulait vieillir. C'était pour lui une certitude, un fait acquis. Il avait présumé qu'il en allait de même pour elle. Il s'était trompé, bien trompé. Et il était effaré de se découvrir complètement démuni, de ne rien pouvoir opposer à l'acuité de sa douleur. Il la prenait de plein fouet.

Depuis qu'il était de retour à Londres, il faisait tout ce qui était en son pouvoir pour maintenir une apparence de normalité. Honorer ses rendez-vous, s'occuper des clients importants, faire tout ce que prévoyait son planning de la semaine. C'était moins le souci de ses affaires qui le motivait que le désir de ne pas perdre complètement pied. S'il s'était claquemuré dans son appartement, il serait devenu fou, ou il se serait abruti d'alcool. Il était impératif qu'il reste dans le normal, l'habituel, le quotidien, c'était sa seule chance.

Seule chance de quoi ? se demanda-t-il. De ne pas devenir dingue ? De découvrir ce qu'il devait faire ? De combattre la douleur ? De ne pas se laisser dominer par la haine, la colère et le désespoir ?

Un peu de tout cela. Mais c'était surtout sa meilleure chance de ne pas ressasser. Au moins, quand il discutait affaires avec un partenaire, il était obligé de se concentrer sur ce que celui-ci lui exposait, et le manège qui tournait dans sa tête s'arrêtait.

Ce soir-là, cependant, il finit par ne plus supporter les bavardages, les rires, la gaieté et les plaisanteries. Le décalage avec ce qu'il vivait au fond de lui était trop important.

Il attendit dix heures, puis il déclara qu'il avait un mal de tête épouvantable, ce qui ne surprit personne car il y avait longtemps que tous autour de la table avaient remarqué son peu d'entrain à se mêler à la conversation, sa distraction. Il prit un taxi, se fit raccompagner chez lui dans la nuit, à travers la ville éclairée de mille lumières différentes. Toute la journée, il s'était employé à se changer les idées, à saisir toutes les occasions de ne pas penser. Brusquement, il n'aspirait plus qu'à se recroqueviller dans son appartement. Comme un animal blessé dans sa tanière.

Il entendit le téléphone sonner au moment où il glissait sa clé dans la serrure de la porte d'entrée. La serrure accrocha, il tourna nerveusement sa clé dans un sens, dans l'autre, recommença. Puis il se rua sur l'appareil.

— Oui ? fit-il en s'efforçant de ne pas paraître essoufflé.

Il s'irrita de son empressement à espérer qu'il s'agisse de Virginia, tout en ne croyant pas qu'elle puisse l'appeler. Il fut stupéfait d'entendre sa voix.

— Frederic ? J'ai cru que tu n'étais pas là. J'étais sur le point de raccrocher.

— Oh... Virginia. En fait, je rentre à l'instant.

Qu'elle croie donc que je mène une vie parfaitement normale et que je ne reste pas chez moi à me morfondre, songea-t-il, réflexion qu'il jugea dans la seconde puérile.

— J'étais au restaurant avec des amis, expliqua-t-il.

— Je suis à Ferndale, dit Virginia, qui lâcha, sans transition : Kim a disparu.

— Quoi ?

— Grace est allée la chercher à l'école, puis elle s'est

348

couchée. Elle... elle a vraiment une mauvaise grippe... Avec beaucoup de fièvre. Quand elle s'est réveillée, trois heures plus tard, Kim n'était plus là.

— Mais c'est impossible !

— Elle est partie. J'ai cherché partout dans le parc, je n'ai rien trouvé, pas une trace. Je ne sais plus quoi faire. Je...

— J'arrive, dit Frederic.

L'hésitation de Virginia fut muette et cependant à ce point perceptible à travers le téléphone qu'après une seconde d'étonnement Frederic comprit. Il fut surpris que la douleur soit aussi vive en dépit du souci qu'il se faisait pour Kim.

— Je vois, dit-il. Ton amant est là. Je présume que je n'ai pas de place dans le décor.

— Est-ce que cela a de l'importance ?

— Alors pourquoi ne veux-tu pas que je vienne ?

Elle paraissait épuisée et déprimée.

— Ce n'est pas à cause de cela que j'ai hésité, dit-elle. C'est seulement que...

— Je t'écoute...

— Je... je ne savais pas si je devais être soulagée ou pas. J'ai espéré que... que Kim était chez toi. Apparemment, ce n'est pas le cas, mais au moins je ne me serais plus inquiétée.

Pour le coup, il en resta un instant sans voix.

— Tu pensais qu'elle était avec moi ? dit-il enfin.

— Oui.

— Pourquoi serait-elle ici ? Pourquoi l'aurais-je emmenée sans le dire à personne ?

Elle prit une longue inspiration.

— Pour me faire payer mon... séjour à Skye.

Sonné par l'accusation, il s'efforçait de reprendre ses esprits, quand Virginia déclara :

— J'appelle la police. Il faut qu'ils interviennent tout de suite.

— Attends... Tu me crois assez fou pour être capable d'arriver ventre à terre de Londres, d'entrer chez les Walker, d'embarquer Kim à leur insu, et de retourner à Londres pied au plancher à seule fin de te faire payer mon humiliation et de retrouver un peu de dignité ?

349

— Peu importe ce que j'ai cru. C'est retrouver Kim qui a de l'importance.

Elle avait raison. Ce n'était pas le moment de se disputer. Ils en auraient le temps plus tard. Bien plus tard.

Une idée lui vint subitement à l'esprit :

— Es-tu allée à la cabane dans l'arbre ?

— Quelle cabane dans l'arbre ?

— Celle que j'ai construite avec elle quand elle avait quatre ans.

Un été chaud, long. A l'époque, ils vivaient encore à Londres. Exceptionnellement, ils avaient passé juillet et août à Ferndale et non à Skye. Kim traversait alors une phase d'extrême attachement à son père, qu'elle ne quittait pas d'une semelle. Frederic lui consacrait beaucoup de temps. Ils allaient ensemble à la piscine, parcouraient les bois, observaient les animaux, ramassaient des fleurs. Et il lui avait construit une cabane dans un arbre. Une cabane vraiment magnifique, avec une échelle que l'on pouvait remonter une fois en haut, un banc pour s'asseoir et même une petite table branlante.

— Mais cela fait une éternité qu'elle n'y va plus… fit Virginia.

— Elle s'en souvient tout de même. Et c'était un temps très heureux. Il est possible qu'elle ait eu envie d'y retourner. Pour cette raison, justement.

Cet été-là, avec ses deux parents près d'elle, Kim avait baigné dans un climat d'harmonie. Ils avaient passé des après-midi ensemble dans la cabane perchée, Kim, Frederic et Virginia, laquelle tremblait à l'idée que tout s'effondre sous leur poids. Kim jouait à recevoir ses parents pour le thé, elle leur servait de l'eau dans les tasses en plastique de sa dînette, des petits morceaux de sablé sur les minuscules assiettes.

Ils s'étaient beaucoup amusés. La cabane dans l'arbre pouvait effectivement symboliser ce que Kim redoutait de perdre.

— Tu retrouveras l'endroit ? demanda Frederic.

— Oui. Bien sûr.

— Vas-y. Si elle n'est pas là non plus, préviens la police. Et appelle-moi. Je me débrouillerai pour venir dès cette nuit.

— Entendu.

La peur nouait littéralement la gorge de Virginia, il l'entendait à sa voix.

— Je reste à côté du téléphone, dit-il avant de raccrocher.

Il ne croyait pas que Kim ait pu être enlevée. Pas alors qu'elle demeurait chez les Walker. Elle était partie, c'était le seul moyen dont elle disposait pour protester contre ce qui menaçait, contre la disparition annoncée de ses repères.

Mais c'était déjà suffisamment grave. Il avait eu l'intention de rester à Londres et d'attendre que Virginia fasse les premiers pas. Puisque c'était elle qui était partie, à elle de trouver comment réparer les pots cassés. A présent, il se rendait compte combien son attitude était à la fois puérile et irresponsable. Dans toute cette histoire, il ne s'agissait pas seulement de lui et de Virginia, de ce qu'ils éprouvaient l'un pour l'autre, des blessures qu'elle lui avait infligées, de ce que lui-même avait fait, ou pas fait, pour qu'ils en arrivent là. Il s'agissait d'abord et en premier lieu de Kim. Ils se devaient de songer à elle et à son bien-être avant de penser à eux.

Il partirait au plus tard demain matin pour King's Lynn. Ils devaient parler. Discuter de l'avenir immédiat. Convenir ensemble de ce qu'il y avait lieu de faire pour que Kim souffre le moins possible du bouleversement familial.

Kim.

Il fixait le téléphone.

Kim, reviens ! Où es-tu ? Reviens, tout va s'arranger !

L'heure qui commençait, il le savait, compterait parmi les plus longues de sa vie.

Mardi 5 septembre

1

Il n'était pas encore six heures quand le taxi s'engagea dans l'allée sinueuse de Ferndale House. Il pleuvait. Le chauffeur se mit en phares, les longs pinceaux lumineux donnaient un aspect fantomatique aux grands arbres noirs.

La voiture s'arrêta devant la maison, dont toutes les fenêtres étaient sombres. Il n'y avait de lumière nulle part. Un voile de brouillard stagnait sur le toit entre les cheminées. On se serait cru à la fin de l'automne. S'il n'y avait pas eu tant de feuilles aux arbres, cela aurait pu être un matin de novembre.

La porte de la maison s'ouvrit et Livia sortit. Elle portait un jean, une veste imperméable bleue et des baskets. Elle tenait à la main le sac contenant les vêtements que Virginia lui avait donnés.

Le chauffeur descendit et lui ouvrit la portière arrière.

— Je suis à l'heure ! dit-il fièrement.

Livia hocha la tête.

— Oui. Merci beaucoup.

— C'est bien pour la gare, n'est-ce pas ? s'assura-t-il.

Elle hocha à nouveau la tête.

— Oui, c'est pour la gare.

Il enclencha la marche arrière et fit demi-tour.

— Et vous allez où, ensuite ? demanda-t-il.

— A Londres.

— Je ne suis pas certain qu'il y ait un train pour Londres d'aussi bonne heure.

— Ça ne fait rien. J'attendrai.

Ils redescendirent vers l'entrée du parc. Le chauffeur avait laissé la grille ouverte. Au-delà de la propriété, les arbres étaient moins denses, le ciel parut s'éclaircir. Mais les champs disparaissaient sous une chape de brouillard gris et l'air sentait la pluie.

— Ce n'est pas un temps agréable pour voyager, observa le chauffeur.

Il n'obtint aucune réponse. En jetant un regard dans le rétroviseur, il vit que sa cliente pleurait.

Il alluma la radio, baissa toutefois le son de manière à juste entendre les informations. A défaut de pouvoir parler avec sa cliente, il voulait au moins entendre une voix.

Pauvre femme. Elle paraissait à bout de forces et complètement déprimée. Non, pas simplement déprimée. Il jeta à nouveau un coup d'œil discret dans le rétroviseur.

Désespérée. Elle avait l'air réellement désespérée. Pauvre femme, décidément.

2

— Tu viendras aussi me rechercher, maman ? demanda Kim.

Elle était assise à l'arrière, son cartable sur les genoux, pâle, les traits tirés, toute petite.

Quand Virginia et Nathan l'avaient trouvée, la nuit précédente, dans sa cabane dans l'arbre, elle tremblait comme une feuille. Il y avait plusieurs heures qu'elle était là. Elle était transie, exténuée, apeurée. Nathan l'avait portée dans ses bras pour la ramener à la maison tandis que Virginia éclairait le chemin avec la lampe torche. Elle voulut tout de suite l'emmener chez un médecin, mais Nathan pensait que cela l'aurait encore plus perturbée et l'en avait dissuadée.

« Ce qu'il lui faut, c'est un lait chaud au miel, un bon bain et beaucoup de calme. »

Virginia s'était rangée à son avis. Elle était profondément

déstabilisée. Jamais elle n'avait vu sa fille, d'ordinaire gaie et tranquille, dans un tel état.

« Pourquoi t'es-tu cachée ? lui avait-elle demandé lorsqu'elle fut au lit, un foulard autour du cou et des chaussettes en laine aux pieds.

— Je ne voulais pas me cacher, avait expliqué Kim. Je voulais seulement être là-bas. Puis tout d'un coup il a fait noir, et je n'ai plus osé traverser la forêt.

— Mais pourquoi voulais-tu être là-bas alors qu'il était si tard et qu'il pleuvait ? Ce n'est pas agréable, la cabane, quand il ne fait pas beau. »

Kim était demeurée silencieuse et avait détourné la tête.

« Je sais que tu étais triste parce que c'était le premier jour d'école et que je n'étais pas là, avait dit Virginia. Je regrette terriblement que cela se soit passé ainsi. Mais je pensais que... Tu aimes tellement être chez Grace. J'ai vraiment cru que je ne te manquerais pas. »

Plus tard dans la nuit, après qu'elle eut à nouveau appelé Frederic pour le rassurer et que Kim se fut enfin endormie, elle dit la même chose à Nathan. Elle l'avait trouvé dans la cuisine, debout devant le frigo, en train de boire un verre de lait. Il avait l'air épuisé. Elle savait qu'il avait longuement parlé avec Livia.

« Bien sûr qu'elle se plaît beaucoup chez Grace, avait-il dit. Mais cette fois, ce n'était pas comme d'habitude. Tu n'étais pas simplement absente. Elle avait capté que les adultes présents, son père en tête, ne savaient pas où tu étais. Les enfants ont des antennes. Elle ne sait pas encore que quelque chose est en train de se briser entre son père et sa mère, mais elle sent la terre trembler. Elle sent qu'une menace arrive sur elle, voilà pourquoi elle est allée chercher refuge dans cette cabane. »

Virginia s'était assise à la table, avait pris sa tête dans ses mains.

« Nous faisons du mal, murmura-t-elle. Nous détruisons tellement de choses...

— Nous le savions. »

Elle avait levé les yeux vers Nathan.

« As-tu parlé à Livia ?

— J'ai essayé.

— Essayé ?

— Elle ne fait que pleurer. En fait, il était impossible de discuter. Et quand elle ne pleure pas, elle recommence avec le naufrage. Là, elle craque. Tout ce que je peux dire d'autre, je crois qu'elle ne l'entend pas vraiment.

— Elle est traumatisée. Et en plus avec ça...

— Oui. En plus avec ça... »

Il s'était assis en face d'elle et avait pris ses mains dans les siennes. Il y avait quelque chose de magique dans ce contact, exactement comme lorsqu'ils étaient à Dunvegan.

« Je ne peux pas revenir en arrière, avait-elle dit. Je ne peux pas renoncer à toi. »

Il n'avait rien répondu, il l'avait simplement regardée. La cuisine était peu éclairée. Ils étaient demeurés de longues heures ainsi, dans la quasi-pénombre, sans parler, en se tenant simplement les mains. Puis ils étaient allés dans le salon où ils avaient essayé de dormir, enlacés sur le canapé. Ils n'avaient pas ôté leurs vêtements, c'était étroit et inconfortable, et ils n'avaient pas réellement dormi, seulement somnolé. Pourtant la nuit avait paru merveilleuse à Virginia. Quand elle s'était levée, le lendemain matin, les muscles endoloris, le dos raide, ses sentiments de culpabilité envers Frederic et Kim n'étaient pas moindres, en revanche sa certitude que Nathan était sa seule voie s'était encore renforcée.

Elle était à présent au volant de sa voiture, elle venait de s'arrêter devant l'école de Kim. Quand sa fille lui avait demandé si c'était elle qui viendrait la chercher à la sortie, elle avait été tentée de la rassurer par un oui rapide. Puis il lui avait paru important, au milieu de cette tourmente, de ne pas, en plus, risquer de détruire la confiance que Kim, malgré tout, continuait à lui porter.

— Je ne sais pas si je pourrai venir te chercher, dit-elle. Papa doit arriver de Londres par le train de cinq heures. Je pense que je vais devoir aller le chercher à la gare. Il n'a pas de voiture au parking.

Frederic l'avait prévenue dès la nuit précédente de son intention de venir aussi vite que possible à Ferndale afin de « clarifier la situation ». Il avait refusé sans détour sa proposition de venir le chercher à la gare, mais elle jouait avec l'idée de le faire tout de même. Il lui paraissait plus judicieux qu'ils se revoient en terrain neutre. De même, elle aurait préféré qu'ils se parlent dans un café ou un restaurant plutôt que chez eux, dans le salon. Elle ne savait pas elle-même pourquoi cela lui semblait plus simple. Peut-être l'explication se trouvait-elle dans les jours et les nuits qu'elle avait partagés avec Nathan à Ferndale. Leur histoire imprégnait déjà la maison, même s'ils n'y avaient jamais fait l'amour. La nuit passée comptait plus pour Virginia qu'une seule de leurs insatiables étreintes de Skye. La nuit passée, leurs âmes avaient fusionné. Comment pouvait-elle en l'espace de quelques heures s'asseoir sur le même canapé et parler avec Frederic ?

— Qui va venir me chercher, alors ? demanda Kim.

Elle avait des cernes mauves sous les yeux.

— Il y aura quelqu'un, je te le promets, dit Virginia. Peut-être Grace, si elle va mieux. Peut-être Jack, s'il est rentré d'ici là. Ou peut-être...

— Qui ?

— Peut-être Nathan. Tu serais d'accord ?

Kim hésitait. Virginia insista :

— Tu aimes bien Nathan, n'est-ce pas ?

— Il est gentil, dit Kim.

— S'il vient te chercher, il t'emmènera peut-être boire un milk-shake quelque part. Ça te plairait ?

— Oui, dit Kim, qui ne paraissait pas réellement enthousiaste.

Virginia la regarda.

— Ma chérie, je... je ne partirai plus jamais sans toi.

Je te le promets.

Kim hocha la tête.

— Et papa ?

— Papa doit parfois aller à Londres, tu le sais.

— Mais il reviendra toujours chez nous ? voulut s'assurer Kim.

— Tu ne perdras pas ton papa, dit Virginia, qui détourna la tête parce que ses yeux s'emplissaient de larmes.

Dieu me pardonne, se dit-elle.

3

— Elle est partie et elle a pris mon fric, dit Nathan.

Il était blanc de rage sous son hâle.

— Enfin, je veux dire *ton* argent, celui que tu m'as prêté. Elle a laissé dix livres mais elle a disparu avec le reste.

Virginia, qui se tenait au pied de l'escalier, leva la tête vers lui.

— Livia est partie ?

— Et elle a pris ses vêtements... *tes* vêtements. Ça ressemble à un départ.

— Les vêtements, je les lui avais donnés. Ce n'est pas un problème.

Nathan descendit l'escalier.

— Je suppose qu'elle va essayer de rentrer en Allemagne.

— Ça t'étonne ? Après ce qui s'est passé ? Je comprends qu'elle ne supporte pas de rester ici.

— J'ai l'air malin avec *dix* livres !

— Nathan, ce n'est pas un problème ! Je peux t'en prêter quand tu veux, tu le sais.

— J'espérais ne pas avoir besoin de plus ! Je veux dire, c'était ton argent, mais j'espérais qu'on en resterait là ! Est-ce que tu te rends compte de ce que...

Il ne poursuivit pas sa phrase. Virginia posa une main sur son bras.

— Nathan... cela ne doit pas être un problème entre nous.

— Pour moi, c'en est un. J'ai quarante-trois ans. Et je n'ai rien à moi. Absolument rien ! Je me fais entretenir par la femme que j'aime. Est-ce que tu peux imaginer combien je me sens minable ?

— Oui. Je peux l'imaginer, dit Virginia.

Il était arrivé en bas de l'escalier. Il releva les cheveux qui lui tombaient sur le front. Il paraissait plus fatigué qu'en colère.

— Si seulement je voyais une issue ! Je sais que je vais écrire. Je sais que mes livres marcheront. Mais ça ne va pas se faire en trois jours...

— Tu réussiras. D'ici là, laisse-moi t'aider.

— Je n'ai guère le choix, dit Nathan.

Virginia découvrit avec étonnement qu'il paraissait réellement affecté. Apparemment, il avait bien eu l'intention de ne plus lui réclamer d'argent. Elle se demandait néanmoins ce qu'il avait envisagé pour se débrouiller sans son aide. Le fait que Livia soit partie avec son maigre capital paraissait l'anéantir.

— Je n'ai guère le choix, répéta Nathan. Il faut bien que je vive de quelque chose. Et vu la tournure que prennent les choses, je vais difficilement pouvoir rester ici à Ferndale.

Elle le regarda sans comprendre.

— Ah ? Pourquoi ?

Il sourit, mais sans que son sourire éclaire son visage.

— Virginia chérie, ton mari arrive aujourd'hui. Tu l'as déjà oublié ? Je n'ai rien contre lui, mais crois-tu vraiment qu'il va bien le prendre si je suis là dans son salon et lui propose un verre quand il arrivera ?

Elle fut stupéfaite de ne pas avoir pensé un seul instant à la façon d'éviter une rencontre entre Nathan et Frederic. Sans doute avait-elle été jusque-là trop préoccupée par le sort de Kim.

— Tu as raison, dit-elle. Il vaut mieux que tu ne sois pas là.

— Je vais me chercher un *bed & breakfast* quelconque et y transporter mes pénates. Il faut seulement que tu...

— Ne t'inquiète pas. Je paierai.

— Je te rendrai jusqu'au dernier penny. Je t'en donne ma parole.

— Si tu y tiens...

— J'y tiens. Je ne pourrais pas me regarder dans une glace, sinon, affirma-t-il.

Ils se tenaient l'un en face de l'autre, indécis.

— Je ne sais pas comment je vais supporter les prochaines nuits sans toi, dit Virginia à mi-voix.

— Nous aurons bientôt toute la vie, répondit-il lui aussi à mi-voix.

En une succession rapide d'instantanés, des images défilèrent devant les yeux de Virginia. Une petite maison dans la campagne. Un jardin baigné de soleil. Nathan et elle dans la cuisine, sur la table une cafetière à demi pleine et deux tasses. Ils parlent de son dernier livre, avec enthousiasme, tout à leur sujet, loin du monde, mais sans que la solitude soit un poids car ils sont ensemble. La nuit, leurs corps enlacés, leurs respirations en harmonie. Un verre de vin au coucher du soleil. Le temps qui s'étire devant un feu de bois dans l'âtre tandis que dehors la neige tombe, recouvrant le monde d'un manteau de silence. Se promenant main dans la main en riant, parlant ou communiant dans un calme complice. Une fête chez des amis, des gens, de la musique, eux se comprenant des yeux.

Le bonheur.

Elle le retrouverait. Elle sentait déjà sa présence. Il était à portée de main. Il était devant elle, si près qu'il parvenait à faire battre son cœur plus vite.

Les lèvres de Nathan étaient dans ses cheveux.

— J'y vais, maintenant, dit-il.

— Déjà ? Frederic ne sera là qu'en fin d'après-midi.

— Je sais, mais j'ai besoin d'être un peu seul. Je vais peut-être aller sur la côte. Il s'est passé tellement de choses.

— Tu peux prendre ma voiture. J'utiliserai celle de Frederic.

Il serra les poings.

— Un jour, je ne dépendrai plus de personne. Ce ne sera plus du tout pareil.

— J'en suis certaine. Ne te rends pas malade avec ça, ajouta-t-elle pour elle-même.

Elle lui donna les clés de sa voiture, plongea dans son sac à la recherche de billets. Brusquement, elle se souvint de son idée.

— Pourrais-tu passer prendre Kim à l'école à cinq heures ? Je crains que Grace ne soit encore guère en état de sortir et il est peu probable que Jack soit déjà rentré. Je vais t'expliquer comment y aller...

— J'irai volontiers.

— Dépose-la chez Grace. Je voudrais attendre Frederic au train et aller ensuite quelque part avec lui pour parler.

— Je prendrai Kim à l'école. Ne t'inquiète pas.

Elle acquiesça. Elle se raccrochait à ses mots. « Ne t'inquiète pas. » Une journée difficile s'annonçait. Des semaines difficiles. Un temps difficile.

— Nathan, dit-elle, nous y arriverons. J'en suis certaine.

Il sourit à nouveau. Cette fois, sans amertume, avec tendresse.

— Je t'aime, dit-il.

4

Grace n'était pas guérie, mais elle se sentait un peu mieux. Elle n'avait pas quitté son lit de la journée, hormis pour se rendre aux toilettes et se faire une tisane. Elle ne tenait qu'à moitié sur ses jambes, toutefois elle n'avait plus le vertige comme la veille. Et si elle était toujours courbatue, ses muscles ne lui faisaient plus aussi mal. Le pire était derrière elle.

Jack avait appelé deux fois pour confirmer qu'il serait de retour en début de soirée. Elle l'avait rarement attendu avec une telle impatience. C'était un homme bourru, mais quand on n'allait pas bien il était attentionné et serviable au possible. Sûr qu'il lui préparerait quelque chose de bon à manger et qu'il installerait la télévision dans la chambre pour qu'elle puisse la regarder de son lit. Elle ne raterait pas le film d'amour de ce soir.

Elle était heureuse et soulagée que Kim ait retrouvé, saine et sauve, les bras de sa maman. S'il lui était arrivé quelque chose parce qu'elle s'était endormie au lieu de la surveiller, elle ne se le serait jamais pardonné. Toutefois, en dépit de sa grippe et de l'effroyable angoisse dans laquelle l'avait plongée la disparition de Kim, le caractère explosif de la situation ne lui avait pas échappé. Il était tellement évident qu'il y avait quelque chose entre Virginia Quentin et le bel Allemand qu'ils auraient aussi bien pu porter un grand écriteau autour du cou avec écrit en lettres fluorescentes ce qu'ils éprouvaient l'un pour l'autre. Livia Moor avait eu l'air sur le point de s'évanouir, pâle comme un linge, les lèvres tremblantes. Et elle avait peur de son mari, Grace s'en était rendu compte. Elle n'osait pas lui faire de scène, alors qu'il était tellement clair qu'il la trompait. Il lui avait jeté un regard qui lui avait cloué le bec. Il la traitait comme une rien du tout, avec mépris, sans le moindre égard pour ses sentiments. Comment Virginia Quentin pouvait-elle se laisser séduire par un homme qui traitait aussi mal une autre femme ? Ne remarquait-elle rien ? Ou bien croyait-elle qu'avec elle Nathan Moor serait un autre homme ?

Grace, qui adorait les potins, aurait aimé échanger ses impressions avec ses amies, mais en dehors du fait qu'elle se sentait vraiment malade, il y avait à cela un empêchement de taille : Grace s'interdisait de cancaner sur *sa famille*, c'était un principe sacré. Quoi qu'il arrive, pas un mot ne franchirait ses lèvres. Si King's Lynn devait apprendre la fin de l'heureux couple Quentin, ce serait peut-être par la presse people locale, sûrement pas du fait de Grace Walker.

Il était quatre heures. Grace, en peignoir, regardait par la fenêtre. Il pleuvait toujours. Quel mois de septembre épouvantable, cette année ! Pas d'arrière-saison, pas de belles journées ensoleillées, pas de douceur dans l'air, pas de jardins éclatants de couleurs. Seulement de la pluie et du brouillard. Un temps de novembre. Pas étonnant qu'elle ait attrapé la grippe !

Grace, qui était du genre énergique, détestait se sentir faible et misérable, rien ne l'agaçait plus que d'être incapable de se remuer et de devoir laisser filer la journée à ne rien faire. Elle aimait s'activer, elle aimait s'occuper de la maison et du jardin, elle aimait faire la cuisine, des gâteaux, repasser soigneusement le linge, le ranger bien plié dans des armoires garnies de petits sachets de lavande. Elle aimait veiller à tout, s'occuper des autres. Elle se serait bien vue avec six enfants, elle les aurait choyés et aimés, mais au début de leur mariage ils avaient eu tellement de mal à joindre les deux bouts, et Jack était continuellement sur les routes avec son camion. Ils avaient attendu des jours meilleurs. Quand ils étaient arrivés, Grace avait dépassé les quarante ans et n'avait pas réussi à être enceinte. Elle songeait souvent que l'absence d'enfants serait toujours une ombre sur sa vie par ailleurs heureuse. Quel bonheur qu'elle puisse au moins être comme une grand-mère pour la petite Kim !

Cependant, alors qu'elle regardait rêveusement la pluie tomber et se mouchait pour la centième fois, une idée lui vint brusquement à l'esprit : et si ça ne durait pas ? Si M. et Mme Quentin se séparaient et que Mme Quentin partait avec ce bellâtre ? A coup sûr, elle emmènerait Kim avec elle. Les enfants restent toujours avec la mère. Et M. Quentin vendrait sans doute Ferndale House. Il était toujours à Londres, qu'aurait-il besoin d'un manoir plein de tristes souvenirs ?

Elle en eut brusquement le cœur si gros qu'elle dut s'asseoir sur le canapé et respirer à fond. Jack disait toujours qu'il ne fallait pas s'énerver pour quelque chose qui n'existait pas.

« A la fin, il se passe quelque chose de complètement différent et on a gâché son énergie pour rien », disait-il toujours. Elle devait reconnaître qu'il avait souvent raison.

Pour se rassurer, elle se dit qu'elle était par trop pessimiste, mais son cœur n'en tambourinait pas moins dans sa poitrine et elle fut prise de suées.

Elle ruminait ces idées noires quand le téléphone sonna.

Elle espéra que c'était Jack qui lui annonçait qu'il serait là d'un moment à l'autre. Elle pourrait lui raconter ce qui lui trottait dans la tête. Il saurait sûrement quoi répondre pour calmer ses inquiétudes.

— Oui ? fit-elle pleine d'espoir.

Ce n'était pas Jack. C'était l'Allemand, elle le reconnut tout de suite à son accent :

— Madame Walker, Nathan Moor à l'appareil. Je... L'ami de Mme Quentin.

— Je sais qui vous êtes, dit sèchement Grace.

— J'appelle d'une cabine téléphonique. Je suis à Hunstanton. Ma voiture ne démarre pas.

— Qu'est-ce que vous faites par un temps pareil à

Hunstanton ? répliqua Grace, faute de trouver quelque chose de plus subtil à lui répondre.

— Certaines personnes aiment bien marcher au bord de la mer sous la pluie, dit-il d'un ton teinté d'impatience. Madame Walker, je me permets de vous appeler parce que j'ai promis à Virginia… à Mme Quentin, d'aller chercher Kim à cinq heures à l'école. D'ici que je réussisse à faire démarrer la voiture, je risque d'être en retard. J'ai essayé de joindre Mme Quentin chez elle, mais elle ne répond pas. Et sur son portable, je n'obtiens que sa messagerie.

— Mme Quentin est passée devant chez nous il y a une demi-heure. Pour autant que je sache, elle allait chercher son *mari* à la gare.

Grace avait insisté ostensiblement sur le mot.

— Zut ! lâcha Nathan.

— Si je comprends bien, elle n'a pas allumé son portable…

Grace prenait un certain plaisir à entendre que Nathan Moor était coupé de tout lien avec sa maîtresse et incapable de se tirer d'affaire tout seul. Quoiqu'elle ait déjà deviné ce qui se profilait à l'horizon. Si Virginia Quentin n'était pas joignable, ce serait à elle, Grace, d'aller chercher Kim à l'école et elle pourrait faire une croix sur la journée qu'elle se promettait de passer au lit pour se remettre d'aplomb.

Ce qu'elle avait pressenti arriva :

— Il m'est désagréable de devoir vous demander cela, madame Walker, mais pourriez-vous aller chercher Kim ? Je sais que vous êtes souffrante, mais…

— Votre femme ne peut pas y aller ? demanda Grace.

Un silence.

— Ma femme est partie, déclara finalement Nathan.

— Oh… fit Grace.

— Le crédit de ma carte est bientôt épuisé, reprit Nathan. Pouvez-vous me donner une réponse ? Pouvez-vous…

Grace mit dans sa réponse tout le mépris dont elle était capable :

— J'irai chercher Kim, dit-elle. Il va de soi que je ne laisserai pas la petite en plan.

Et sur ces mots, elle raccrocha.

Livia Moor était donc partie… Les choses se précisaient.

Reste calme, s'intima Grace. Surtout reste calme.

Mais son cœur battait à cent à l'heure et les vertiges de la veille la reprirent. Elle aurait voulu se fourrer dans son lit et pleurer, mais ce n'était pas le moment de se laisser aller.

Elle appela Jack sur son portable pour l'informer de la situation. Avec un peu de chance…

Non, expliqua-t-il, il ne serait pas là à temps, il était encore sur la voie de contournement de Londres, coincé dans les embouteillages des heures de pointe et ne pensait pas être de retour à King's Lynn avant sept heures du soir.

Il y avait vraiment de quoi pleurer.

— Je vais aller chercher Kim, dans ce cas, dit Grace.

Jack, aussitôt, s'énerva :

— Tu restes au lit ! Tu n'es pas en état de sortir ! C'est quoi, ce type auquel Mme Quentin voulait confier sa fille ? Et pourquoi est-elle injoignable ?

— C'est une longue histoire. Je te raconterai ça plus tard. Il faut que je m'habille, je vais être en retard, sinon, dit Grace, qui raccrocha et fondit en larmes.

5

Grace ne parvint pas à être à l'école à cinq heures. Mais à cinq heures et exactement quatorze minutes – un coup d'œil à sa montre l'en informa –, elle s'arrêtait devant l'entrée. Sa vertu première étant que l'on puisse en toutes circonstances compter sur elle, elle était très contrariée d'être en retard. Tout ça parce qu'elle n'avait pas soupçonné combien chaque geste lui coûterait et qu'elle mettrait une éternité à simplement s'habiller. Quand elle s'était penchée pour nouer ses lacets de chaussures, une suée l'avait envahie et elle avait eu un éblouissement qui l'avait obligée à attendre plusieurs minutes avant de s'aventurer hors de sa chambre.

— Je suis vraiment malade, gémit-elle à mi-voix, vraiment malade. Et faut que ça tombe maintenant !

La pluie s'était muée en un crachin gris désespérant. Le

bâtiment de brique rouge de l'école paraissait vide et abandonné, la cour goudronnée était constellée de flaques, un moineau esseulé était posé sur le muret situé près de l'entrée.

D'ordinaire, c'est là que Kim s'asseyait pour attendre quand Grace venait la chercher et qu'elle était sortie un peu plus tôt que prévu. Aujourd'hui, à part l'oiseau qui regardait silencieusement autour de lui, il n'y avait pas âme qui vive. Par un temps pareil, ce n'était pas étonnant.

Elle est à l'intérieur, naturellement, songea Grace avec lassitude.

Il fallait donc, alors qu'elle tremblait de fièvre, qu'elle cherche une place pour se garer et descende de voiture. Décidément, rien ne lui serait épargné. Elle aspirait plus que jamais à se mettre au lit avec une tisane bien chaude. Et qu'on la laisse tranquille, qu'on l'oublie.

Elle se gara en infraction devant l'entrée même de l'école, descendit et se hâta à travers la cour. Elle avait oublié de prendre un parapluie. Dans sa précipitation, elle mit un pied dans une flaque et sentit aussitôt l'eau qui mouillait son bas à travers sa chaussure.

Elle jura entre ses dents.

Elle atteignit enfin l'auvent protecteur et poussa la grande porte vitrée à double battant qui ouvrait sur un vestibule. De part et d'autre de l'entrée, les murs disparaissaient derrière des tableaux et des panneaux d'affichage couverts d'annonces diverses : informations, appels, avis, rappels... Le vestibule donnait, trois marches plus haut, sur le vaste hall dans lequel se tenaient les réunions et les conférences organisées par l'école. Un escalier imposant qui partait du centre menait à une galerie bordée d'une rambarde en pierre. La galerie desservait des salles de classe, des bureaux, des salles de réunion.

Le grand hall était désert.

Grace, qui s'attendait à trouver Kim assise sur les marches de l'escalier, fouilla l'endroit du regard. Personne. Aucune trace de Kim.

Elle revint sur ses pas en fronçant les sourcils, regarda dans la cour à travers la porte vitrée. Kim serait dehors ? Sous un arbre, peut-être ? Non, elle ne la vit nulle part.

Son pied mouillé était glacé, la chaussure qui avait pris l'eau couinait à chaque pas. Grace éternua et fit une nouvelle fois le tour du hall, puis elle monta à l'étage en se cramponnant à la rampe. Ses genoux tremblaient.

Un son étouffé, flûtes et piano, provenait d'un endroit indéterminé. Grace ouvrit des portes au hasard, vit des salles de classe vides. Et pas de Kim.

Derrière l'une des portes, elle découvrit un groupe d'une dizaine de garçons et filles qui s'évertuaient à tirer des sons censément harmonieux de leurs flûtes à bec sous la direction d'une jeune femme au bord de la crise de nerfs. Un garçon accompagnait le groupe au piano, aussi maladroitement qu'énergiquement.

— Oui ? C'est pourquoi ? demanda le professeur d'un ton agacé quand elle remarqua Grace.

Les enfants laissèrent tomber leurs instruments avec soulagement.

Grace éternua derechef. Elle aurait eu bien besoin d'un mouchoir, mais pas moyen d'en trouver un dans ses poches.

— Excusez-moi, je suis à la recherche de la fille d'une... amie que je suis venue chercher. Elle finissait à cinq heures. J'ai eu malheureusement quelques minutes de retard et je ne la trouve pas.

— Mais elle n'est pas censée être ici, dit la jeune femme, n'est-ce pas ?

— Non, non. Kim ne fait pas de flûte. Cependant, vous la connaissez peut-être ? Kim Quentin.

La jeune femme faisait visiblement de gros efforts pour rester polie.

— Non, je ne la connais pas. Et à ma connaissance, nous sommes, le groupe de flûte, les derniers à être là. Hormis le concierge, il ne doit plus y avoir personne dans les locaux.

— Je vois... Y aurait-il quelque part une sorte de parloir, un foyer où Kim pourrait être en train de m'attendre ? Nous nous retrouvons d'habitude toujours dehors, mais par ce temps...

— En bas, à l'entrée, première porte à droite, dit le jeune pianiste. Il y a une salle de permanence. Elle y est peut-être.

— Merci, merci beaucoup ! dit Grace avec soulagement.

Elle ferma la porte et aussitôt le concert de fausses notes reprit.

Quel métier ingrat, songea-t-elle en regagnant le rez-de-chaussée, cette fois d'un pas rapide et quasi aérien car elle était presque certaine de trouver Kim dans la fameuse salle, et cette certitude lui donnait des ailes. Pas étonnant que cette femme ait été aussi énervée !

Elle traversa le hall et ouvrit la porte indiquée. Une salle encombrée de tables et de chaises rassemblées en groupes disparates apparut. C'était incontestablement la salle de permanence.

Elle était déserte.

Grace soupira de déception.

Il était à présent cinq heures et demie passées. Kim était-elle partie en direction de l'arrêt de bus quand elle avait vu que personne n'était là à cinq heures ?

Il était déjà arrivé à Grace de faire le trajet en bus avec la petite, mais uniquement quand il faisait beau ou parce qu'elle avait envie, pour une raison quelconque, de se promener dans la campagne. Ferndale House se trouvait encore à une bonne demi-heure à pied à travers champs de l'arrêt de bus le plus proche. Kim n'avait encore jamais fait le trajet seule. Et Grace ne savait pas si elle avait seulement de l'argent sur elle pour acheter un ticket.

Une autre idée lui vint à l'esprit : finalement, ce bonhomme allemand avait peut-être réussi à joindre Mme Quentin sur son portable, qui était donc elle-même passée prendre sa fille à cinq heures à l'école.

Il y a longtemps qu'elles sont tranquillement chez elles, au sec, tandis que je suis là à chercher, songea-t-elle.

En dépit de la pluie, elle fit une dernière fois le tour des locaux, regarda dans les toilettes, qui occupaient un petit bâtiment isolé, et quand elle fut certaine que Kim n'était pas là elle regagna sa voiture. Elle avait hâte de pouvoir enlever sa chaussure mouillée. D'allonger ses membres endoloris. De fermer les yeux et de ne plus penser à rien.

Elle mit le moteur en marche.

Kim est sûrement rentrée, se dit-elle une dernière fois.

Il était six heures moins dix quand elle repartit.

Elle avait un mauvais pressentiment.

6

Peu après six heures, Frederic et Virginia quittèrent le café où ils étaient allés en sortant de la gare. Ils avaient bu chacun deux cafés, s'étaient regardés, avaient essayé de parler, d'analyser ce qui s'était passé.

« Tu n'avais pas à venir me chercher ! s'était exclamé Frederic quand il avait vu Virginia à la gare. Je t'avais dit que...

— Je sais, l'avait-elle interrompu. Mais je voulais que nous parlions sans que Kim puisse nous entendre.

— Comment va-t-elle ?

— Mieux. Ce matin, elle était très sereine.

— Qui va la prendre à l'école ?

— Grace. »

Un gros mensonge, mais Virginia ne pouvait pas dire à Frederic que c'était son amant qui irait chercher leur fille. Compte tenu des circonstances, mentir lui paraissait pardonnable.

Frederic n'avait fait aucun commentaire sur le fait qu'elle avait pris sa voiture, mais peut-être ne l'avait-il pas remarqué. Elle en avait été soulagée, ainsi elle n'avait pas besoin de lui dire qu'elle avait prêté la sienne à Nathan.

Ils étaient restés longtemps sans savoir par où commencer. Virginia, qui sentait le regard de Frederic peser sur elle, avait conscience de l'effet que devait lui faire ce qu'il voyait. En dépit de l'angoisse suscitée la veille par la disparition de Kim, en dépit de la tension et de ses inquiétudes, elle avait l'air d'une femme heureuse, elle s'en était rendu compte en se regardant dans la glace, et elle ne pouvait pas le cacher. Ses joues étaient roses, ses yeux pétillaient, son visage paraissait illuminé de l'intérieur même lorsqu'elle était grave. Une main magique avait effacé ce qui l'avait fait paraître soucieuse et rongée de chagrin. La joie de vivre pour laquelle on l'admirait lorsqu'elle était jeune et que les hommes trouvaient si séduisante était sur le point de renaître. Cela l'avait frappée quand elle s'était observée dans la glace au matin de cette merveilleuse nuit avec Nathan : elle ressemblait à ce qu'elle était à vingt ans. Il y avait dans ses yeux le même appétit de vivre, la même curiosité, le même défi. Comme si les années entre cette époque et aujourd'hui n'avaient pas existé.

Lorsqu'il l'eut suffisamment regardée en tournant distraitement sa cuillère dans sa tasse, Frederic lui avait demandé à voix basse, presque dans un murmure :

« Pourquoi ? »

Quelle que soit l'explication, elle ne pouvait que le blesser.

« Je ne sais pas vraiment. C'est comme si...

— Comme si quoi ?

— Comme s'il m'avait réveillée après un long sommeil », avait-elle répondu d'une voix aussi basse que la sienne.

Elle avait compris à son expression qu'il se demandait ce qu'elle pouvait bien vouloir dire.

Mais il devait tout de même en avoir une idée car, après un nouveau et long silence, il avait dit :

« J'ai toujours accepté ta mélancolie. Simplement. Comme une part de toi-même. Quelque chose qui t'appartenait en propre et était inaliénable. Je ne voulais pas y toucher car je ne voulais pas te transformer. J'estimais ne pas en avoir le droit.

— Peut-être aussi avais-tu peur.

— De quoi ?

— La femme qui vivait derrière les arbres de Ferndale et osait à peine sortir n'était pas dangereuse. La mélancolie faisait de moi quelqu'un de faible. Et donc de dépendant. J'étais en état d'infériorité, j'avais besoin de protection. Peut-être que tu ne voulais pas changer ça non plus.

— Ah. Nous sautons maintenant à pieds joints dans les clichés. »

Son ton s'était durci.

« Tu me prends pour quoi ? Une espèce de macho qui se sent grand et fort quand son épouse est petite et faible ? Tu ne trouves pas ça un peu simplet ? Je n'ai pas fait de toi la femme que tu étais. Je ne t'ai pas exilée à Ferndale. Au contraire. Je voulais que nous habitions à Londres. Je voulais que tu participes à ma vie. J'aurais voulu également participer à la tienne, si tu m'avais seulement dit en quoi elle consistait. Tu ne m'as pas donné une chance. Alors que me reproches-tu ?

— Je ne te reproche rien.

— De ne pas avoir suffisamment insisté ? Oui, j'aurais peut-être dû insister plus. Mais le jour où je l'ai fait, la semaine dernière, pour cet important dîner à Londres, que s'est-il passé ? Je me suis retrouvé comme un idiot à attendre trois trains de suite à la gare avant de devoir admettre que tu ne viendrais pas. Et dans la foulée, j'apprends qu'au lieu de venir tu as fichu le camp avec un type plus que douteux. C'est super gratifiant comme situation, je peux te le dire ! »

Puis, d'un coup, le ton sarcastique avait cédé la place à la tristesse :

« Je n'aurais jamais cru que ça nous arrive un jour, Virginia, avait-il poursuivi à voix basse. Tout mais pas ça. Pas une de ces tromperies sordides, somme toute banales mais qui finalement fichent tout en l'air. »

Elle n'avait rien répondu. Que pouvait-elle dire ? Il avait raison, elle avait tort, et il n'y avait rien qu'elle puisse produire pour sa défense. On était en droit de mettre un terme à un mariage, mais pas de cette façon. Pas en trompant et en mentant, pas en trichant. La plupart de ceux à qui cela arrivait ne le méritaient pas, et Frederic Quentin moins que quiconque.

Quelques minutes s'étaient écoulées puis il avait demandé : « Et maintenant ? Il se passe quoi ? »

Elle n'avait pas répondu mais son silence était éloquent.

« Je comprends. Ce n'est pas une aventure, c'est ça ? C'est sérieux. Ce n'est pas fini. »

Elle avait détesté sa lâcheté mais elle n'avait pas osé le regarder tandis qu'elle lui répondait :

« Non. Ce n'est pas fini.

— Ah. »

Il était demeuré un instant silencieux. Puis :

« Tu comprendras que je n'aie pas l'intention d'attendre gentiment que ça passe.

— Bien sûr. Mais je ne crois pas que... »

Elle s'était interrompue, mordu les lèvres. Il avait aussitôt deviné ce qu'elle avait été sur le point de dire.

« Tu ne crois pas que ça passera un jour...

— Non, je ne crois pas. »

Il s'était pris la tête dans les mains, avait fait mine de s'arracher les cheveux.

« Virginia, tu vas penser que je ne suis pas objectif en ce qui concerne Nathan Moor, et c'est sans doute vrai, mais... Il n'y a rien à faire, je déteste ce type, je pourrais lui tordre le cou pour avoir fait irruption dans notre couple et pour avoir réussi je ne sais comment à t'amener à rejeter tout ce qui a existé entre nous, et cependant... je sais que je l'avais déjà en aversion avant. Je l'ai détesté dès l'instant où je l'ai vu, et rien n'avait encore entamé mon objectivité. Je le trouvais opaque. Ambigu. Dans un sens... malhonnête. Très beau, assurément. Très séduisant, dans son genre. Et cependant... il me donnait le frisson. J'aurais été incapable de dire pourquoi. Je le trouvais suspect et profondément antipathique. »

Elle s'était tue, n'avait pas voulu dire ce qu'elle pensait. Elle savait maintenant qu'elle était tombée amoureuse de Nathan Moor à la seconde où elle l'avait vu. Et même si « amour » était un trop grand mot pour ce premier instant, du moins s'était-elle sentie attirée par lui et l'avait-elle ardemment désiré au premier regard. Elle ne se l'était pas avoué, mais le sentiment avait bien été là et elle pensait que Frederic, inconsciemment, en avait perçu quelque chose. Cela expliquait qu'il n'ait pu que détester et rejeter Nathan Moor. Sans qu'il le sache, ses sentiments pour cet homme étaient motivés par la peur, par la certitude que sa femme allait le quitter pour lui.

« Il n'a pas publié un seul livre, je te l'ai déjà dit, avait poursuivi Frederic. Il est inexact que...

— Je sais. Il m'a tout expliqué.

— Ah bon ? Et quelles raisons a-t-il invoquées ? Il nous a

tout de même bel et bien menti. On ne peut pas dire que ce soit très correct. Non ? Mais tu es tellement entichée de lui que tu es prête à tout lui passer !

— Ses raisons m'ont convaincue.

— C'est un parasite. Et un mec complètement fauché. Il n'a rien à lui, absolument rien ! Et d'ici qu'il publie un livre et qu'il gagne de quoi vivre... Il a tout perdu quand son fichu bateau a coulé. Il est en très mauvaise posture. Il ne t'est jamais venu à l'idée que c'était peut-être tout simplement ton argent qui l'intéressait ? La possibilité d'avoir un toit au-dessus de la tête ? Une existence ?

— Les jours que j'ai passés avec lui...

— Oui, eh bien quoi ?

— Les jours que j'ai passés avec lui me disent autre chose. » Frederic avait fermé brièvement les yeux et secoué la tête. « Et encore plus les nuits, je présume. »

Il pleuvait toujours lorsqu'ils retrouvèrent la rue. La température avait beaucoup baissé.

— Je ne me souviens pas qu'on ait jamais eu un mois de septembre aussi froid et aussi humide, dit Frederic.

— C'est un temps qui rend triste, renchérit Virginia.

— Ce n'est pas le temps le premier responsable, observa Frederic.

Ils n'échangèrent aucune parole durant le trajet jusqu'à Ferndale. De part et d'autre de la route, les branches des arbres, dont le feuillage se teintait de couleurs automnales, pendaient tristement sous la pluie.

Où allons-nous passer Noël, Kim, Nathan et moi ? se demanda soudainement Virginia. Elle n'avait pas encore réfléchi à la simple question de l'endroit où ils vivraient. Qu'avait dit Frederic ? « Il n'a rien à lui, absolument rien. Il a tout perdu quand son fichu bateau a coulé. »

Elle-même ne possédait pas grand-chose en propre. Il y avait longtemps que la maison que ses parents possédaient à Londres avait été vendue et qu'eux-mêmes étaient partis s'installer à Minorque. Ils offriraient toujours un toit à leur petite-fille, leur fille et son nouveau compagnon, mais leur modeste maison ne pourrait être une solution à long terme. En outre, Virginia ne pensait pas que Nathan apprécie beaucoup cette île des Baléares dont le troisième âge constituait l'essentiel de la population, notamment de novembre à mars. Des années durant, la vie dans la maison de son beau-père avait brimé sa créativité. Le quotidien quelque peu étriqué du couple Delaney risquait de n'être guère plus propice à l'inspiration.

Elle résolut d'en discuter dès que possible avec lui.

La grille du parc de Ferndale était ouverte. Virginia espéra que Nathan avait déposé Kim chez Grace puis s'était éclipsé. Ce n'était vraiment pas le moment que lui et Frederic se retrouvent face à face. Elle freina devant la porte du pavillon.

— Je vais juste chercher la petite, dit-elle.

Elle était à peine descendue de voiture que la porte du pavillon s'ouvrit et que Grace surgit sur le seuil.

— Madame Quentin, je vous guettais derrière la fenêtre... Vous êtes allée chercher Kim ?

— Non. Je pensais que...

Elle ravala le nom qu'elle avait sur les lèvres car Frederic descendait à son tour de voiture.

— Que se passe-t-il ? demanda-t-il.

— Kim n'était plus à l'école quand je suis arrivée là-bas, monsieur. Mais j'ai cru que...

Au tour de Grace de ne pas oser en dire plus. Ses yeux brillants de fièvre allaient de l'un à l'autre.

Virginia prit sur elle. La situation était odieuse. Elle en était responsable, à elle de la clarifier.

— Frederic, je suis désolée, mais j'avais demandé à Nathan Moor d'aller chercher Kim à cinq heures. Je voulais que nous puissions parler. Jack n'est pas encore revenu de Plymouth, Grace est souffrante. Il m'a semblé que le mieux était de...

Les yeux de Frederic s'étrécirent mais il ne fit pas de commentaire.

— Madame Quentin, M. Moor m'a appelée, dit Grace, soulagée de pouvoir parler librement. Il était à Hunstanton et avait je ne sais quel problème avec la voiture. Je crois qu'elle ne démarrait pas... Et il ne pouvait pas vous joindre. Votre portable était éteint.

— C'est exact, dit Virginia.

— Il m'a demandé d'aller chercher Kim. J'ai alors appelé Jack, mais il était dans les embouteillages à la hauteur de Londres et ne pensait pas être là avant sept heures. Je suis donc partie. Je suis arrivée un peu en retard parce que... je fais tout un peu lentement en ce moment, j'ai la tête qui tourne et...

Sa voix parut sur le point de se briser, mais elle se ressaisit et poursuivit :

— Kim n'était pas là. J'ai fait le tour de l'école, j'ai regardé partout. Rien. Pas moyen de la trouver.

Frederic regarda sa montre.

— Il est pratiquement six heures et demie. Et depuis cinq heures, on ne sait pas où est Kim ?

Grace ne put retenir ses larmes plus longtemps.

— J'espérais que M. Moor avait tout de même pu vous joindre. Ou que la voiture avait démarré, qu'il était allé chercher Kim et avait simplement oublié de me prévenir...

— Etes-vous allée voir chez nous ? demanda Frederic.

Elle hocha la tête.

— Il n'y a personne. Mais peut-être que M. Moor ne...

Frederic comprit.

— Il n'irait peut-être pas nous attendre là-bas, en effet. Au fait, il a pris quelle voiture ?

— La mienne, dit Virginia.

— Je vois, dit Frederic. Et Livia Moor, où est-elle ?

— Elle est partie.

Frederic réfléchit.

— Si Moor est passé prendre Kim, pourquoi ne l'a-t-il pas déposée chez Grace ?

— Je me le demande aussi, dit Grace.

— Ils se sont peut-être manqués, suggéra Virginia. Nathan est arrivé avec Kim quand Grace était à l'école et la cherchait.

— Et où est-il maintenant ? demanda Frederic. Où sont Nathan Moor et ma fille ?

Frederic, Grace et Virginia se regardèrent.

— Peut-être qu'elle s'est... commença Grace.

Virginia finit la phrase :

— A nouveau cachée ? Comme hier soir ?

— La petite est manifestement choquée et bouleversée, dit Frederic. Nous devrions, par précaution, vérifier qu'elle n'est pas à la cabane avant d'entreprendre quoi que ce soit.

— J'ai du mal à imaginer qu'elle ait pu rentrer toute seule de l'école et aller ensuite directement là-bas, dit Virginia qui commençait à grelotter.

Il n'y avait pas vingt-quatre heures que Kim avait disparu une première fois. Hier, l'affolement avait été instantané, la peur brutale et violente ; cette fois, l'angoisse s'insinuait lentement. Il n'était pas déraisonnable d'envisager un malentendu entre Grace et Nathan, ou une mauvaise coordination des uns et des autres, auquel cas Kim et Nathan étaient en ce moment dans un fast-food en train de boire un milk-shake et tout allait bien. En revanche, l'idée que Kim puisse s'être une nouvelle fois recroquevillée quelque part était préoccupante. D'une part, ce serait difficile de la retrouver. D'autre part, cela augurait de sérieux problèmes supplémentaires. En tout état de cause, il serait indispensable que Kim rencontre un psychologue pour enfants. Les événements de la veille avaient au moins cela de bon que cette fois Virginia ne s'affola pas tout de suite en songeant à la disparition des autres fillettes.

Elle croisa ses bras contre sa poitrine en frissonnant.

— Tu as raison, dit-elle. Commençons par aller à la cabane. Grace, pouvez-vous attendre ici et nous appeler si Kim arrive entre-temps ?

— Entendu. Mais n'oubliez pas de rallumer votre portable.

— Je le fais tout de suite.

— Pourquoi l'avais-tu éteint ? demanda Frederic alors qu'ils s'enfonçaient dans la forêt au pas de course.

Virginia ne répondit pas. Il comprit.

— Tu avais peur qu'*il* appelle quand nous étions en train de discuter, c'est ça ? Dans ce genre d'histoire, la famille paie toujours le prix fort. Dans ton cas, notre fille trinque un maximum.

Virginia se mordit les lèvres. Les larmes lui brûlaient les

yeux. Ils devaient retrouver Kim. Ce n'était pas le moment de pleurer.

Elle priait intérieurement pour que sa fille soit dans la cabane. Sans y croire.

Troisième partie

Mercredi 6 septembre

1

Virginia avait l'impression d'avoir basculé dans un drame épouvantable, un drame pire que tout ce qu'elle aurait pu imaginer et dans lequel elle tenait le premier rôle.

Un jour froid de septembre. Neuf heures du matin. Dehors, le vent s'était levé. Il faisait bruire les feuilles des arbres et nettoyait le ciel des nuages de pluie de la veille. Des pans de bleu de plus en plus grands apparaissaient. Après la grisaille des derniers jours, il y aurait peut-être même du soleil.

Virginia s'étonna de seulement se rendre compte du changement de temps qui s'annonçait et de déjà le resituer dans un processus étonnamment monotone et banal.

Le soleil va briller. Il va faire chaud. Tout va finir par s'arranger.

Elle avait en revanche beaucoup de mal à concevoir qu'elle se trouvait face à un certain Jeffrey Baker, superintendant de son état, qui, un calepin à la main, lui posait des questions sur sa fille.

Kim en effet restait introuvable.

Elle n'était pas dans la cabane dans l'arbre. Leur soulagement de la veille lorsqu'ils l'avaient découverte, terrorisée, frigorifiée mais vivante, ne s'était pas reproduit. Ils ne s'y attendaient pas réellement non plus. Le chemin de l'école à la cabane était bien trop long et compliqué pour une enfant de sept ans.

Ils avaient exploré d'autres parties du parc, mais il faisait de

379

plus en plus sombre et ils n'avaient rien pour s'éclairer. Finalement, Frederic, qui s'était accroché dans des ronces et avait le visage barré de deux profondes griffures, s'était arrêté.

— Ça n'a pas de sens, Virginia. Nous sommes là à fouiller les fourrés alors que nous savons pertinemment qu'elle ne peut pas être allée aussi loin. Retournons à la voiture et rentrons à la maison.

Ils arrivèrent en vue du pavillon des gardiens au moment où la voiture de Jack franchissait le portail. Jack, les traits tirés, visiblement fatigué par la route, ouvrit sa portière.

— Madame Quentin ! Monsieur ! s'exclama-t-il.

A l'étonnement qui se peignit sur son visage, Virginia devina l'état dans lequel ils devaient être après leur exploration des bois.

— Il s'est passé quelque chose ?

— Kim a disparu, répondit succinctement Frederic.

— Disparu ? Mais Grace devait aller la chercher à l'école. Elle m'a...

— Quand Grace est arrivée à l'école, elle n'y était pas, l'interrompit Virginia.

— Jack, je sais que vous avez un long trajet derrière vous et que vous êtes vidé, mais pourriez-vous venir avec moi à l'école ? demanda Frederic. Je voudrais fouiller les locaux et les rues alentour. Hier, elle s'est cachée dans un arbre, elle a peut-être fait quelque chose du même genre aujourd'hui. Et deux paires d'yeux valent mieux qu'une.

— Bien sûr, monsieur, je suis votre homme, répondit Jack sans hésiter.

Frederic se tourna vers Virginia.

— Rentre à la maison et appelle tous ses camarades de classe. Et ses professeurs. Elle est peut-être partie avec quelqu'un en prétendant que nous étions prévenus. Et ensuite...

— Oui ? fit Virginia pour l'encourager à poursuivre.

— Ensuite, essaye d'appeler Nathan Moor. Il est peut-être au courant de quelque chose.

— Je ne peux pas l'appeler. Il n'a pas de portable et je ne

sais pas où il a pris une chambre. Je ne peux qu'attendre qu'il m'appelle.

— Je suis tranquille, il le fera, dit sèchement Frederic.

Sans qu'il y fasse allusion par un seul mot, il était clair qu'il rendait Virginia responsable de la disparition de Kim, Virginia qui était en train de détruire leur famille.

Pendant que Frederic et Jack fouillaient l'école, réveillaient le concierge, se faisaient ouvrir toutes les salles et même passaient au peigne fin un jardin public voisin, Virginia, une liste de numéros de téléphone sous les yeux, appelait les camarades de classe de Kim les uns après les autres. A chaque appel c'était la même réponse désespérante : « Non, elle n'est pas chez nous. »

Elle demanda à parler aux enfants eux-mêmes, mais rien de ce qu'ils dirent ne lui permit d'avancer. Seule la petite Clarissa O'Sullivan, la meilleure amie de Kim, lui fournit un début d'information :

— Nous sommes sorties ensemble. Elle a dit qu'on venait la chercher et elle est restée devant la porte. Moi, je suis vite partie parce qu'il pleuvait très fort.

Cela ne donnait pas l'impression que Kim ait eu l'intention de se cacher ou de partir. Virginia imagina sa fille devant la porte de l'école, sous la pluie battante, la capuche de son ciré jaune bien attachée sous son menton. « On vient me chercher... » Personne n'était venu. Ni maman, ni papa, ni Nathan. Et Grace était arrivée avec un quart d'heure de retard.

Que s'était-il passé pendant ce quart d'heure ?

La pluie. Virginia se prit la tête dans les mains. Elle ne voulait pas pleurer mais elle avait une boule dans la gorge et les larmes lui brûlaient les yeux. La pluie l'avait peut-être chassée de la rue. Mais c'est dans l'école qu'elle se serait abritée. Et dans l'école Grace avait regardé partout, elle l'avait dit plusieurs fois.

Pourquoi Nathan n'appelait-il pas ?

Pourquoi avait-elle éteint son portable ?

Pourquoi avait-elle à nouveau confié sa fille à d'autres ?

L'institutrice, qu'elle finit par joindre après plusieurs tentatives infructueuses, ne l'aida guère. Non, elle n'avait rien remarqué de particulier chez Kim ce jour-là. Elle lui avait paru un peu fatiguée. Mais ni préoccupée ni bouleversée. Pendant les récréations, elle avait joué normalement avec ses petites camarades. Virginia lui demanda les numéros de téléphone des autres professeurs, qu'elle appela ensuite les uns après les autres, sans plus de succès. Rien de particulier ne semblait s'être passé.

Le professeur de dessin, qui avait eu la classe de Kim de trois à cinq, se souvenait de l'avoir vue devant la porte.

— Il était évident qu'elle attendait qu'on vienne la chercher, dit-il. Elle regardait la rue dans un sens, puis dans l'autre. J'avais envie de lui dire de se mettre à l'abri. Il pleuvait des cordes. Mais elle avait des bottes et un bon ciré. J'étais en voiture, on me klaxonnait déjà, je pouvais difficilement m'arrêter pour lui dire d'aller à l'intérieur. Et j'ai pensé que son père ou sa mère allait arriver d'un instant à l'autre.

— Vous n'avez vu... personne lui adresser la parole, s'approcher d'elle ? demanda Virginia, qui espérait que Nathan avait tout de même fini par arriver.

— Non, je n'ai vu personne, répondit le professeur de dessin.

C'était désespérant. Elle n'avait rien obtenu. Pas le moindre indice.

Elle se rendit dans la cuisine pour se faire une tisane, qui peut-être la détendrait, mais elle ne trouva pas la passoire et fut incapable de se souvenir de l'endroit où elle la rangeait habituellement. Tout s'embrouillait dans sa tête. Dehors, il faisait nuit noire. Sa fille n'était pas à la maison et elle n'avait pas la moindre idée de l'endroit où elle se trouvait. Pour une mère, il n'y avait pas pire situation que celle-là et rien qu'elle ne redoutât autant de devoir vivre un jour.

Quand son portable sonna, elle se précipita pour répondre, espérant de tout son cœur entendre Frederic lui annoncer qu'il avait trouvé Kim et qu'il la ramenait à la maison.

Ce n'était pas Frederic. C'était Nathan. Il paraissait stressé.

— Virginia ? Peux-tu me dire pourquoi il y a des heures que je ne parviens pas à te joindre ? Je...

Elle l'interrompit :

— Kim est avec toi ?

— Kim ? Non, pourquoi ? J'ai appelé Grace pour lui...

— Grace est arrivée en retard à l'école. Kim n'était plus là. Depuis, personne ne l'a vue.

Un nouvel espoir s'effondrait. Elle s'était raccrochée à la possibilité qu'elle puisse être avec Nathan. C'était fini, elle devait désormais renoncer à cette idée.

— Elle s'est certainement à nouveau cachée quelque part. Etes-vous allés à la cabane ?

— Bien sûr ! Elle n'y est pas.

La tension de Virginia se déversa sur Nathan :

— Pourquoi n'étais-tu pas là ? l'agressa-t-elle. Je m'étais reposée sur toi. Il s'agit d'une petite fille. Comment as-tu pu...

— Eh, doucement ! J'ai eu un problème avec la voiture, et je n'y suis vraiment pour rien. Alors ne me fais pas porter le chapeau !

Il paraissait indigné.

— J'ai essayé et encore essayé de te joindre. C'était impossible. Tu avais complètement baissé le rideau. J'ai réussi à obtenir le numéro de Grace par les renseignements, ce qui n'a pas été une mince affaire attendu que j'ignorais le nom de famille de tes régisseurs. Conclusion, j'ai fait ce que je pouvais pour sauver la situation !

La colère de Virginia retomba, ne restèrent que le désarroi et la peur.

— Excuse-moi, dit-elle, mais je suis malade d'inquiétude. Il y a déjà une heure et demie que Frederic et Jack fouillent l'école et ses alentours. Apparemment, ils n'ont toujours rien trouvé.

— Je comprends, ça doit être épouvantable, dit Nathan, qui s'était lui aussi apaisé et parlait de la voix douce qu'elle aimait chez lui. Mais n'imagine pas tout de suite le pire. C'est comme hier. Elle doit s'être réfugiée quelque part. Elle est triste, elle se sent délaissée. C'est peut-être une façon d'attirer l'attention sur elle.

— Mais ça fait déjà des heures qu'on la cherche...

— Cela prouve seulement qu'elle s'est mieux cachée qu'hier. Pas qu'il lui est arrivé quelque chose. Virginia chérie, ne craque pas. Tout va très bientôt rentrer dans l'ordre. Elle va revenir.

Virginia se rasséréna un peu. Son rythme cardiaque ralentit.

— J'espère que tu as raison. Dans tout ça, je ne t'ai même pas demandé où tu étais ?

— A Hunstanton. Dans un *bed & breakfast*.

— A Hunstanton ? Pourquoi si loin ?

— Chérie, nous n'allons de toute façon pas pouvoir nous voir beaucoup ces jours-ci. Je me vois mal débarquant chez vous. De ton côté, tu vas devoir parler avec ton mari. Et passer du temps avec ta fille. Elle a besoin de toi. Elle compte en ce moment plus que nous.

Il avait raison, naturellement. Virginia fut heureuse qu'il pense ainsi.

— Et tant qu'à être aussi longtemps séparé de toi, je préfère être au bord de la mer. Je peux marcher sur la plage, et ça me plaît ici.

— Oui. Je comprends.

— Comment ça s'est passé avec ton mari ? demanda-t-il.

Elle soupira.

— Il est blessé. Malheureux. Impuissant. C'est vraiment difficile.

— Ce sont des situations toujours difficiles. Nous nous en sortirons.

— Si seulement Kim…

— Chut ! N'en dis pas plus. Kim sera très bientôt près de toi. Ne crois rien d'autre.

Elle se souvint d'autre chose :

— Au fait, qu'est-ce qui est arrivé à ma voiture ?

— Apparemment, un problème de batterie. Je ne sais pas pourquoi. Je me suis fait dépanner par un type qui avait des câbles. Elle roule à nouveau.

— Et il fallait que ça tombe aujourd'hui…

— Je ne l'aurais peut-être pas trouvée même si j'avais été à l'heure. Si elle avait l'intention de disparaître, je…

— Mais elle a attendu devant la porte ! Son amie et un de ses professeurs me l'ont confirmé.

Il soupira.

— OK. Elle a attendu. Et personne n'est arrivé et elle s'est sentie de nouveau délaissée par sa maman. Sa façon de réagir est de fuguer. On le sait, maintenant.

— Nathan...

— Oui ?

— Peux-tu me donner ton numéro de téléphone ? J'ai besoin de sentir que je peux te joindre.

Il lui donna l'adresse et le numéro de téléphone de l'endroit où il avait loué une chambre.

La communication coupée, Virginia se sentit affreusement seule et fatiguée. Seule avec sa peur. Frederic n'était pas là. Nathan était si loin.

Sa fille était quelque part dehors dans le noir.

Puis Frederic et Jack revinrent. Fatigués, trempés jusqu'aux os. Et sans Kim.

— Rien, dit Frederic. Nous avons tout fouillé. Elle n'est nulle part.

— Le concierge nous a emmenés partout, rapporta Jack. Même dans les sous-sols. Il n'y a pas un recoin de cette école que nous n'ayons visité.

— J'appelle la police, dit Frederic en se dirigeant vers le téléphone.

Comment cette nuit s'était-elle écoulée ? Toute sa vie, lorsqu'elle songerait à ces heures qui s'étirèrent jusqu'aux premières lueurs de l'aube, des blancs traverseraient la mémoire de Virginia. Ni Frederic ni elle ne s'étaient couchés. Jack, livide de fatigue, était resté un moment avec eux, puis, après que par deux fois il se fut assoupi dans son fauteuil, ils l'avaient renvoyé chez lui.

« Grace a besoin de vous, à présent », lui avait dit Frederic, et Jack était parti, non sans insister pour être prévenu au cas où il y aurait du nouveau.

La police leur avait dit que quelqu'un passerait le lendemain matin. Ils avaient demandé une description précise de Kim. Age, taille, couleur des yeux et des cheveux, vêtements.

Vers une heure du matin, Frederic était ressorti fouiller le parc avec une lampe torche. Virginia avait voulu venir avec lui mais il l'en avait dissuadée.

« Ménage tes forces. De plus, il est préférable que quelqu'un reste près du téléphone. »

Enfant, lorsqu'elle était malade, Virginia était sujette aux accès de fièvre. La nuit qui suivit la disparition de Kim fut identique à ces nuits de forte fièvre. Irréelle. Toute d'agitation intérieure. Désespérante. Peuplée d'images et de voix étranges.

Frederic revint, des heures plus tard. Seul.

Ils avaient bu du café, regardé par la fenêtre le parc enténébré. Vers la fin de la nuit, la pluie avait faibli. Le vent s'était levé. Il agitait les arbres qui cernaient la maison. Puis le jour était venu, perçant le feuillage des cimes, se frayant un chemin jusqu'au salon où les visages fatigués de Frederic et Virginia paraissaient encore plus pâles dans la grisaille du matin.

« La police devrait arriver vers neuf heures, avait dit Frederic.

— Je vais refaire du café », avait répondu Virginia.

Elle en avait déjà beaucoup trop bu, mais elle s'accrochait à la chaleur de la tasse comme à sa toute dernière bouée de sauvetage.

A présent le superintendant Jeffrey Baker était là. C'était un homme sympathique, grand, qui donnait une impression de calme et d'autorité, et pourtant, se trouver soudain face à la police, parler de sa fille dont ils étaient sans nouvelles depuis maintenant plus de seize heures, marqua le début de la véritable angoisse. Le fait que Kim ait déjà disparu une première fois la veille parut rassurer le superintendant Baker.

— Il est fort possible que votre fille ait voulu de nouveau se cacher, dit-il.

C'est à cela que je me raccroche, songea Virginia en regardant par la fenêtre les petites taches bleues qui apparaissaient entre les branches des arbres. A sa disparition d'hier. Sans cet épisode de la cabane, je deviendrais folle. Je perdrais la raison.

Puis le superintendant Baker se pencha vers Frederic et Virginia, les regarda et dit doucement :

— Je dirige l'enquête concernant Sarah Alby et Rachel Cunningham.

Virginia comprit alors à quoi en vérité songeait le superintendant Baker. Elle se mit à hurler.

— Beaucoup d'éléments plaident en faveur d'une seconde fugue de votre fille, répéta Baker.

Il était resté quelques minutes seul avec Frederic, tandis que Virginia montait au premier, le temps de se moucher et de sécher ses larmes. Elle avait elle-même songé à l'assassinat des deux fillettes, comme la veille, mais elle s'était focalisée sur le fait que Kim s'était une première fois réfugiée dans sa cabane perchée et n'avait pas laissé l'idée prendre corps. Lorsque le superintendant Baker avait prononcé les noms des fillettes, l'hypothèse avait brutalement refait surface. L'évidence l'avait frappée avec une violence inouïe, l'avait engloutie comme une énorme vague et précipitée dans une panique indicible. Frederic l'avait prise dans ses bras et soutenue, puis là-haut, dans la salle de bains, elle avait lentement repris ses esprits, découvert son visage décomposé dans le miroir, ses yeux rouges et gonflés, ses lèvres gercées, son teint blême.

— Ce n'est pas possible, implora-t-elle dans un murmure. Ça ne peut pas être possible.

Elle avait regagné le salon. Elle se sentait vide et glacée. Elle avait froid mais n'éprouvait pas le besoin de chercher à se réchauffer. Du reste, elle ne pensait pas qu'elle puisse opposer quelque chose à ce froid intérieur.

Baker posait sur elle un regard empreint de sympathie et de compassion.

— Madame Quentin, pendant que vous étiez au premier, votre mari m'a dit que votre fille devait être prise à l'école par une personne que vous connaissiez. Personne qui a eu un empêchement de dernière minute. Un monsieur...

Il feuilleta ses notes en arrière.

— Un M. Nathan Moor. Un ressortissant allemand.

— C'est exact.

— J'aimerais m'entretenir avec lui. Pourriez-vous m'indiquer comment le joindre ?

Elle sortit de la poche de son jean le papier sur lequel elle avait noté ses coordonnées.

— Tenez. C'est à Hunstanton. Une pension de famille.

Baker nota l'adresse et le numéro de téléphone de la pension de famille et rendit le petit morceau de papier à Virginia.

— Euh… madame Quentin, je n'ai pas tout à fait compris qui, au juste, était M. Moor. Votre mari m'a parlé d'une… d'un ami dont vous auriez fortuitement fait la connaissance cet été lorsque vous séjourniez à Skye ? Où M. Moor aurait été victime d'un naufrage…

— Lui et sa femme faisaient le tour du monde à la voile. Au large des Hébrides, leur voilier a été éperonné par un cargo. Ils ont pu de justesse monter sur le canot de survie. Le voilier a coulé. Compte tenu du fait que Mme Moor avait auparavant travaillé chez nous, je me suis sentie en quelque sorte tenue de… de leur venir en aide. Ils avaient tout perdu. Je leur ai proposé de les héberger dans notre maison de vacances.

— Je comprends. Et à présent, M. Moor s'est installé dans la région ?

— Oui.

— Où se trouve sa femme ?

— Elle est partie hier matin. Je présume qu'elle a pris contact avec l'ambassade d'Allemagne à Londres pour trouver un moyen de rentrer chez elle.

— Mais son mari est resté ici ?

— Oui.

Baker se pencha légèrement en avant.

— Pardonnez-moi, madame Quentin, mais je ne comprends toujours pas très bien. Pourquoi ce M. Moor, naufragé allemand, se trouve-t-il à Hunstanton ? Et comment pouvait-il, de là, aller chercher votre fille à l'école à King's Lynn ?

— Il a ma voiture.

Virginia avait conscience que ses explications devaient paraître surprenantes.

— En fait, la voiture est la raison de… Elle ne démarrait pas. C'est pour cette raison qu'il a appelé Grace. Grace Walker, la femme de notre…

— Je sais, l'interrompit Baker. Vous nous avez déjà parlé de

Mme Walker. M. Moor est donc en possession de votre voiture ?

Il a déjà compris pas mal de choses, songea Virginia. Elle évita de regarder Frederic.

— M. Moor et moi... envisageons de vivre ensemble. Entre nous, il y a... Monsieur le superintendant, je n'aurais pas confié ma fille à une vague connaissance. M. Moor est beaucoup plus que cela.

Un silence gêné s'installa. Frederic regardait ses pieds. Le superintendant Baker nota quelque chose dans son calepin.

— Votre fille est-elle informée de ces projets ? demanda-t-il.

— Non, répondit Virginia, mais je crois qu'elle sent que quelque chose est en train de changer. Elle est effrayée. Sa fugue d'avant-hier a vraisemblablement un lien avec cela.

— Bien, dit Baker. Les difficultés familiales auxquelles vous êtes actuellement confrontés ne sont certes pas agréables, elles me permettent néanmoins d'être relativement optimiste. Ne soyez pas trop inquiets. Il me semble en effet de plus en plus probable que Kim fuie les bouleversements qui se profilent. Elle se cache quelque part. Il est cependant étonnant qu'une enfant de sept ans tienne aussi longtemps sans manger, sans boire, et avec la peur très naturelle du noir. Je crains donc qu'elle ne sache plus comment rentrer et ne soit en train d'errer quelque part...

Il vit la panique emplir les yeux des parents et leva les mains dans un geste apaisant.

— Je sais, imaginer sa fille dans cette situation est très angoissant. Et nous devons tout mettre en œuvre pour la retrouver au plus vite. Mais c'est tout de même préférable à l'idée de ces... abominables crimes.

Virginia et Frederic se regardèrent. Ils pensaient tous les deux à la même chose : Kim avait peut-être fait une fugue. Peut-être était-elle effectivement perdue. Mais il y avait aussi quelque part en liberté un déséquilibré qui s'attaquait aux petites filles et, tant que Kim serait dehors, le risque qu'elle tombe entre ses mains demeurait.

— Par quoi allez-vous commencer, monsieur Baker ? demanda Frederic.

— Je vais envoyer des effectifs avec des chiens pour fouiller toute la région. Nous allons retourner la moindre pierre, je vous le promets. Nous allons peut-être également lancer des appels à témoin à la radio.

— N'est-ce pas dangereux ? demanda Virginia. Il... je veux dire, ce déséquilibré saura alors qu'une petite fille erre quelque part sans surveillance.

— Il ne saura pas pour autant où elle se trouve. Et nous en savons aujourd'hui un peu plus sur sa façon de procéder. Il ne choisit pas un enfant au hasard qu'il fait monter de force dans sa voiture, ce qui serait relativement risqué. Il lie d'abord connaissance et instaure une relation de confiance, de manière à ce que l'enfant le suive ensuite de son plein gré. Il suit un plan et procède méthodiquement... Vous n'avez rien remarqué de tel chez Kim ces derniers temps ? demanda-t-il après avoir brièvement réfléchi. Elle ne vous a pas parlé d'un nouvel ami ou d'un monsieur particulièrement gentil ?

— Non. Pas du tout.

— Je vais tout de même interroger ses camarades, dit Baker. Les petites filles en confient parfois plus à leur meilleure amie qu'à leurs parents. Vous pouvez certainement me donner quelques adresses et numéros de téléphone, madame Quentin ?

— Naturellement, dit Virginia en se levant et en sortant du salon.

Tout en cherchant la liste des élèves de la classe, elle entendit Frederic qui disait :

— Je tiens à ce que vous enquêtiez sur ce Nathan Moor, superintendant Baker. Je le trouve plus que douteux. Vous allez penser que je suis partial, mais je peux vous assurer qu'il m'a été d'emblée profondément antipathique, avant même qu'il... s'intéresse à ma femme.

— Nathan Moor figure tout en haut de ma liste, le rassura Baker.

Lorsqu'il fut parti, Virginia bondit sur Frederic.

— Je trouve normal que Nathan soit interrogé. Mais c'était inutile de le dénigrer de cette façon aux yeux du superintendant !

Frederic referma la porte d'entrée avec précaution.

— Je ne l'ai pas dénigré. J'ai dit ce que je pensais. Il en va de la vie de ma fille. Je ne vais pas dissimuler des informations pour la seule raison qu'elles heurtent ta sensibilité.

— Il n'a rien à voir avec sa disparition !

— Pourtant, il colle bien avec le personnage, tu ne trouves pas ? Le gentil monsieur récemment entré dans la vie de Kim et dans la voiture de qui elle monterait sans hésiter...

— Il ne l'a pas accostée.

— Non, cette fois, il a été particulièrement subtil. Il a commencé par sauter la mère. Pas mal non plus, comme stratagème.

— Tu es immonde ! explosa Virginia.

Elle monta en courant au premier étage, entra dans sa chambre et claqua la porte derrière elle. Elle se laissa tomber à genoux à côté du lit. A travers ses larmes, elle vit le visage de sa fille dans le cadre en argent posé sur sa table de nuit. Le doux visage tant aimé. Elle s'effondra sur la couette et laissa les larmes la submerger.

Les larmes et une indicible et infinie douleur.

3

Jack et Grace arrivèrent vers midi. Grace avait l'air d'avoir toujours de la fièvre et elle avait les yeux rouges et gonflés. Elle fondit en larmes quand elle se trouva face à Virginia.

— Je ne peux pas me le pardonner, sanglota-t-elle. Je ne peux pas me pardonner d'être arrivée en retard à l'école !

— Arrêtez de vous faire des reproches, Grace, intervint Frederic avant même que Virginia puisse répondre. C'est nous qui sommes fautifs. Certainement pas vous.

En dépit de la présence du couple de régisseurs, Virginia ne put se contenir :

— C'est *moi* qui suis fautive, dit-elle avec colère, pas *nous* ! C'est ce que tu penses en réalité, Frederic, alors dis-le !

— C'est nous qui sommes fautifs, répéta-t-il. Car vu comment les choses avaient tourné, j'aurais dû être là, pas à Londres.

Vu comment les choses avaient tourné...

Virginia n'était pas dupe de ce qu'il sous-entendait : « Vu que ma femme a cédé à l'appel de ses hormones dans les bras d'un bel étranger et complètement oublié ses devoirs de mère, j'aurais dû être là pour m'occuper de notre fille. »

Elle lui aurait sauté au visage si elle n'avait redouté d'offrir à Grace et Jack un spectacle mémorable.

Jack, qui faisait rarement preuve de beaucoup de sensibilité, parut percevoir la tension qui flottait dans l'air.

— En fait, monsieur, je suis passé parce que j'ai pensé que nous pourrions peut-être fouiller une deuxième fois les abords de la maison, dit-il précipitamment. Je me doute que la police va le faire, mais...

— Oui, dit Frederic.

— ... ils ne peuvent pas être partout. Et puis... c'est insupportable de rester assis à attendre...

— Vous avez raison, dit Frederic. Allons-y. Virginia, tu restes à côté du téléphone ?

— Je ne bouge pas.

— Puis-je faire quelque chose, madame Quentin ? demanda Grace en sortant son mouchoir.

Elle paraissait si mal en point, si pitoyable, que Virginia mit un instant de côté l'angoisse qui la tenaillait pour essayer de lui venir en aide.

— Grace, vous devriez aller chez le médecin. Ou en faire venir un. Et vous devriez impérativement vous mettre au lit. A quoi bon risquer d'attraper une pneumonie ? Ça nous avancerait à quoi ?

— Mais je ne supporte pas de rester...

Elle fondit une nouvelle fois en larmes et fouilla dans ses poches à la recherche d'un autre mouchoir.

A force d'insister, Virginia finit par la convaincre de rentrer chez elle et de se coucher. Les deux hommes à leur tour disparurent, Frederic visiblement soulagé d'avoir quelque chose à faire et de ne pas devoir rester plus longtemps sous le même toit que Virginia. Elle aussi était contente qu'il parte, elle ne voulait plus avoir ce reproche vivant sous les yeux.

Lorsque la sonnerie du téléphone déchira le silence, elle sursauta aussi violemment que si un coup de feu avait claqué.

La police. C'était peut-être la police. Ils avaient peut-être retrouvé Kim !

Son cœur battait à tout rompre lorsqu'elle décrocha.

— Allô ? fit-elle dans un souffle.

Quelques secondes s'écoulèrent puis elle entendit une voix douce mais qui paraissait tendue :

— C'est Livia Moor à l'appareil.

— Ah, fit Virginia.

— Je... j'appelle de Londres. Je suis dans un hôtel. L'ambassade m'a avancé de l'argent. Je rentre en Allemagne ce soir.

Virginia ne s'était toujours pas remise de sa gêne. Elle aimait le mari de cette femme. Elle allait vivre avec lui. Elle aurait voulu oser raccrocher.

— Comment allez-vous ? demanda-t-elle maladroitement.

Elle n'avait pas fini de poser la question qu'elle se sentait stupide.

— Pas très bien, répondit Livia avec une franchise dont elle n'était pas coutumière. Mais au moins j'ai un point de chute. Une amie de ma mère va m'héberger. Le temps que je... que je trouve du travail. J'espère que ça va marcher.

— Je vous le souhaite sincèrement.

— Merci. Je vous appelle parce que... J'avais besoin d'argent pour aller à Londres. J'en ai pris à... mon mari mais je sais qu'il s'agissait en fait de votre argent. Je voulais seulement vous dire que je vous rembourserai. Dès que j'aurai un travail et réussi à économiser un peu, je vous enverrai ce que j'ai emprunté.

— Ce n'est pas la peine. Vraiment pas.

Livia demeura un instant silencieuse, puis elle reprit la parole. Et ce fut sans méchanceté qu'elle dit :

— Vous ne devriez pas refuser l'argent, Virginia. Si vous devez partager la vie de mon mari, vous en aurez besoin.

Ce fut au tour de Virginia de demeurer silencieuse un instant. Sa main serrait le téléphone à en faire blanchir les jointures de ses doigts. Finalement, des mots franchirent ses lèvres :

— Je suis désolée, Livia. Je sais que Nathan et moi... faisons beaucoup de mal à deux personnes. Vous et Frederic. Je... voudrais...

Elle s'interrompit. Que pouvait-elle dire ? *Je voudrais que cela ne soit jamais arrivé ?* C'eût été un mensonge. *J'aurais voulu ne blesser personne ?* Risible. Tout au moins, cela devait l'être aux oreilles de Livia. Elle avait donc laissé sa phrase en suspens.

— Vous savez, dit Livia, après toutes ces années avec Nathan, j'éprouve presque du soulagement. Beaucoup de tristesse aussi, naturellement, je ne sais pas de quoi demain sera fait, mais ces derniers jours, j'ai compris que même... que même sans vous ça n'aurait pas pu continuer. Et pas seulement parce que nous avons eu cet accident avec le bateau. C'était déjà fini avant. Il s'accrochait à cette idée de tour du monde à la voile, et moi j'essayais de me convaincre que nous serions heureux parce que *lui* serait heureux... Mais ça ne fonctionne pas comme ça. J'ai détesté ce bateau. J'ai détesté les ports dans lesquels nous nous arrêtions. J'ai détesté devoir chercher des jobs. Je suis quelqu'un qui a besoin d'une maison fixe. Je veux planter des fleurs, parler à mon voisin par-dessus la haie du jardin, laver mon linge dans ma propre machine à laver, aller le matin chercher du pain chez le boulanger, parler avec les gens que je croiserai dans la boutique... Je ne veux pas être un jour ici et demain là, je ne veux pas ne pas pouvoir lier connaissance avec des gens parce que je ne réside jamais suffisamment longtemps quelque part. Je veux... je veux des enfants, Virginia. J'ai tellement envie d'avoir des enfants. Et de pouvoir les élever dans un environnement calme et sécurisant.

Des enfants.

— Kim a disparu, dit Virginia.

— Quoi ? Une deuxième fois ?

— Oui. Hier, après l'école. Mais nous ne l'avons toujours pas retrouvée.

— C'est... ce doit être terrible pour vous.

La sincérité de la compassion de Livia noua la gorge de Virginia. Elle lutta désespérément pour retenir ses larmes.

— Oui, dit-elle, c'est terrible. La police fouille la région avec des chiens. Frederic et notre régisseur viennent à l'instant de repartir. Je me demande comment elle a passé la nuit...

Sa voix se brisa. Les images qui surgissaient devant ses yeux étaient trop cruelles.

— Mon Dieu, Virginia ! s'exclama Livia à mi-voix.

Toutes deux se turent mais Virginia percevait dans le silence de Livia toute la sympathie qu'elle lui portait et elle songea avec tristesse que cette jeune femme aurait pu devenir son amie – s'il en avait été autrement.

— Je vous donne le numéro de téléphone de cette amie allemande, dit Livia en rompant le silence. J'y serai joignable au moins pendant quelque temps. Pouvez-vous m'appeler dès que vous aurez Kim à nouveau près de vous ? Cela me fera plaisir d'avoir des nouvelles.

— Bien sûr, Livia. Je le ferai.

Elle nota le numéro de téléphone que lui dictait Livia.

— Et... Pouvez-vous également transmettre le numéro à mon mari ? Il aura peut-être besoin de me joindre. Il y aura sûrement des choses à régler.

— Entendu, dit Virginia.

Elles se dirent au revoir. Virginia monta dans la chambre de sa fille. Elle remit inutilement de l'ordre dans l'arrangement de peluches posées sur le rebord de la fenêtre, rectifia le tombé des rideaux blancs. Elle regarda le carnet de croquis ouvert sur le bureau, la boîte de pastilles de peinture posée à côté. Kim avait essayé de peindre un cheval. Il ressemblait un peu à un rat qui aurait eu un accident.

Mon Dieu, faites qu'elle revienne ! Faites qu'elle revienne vite et qu'elle soit à nouveau heureuse !

Mue par un trop-plein d'angoisse et d'impuissance, elle redescendit au rez-de-chaussée et composa le numéro de téléphone de la pension de famille où logeait Nathan. Une femme revêche l'informa que M. Moor était sorti se promener et que non, elle ne savait pas quand il serait de retour.

Pourquoi n'appelait-il pas ? Pourquoi ne demandait-il pas

des nouvelles de Kim ? D'elle, Virginia ? Ne se rendait-il pas compte de ce qu'elle vivait ?

Frederic réapparut peu après une heure de l'après-midi.

— Vous n'avez rien trouvé, dit Virginia.

C'était une constatation, pas une question.

— Non.

Frederic passa ses mains sur son visage. Il était blême, ses paupières étaient rouges.

— Rien. Nous sommes retournés à la cabane dans l'arbre. A la haie de ronces sous laquelle elle avait aménagé des passages. Nous avons refait une partie du chemin de l'école à pied. Nous n'avons pas trouvé la moindre trace de Kim.

Elle tendit la main et effleura son bras.

— Allonge-toi un peu. Tu as l'air épuisé.

— Je serais bien incapable de dormir, dit Frederic.

Pourtant, lorsque Virginia, quelques secondes plus tard, revint de la cuisine avec un verre d'eau, elle le trouva endormi dans un fauteuil près de la fenêtre.

Elle était dans sa chambre en train de chercher dans son armoire quelque chose de plus chaud à mettre – il avait beau ne pas faire froid, elle ne parvenait pas à se réchauffer – lorsque son portable sonna. Elle pensa tout de suite que l'appel provenait de Nathan et remercia le ciel de se trouver au premier étage, hors de portée de voix de Frederic.

Nathan était d'excellente humeur :

— Bonjour, chérie, lança-t-il d'un ton enjoué. Je viens de la plage. Il fait un temps magnifique aujourd'hui, tu ne trouves pas ? Pas un nuage, beaucoup de soleil. Est-ce que tu t'en rends compte, avec tous tes arbres devant les fenêtres ?

Elle trouva son ton déplacé.

— Ma fille a disparu. Jusque-là, je ne me suis pas vraiment souciée du temps qu'il faisait.

— Vous ne l'avez toujours pas retrouvée ?

— Non. Tu le saurais si tu m'avais appelée ce matin pour prendre des nouvelles !

Il soupira.

396

— Excuse-moi. Je n'ai pas pensé une seconde que vous la cherchiez toujours. Ça m'est difficile de t'appeler. Je ne sais jamais si ton mari n'est pas justement à côté de toi. Ce n'est pas très agréable pour moi.

— Oui, effectivement.

— Ecoute, j'ai une idée. Viens me rejoindre ici, nous marcherons un peu au bord de la mer, tu pourras te détendre. Qu'est-ce que tu en dis ?

— Je ne veux pas m'absenter.

— Mais tu ne peux rien faire qu'attendre.

— Je veux tout de même être là. Si jamais Kim arrive et que...

Il soupira de nouveau.

— Je viendrais bien. Mais risquer de me trouver nez à nez avec Frederic, franchement, je préfère éviter. Et il faut que je fasse attention à l'essence. La meilleure solution serait vraiment que tu...

Elle avait espéré qu'il la consolerait, la soutiendrait – d'un coup, son désir s'envola. L'heure n'était pas à se faire consoler. L'heure était à remuer ciel et terre pour retrouver Kim.

— Non, l'interrompit-elle, avant, consciente d'avoir été un peu brutale, d'ajouter, plus doucement : Je suis désolée. Je sais que ça part d'une bonne intention.

Il parut légèrement vexé.

— Je ne peux pas te forcer. Si tu changes d'avis... tu sais où me trouver.

Là-dessus, il raccrocha.

Elle coupa la communication, regarda l'écran de l'appareil dont le fond représentait une photo de Kim – Kim qui pressait la joue contre la fourrure soyeuse de son ours en peluche.

— Où es-tu ? murmura-t-elle. Où es-tu, ma douce petite Kim ?

Nathan avait raison sur un point : pour le moment, elle ne pouvait pas faire grand-chose dans la maison, et errer dans les pièces en imaginant le pire l'épuisait nerveusement.

Elle griffonna un mot à l'intention de Frederic et le posa sur la table de la cuisine : *Je vais faire un tour. J'étouffe, il faut que je sorte. Virginia.*

Cinq minutes plus tard, elle franchissait la grille au volant de la voiture de Frederic et laissait derrière elle les grands arbres sombres du parc. La campagne s'ouvrait devant elle, immense et verdoyante.

Ce que Nathan avait dit était exact : le ciel était bleu et le soleil radieux.

4

Bien qu'on soit mercredi, ce qui ne correspondait donc pas à leur arrangement, à une heure et demie, Janie était postée devant l'agence immobilière qui faisait face à la papeterie et concentrait toute son attention sur la porte du magasin. Elle avait réfléchi la moitié de la nuit à sa fête d'anniversaire pour en arriver à la conclusion que le monsieur inconnu qui avait été si gentil avec elle n'était peut-être pas du tout fâché contre elle mais avait simplement, pour une raison quelconque, changé ses habitudes. Les gens le faisaient constamment. Au lieu de venir tous les lundis à la papeterie, peut-être qu'il venait maintenant le mercredi ou le jeudi. Du fait qu'il ne connaissait de Janie que son prénom et pas son adresse, il ne pouvait pas l'en informer.

En tout cas, cela méritait qu'elle essaie.

Malheureusement, il fallait pour ça qu'elle recommence à sécher l'école. Cette fois, ce ne serait pas le cours d'éducation physique. De une heure à deux heures, ils avaient cantine. Elle espérait que ça ne se remarquerait pas trop si elle n'y allait pas. Puis, de deux à quatre, ils avaient dessin. Le professeur se rendrait évidemment compte qu'un élève était absent. Elle poserait des questions, les enfants de la classe se souviendraient qu'elle était là le matin. Ils penseraient sûrement qu'elle ne s'était pas sentie bien. L'autre jour, un enfant était rentré chez lui à midi parce qu'il ne se sentait pas bien. Il est vrai qu'il avait prévenu. C'était la règle. On n'avait pas le droit de partir sans prévenir.

Elle se ferait disputer, c'était certain. Il était étonnant que son absence de l'autre jour n'ait toujours rien déclenché. Mum allait sûrement recevoir une lettre. L'intercepter ne serait pas compliqué, car c'était Janie qui rentrait la première et prenait le courrier dans la boîte à lettres. Toutefois, elle pressentait vaguement que l'école n'allait pas se satisfaire indéfiniment d'envoyer des lettres qui resteraient sans réponse. Mais d'ici que ça barde vraiment, elle aurait peut-être déjà rencontré à nouveau le gentil monsieur et quand elle expliquerait à Mum ce qui s'était passé – et ne se reproduirait jamais plus – tout rentrerait dans l'ordre.

Pourvu que tout rentre dans l'ordre.

Elle regarda sa montre. Deux heures dix. Personne n'était entré dans le magasin, personne n'en était sorti. S'il ne venait toujours pas aujourd'hui... Il faudrait qu'elle reprenne son poste demain. Quel cours manquerait-elle ? Musique ? Oui, musique. Zut. Mlle Hart, qui faisait musique, était sévère et un peu hystérique. Elle s'énervait pour tout, montait sur ses grands chevaux dès qu'un élève osait chuchoter ou froissait du papier au mauvais moment. Janie soupira. Mlle Hart allait en faire toute une histoire, c'était sûr.

Et qu'est-ce qui lui disait que le monsieur n'avait pas également changé l'heure à laquelle il venait acheter ses journaux ? Peut-être qu'il venait maintenant le matin à neuf heures. En fait, il faudrait qu'elle soit là tout le temps. Qu'elle arrive directement de la maison le matin, qu'elle n'aille pas du tout à l'école...

Elle sursauta. Une main venait de se poser sur son épaule alors qu'elle n'avait pas entendu de bruit derrière elle. Elle tourna la tête et découvrit le visage sévère de la dame de l'agence. Aujourd'hui, elle portait un ensemble gris et elle était aussi impeccable et élégante que la première fois.

— Encore toi, dit-elle.

Janie ébaucha un sourire.

— Sais-tu que je commence à me dire qu'il y a quelque chose qui ne va pas, dit la dame. Il me semble qu'il faut vraiment que j'appelle ta mère.

— Mais non, tout va bien, se hâta d'affirmer Janie. De toute façon, j'allais partir...

Elle fit un pas de côté mais la main de la dame l'arrêta.

Cette fois, elle lui tenait le bras. Très fort. C'était une main dont on ne se débarrassait pas facilement.

— Tu devrais être à l'école en ce moment, hein ? Par ailleurs, je trouve curieux que tu traînes dans ce coin. Il n'y a rien ici d'intéressant pour toi.

Les yeux de Janie s'emplirent de larmes. Cette dame mettait tout par terre. Tout !

— Viens avec moi dans mon bureau. Nous allons appeler ta mère, dit la dame en faisant entrer Janie dans l'agence. Assieds-toi.

Elle lui désigna l'un des deux fauteuils noirs placés devant un bureau, noir lui aussi, et sur lequel tout était soigneusement rangé. Elle-même s'assit derrière le bureau et décrocha le téléphone.

— Peux-tu me donner ton numéro ?

— Ma maman n'est pas à la maison, chuchota Janie.

Elle avait eu l'intention de parler normalement mais on aurait dit que sa voix ne voulait pas lui obéir.

— Où est ta maman ?

— Elle travaille.

— Où ça ?

— Je ne sais pas.

La dame arbora à nouveau son regard sévère.

— Je peux aussi appeler tout de suite la police, mademoiselle... Comment t'appelles-tu ?

— Janie, murmura-t-elle.

— Mademoiselle Janie. Alors écoute-moi, Janie. Je me fais du souci pour toi. Tu sèches l'école, pour de mystérieuses raisons, tu te plantes devant ma vitrine – deux fois déjà, du moins à ma connaissance. Si ça se trouve, ce petit manège dure depuis plus longtemps, je ne m'en suis simplement pas aperçue avant. Maintenant, j'aimerais comprendre. Soit tu me dis comment je peux joindre ta mère ou ton père, soit je te confie à la police. Ce n'est pas compliqué.

— Ma maman travaille dans une laverie, dit Janie.

A présent, les larmes ruisselaient sur ses joues. Elle se pencha sur son cartable, fouilla dedans et en extirpa finalement un petit carton.

— Voilà son numéro de téléphone, dit-elle.

— Ah, tout de même, dit la dame.

Elle lui prit le carton des mains et ses doigts voltigèrent sur les touches du téléphone à une vitesse vertigineuse.

— Me faire ça !

Doris ne s'était pas rendu compte que la cigarette qu'elle venait d'allumer s'était éteinte. Elle se tenait au milieu du séjour, toujours vêtue de la blouse blanche qu'elle portait à la laverie. Ses cheveux, sévèrement tirés en arrière et attachés sur la nuque, frisottaient sur son front à cause de l'humidité dans laquelle elle travaillait. Elle avait mauvaise mine, elle était grise, et revêche.

En fait, elle est toujours comme ça, songea Janie.

— Est-ce que tu te rends seulement compte à quel point ma chef a apprécié quand j'ai dû brusquement partir ? Dans quelle panade ils sont sans moi ? Ils m'ont drôlement regardée de travers, tu peux me croire ! Quand ils auront besoin de dégraisser les effectifs, c'est le genre d'incident dont ils se souviendront ! Même toi tu devrais savoir dans quelle situation on va se retrouver si je perds mon boulot !

— Tu n'aurais pas dû venir me chercher...

— Ah oui ? Quand on me téléphone pour me dire que ma fille de huit ans sèche l'école et traîne dans la rue, je devrais faire comme si de rien n'était ? Je devrais continuer tranquillement à faire mon job ? Je lui aurais dit quoi, à cette pimbêche de l'agence ? « Ce que fait ma fille ne m'intéresse pas, renvoyez-la dans la rue ? » Tu veux que je te dise ? Partie comme elle l'était, elle nous aurait collé le juge aux affaires familiales sur le dos. Tu as envie de finir dans un foyer ?

Janie n'avait pas imaginé ça. Quand sa mère avait surgi dans l'agence tel un ange vengeur – dans un contraste presque douloureux avec la dame en costume gris – et avait tiré sa fille par la main en lui faisant mal, Janie avait cru vivre le pire. Tout le monde pouvait se rendre compte que Doris bouillait de colère. Janie aurait voulu que le sol s'ouvre sous ses pieds pour qu'elle puisse disparaître quelque part où on n'aurait pas pu la retrouver.

Mais *finir dans un foyer*, c'était autrement plus grave. Elle en avait très peur. Dans leur immeuble, les trois enfants de la famille qui habitait à l'étage au-dessous du leur avaient été placés dans un foyer parce que leur père était toujours saoul et que leur mère avait sauté deux fois par la fenêtre pour se tuer mais seulement réussi à se casser presque tous les os. Janie les avait vus partir avec une dame qui n'avait pas l'air d'être gentille du tout. Elle en avait tremblé de peur et, la nuit, elle s'était réveillée en criant parce qu'elle avait revécu la scène en rêve.

Le foyer, c'était vraiment ce qu'il y avait de pire.

Elle recommença à pleurer.

Doris se rendit enfin compte que sa cigarette s'était éteinte et la ralluma. Fumer parut la détendre un peu. Elle observait sa fille qui se faisait toute petite dans le fauteuil.

— Bon. Vas-tu maintenant me dire ce que tu faisais là-bas ? Tu ne comptes pas acheter une de ces maisons de rêve qu'ils ont en vitrine, si ?

Janie demeura silencieuse. Elle s'était dit : Quand je raconterai tout à Mum, quand je lui expliquerai, elle me comprendra. Alors elle ne sera pas en colère, peut-être même qu'elle m'aidera à retrouver le gentil monsieur. Elle sera contente qu'il veuille me faire un aussi beau cadeau.

A présent, elle n'en était plus aussi sûre. Mum était tellement en colère.

Doris plissa les yeux.

— Si tu ne me dis pas ce qui se passe, je vais commencer à croire que je ne suis pas capable de t'élever correctement. Il va donc falloir que...

— Non !

Janie se redressa.

— Je ne veux pas aller dans un foyer. Mum, s'il te plaît. Pas le foyer.

— Alors dis-moi ce qui se passe, répéta Doris en regardant sa montre. Et vite. Il faut que je retourne à la laverie.

— C'était à cause du monsieur, dit Janie à voix basse.

402

— A cause de quel monsieur ? demanda Doris.

— A cause de la fête d'anniversaire...

Doris soupira.

— Qu'est-ce que tu me chantes là ? Je ne comprends rien. Quelle fête d'anniversaire ? La tienne ?

— Oui. J'ai tellement envie d'inviter des amis...

— Je suis au courant. Nous en avons suffisamment discuté.

— Le monsieur a dit qu'il voulait bien m'aider.

— C'est qui, ce monsieur ?

— Justement, je ne sais pas. Je ne connais pas son nom. C'est ça qui est embêtant. Et il ne revient plus à la papeterie alors qu'il m'a dit au début qu'il y venait tous les lundis. A cause de moi, il voulait même venir le samedi pour m'emmener voir sa maison, mais ce jour-là tu as eu mal au cœur et comme tu étais malade, je n'ai pas pu y aller. Je crois qu'il a été très fâché après moi, pourtant ce n'était pas de ma faute. Il n'est revenu aucun lundi. Alors je me suis dit qu'il venait peut-être un autre jour. C'est pour ça que j'y suis allée aujourd'hui. Je sais que je n'aurais pas dû manquer l'école, mais j'avais tellement envie de...

Doris fixait sa fille, les yeux écarquillés. Sa cigarette se consumait sans qu'elle ait tiré une nouvelle bouffée.

— Est-ce que j'ai bien compris ? Un parfait inconnu voulait t'aider à organiser une fête d'anniversaire ?

— Oui. Il m'a dit qu'il avait une grande maison et un grand jardin et qu'il avait l'habitude d'organiser de super fêtes. Il voulait tout me montrer et on voulait décider ensemble de comment décorer le jardin ou la cave. Il m'a dit que je pouvais inviter autant d'amis que je voulais. C'est pour ça que j'ai acheté les cartes d'invitation.

Doris s'effondra lentement sur le canapé qui était derrière elle. Janie la regardait, étonnée de la voir encore plus pâle qu'avant.

— Mon Dieu... murmura Doris.

— Il est vraiment gentil, tu sais, dit Janie.

Pendant une longue minute, un silence absolu régna dans la pièce. Puis la cigarette qui se consumait entre les doigts de

Doris la brûla. Doris étouffa un cri et jeta le mégot dans le cendrier posé sur la table.

— Où t'a-t-il abordée ? demanda-t-elle.

— Dans la papeterie. Je n'arrêtais pas de regarder les cartes d'invitation. Il m'a demandé si c'était bientôt mon anniversaire. A ce moment-là, je lui ai raconté que tu ne voulais pas que j'invite mes amis à la maison et que je... que j'étais triste à cause de ça...

Doris hochait lentement la tête. Brusquement, elle se leva, enleva sa blouse et prit son sac à main.

— Viens, dit-elle à sa fille.

Janie lui lança un regard inquiet.

— Où ça ?

— Au commissariat de police. Et tout de suite. Tu vas leur raconter tout ce que tu viens de me raconter. Et tu décriras bien soigneusement ce monsieur. C'est important.

— Maman ! Non, pas à la police ! Je ne veux pas aller dans un foyer !

— Ne t'inquiète pas, tu ne vas pas aller dans un foyer. Il n'en est pas question. En revanche, avec un peu de chance, ton nouvel ami va aller en prison, lui !

— Mais il n'a rien fait ! Doris ferma un instant les yeux.

— Non, dit-elle doucement. A toi, il n'a rien fait. Ça n'a pas marché. Et c'est bien la première fois de ma vie que je vais remercier le bon Dieu d'avoir eu mal au ventre à en crever !

Janie ne comprenait absolument pas ce que sa mère voulait dire. Mais au moins elle n'avait plus l'air d'être remontée contre elle. C'était plus que ce que Janie aurait osé espérer il y avait encore une demi-heure de cela.

5

Elle avait pleuré pendant une heure, évacué dans ses sanglots le trop-plein d'angoisse et de désespoir des dernières heures. Elle se sentait un peu mieux. La peur n'avait pas disparu ; tant que Kim ne serait pas de retour, saine et sauve, à la maison, elle serait toujours là. Mais l'étau s'était desserré, elle souffrait un peu moins.

Elle va revenir, s'était-elle dit pour finir, puis elle s'était mouchée et elle avait cessé de pleurer.

Sans l'avoir prémédité, obéissant à un désir inconscient, elle était allée jusqu'à l'école de Kim. Elle avait garé sa voiture à une centaine de mètres du bâtiment puis poursuivi son chemin à pied. C'était la pause de midi, il y avait des centaines d'enfants dans la cour et sur les pelouses. Ils jouaient à chat, sautaient dans des cases dessinées à la craie sur le sol, se promenaient en petits groupes ou parlaient, assis au soleil. Des voix qui s'appelaient, des cris, des rires emplissaient l'air.

Jusqu'à hier, Kim avait été l'une d'entre eux.

Kim serait à nouveau l'une d'entre eux. Toute autre hypothèse était inconcevable.

Virginia n'avait pas cru un instant voir Kim jouer dans la cour ou même seulement découvrir une piste réellement exploitable. Frederic et Jack avaient cherché avec tant de soin qu'il était peu probable que quelque chose leur ait échappé. Elle avait simplement éprouvé le besoin brutal de se sentir proche de son enfant, d'être au dernier endroit où elle savait avec certitude que sa fille s'était trouvée avant qu'elle disparaisse.

Kim avait attendu là. Devant la grande porte métallique qui devait paraître si lourde, si écrasante, à une petite fille de sept ans. Il avait plu, pas simplement bruiné, non, plu à seaux. Pourtant, à en croire son professeur de dessin et son amie Clarissa, Kim ne s'était pas mise à l'abri. Elle devait être certaine que quelqu'un allait arriver d'un instant à l'autre. Certaine au point de se dire que ça ne valait pas la peine de retourner attendre à l'intérieur que l'averse passe.

Elle était si confiante.

Dans la voiture de qui était-elle montée ?

Virginia avait longuement regardé l'endroit, sur le trottoir, où Kim devait avoir attendu, et elle avait essayé de reconstituer les pensées qui, peut-être, s'étaient succédé dans la tête de sa fille.

Tu n'es montée dans la voiture de personne ? Le temps

passait, personne n'arrivait. Tu t'es dit que maman, encore une fois, n'était pas là. Comme elle n'était pas là le jour de la rentrée. Tu as eu peur, tu t'es sentie abandonnée, perdue. Tu n'as eu alors qu'une envie, partir, comme la veille, quand tu étais chez Grace. Mais où es-tu allée, Kim ? Où es-tu allée ?

Elle avait songé à Skye. A sa fuite, extravagante et égoïste. Aux nuits avec Nathan. A sa décision de vivre avec lui. Elle n'avait guère ménagé les sentiments de son entourage. Elle avait blessé Frederic, et elle avait blessé Kim. Frederic avait compris ce qui se passait. Kim l'avait seulement senti, mais c'était peut-être pire, plus inquiétant. Elle était partie une fois, peut-être deux. Elle appelait au secours. Sa mère mettait en danger l'équilibre familial. C'était un choc pour un enfant.

Virginia se détourna et poursuivit à pied jusqu'au square, presque mitoyen des locaux de l'école. Elle croisa quelques promeneurs mais personne ne fit attention à elle. Quand les larmes commencèrent à couler, elle mit ses lunettes de soleil. Elle découvrit un banc dans une niche de lauriers du Portugal, s'y laissa choir et pleura, pleura, d'angoisse et de remords, et quand elle n'eut plus de larmes à verser, elle sut qu'en dépit de tout, si c'était à refaire, elle le referait car il y avait trop longtemps qu'elle aspirait à une nouvelle vie. Une nouvelle vie... Avec Nathan ?

Mais j'aurais dû être moins brutale, moins dure avec les autres.

Elle retourna à l'école, à présent silencieuse sous le soleil. Les cours de l'après-midi avaient commencé. Des voix, le son étouffé d'un piano parvenaient jusqu'à la rue par quelques fenêtres ouvertes.

Mais rien. L'école ne lui donna aucune réponse sur l'endroit où se trouvait son enfant. Rien, pas la moindre illumination, aucune intuition soudaine, pas le plus petit instinct surgissant pour la mettre sur la voie.

Pourtant, elle croyait sentir que sa fille l'appelait. Qu'elle était vivante et réclamait sa mère.

Elle rentra à Ferndale.

A l'instant où elle coupait le moteur devant la maison, la porte s'ouvrit et Frederic sortit. Il l'attendait. Il avait dû s'inquiéter. Il y avait presque deux heures et demie qu'elle était partie.

Elle s'arma intérieurement contre ses reproches et descendit de voiture.

— Frederic, dit-elle.

A son étonnement, aucune attaque ne vint. Le visage de Frederic était d'une pâleur mortelle, ses yeux soudainement très sombres, presque noirs.

— Kim, dit-il.

Le tremblement qui s'empara de Virginia fut si brutal et si inattendu qu'elle faillit tomber et chercha le bras de Frederic pour s'appuyer. Il la retint. Leurs visages étaient tout proches.

— Quoi, Kim ? Qu'est-ce qu'elle a ?

Virginia mit une seconde à comprendre que la voix suraiguë qui avait crié cette question était la sienne.

— Quelqu'un a téléphoné, dit Frederic. Pour réclamer une rançon.

— Une rançon ?

— Elle a été enlevée, dit Frederic.

— Il y a de fortes probabilités pour qu'il s'agisse d'un opportuniste, dit le superintendant Baker. Ou tout simplement d'un plaisantin, éventualité que nous ne prendrons pas à la légère. Même s'il ne s'agit que d'une mauvaise plaisanterie, son auteur se rend passible de poursuites judiciaires.

— Un opportuniste, en revanche... dit Frederic.

— Un opportuniste peut pousser son pion encore un bon bout de temps, expliqua Baker, éventuellement jusqu'à la remise d'une rançon. Sans qu'il ait l'enfant, naturellement. Il exploite simplement la situation pour avoir de l'argent. Il entend à la radio qu'une petite fille a disparu et aussitôt il cherche à profiter de...

6

— Quentin est un nom plutôt répandu, l'interrompit Frederic, pourquoi aurait-il justement appelé chez nous ?

Baker haussa les épaules.

— Vous jouissez d'une certaine notoriété, monsieur Quentin. En tant que banquier, et plus encore depuis que vous briguez ce siège aux Communes. Notre homme tente simplement sa chance, ne serait-ce que parce qu'il présume que vous n'aurez aucun mal à réunir une grosse somme d'argent. Et bingo ! Il tombe sur le bon numéro. C'est effectivement la fille du fameux Frederic Quentin qui a disparu. Il le comprend instantanément à votre réaction. Dans le cas contraire, il aurait simplement raccroché. Qu'avait-il à perdre ?

— Mais vous ne pouvez pas exclure que Kim ait effectivement été enlevée, objecta Virginia.

Depuis son retour, elle était assise dans un fauteuil du salon dont elle ne pouvait plus se lever. C'était Frederic qui l'y avait conduite. Elle avait avancé à petits pas prudents, comme une vieille dame. Jamais de sa vie entière elle ne s'était sentie aussi fragile et faible, comme si brusquement toutes ses forces, toute sa vitalité et sa jeunesse l'avaient désertée.

Le superintendant Baker, que Frederic avait prévenu alors qu'elle n'était pas encore revenue, était arrivé avec deux officiers de police. Ils avaient branché un système de localisation des appels ainsi qu'un enregistreur sur l'installation téléphonique. En ce qui concernait la localisation des appels, Baker était sceptique.

— De nos jours, les gens sont informés. D'ici qu'on puisse remonter jusqu'à eux, ils ont en général raccroché depuis longtemps. Mais ça ne coûte rien d'essayer.

C'est seulement à cet instant que Virginia apprit ce que leur correspondant anonyme avait dit. Il ne lui était pas venu à l'idée de le demander à Frederic.

— C'était un homme, dit Frederic, mais qui transformait sa voix. Ça m'a rappelé...

— Quoi ? Qu'est-ce que ça vous a rappelé ? insista Baker.

Frederic secoua la tête.

— Personne, malheureusement. Je voulais simplement dire que la façon dont cette voix était déformée m'a fait penser à un jouet de ma fille. Il y a quelques années, elle devait avoir quatre ans, on lui a offert un magnétophone pour enfants. L'appareil possédait un micro intégré dans lequel on pouvait parler ou chanter. En manipulant les boutons, il était possible de déformer sa voix, de la rendre très grave, très aiguë, etc. Kim s'est beaucoup amusée avec. C'est ça que m'a rappelé la voix au téléphone. Une voix bizarrement manipulée.

Baker prenait des notes.

— Et ensuite ? fit-il.

— Il m'a demandé si j'étais Frederic Quentin, poursuivit Frederic. Après que je lui ai répondu par l'affirmative, il a dit textuellement : « J'ai votre fille. Elle va bien. Cent mille livres et vous pourrez la récupérer »…

— Excusez-moi d'insister, l'interrompit Baker. Vous êtes absolument certain que cette voix ne vous rappelle personne ? Aucune impression ne vous a effleuré, à aucun moment ?

— Non, à aucun moment. La voix était si grotesquement déformée que j'avais déjà du mal à simplement comprendre les mots.

— Mais vous êtes certain qu'il s'agissait d'un homme ?

Frederic, brusquement, hésita.

— C'était une voix d'homme, oui… Mais naturellement elle peut avoir été fabriquée artificiellement. Vue sous cet angle, je dois répondre non à votre question, superintendant. Je ne suis pas certain qu'il s'agisse d'un homme.

— Entendu. Comment la conversation s'est-elle poursuivie ?

— Je lui ai demandé qui il était. Il a répondu que je n'avais pas besoin de le savoir. Puis ajouté : « Rassemblez l'argent. Je reprendrai contact. » Et il a raccroché.

Virginia se prit la tête dans les mains.

— Nous ne figurons pas dans l'annuaire, dit soudain Frederic. Et nous sommes sur liste rouge. Comment ce type a-t-il eu notre numéro ?

— Par Kim ! s'écria Virginia, elle-même surprise par son ton hystérique. Par Kim, bien sûr ! Ce qui prouve qu'elle a bien été enlevée !

Baker, qui était assis en face d'elle sur le canapé, se pencha légèrement en avant.

— Madame Quentin, je sais que c'est facile à dire, mais ne vous emballez pas. Il est possible que votre fille ait réellement été enlevée. Mais cela signifierait tout au plus qu'elle n'est pas tombée entre les pattes du criminel que nous recherchons activement depuis plusieurs jours. Car celui-là, ce n'est assurément pas l'argent qui l'intéresse.

— C'est un cauchemar, dit Virginia à mi-voix. Un cauchemar.

— Tout est possible, poursuivit Baker. Il peut même s'agir d'un camarade de classe de votre fille. Ou du grand frère ou de la grande sœur d'un camarade de classe. Eux connaissent votre numéro de téléphone. Ce ne serait pas la première fois qu'une bande d'adolescents fait une blague au téléphone, cruelle et effrayante, mais une blague.

— Qu'allez-vous faire, superintendant ? demanda Frederic.

Baker ignora la question et se tourna de nouveau vers Virginia.

— Où étiez-vous, ce midi, madame Quentin ? Votre mari disait que vous étiez rentrée peu après le coup de téléphone réclamant la rançon ?

Virginia releva la mèche qui lui tombait sur le front.

— J'étais à l'école de Kim. Je ne sais pas vraiment pourquoi. C'était... Je crois que je voulais aller à l'endroit où elle a été vue pour la dernière fois. Et j'ai eu l'impression que...

Elle n'acheva pas sa phrase.

— Quelle impression avez-vous eue, madame Quentin ? demanda Baker.

— J'ai eu l'impression qu'elle m'appelait. J'ai distinctement entendu son appel.

Elle prit une profonde inspiration.

— Ma fille est en vie, superintendant, dit-elle d'une voix ferme. Je suis certaine qu'elle est vivante.

— Nous partons également de cette hypothèse, affirma à son tour Baker.

Là, Virginia se demanda s'il était aussi convaincu qu'il voulait en donner l'impression.

Ils demeurèrent un instant tous trois silencieux, puis, sans transition, Frederic demanda :

— Vous ne vouliez pas interroger Nathan Moor, superintendant ?

Baker hocha affirmativement la tête.

— Je n'en ai pas encore eu la possibilité.

Il se tourna vers Virginia.

— M. Moor sait que votre fille a disparu, n'est-ce pas ?

— Oui, bien sûr. Pourquoi me posez-vous cette question ?

— Pour rien de précis, répondit Baker. C'est une simple vérification.

— Quand avez-vous prévu de l'interroger ? insista Frederic.

— Dès que possible, monsieur Quentin, soyez-en assuré. Ce serait déjà fait si un élément nouveau ne m'en avait empêché...

Frederic le regarda d'un air interrogateur.

— En tout début d'après-midi, j'ai reçu dans mon bureau une fillette de huit ans et sa mère, rapporta Baker. Il y a deux semaines, la petite a été abordée par un homme qui – conformément à l'image que nous nous sommes forgée de lui – s'est présenté comme le réalisateur de ses plus chers désirs. C'est un pur hasard qu'elle ne soit pas montée dans sa voiture et c'est également au hasard que nous devons qu'elle se soit en définitive confiée à sa mère. C'est pour parler avec elle que j'ai repoussé l'interrogatoire de M. Moor...

— Alors vous disposez maintenant d'une description de cet homme ? voulut s'assurer Frederic.

Baker secoua la tête d'un air navré.

— Elle est malheureusement très imprécise. Quand je suis parti, ils essayaient d'établir un portrait-robot, mais la petite est bouleversée et il y a déjà pas mal de temps que la rencontre a eu lieu – ses souvenirs sont vagues et assez contradictoires. Nous tenons néanmoins un vrai début de piste.

— Mais cela n'a aucun lien avec notre cas, dit Virginia.

— Je présume que non, dit Baker.

— Qu'allez-vous faire maintenant ? Que devons-nous faire ? insista Frederic en voyant Baker ranger son calepin et faire mine de se lever.

— Je vais interroger M. Moor, puis interroger les professeurs et les camarades de votre fille, répondit Baker. Et continuer à faire ratisser la région. Vous-mêmes ne pouvez malheureusement pas faire grand-chose pour le moment, hormis ne pas vous affoler. Par ailleurs, il faudrait qu'il y ait en permanence quelqu'un chez vous, au cas où le supposé ravisseur se manifesterait. Et s'il appelle, prévenez-moi immédiatement.

— Comptez sur nous, dit Frederic.

Il raccompagna Baker et les deux officiers de police. Virginia, toujours incapable de se lever, resta dans le salon.

Quand Frederic revint, elle chercha à découvrir dans ses traits, dans ses yeux, quelque chose qui lui aurait révélé ce qu'il pensait, mais son visage était hermétiquement fermé. Il n'était pas disposé à partager avec elle les sentiments qui l'agitaient. Elle l'avait trop blessé pour qu'il puisse s'ouvrir à elle. Même le drame qu'ils vivaient ne parvenait pas à les rapprocher.

— Je monte au premier, dit-il. Je voudrais appeler la banque.

— Pour les...

— Pour les cent mille livres, oui. Il faut qu'ils me les mettent à disposition. Je veux avoir l'argent ici. Si le ravisseur appelle, je veux pouvoir le payer tout de suite.

— Et s'il ne rappelle pas ?

— Dans ce cas, Baker a raison, c'est qu'il n'y a pas de ravisseur. Et Kim n'a pas été enlevée. Elle...

— Elle s'est perdue, se hâta d'ajouter Virginia, pressée de finir sa phrase.

— Elle va revenir chez nous, dit Frederic en quittant la pièce.

Il avait dit « chez nous ». *Nous* était pourtant un mot désormais vide de sens. Il le savait. *Nous* n'existait plus.

Virginia se prit la tête dans les mains. Elle aurait voulu pleurer mais elle avait versé toutes les larmes dont elle était capable le midi, dans le square près de l'école.

Elle était complètement vide.

7

— Et vous ne savez plus qui vous a aidé à faire redémarrer votre voiture ? demanda le superintendant Baker.

Nathan Moor haussa les épaules d'un air désolé.

— Non. Je regrette. C'était quelqu'un qui était garé à côté de moi. Quand il a vu, en revenant à sa voiture, que je n'arrivais pas à démarrer, il a proposé de m'aider avec son câble de démarrage, ce qu'il a fait. Nous n'avons pas échangé nos coordonnées.

— Dommage, fit Baker.

— Je ne pouvais pas savoir que j'aurais besoin d'un alibi, répliqua Nathan.

Baker secoua la tête.

— Vous n'avez pas besoin d'alibi, monsieur Moor. Simplement, tout ce qui peut étayer ou confirmer les déclarations d'une personne est utile.

Ils s'étaient installés dans la salle à manger dévolue au petit déjeuner du *bed & breakfast* où Nathan avait pris une chambre. Trois tables en bois entourées chacune de quatre chaises, des cactées sur le rebord de la fenêtre, des rideaux blancs. Au mur, une toile représentant le naufrage d'un bateau dans une mer démontée.

Très adapté aux circonstances, songea Baker par-devers lui. Pour autant qu'il l'avait compris, c'était le naufrage de son bateau qui avait catapulté Nathan Moor dans la vie de la famille Quentin.

Dehors, la nuit tombait. Une journée de septembre tirait à sa fin. On distinguait encore les dunes. Derrière, il y avait la mer.

Un bel endroit pour vivre, songea Baker.

Au-delà des raisons professionnelles qui l'amenaient à s'intéresser à Nathan Moor, il était curieux de voir quel était l'homme qui avait réussi à s'immiscer dans le couple Quentin. Frederic Quentin était un habitué des médias, on le voyait souvent dans les journaux, parfois même à la télévision. Baker savait qui il était avant de devoir enquêter sur la disparition de sa fille. C'était un bel homme, cultivé, fin, et qui jouissait de surcroît d'une grande considération ainsi que d'une fortune non négligeable. Un homme, ainsi que l'avait toujours cru Baker, dont toutes les femmes devaient rêver et que l'heureuse élue ne lâcherait pas aussi facilement. Et voilà que Virginia Quentin donnait tous les signes de vouloir le quitter.

Une nouvelle preuve de la différence entre être et paraître, songea Baker avec un certain désenchantement. Peut-être que derrière la belle façade des Quentin le couple n'allait pas bien du tout.

Nathan Moor était un homme qui ne devait guère avoir de mal avec les femmes. Baker l'avait compris au premier regard. Non seulement il était beau, mais il jouissait d'un charme certain dont il devait savoir très habilement user, Baker n'en doutait pas. En outre, il émanait de lui une sensualité à laquelle les femmes étaient sûrement beaucoup plus sensibles que lui, simple fonctionnaire masculin de la Criminelle.

Une grande capacité à se mettre à la place de l'autre, un flair pour les désirs non satisfaits, les frustrations de ses congénères, et une disponibilité sexuelle quasi palpable.

C'est ainsi que Baker l'aurait décrit s'il avait dû le présenter en quelques mots. En ayant toutefois conscience de s'arrêter à la surface du personnage, de ne faire qu'effleurer le tréfonds de l'âme de Nathan Moor.

— Depuis quand connaissez-vous Mme Virginia Quentin ? demanda-t-il d'un ton neutre. Moor ne réfléchit pas une seconde.

— Depuis le 19 août dernier. Bientôt trois semaines, donc.

— Auparavant, vous ne connaissiez personne de la famille ?

— Non, pas personnellement. Mais durant les jours où nous avons fait escale dans le port de Portree, à Skye, ma femme a travaillé chez les Quentin. Elle aidait au jardin et au ménage. Je connaissais donc l'existence de la famille.

— Est-ce également le 19 août que vous avez fait la connaissance de Kim Quentin ?

— Oui.

— Comment s'entend-elle avec vous ?

— Je crois qu'elle m'aime bien. Mais je ne sais pas si elle a compris que...

Il n'acheva pas sa phrase. Baker le regarda attentivement.

— Si elle a compris quoi, monsieur Moor ?

— Superintendant Baker, je ne suis pas certain que...

Baker comprit ce qu'il voulait dire.

— Monsieur Moor, je sais de quelle nature sont vos relations avec Mme Quentin. Et je sais que vous avez l'intention de vivre ensemble. Ses parents comme moi pensons qu'il est très probable que la disparition de la petite soit précisément liée à ce fait.

— Puisque vous êtes au courant, je peux parler librement, dit Nathan Moor.

— Je vous en prie instamment, monsieur Moor, répliqua Baker.

— Pour en revenir à ma relation avec Kim, je pense qu'elle ne sait rien de mon aventure avec sa mère. Sa sympathie pour moi n'en est donc pas affectée. Kim se sent délaissée par Virginia, et elle sent confusément planer une menace sur son environnement. Elle est partie se cacher dans les bois une première fois pour cette raison. Et elle a sûrement recommencé pour cette même raison.

Baker opina. Il prit note mentalement du fait que Moor avait employé le mot « aventure » pour désigner sa relation avec Virginia Quentin. Etant étranger, il était possible que certaines subtilités de la langue anglaise ne lui soient pas familières. Il était toutefois également possible que son histoire avec Mme Quentin ne revête pas pour lui l'importance qu'elle semblait avoir pour elle. Cela pouvait n'avoir aucune incidence sur l'affaire, mais Baker avait l'habitude d'enregistrer ce genre de détails.

— Je comprends, dit-il.

Il réfléchit un instant puis poursuivit :

— Lorsque vous avez constaté que votre voiture ne démarrait pas et que vous ne pourriez donc pas aller chercher Kim Quentin à l'école ainsi que vous vous y étiez engagé, qu'avez-vous fait ?

— J'étais garé sur le parking de la plage, à New Hunstanton, expliqua Nathan, et par chance il y a encore là-bas une

415

bonne vieille cabine téléphonique. Je n'ai plus de téléphone portable. Je l'ai perdu en même temps que mon bateau.

— Vous avez téléphoné ?

— Oui. J'ai commencé par essayer plusieurs fois de joindre Virginia. Chez elle, je tombais sur le répondeur, sur son portable, sur la messagerie. Elle avait prévu de discuter avec son mari. Elle ne voulait pas être dérangée.

— Je comprends, dit une nouvelle fois Baker.

— Puis je me suis souvenu de ce couple de régisseurs, mais j'ai dû me creuser la tête un bon moment pour retrouver leur nom. Walker. Jack et Grace Walker. Je savais que Jack était à Plymouth et que Grace avait la grippe, mais que pouvais-je faire d'autre ? J'ai demandé leur numéro aux renseignements et j'ai prévenu Grace. Je suis ensuite retourné à la voiture et j'ai recommencé à essayer de la faire démarrer.

— Quelle heure était-il quand votre voiture a redémarré ? Quand cette personne vous a aidé avec son câble de démarrage ?

— Quelque chose comme six heures, dit Nathan.

— Vous n'êtes pas rentré à King's Lynn pour passer à l'école ?

— Non. Bien sûr que non. J'y serais arrivé aux alentours de sept heures. Ça n'aurait pas eu de sens. En plus, je pensais que Grace y était allée et que Kim était rentrée depuis longtemps.

— Quand avez-vous appris que ce n'était pas le cas ?

— Tard dans la soirée. J'ai rappelé Virginia de la cabine. Il devait bien être dix heures et demie. Elle était dans tous ses états, et au début plutôt agressive. Elle me rendait responsable de la disparition de sa fille.

Baker s'éclaircit la gorge puis changea brusquement de sujet :

— Monsieur Moor, combien de temps comptez-vous rester en Angleterre ?

— Est-ce important ?

— Je pose simplement la question.

— Je ne le sais pas encore. Je n'ai pas encore eu l'opportunité de réfléchir à mon avenir.

Trois semaines depuis que son bateau a coulé, songea

Baker, et il n'a toujours pas trouvé le temps de réfléchir à son avenir ?

Mais peut-être savait-il pertinemment ce qu'il voulait faire et s'était-il déjà ardemment employé à transformer ses envies en réalités. Il vivait pour le moment aux frais de Virginia Quentin. Il disposait de sa voiture et c'était probablement elle aussi qui payait ses frais d'hébergement dans la délicieuse maison de la côte. Par-dessus le marché, elle semblait décidée à lier son destin au sien. Ce n'était pas une si mauvaise prise qu'il avait faite là.

Toutefois, Baker se dit aussi qu'en matière de suppositions la prudence devait rester de mise. Plusieurs années d'expérience professionnelle lui avaient enseigné que les choses étaient rarement ce qu'elles paraissaient être. Nathan Moor aimait peut-être réellement Virginia Quentin. Le fait qu'un accident l'ait mis sur la paille n'impliquait pas nécessairement qu'il n'envisageait de relations que sous le seul angle de l'argent. Il fallait se garder des clichés. Les faits étaient souvent bien différents de ce que l'on pensait, et surtout plus complexes.

Sans compter que l'histoire de Nathan Moor et Virginia Quentin n'avait peut-être rien à voir avec la disparition de la petite Kim.

— Mais votre femme est déjà rentrée en Allemagne, n'est-ce pas ? insista-t-il.

— A vrai dire, je ne sais pas. Elle a effectivement quitté King's Lynn et je suppose qu'elle essaye de regagner l'Allemagne. Mais où elle se trouve en ce moment, je ne saurais pas vous le dire.

Baker plia la feuille sur laquelle il avait pris des notes et la glissa avec son stylo dans la poche intérieure de sa veste. Il se leva.

— Ce sera tout pour le moment, monsieur Moor, dit-il. Je présume qu'il est inutile que je vous rappelle que vous êtes tenu de m'informer de tout ce qui peut avoir un lien de près ou de loin avec la disparition de Kim Quentin. En conséquence, si quelque chose devait vous revenir...

— Je ne manquerai pas de me mettre en contact avec vous, acquiesça Nathan en se levant à son tour.

Les deux hommes quittèrent la pièce et gagnèrent la porte d'entrée. Baker sortit. Il aspira une longue goulée d'air. Etait-ce une impression ou bien les odeurs étaient-elles effectivement plus intenses la nuit ? L'odeur d'iode, de sel et d'air marin, mêlée au parfum sucré des roses de septembre, était exceptionnelle.

On ne devrait pas vivre en ville, songea-t-il.

Quand il entra dans sa voiture, Nathan Moor avait déjà refermé la porte. Seule la petite lampe qui éclairait le chemin du jardin était allumée, sinon tout était sombre et silencieux. Fidèle à son habitude, Baker résuma mentalement ses impressions : *Type impénétrable. Très compréhensible, l'antipathie ressentie d'emblée par Frederic Quentin à son égard – indépendamment du fait qu'il a séduit sa femme. Moor est intelligent, poli et imbu de lui-même. Il ne laisse personne le percer à jour. Est-ce pour autant un criminel ?*

Rien ne permet de le penser, conclut Baker en mettant le moteur en marche, c'est comme le reste, pas le moindre petit indice.

Et tout au moins pour le moment, en ce qui concernait la disparition de Kim Quentin, l'entretien ne lui avait rien appris.

Jeudi 7 septembre

1

Pour la première fois depuis qu'elle allait à l'école, Janie eut le droit de rester à la maison sans être malade. Et elle n'eut même pas besoin de le demander : sa mère l'avait d'elle-même proposé. Dès la veille au soir, alors qu'elles étaient toutes les deux de retour à la maison, après toutes ces heures dans les bureaux de la police. Dans la tête de Janie, tout avait commencé à tourner et elle s'était beaucoup embrouillée.

Autre miracle : Doris aussi resta à la maison. Alors qu'elle n'était pas malade non plus. Ça ne lui était jamais arrivé, au contraire, même malade comme un chien elle se traînait à la laverie. Janie s'était souvent dit qu'en ce monde Mum n'avait qu'une peur : perdre son travail.

Elle était en train de découvrir que Mum avait peur d'une autre chose, qui peut-être avait plus d'importance encore. Doris avait peur de la perdre, elle, Janie. Jamais elle n'avait été décomposée et bouleversée comme elle l'avait été la veille. Au début, Janie n'avait pas compris pourquoi. Au fil des heures, elle s'était rendu compte qu'apparemment personne ne trouvait aussi formidable qu'elle le gentil monsieur qui voulait organiser la fête de son anniversaire. Quand elle parlait de lui, tous les gens paraissaient horrifiés. Puis elle avait dû raconter son histoire un nombre incalculable de fois, la police voulait connaître le moindre petit détail. Surtout à quoi ressemblait le monsieur. Le décrire était ce qui avait été le plus difficile. Janie n'avait pas parlé très longtemps avec lui, et plusieurs jours s'étaient écoulés depuis.

« Si tu le voyais, le reconnaîtrais-tu ? » avait demandé la gentille dame avec de longs cheveux châtains qui avait pris Janie sous son aile.

Janie n'avait pas cessé de se demander si elle aussi était policier. Elle était très jolie et s'appelait Stella. Janie avait le droit de l'appeler par son prénom.

« Je crois, oui. Je le reconnaîtrais.

— Sais-tu à peu près quel âge il avait ? »

C'était difficile à dire.

« Il était moyennement vieux...

— Comme ta maman ?

— Non, plus vieux.

— Comme ton grand-père ?

— Je n'ai pas de grand-père.

— Mais tu connais les grands-pères de tes petits camarades ?

— Oui.

— Alors ? »

Janie trouvait qu'ils n'avaient pas du tout l'air d'avoir tous le même âge.

« Je ne sais pas. »

Stella ne s'était pas impatientée, à aucun moment.

Même quand Janie, en dépit de tous ses efforts, n'était pas parvenue à se souvenir de la couleur des yeux du monsieur ni de la façon dont il était habillé. Il n'y avait que de la couleur de ses cheveux dont elle croyait se souvenir.

« Ils étaient marron, comme les vôtres. »

Un léger soupir avait échappé à Stella.

« C'est la couleur la plus répandue...

— Avec peut-être un peu de gris... » avait alors ajouté Janie, qui n'aurait pu le jurer.

Puis un dessinateur était venu pour faire un portrait du monsieur d'après ses indications. Elle s'était alors rendu compte que ses souvenirs étaient très hésitants et elle n'avait rien pu dire de précis. Tous les gens étaient restés gentils, pourtant Janie voyait qu'ils étaient déçus. Elle s'était sentie comme à l'école quand un professeur était mécontent d'elle et, finalement, elle avait commencé à pleurer. D'accord, elle n'aurait pas dû sécher l'école, mais comment aurait-elle pu se douter qu'elle allait déclencher un tel remue-ménage ?

Puis elles avaient pu enfin rentrer à la maison. Cette fois, elles n'avaient pas pris le bus, comme à l'aller. Un policier les avait raccompagnées en voiture. Il avait dit au revoir à sa mère, puis ajouté : « Il faut maintenant que vous parliez très, très sérieusement à votre fille. Il faut qu'elle comprenne ce qui a bien failli lui arriver. »

Et Mum avait répondu : « Je vais lui parler, comptez sur moi. »

Janie avait pleuré de plus belle, car il était désormais clair que toutes les foudres de la terre allaient s'abattre sur elle. Sans compter que Mum ne manquerait pas de trouver les pires punitions imaginables : pas de cadeau d'anniversaire, suppression de tout argent de poche plusieurs mois d'affilée, et sans doute, et au moins jusqu'à Noël, interdiction d'aller chez une amie ou à un goûter d'anniversaire.

Mais non. Curieusement, Mum n'avait pas crié. Elle lui avait préparé des sandwichs, fait couler un bain moussant, puis elle l'avait envoyée au lit.

Pendant le dîner, Mum aussi avait pleuré. Puis elle avait annoncé qu'elle n'irait pas travailler le lendemain et que Janie resterait elle aussi à la maison et qu'elles parleraient ensemble.

— Je ne le referai plus jamais, déclara Janie au petit déjeuner. Je ne sécherai plus jamais l'école.

— Non, ça, il ne faut plus le faire non plus, dit Doris. Ce n'est pas bien de sécher l'école. Mais...

— Qu'est-ce que tu veux dire ?

— Mais ce n'est pas le pire. Dieu sait que ce n'est pas le pire, dit Doris en essuyant ses yeux du revers de la main.

Elle regarda Janie.

— Cet homme, reprit-elle, cet homme qui soi-disant voulait organiser une fête pour toi... sais-tu ce qu'il avait pour de vrai dans la tête ?

— Non.

— Il voulait te tuer, dit Doris.

Janie faillit en lâcher son bol de chocolat.

— Me tuer ? Pourquoi ?

— C'est difficile de comprendre ce genre de choses à ton âge, dit Doris, mais il y a des hommes comme ça. Ils tuent les petites filles. Et aussi les petits garçons. Ils y prennent plaisir. Ce sont des malades, des fous, des monstres. On ne sait pas ce qui les a détraqués et peu importe. Ce qui importe, c'est de bien se méfier d'eux. Il ne faut jamais, jamais monter dans leur voiture. Tu m'entends ? Jamais. Peu importe ce qu'ils prétendent ou promettent. A aucun prix, quelles que soient les circonstances. Je te l'ai déjà dit, tu t'en souviens ? Tu ne dois jamais suivre un inconnu.

— Oui, dit doucement Janie.

Sa mère le lui avait dit. Elle n'y avait plus du tout pensé.

— Mais il était si gentil, maman, ajouta-t-elle. Je t'assure. Il était vraiment très gentil. Très poli, doux, et il souriait beaucoup.

— Pardi, comment crois-tu qu'ils s'y prennent, sinon ? répliqua Doris. Tu crois que c'est en étant méchants et pas aimables qu'ils réussissent à faire monter les enfants dans leur voiture ? Bien sûr qu'ils sont sympathiques, et ils sont champions pour promettre monts et merveilles. Mais au bout du compte, tu atterris je ne sais où dans une cave et ils te font des choses...

Elle laissa sa phrase en suspens. Janie la regardait attentivement.

— Quelles choses ils font, maman ?

— Des choses affreuses. Ils te font du mal. Beaucoup de mal. Tu as beau pleurer et appeler ta maman, ils s'en moquent. Et à la fin, ils te tuent pour que tu ne puisses raconter à personne qu'ils t'ont fait du mal. Et tout ça, parce que tu as été assez étourdie pour croire à leurs histoires.

C'est à peine si Janie parvenait à imaginer ce que sa mère disait. Le gentil monsieur voulait lui faire du mal ? La tuer ? Maman avait l'air d'en être convaincue. Stella aussi. Et tout le monde à la police également. C'était peut-être vrai. A nouveau, les larmes lui montèrent aux yeux.

— Je ne le ferai pas, maman, dit-elle entre deux hoquets. Si quelqu'un me redemande de le suivre, je n'irai pas avec lui.

Doris alluma une cigarette. Ses mains tremblaient légèrement.

— Tu viendras avec moi à un enterrement, demain matin ? demanda-t-elle.

— Demain matin ? Il ne faudra pas que je retourne à l'école ?

— Non. Et je n'irai pas travailler non plus. Au lieu de ça...

— C'est l'enterrement de qui ? demanda Janie.

Elle n'aurait su dire combien tout cela lui paraissait extra-ordinairement troublant.

— Une petite fille, répondit Doris. Elle avait à peu près ton âge.

Janie fut prise d'un affreux soupçon. Elle osait à peine prononcer les mots.

— Est-ce que cette... petite fille... est-ce qu'elle... ?

— Oui, dit Doris. Elle a été tuée. Par un monsieur qui lui a fait croire qu'il allait lui donner quelque chose dont elle avait très envie. C'est pour ça qu'elle est montée dans sa voiture...

Janie avala sa salive. Sa gorge était brusquement toute serrée.

— Non, s'entendit-elle dire. Je ne veux pas y aller...

Doris tendit le bras et prit la main de sa fille dans la sienne.

— Stella m'a demandé d'y aller. Il est possible que... que ce soit le même monsieur. Tu comprends ? Ils ne le savent pas, mais la possibilité existe et... eh bien, parfois, ces gens vien-nent assister à... l'enterrement de leur victime. Ils aiment bien regarder parce qu'ils se sentent alors très forts. Et...

— Non ! Je ne veux pas ! Je ne veux pas y aller !

— Janie, tu es la seule personne qui l'ait vu. S'il est là, tu le reconnaîtras. Ecoute, il est probable qu'il ne viendra pas. Et tu ne le reverras plus jamais. Mais s'il vient... Tu veux qu'il soit enfermé, non ? Qu'il ne fasse plus de mal à aucun enfant ?

Janie écoutait ce que sa mère disait. Mais sa voix parais-sait lentement s'éloigner, comme si Doris allait dans une autre

423

pièce puis encore dans une autre, de plus en plus loin, si bien que sa voix devenait de plus en plus faible. En même temps ses oreilles commençaient à bourdonner puis brusquement le sol bascula et la table avec tout ce qu'il y avait dessus se mit à tourner devant elle.

— Je ne veux pas, dit-elle.

Elle n'entendait déjà plus très bien sa propre voix, d'ailleurs elle n'avait peut-être rien dit, seulement cru l'avoir fait.

Je ne veux pas. Je ne veux pas.

Puis tout devint noir.

2

Debout devant le miroir du couloir, Virginia s'observait. Le miroir, ancien, provenait de la famille de Frederic et s'était probablement toujours trouvé là. Le cadre doré à l'or fin était une merveille mais la glace présentait une particularité : elle déformait en longueur et quiconque s'observait paraissait beaucoup plus mince qu'il ne l'était en réalité. Il y avait des années de cela, quand elle se sentait grosse, Virginia se plantait devant le miroir et s'amusait de l'effet d'optique qui la faisait paraître mince comme un fil. En se découvrant par ce matin ensoleillé d'automne d'une maigreur quasi grotesque, elle prit subitement conscience d'avoir beaucoup minci au cours des derniers jours, voire au cours des dernières semaines. Elle ne s'était pas rendu compte à quel point elle flottait dans ses vêtements. Elle avait l'air d'un épouvantail. Des joues creuses, de grands cernes sous les yeux. Les os dévoilés par l'échancrure de son tee-shirt saillaient sous la peau.

Quand ai-je dormi pour la dernière fois ? se demanda-t-elle.

Ça lui paraissait une éternité.

Elle ne parvenait pas à détacher son regard de l'image pitoyable que lui renvoyait le miroir. Brusquement, le téléphone sonna. Elle sursauta puis se précipita dans le salon où elle atteignit l'appareil en même temps que Frederic.

Et bien que Virginia crût que ses nerfs allaient lâcher si l'homme qui avait peut-être enlevé sa fille ne se manifestait pas bientôt, le tremblement de ses mains disait assez combien, en même temps, elle redoutait cet instant. Elle avait peur d'entendre la voix déformée décrite par Frederic. Peur de l'épouvante qui allait s'emparer d'elle.

Ce n'était pas le ravisseur, seulement le superintendant Baker.

Frederic prit la communication et brancha le haut-parleur.

— Je voudrais vous demander quelque chose de très délicat, dit Baker. Au cas où nous n'aurions rien de nouveau d'ici à demain, pourriez-vous assister à l'enterrement de la petite Rachel Cunningham ?

— Rachel Cunningham ? dit Frederic. C'est la fillette qui...

— Dont nous avons découvert le corps à Sandringham, oui. Elle doit être inhumée demain. Il n'est pas exclu que son meurtrier se montre au cimetière, c'est déjà arrivé dans des cas similaires.

— Mais en quoi pourrions-nous vous être utiles ?
Baker soupira.

— C'est une bien petite bouteille à la mer. Mais vous allez peut-être reconnaître quelqu'un que vous avez vu, au cours de ces derniers jours, près de votre fille. Quelqu'un dont vous ne vous souvenez pas aujourd'hui parce que la rencontre n'a été que fugitive, ou sans importance... Mais si vous le revoyiez...

Ce fut au tour de Frederic de soupirer, plus profondément que Baker, et plus désespérément. Il y avait de la compassion dans la voix de Baker quand il reprit :

— Je sais, monsieur Quentin, c'est exiger beaucoup. Dans votre situation, assister à l'enterrement d'une petite fille... Mais vous comprenez certainement que nous...

— Bien sûr, l'interrompit Frederic. Nous comprenons. Et c'est dans notre intérêt, de toute façon.

Virginia le regardait en songeant qu'elle lui avait rarement vu l'air aussi fatigué.

Les deux hommes terminèrent leur conversation. Frederic se tourna vers Virginia.

— Je pars, dit-il. Je vais chercher l'argent à Londres.

— La banque a déjà rassemblé la somme ?

— Ce sera fait d'ici à midi.

La veille, Frederic avait mis dans le secret l'un de ses plus anciens et fidèles collaborateurs, avec lequel il s'était longtemps entretenu.

— Je ne fais que l'aller et retour. Je veux être là et qu'il n'y ait aucun atermoiement quand ce... quand ce type rappellera.

— Tu ne peux pas te faire apporter l'argent ici ?

Il secoua la tête.

— Je préfère ne compter que sur moi.

Elle hocha silencieusement la tête. Elle se sentait visée, bien que rien dans ce qu'il avait dit ne permît de croire qu'il ait sous-entendu qu'il ne pouvait pas avoir confiance dans sa femme.

— Sois prudent, dit-elle, ainsi qu'elle l'avait dit des milliers de fois quand il partait à Londres en voiture.

— Tu restes ici ? s'assura-t-il. Près du téléphone ?

— Naturellement.

— Ce n'est pas si naturel. Tu as peut-être un rendez-vous...

Elle fut incapable de soutenir son regard. Le désarroi qu'elle lisait dans ses yeux et dont elle était responsable lui était insupportable.

— Je reste ici, dit-elle. Je t'attends. Et reviens vite... Je t'en prie.

Quand il eut disparu, la maison devint effroyablement silencieuse.

Elle appela la pension de famille de Nathan. La propriétaire lui dit que M. Moor était sorti.

— Savez-vous s'il est parti avec sa voiture ? demanda Virginia.

— Je ne surveille pas mes pensionnaires, répliqua, piquée, la propriétaire.

— Mais vous pouvez voir si la voiture est ou n'est pas devant chez vous ?

La femme grommela une phrase indistincte mais daigna néanmoins se propulser jusqu'à la fenêtre et regarder dehors.

— La voiture n'est pas là, déclara-t-elle enfin.

Pourquoi n'était-il jamais joignable ? Pourquoi n'était-il jamais chez lui ?

Il est vrai que dans son cas, *chez lui* était une chambre

minuscule dans la modeste pension de famille d'un bord de mer étranger. Pouvait-on lui demander de rester enfermé toute la journée et d'attendre en regardant par la fenêtre ? D'attendre ? D'attendre quoi, au juste ? Que Kim réapparaisse ? D'attendre qu'ils puissent commencer à organiser leur avenir ? Mais de quoi pouvait-il être fait, leur avenir ? Nathan ne possédait plus rien. Virginia se verrait allouer une pension pour Kim. Pour elle-même, dans la mesure où elle vivrait en couple avec un autre homme, c'était plus que douteux. Quand Nathan y pensait, cela devait le rendre fou. Un dilemme insoluble.

La situation était-elle réellement insoluble ? N'y avait-il pas une solution ? Ne suffisait-il pas de trouver cette solution ? Nathan y réfléchissait-il ? Parcourait-il la campagne au volant de sa voiture en se creusant la tête ? Ou bien au contraire roulait-il au hasard des routes ensoleillées précisément pour éviter d'avoir à réfléchir, pour fuir la triste réalité de sa situation, de celle de Virginia, de leur commune infortune ?

Elle errait dans la maison, cette fois cependant elle évita la chambre de Kim. La contempler lui faisait trop mal. Les minutes s'égrenaient avec une lenteur éprouvante. La journée paraissait toujours plus longue, plus vide, plus résistante, comme si le temps s'écoulait à l'envers.

Son inquiétude grandissait. L'impression d'être enfermée, de manquer d'air, grandissait, se faisait plus forte. Elle alla dans la cuisine, se remplit un verre d'eau, le regarda puis le vida dans l'évier. La seule idée d'avaler quelque chose lui donnait la nausée. Elle entra dans le salon, en ressortit, monta au premier, entra dans la salle de bains, observa à nouveau, comme le matin dans le miroir du couloir, l'étrangère qui la regardait dans la glace. Ses mains étaient glacées. Quelqu'un respirait bruyamment dans la pièce, elle mit un moment à comprendre qu'il s'agissait d'elle.

Il lui revint à l'esprit que le premier matin – la veille, seulement la veille, alors qu'elle avait l'impression que c'était il y avait des semaines – le superintendant Baker leur avait proposé, s'ils le souhaitaient, d'être aidés psychologiquement. Ils avaient tous les deux refusé, non qu'ils n'aient pas éprouvé le besoin d'être aidés, mais par peur que les phrases stéréotypées d'un thérapeute professionnel au fond indifférent à leur sort ne leur fassent plus de mal que de bien.

A présent, Virginia se disait qu'elle aurait bien besoin de quelqu'un pour ne pas craquer avant la fin de la journée.

Elle était au bord de la panique, elle le sentait.

Kim. Kim. Kim. Peut-être était-elle à cet instant en train de l'appeler. Et sans doute était-elle terrorisée, désemparée. Seule. Abandonnée.

La respiration de Virginia se fit plus bruyante, plus haletante, parut emplir toute la pièce. Elle s'efforça de se souvenir des techniques respiratoires qu'elle avait apprises lors des séances de préparation à l'accouchement. Elle parvint à respirer plus facilement, mais l'impression d'être sur le point de perdre la raison était toujours là, têtue.

Elle réussit néanmoins à regagner le rez-de-chaussée. Elle avait déjà la main sur le téléphone pour demander au superintendant Baker de lui envoyer quelqu'un lorsqu'elle se ravisa une nouvelle fois.

Qu'est-ce qu'un psychologue allait lui apporter ? Comment s'y prendrait-il ? Par quel miracle ferait-il disparaître son angoisse ?

Sa fille avait disparu. Personne ne pourrait la convaincre que tout allait s'arranger. Elle ne voulait pas s'entendre dire qu'elle devait être positive, qu'elle devait croire au meilleur, cela n'atténuerait en rien sa peur que précisément cela ne finisse pas bien.

Il faut que je fasse quelque chose, songea-t-elle. Il faut que je fasse quelque chose sinon je vais me taper la tête contre les murs et hurler...

Le superintendant Baker lui avait dit qu'il voulait rencontrer Nathan. Elle avait bien compris qu'aux yeux de la police Nathan était considéré comme suspect, ou plutôt qu'il était le seul suspect tangible que le superintendant Baker avait pour l'heure sous la main.

Le gentil monsieur récemment entré dans la vie de Kim.

Elle ne le croyait pas. C'était inconcevable. Pourtant, c'était lui qui devait aller chercher Kim. Il avait parlé d'une panne de voiture que personne ne pouvait vérifier. Il avait ainsi donné l'impression – mais c'était peut-être la réalité – qu'il était coincé à Hunstanton et n'avait aucune possibilité de regagner King's Lynn.

Et s'il n'avait eu aucun problème de voiture ?

Son comportement, depuis la veille, n'était-il pas curieux ? Il appelait rarement, ne demandait pas de nouvelles de Kim, paraissait d'excellente humeur.

Aurait-il tout de même quelque chose à voir avec la disparition de Kim ?

Elle n'apprendrait rien en restant enfermée dans la maison. Peut-être même pas en lui parlant au téléphone.

Peut-être seulement en le regardant dans les yeux.

Elle pouvait transférer les appels de leur ligne de téléphone fixe sur son portable de façon à rester joignable – pour le ravisseur, pour le superintendant Baker, pour Frederic. Frederic, qui ne serait pas de retour avant la fin de l'après-midi.

Restait à trouver une voiture.

Elle décrocha le téléphone, composa le code du transfert d'appels, prit son sac à main et quitta la maison. Dehors, il faisait chaud. Qui aurait cru qu'il y aurait à nouveau d'aussi belles journées ?

Par chance, Jack Walker était chez lui et il accepta sans une once d'hésitation de lui prêter sa voiture. Elle lui demanda de garder un œil sur l'entrée du parc et de l'appeler s'il voyait arriver la police ou qui que ce soit d'autre. Quelques minutes plus tard, elle franchissait la grille au volant de la Jeep. Elle respira plus facilement.

Mais la peur la tenaillait toujours.

3

Les routes étaient dégagées. A midi, elle était à Hunstanton. Elle demanda son chemin à un passant et arriva sans encombre à l'adresse indiquée par Nathan. Elle vit d'emblée que la voiture de Nathan – ou plutôt *sa* voiture – ne se trouvait toujours pas devant la maison. Elle en fut déçue, elle avait espéré qu'il serait rentré entre-temps. Mais il allait peut-être arriver d'un instant à l'autre.

La propriétaire désherbait une plate-bande devant la maison. En réponse à la question de Virginia elle dit que non, elle ne savait pas où M. Moor était allé ni quand il rentrerait.

— Et maintenant, il va sûrement aller déjeuner quelque part, ajouta-t-elle, car en dehors du petit déjeuner, ici, je ne sers pas de repas.

J'aurais dû y penser, songea Virginia. Elle se sentait épuisée, vide et d'un coup complètement découragée.

— Puis-je l'attendre ici ? demanda-t-elle.

La femme haussa les épaules.

— Si ça vous chante... Entrez dans la maison, droit devant vous, vous trouverez la salle du petit déjeuner. Vous pourrez attendre là. Je ne peux pas vous laisser monter dans sa chambre, vous le comprendrez.

Virginia longea l'étroit couloir, entra dans la salle du petit déjeuner et se prépara à attendre. Elle allait nerveusement d'un point de la pièce à un autre, regardait le paysage ensoleillé par la fenêtre, observait le tableau qui sur un des murs représentait une scène de naufrage.

Il n'est jamais là !

Mais aurait-il dû réellement rester cloîtré ici à attendre au cas où je débarquerais pour lui demander s'il avait quelque chose à voir avec la disparition de ma fille ?

Elle était venue pour faire quelque chose et elle se trouvait une nouvelle fois condamnée à patienter entre quatre murs. Elle se rendit compte avec effroi que la panique qu'elle avait sentie poindre à Ferndale menaçait de nouveau de s'emparer d'elle. Elle aurait dû réfléchir un peu plus avant de se précipiter ici. Peut-être aurait-elle même mieux fait de simplement aller marcher dans le parc ou de prendre un thé avec Jack et Grace, puis elle songea que Grace se serait à coup sûr répandue en lamentations et qu'elle ne l'aurait pas supporté non plus.

Elle ouvrit une des fenêtres, se pencha au-dehors pour mieux respirer. Le plus raisonnable eût été assurément d'appeler le superintendant Baker pour lui demander de rencontrer un psychologue. Si la police le proposait, ce n'était pas par hasard. Elle avait été bien présomptueuse de croire qu'elle pourrait s'en dispenser.

Elle regarda sa montre. Elle n'était là que depuis dix minutes, or elle aurait juré qu'elle attendait depuis au moins une demi-heure. Elle décida de braver l'interdiction de la propriétaire et de monter dans la chambre de Nathan. Elle n'était pas une étrangère, elle était sa future femme. Et attendre là-haut, parmi ses affaires, serait peut-être moins pénible.

Parmi quelles affaires ? s'interrogea-t-elle en gravissant à pas de loup l'escalier étroit et raide. Il ne possède rien.

Le palier du premier étage desservait deux portes. La première, dont Virginia tenta d'abaisser la poignée, était fermée à clé, mais elle put ouvrir la deuxième. La pièce dans laquelle elle entra était si parfaitement impersonnelle et nue qu'elle ne douta pas une seconde qu'il s'agît de la chambre louée par un homme qui avait tout perdu dans un naufrage.

La fenêtre était ouverte, l'air du large pénétrait à flots dans la pièce. Le lit était soigneusement recouvert d'un dessus-de-lit à fleurs. Des tableaux figurant des scènes marines ornaient ici aussi les murs, mais au moins aucun ne représentait de naufrage.

Elle ouvrit la porte de la salle d'eau attenante. Un savon sur le lavabo, un tube de crème à raser, un rasoir et un peigne sur la tablette au-dessus. Nathan se satisfaisait de peu. Il est vrai qu'il n'avait pas le choix.

De retour dans la chambre, elle regarda à nouveau par la fenêtre, s'assit sur le lit, nouant et dénouant nerveusement les mains. Quand son portable sonna, elle sursauta comme si c'était la dernière chose à laquelle elle s'attendait.

Le cœur battant à tout rompre, elle plongea la main dans son sac pour le prendre et l'ouvrit.

— Oui ? Allô ? fit-elle d'une voix tremblante à peine audible.

— Virginia ? C'est moi, Frederic. Il s'est passé quelque chose ? Tu as une voix méconnaissable.

Elle s'efforça de prendre un ton plus assuré.

— C'est... Il n'y a rien de nouveau. Personne n'a appelé. Je suis... J'ai du mal à ne pas craquer.

— Je sais, dit Frederic. Je vais essayer de rentrer le plus vite possible. Je suis toujours à Londres. J'ai l'argent. Je vais juste prendre vite fait un café quelque part et je reprends la route.

Je suis à Hunstanton, dans la chambre de mon amant. Je cherche à lever un affreux soupçon et je suis au bord de la crise de nerfs...

Elle ne dit rien de ces mots, naturellement. Au lieu de cela, elle réitéra ce qu'elle lui avait dit quand il était parti :

— Sois prudent.

Un bref silence s'ensuivit et Virginia crut que Frederic avait raccroché quand il dit :

— Nous nous en sortirons, Virginia. Nous nous en sortirons.

— Oui, dit-elle doucement, avant de mettre un terme à la conversation et de ranger son téléphone dans son sac.

Elle revint s'asseoir sur le lit. Incapable de rester immobile, elle se releva. Se dit qu'elle ferait peut-être mieux d'aller faire un tour et de revenir dans une heure. Ça lui paraissait plus raisonnable que d'attendre dans cette chambre, les nerfs à vif.

En se dirigeant vers la porte, son regard fut attiré par les couleurs vives d'un objet à demi caché entre l'armoire et le mur, un objet en plastique rouge, jaune et vert. Intriguée, elle se pencha, saisit l'objet et le sortit de sa cachette, le regarda de près, stupéfaite, et tout d'abord sans le reconnaître : un lecteur de cassettes. Pour enfants. Il ressemblait à un gros réveil rond posé sur deux pieds. Devant, la trappe pour insérer les cassettes. Au-dessus, les touches de fonctionnement. Au-dessus encore, la grande poignée en demi-cercle par laquelle on le tenait pour le transporter. Sur le côté, coincé dans son support, le micro, dans lequel on pouvait chanter ou parler en déformant sa voix de toutes sortes de façons.

En déformant sa voix...

Son cerveau fonctionnait soudain très lentement, comme s'il refusait d'admettre l'évidence.

Kim possédait un lecteur de cassettes strictement identique.

La voix de Frederic lui parvint de très loin au fond de sa mémoire :

« ... un homme... qui transformait sa voix. Elle m'a rappelé... un jouet de ma fille... L'appareil possédait un micro intégré... En manipulant les boutons, il était possible de déformer sa voix... »

Ces mots, Frederic les avait prononcés environ vingt-quatre heures auparavant. Quand il s'efforçait de décrire la voix du ravisseur au superintendant Baker.

Elle refusait de voir, de comprendre ce qui s'insinuait dans sa tête, puis, avec la fulgurance d'une explosion, ce qui s'était passé jaillit en pleine lumière. Au même instant, la porte s'ouvrit et Nathan s'encadra sur le seuil.

Il la regarda – par la suite, elle songea qu'elle devait avoir eu l'air d'une statue de sel, figée ainsi à côté de l'armoire, le jouet bariolé à la main – et dit :

— Tu as fouillé partout, à ce que je vois !

Elle ne put prononcer un mot, seul un son ténu qui ressemblait un peu à un gémissement franchit ses lèvres.

— Que veux-tu que j'explique ? Tu ne comprendrais ni ne voudrais croire mes raisons, dit Nathan, avant d'ajouter : Le contraire m'étonnerait.

Combien de temps resta-t-elle ainsi, pétrifiée à côté de l'armoire, respirant à peine ? Quelques minutes ? Seulement quelques secondes ? Quand elle sentit qu'elle pouvait à nouveau bouger, elle leva l'objet qu'elle tenait à la main, la preuve terrible, ct demanda, d'une voix altérée par l'émotion :

— Qu'est-ce que c'est ?

Il avait bien évidemment compris qu'elle ne lui demandait pas d'expliquer ce qu'était l'objet mais ce qu'il faisait dans sa chambre. Elle nourrissait encore le minuscule espoir qu'il lui fournisse une réponse qui jetterait une tout autre lumière sur les faits, qui substituerait une situation anodine à l'atroce évidence. En même temps, elle avait peur qu'il ne cherche à se justifier, qu'il ne rende la situation encore plus insupportable en s'inventant des excuses invraisemblables.

433

Ni l'un ni l'autre ne se produisit. Il n'expliqua rien. Il chercha à gagner du temps en prétendant que de toute façon elle ne le comprendrait pas. Confortant ainsi ses soupçons.

— Où est-elle ? le coupa-t-elle d'une voix enrouée.

Où est Kim ? Et comme il ne répondait pas, soudain elle hurla :

— Où est Kim ? Où est Kim ? Où est-elle ?

Il haussa les épaules.

— Aucune idée.

La désinvolture de son geste, l'indifférence de son expression la firent exploser. Elle fut prise d'un tel vertige qu'elle crut qu'elle allait s'évanouir. Au lieu de cela, elle lâcha le lecteur de cassettes qui se fracassa sur le parquet nu et elle se jeta sur Nathan, les poings serrés, les bras tendus. Elle le frappa de toutes ses forces, sur le visage, sur les épaules, sur la poitrine.

— Où est Kim ? haletait-elle. Où est Kim ?

Il réussit à saisir ses poignets et à la tenir solidement. Il la secoua.

— Je n'en sais rien, bon sang ! Je n'en sais rien !

Elle s'immobilisa.

— Où est-elle ?

Par prudence, il continuait à lui tenir fermement les bras.

— Je ne sais pas. Je n'ai pas ta fille. Je voulais seulement l'argent.

Les soupçons et le désarroi de Virginia étaient trop grands pour qu'elle le croie.

— Tu vas me dire où elle est. Et ce que tu lui as fait. L'as-tu...

Sa gorge se serra, le mot ne put franchir ses lèvres.

— Lui as-tu fait la même chose qu'aux autres enfants ?

— Mais bon sang ! s'exclama Nathan.

Il la lâcha et la repoussa. Elle trébucha mais ne tomba pas. Il fit un pas en arrière. Son visage était blanc, ses lèvres serrées.

— Je ne lui ai rien fait. Je n'ai rien fait à aucun enfant. Tu devrais me connaître mieux que ça. Je ne suis pas... Je ne ferais jamais une chose pareille.

Elle se débattait dans un mauvais rêve. Elle frottait mécaniquement les marques rouges de ses poignets. La douleur qu'elle ressentait était l'unique preuve qu'elle était dans la réalité.

— Tu as téléphoné chez nous. Tu as dit que...

— Je sais ce que j'ai dit. Je voulais cent mille livres. Ça m'est venu comme ça... une idée. Une idée stupide. Je n'aurais pas rappelé. Je ne savais même pas comment organiser la remise de l'argent. Je me rendais bien compte que je me ferais choper. Tout ça n'était qu'une... connerie. Il n'y a que ce... cet engin, par terre, dont je ne me suis pas débarrassé. Une grave erreur.

La tranquillité avec laquelle il essayait de minimiser l'énormité de ce qu'il avait fait la sidérait.

— Tu savais ce que je vivais. Tu savais à quel point j'avais peur. Et tu as exploité la situation pour... pour...

Les mots lui manquaient. Il n'y avait rien pour expliquer ce qu'il avait fait.

— Je savais bien que tu ne comprendrais pas mes raisons, dit Nathan.

Les larmes montèrent aux yeux de Virginia.

— Peux-tu me dire ce que je suis censée comprendre ?

— Tu n'en as pas une petite idée ?

Elle le dévisagea. Il se passa la main dans les cheveux.

— Tu parles toujours de notre avenir. Nous deux, quelque part, d'une façon ou d'une autre ensemble... T'es-tu déjà demandé comment on s'y prendrait ? Sans argent ?

— Mais notre avenir n'est pas une question d'argent !

— Non ? Eh bien, laisse-moi te dire que tu vis dans un rêve. Je t'ai dit dès le début que je n'avais rien. Pas d'argent, pas de maison, pas d'appartement, pas de bateau, rien. Je...

Elle l'interrompit. Sa voix était dure, et à ses propres oreilles étrangement dénuée d'émotion.

— Tu ne me l'as pas dit dès le début. Jusqu'à ce que Frederic découvre le contraire, tu m'as au moins laissée croire que tu étais un auteur à succès et que les droits de tes livres allaient tôt ou tard réalimenter ton compte en banque.

— D'accord. Et c'était agréable à entendre, non ? Et ce n'est pas une question d'argent ?

Il déformait complètement ce qu'elle disait ou voulait dire, mais elle n'avait pas le courage de s'en indigner.

— Je ne comprends pas comment tu as pu choisir de faire une chose pareille, dit-elle.

Il soupira.

— Oui. Je le savais. C'était simplement une... une idée pour se constituer un capital de départ. Une idée idiote, une connerie à laquelle j'ai rapidement renoncé, ainsi que je te l'ai déjà dit.

— Mais tu ne te rendais pas compte de ce que tu faisais ? Tu ne te rendais pas compte de l'état dans lequel nous sommes, Frederic et moi ? Tu ne vois pas ce que cet appel d'un supposé ravisseur nous a laissés espérer ? Tu ne comprends pas que nous avons désespérément attendu qu'il se manifeste à nouveau ? Frederic est en ce moment à Londres pour réunir l'argent. Il est parti ce matin. J'étais seule à la maison, j'ai cru que j'allais devenir folle...

Elle ne put retenir plus longtemps ses larmes, elles roulèrent sur ses joues. Des larmes d'incompréhension et de colère.

— Personne d'un peu décent n'aurait fait une chose pareille ! dit-elle.

Il fit un pas vers elle mais elle l'esquiva, elle se tenait à présent directement dos à la fenêtre.

— Ne me touche pas ! l'avertit-elle.

Il haussa de nouveau les épaules.

— C'est pourtant pour ça que tu es venue. Pour que je te prenne dans mes bras et que je te console...

— Tu ne crois tout de même pas que j'ai encore envie d'être consolée par toi ?

— Ça suffit, maintenant ! répliqua-t-il, furieux. Ne me traite pas comme si j'étais un criminel ! Je n'ai pas touché à un cheveu de ta fille. Je ne sais même pas où elle est. Je n'ai strictement rien à voir avec sa disparition. Et rien à voir non plus avec la disparition des autres gamines. J'ai fait une bêtise, je me suis comporté comme un imbécile. Je suis désolé. Je... te prie de m'excuser, si ça te fait plaisir.

— Qu'est-ce qui me permet de croire que tu dis la vérité ? Il n'y a peut-être pas un mot de vrai dans ton histoire de voiture qui ne voulait pas démarrer. C'était assez malin. Car si tu étais allé prendre Kim, comme convenu, il t'aurait été difficile de l'enlever au même moment sans être aussitôt suspecté. Sans moyen de locomotion, tout le monde croirait que tu étais bloqué à Hunstanton. En réalité, tu es revenu à King's Lynn et tu as pris Kim avant que Grace arrive à l'école...

Sa voix se brisa, les larmes l'empêchaient de continuer à parler.

Nathan secoua la tête.

— Non ! C'est faux ! Je n'ai aucun goût pour les enfants ! Les types comme ça sont des tordus. Je n'imagine pas toucher à un enfant même dans mes rêves les plus noirs !

— Et pourquoi te croirais-je ? cria-t-elle.

— Parce que tu me connais ! cria-t-il en retour. Parce que tu as fait l'amour avec moi ! Tu t'en serais rendu compte, si tu avais couché avec un pédophile !

Elle mit son bras devant ses yeux, renifla. Ne pas pleurer. Ne plus pleurer. Agir. Elle ramassa le lecteur de cassettes, prit son sac à main.

— La police saura sûrement mieux que moi comment découvrir la vérité, dit-elle. Et tu pourras leur expliquer où tu te trouvais quand la première petite fille a été tuée. En tout cas, pas à Skye.

— Mais pas ici non plus. Ce sera facile à prouver. On ne peut pas mouiller dans un port sans être enregistré. Et je te défie de trouver une trace du *Dandelion* dans un des ports de la région.

— Le superintendant Baker vérifiera. Fais-lui confiance.

Il la retint par le bras quand elle voulut passer devant lui.

— Lâche-moi, dit-elle.

— Tu vas aller à la police ?

— Bien sûr. Et si tu ne me lâches pas immédiatement, je crie. Ta logeuse est en bas. Je l'appellerai à l'aide.

Il la lâcha.

— Eh bien, vas-y !

Il s'écarta pour lui laisser le passage. Elle quitta la pièce sans lui jeter un regard.

4

Elle aurait été incapable de dire comment elle était rentrée à Ferndale. Qu'elle n'ait pas eu d'accident relevait du miracle. Elle avait sangloté, roulé dans un brouillard de larmes. Elle franchit le portail avec le sentiment de n'avoir jamais été aussi choquée et désespérée de sa vie.

Elle ouvrit sa porte et la referma derrière elle, s'y adossa, le souffle court, le cœur battant. Le silence de plomb de la maison était à nouveau là. Le temps où les murs renvoyaient l'écho du rire de Kim paraissait si loin. A des années, alors qu'il n'y avait que deux jours qu'elle avait disparu. Les deux plus longs jours de sa vie.

Avec des gestes las, en traînant les pieds comme une vieille femme, elle se rendit dans le salon. Elle désactiva le transfert d'appels et regarda fixement le téléphone. Il fallait qu'elle appelle le superintendant Baker.

Que se serait-il passé si Jack ne lui avait pas prêté sa voiture ? Ou s'il ne s'était pas trouvé chez lui ? Elle n'aurait pas pu quitter Ferndale. Elle n'aurait pas découvert que Nathan avait essayé de leur extorquer de l'argent. Il aurait détruit le lecteur de cassettes, et probablement, ainsi qu'il l'avait dit, ne se serait-il plus manifesté. Ils auraient vainement attendu un signe de vie du ravisseur, puis, le temps passant, ils en seraient arrivés à la conclusion qu'ils avaient bel et bien été victimes d'une plaisanterie de très mauvais goût.

Le soupçon qui, ce matin-là, l'avait incitée à se rendre à Hunstanton se serait dissipé, elle se serait mise en ménage avec Nathan et elle n'aurait de sa vie jamais su quel rôle infâme il avait joué dans le pire drame de son existence.

Tout aurait été différent. Son avenir entier.

Elle baissa les yeux sur le lecteur de cassettes qu'elle tenait toujours à la main. C'était désormais une pièce à conviction. Il devait être remis au superintendant Baker.

Pourquoi hésitait-elle à appeler Baker ?

Lorsqu'elle était sortie en trombe de la maison de Hunstanton, sous le regard stupéfait de la propriétaire toujours occupée à jardiner, elle pensait se rendre droit au commissariat de police pour raconter ce qui s'était passé et tout ce qu'elle savait sur Nathan Moor. Ses mensonges, ses impostures, tout. Elle n'en avait rien fait, elle était rentrée directement chez elle et fixait, depuis, le téléphone du salon sans se décider à le décrocher.

Pourquoi ?

Tu vas devoir reconnaître combien tu t'es leurrée sur l'homme avec lequel tu as trompé ton mari et pour lequel tu voulais quitter ta famille. Rien ne peut excuser la façon dont il a joué de votre peur, à Frederic et toi. Au fond, tu aurais déjà dû rompre avec lui lorsque tu as appris avec quel aplomb il t'avait menti sur sa situation professionnelle. Que va penser Baker ? Que tu étais tellement toquée de ce type que tu étais prête à fermer les yeux sur ses tricheries, à le défendre, même ? De quoi vas-tu avoir l'air ? D'une femme hystérique ? D'une nymphomane ? De quelqu'un qui a perdu toute dignité ? Dans le meilleur des cas, sans doute d'une gourde.

Est-ce cela ? Est-ce la raison pour laquelle tu hésites ? Tu ne veux pas risquer de perdre le peu de considération dont tu jouis encore ?

Elle secoua lentement la tête. Oui et non. Elle avait cependant une certitude : si elle avait eu le moindre doute que Nathan ait malgré tout pu avoir un lien avec la disparition de Kim, il y a longtemps qu'elle se serait rendue dans les locaux de la police. Elle n'aurait pas réfléchi une seule seconde.

Cela signifiait donc qu'elle n'avait pas de doute. Que quelque chose lui disait que cette fois Nathan ne mentait pas. Qu'il ne retenait pas Kim. Qu'il avait seulement eu recours à un moyen abject pour obtenir cent mille livres dont il espérait qu'elles le sortiraient de son marasme.

Ou bien se racontait-elle encore des histoires ? Après tout, le matin même, elle avait formé un soupçon suffisamment fort pour lui faire effectuer le déplacement jusqu'à Hunstanton afin d'en avoir le cœur net.

Quand la sonnerie du téléphone déchira le silence, elle sursauta si fort que le lecteur de cassettes lui échappa des mains. Depuis que le ravisseur avait appelé, le tremblement qui l'assaillit lui était familier. Dans la seconde qui suivit elle se souvint qu'il n'y aurait pas d'autre appel réclamant une rançon.

Peut-être était-ce la police. A cette idée, ses mains tremblèrent encore plus fort. Elle essaya de se raisonner.

Si c'était grave, ils viendraient ici. Ils n'annonceraient pas une mauvaise nouvelle au téléphone.

— Allô ? dit-elle en décrochant.

— Virginia ? Livia.

Virginia prit une longue inspiration et posa le dos de sa main sur son front.

— Oh, Livia. Vous appelez d'Allemagne ?

— Oui. Je voulais savoir si vous aviez du nouveau au sujet de Kim...

Elle était attentionnée, on pouvait compter sur elle, comme sur une amie.

— Non, Livia, malheureusement pas. Nous ne savons toujours rien.

A l'autre bout de la ligne, Livia demeura un instant silencieuse.

— C'est terrible, dit-elle enfin. Vous devez vivre l'enfer, Frederic et vous.

— Oui, effectivement, dit Virginia dont la voix vacillait. C'est difficile à imaginer. A vrai dire, c'est insupportable. On s'étonne de ne pas devenir fous.

— J'aimerais pouvoir faire quelque chose, dit Livia avec des accents de sincérité qui n'étaient pas feints.

Une idée vint brusquement à l'esprit de Virginia :

— Livia, la question va peut-être vous paraître curieuse, mais au mois d'août, avant d'arriver à Skye, où avez-vous fait escale ? Etiez-vous dans la région de King's Lynn ?

— Non, pas du tout, répondit Livia. Nous avons dès le début mis cap au nord. Nous sommes...

— D'accord. Vous n'êtes donc pas du tout descendus par ici ?

— Non. Pourquoi ?

— Je ne peux pas vous l'expliquer. Livia, c'est... Je ne vais pas rester avec Nathan.

— Oh...

— Il faut que je sache autre chose. Il n'a jamais réellement gagné d'argent, mais était-ce vraiment lié à ce que vous viviez, à l'époque ? N'a-t-il effectivement eu, des années durant, aucune opportunité d'échapper à cette situation ?

Livia demeura si longtemps silencieuse que Virginia se demandait déjà si elle était toujours en ligne et aussi quelles raisons elle aurait pu avoir d'accepter de satisfaire sa curiosité.

Livia était toujours en ligne :

— La situation n'était pas facile pour lui, expliqua-t-elle enfin. Mais il a contribué à la maintenir. Vous savez, j'avais beaucoup de mal à accepter l'idée de placer mon père dans un foyer. Cependant, quand je réussissais à faire aboutir les démarches nécessaires – et j'y suis parvenue à plusieurs reprises – Nathan trouvait toujours le moyen de s'y opposer. Comme il détestait mon père, je ne crois pas que c'était pour le protéger. Je pense plutôt qu'il ne savait que trop que l'argent ne rentrerait plus. Nous n'avions pas d'autres revenus que l'argent de mon père, et avec lui dans un foyer, nous n'y aurions plus eu accès. Nathan aurait été bien en peine de trouver une solution de rechange.

— Il ne peut pas gagner sa vie en écrivant ?

Livia rit, puis elle dit la chose la plus dure qu'elle eût jamais dite de son mari :

— Il n'a pas suffisamment de talent. Il n'est pas suffisamment travailleur. Nathan... n'a jamais rêvé d'écrire. Nathan a seulement rêvé d'argent facile. De rien d'autre.

— Il est très intéressé par l'argent...

— Je dirais même que du matin jusqu'au soir il ne pense quasiment à rien d'autre, renchérit Livia.

Virginia acquiesça d'un hochement de tête, puis elle réalisa que Livia ne pouvait pas la voir et devait attendre une réponse.

— Merci, dit-elle. Je vous appellerai si nous avons du nouveau concernant Kim.

Elle reposa le combiné puis aussitôt le décrocha à nouveau et composa le numéro du superintendant Baker.

Nathan n'était pas dans la région lorsque la première fillette avait disparu. Et elle savait intuitivement qu'il n'avait pas enlevé Kim. Mais ce qu'elle ressentait, pensait ou croyait ne comptait plus. Nathan était un menteur, un imposteur notoire, un maître chanteur. Il s'agissait de sa fille. Tant pis

441

pour sa bonne réputation à elle, Virginia. Elle n'avait pas à épargner à un homme, même probablement innocent, de se trouver pris dans le très désagréable engrenage des interrogatoires et contre-interrogatoires d'une enquête de police. Kim passait avant tout, et tant que subsisterait ne serait-ce que l'ombre d'un soupçon sur Nathan, il faudrait enquêter dessus.

D'une voix ferme, elle demanda à parler au superintendant Baker.

5

Frederic, qui était allé répondre au téléphone dans le séjour, revint dans la cuisine où Virginia était assise devant un verre de lait qu'il lui avait préparé, une heure auparavant, en lui disant : « Le lait chaud au miel, c'est bon pour les nerfs. »

Les deux fois où elle avait trempé ses lèvres dans le verre, son estomac s'était révolté. Depuis, le lait avait refroidi et une peau s'était formée à la surface. Virginia imaginait Kim poussant des cris d'horreur : « Beurk ! De la peau sur le lait ! »

Elle enfouit son visage dans ses mains. Kim, Kim, Kim !

— C'était le superintendant Baker, dit Frederic. Ils auditionnent Nathan Moor depuis des heures. Jusque-là sans rien obtenir. Il a tout de suite reconnu nous avoir téléphoné, mais il nie farouchement être en quoi que ce soit impliqué dans la disparition de Kim.

Virginia leva la tête.

— Et Baker le croit ?

Frederic haussa les épaules.

— Que croire de ce que raconte un type comme lui ?

Virginia hocha lentement la tête. Concernant Nathan, la seule certitude que l'on pouvait avoir était probablement ce qu'en avait dit Livia : « Nathan ne rêve que d'argent facile. Du matin jusqu'au soir, il ne pense quasiment à rien d'autre. »

Frederic s'assit devant Virginia. Il était blanc de fatigue.

— Baker pense que nous devrions tout de même essayer d'aller à l'enterrement demain matin. En fin de compte, Moor est peut-être effectivement innocent...

— Il n'a certainement rien à voir avec la mort des autres fillettes, dit Virginia. Il n'était pas dans la région lorsqu'elles ont été tuées et...

— C'est ce qu'il dit.

— C'est ce que dit Livia.

— Que nous ne connaissons pas plus que lui, observa Frederic. Qu'est-ce qui nous dit que nous ne nous sommes pas fait avoir par un couple d'escrocs particulièrement rusés ? Leur bateau coule, et tandis qu'ils cherchent une solution pour trouver de l'argent, ils ont brusquement l'idée de commencer par essayer avec toi. Si ça se trouve, Moor t'a fait du gringue en parfait accord avec sa femme. Ils savaient depuis le début que tu avais de gros moyens.

— Mais ce n'est pas vrai ! Tu as de gros moyens, pas moi. Et il tombe sous le sens que tu ne vas pas me couvrir d'or si je te trompe avec un autre !

— Comment ça ? Même malin comme il est, Nathan Moor n'a pas forcément saisi d'emblée les tenants et aboutissants de notre situation patrimoniale.

Virginia regarda son mari dans les yeux.

— Ça n'en fait pas un assassin d'enfants pour autant.

— Et pas un kidnappeur non plus ?

Elle baissa les yeux. Frederic se pencha vers elle.

— Que connais-tu au juste de cet homme avec lequel tu voulais refaire ta vie ? demanda-t-il.

Elle ne répondit pas. Rien de ce qu'elle aurait répliqué n'aurait pu la disculper.

Frederic attendit un instant, puis il comprit qu'elle ne dirait rien. Il se laissa à nouveau aller contre le dossier de sa chaise.

— Pourquoi ? demanda-t-il. Si je pouvais seulement comprendre pourquoi !

Il lui en coûta, mais elle s'efforça de le regarder à nouveau.

— Devons-nous en parler maintenant ? dit-elle.

— Il faudra le faire, à un moment ou un autre.

— Au café, l'autre fois, quand... quand Kim a disparu, tu m'as déjà demandé pourquoi. J'ai essayé de te l'expliquer. Tu n'as sans doute pas compris. Mais ce n'est peut-être pas compréhensible...

Elle avala sa salive puis reprit à voix basse :

— Je suis tombée amoureuse de Nathan Moor. Du moins ai-je cru que j'étais amoureuse. Ce qui revient au même.

Frederic se frotta les yeux. Il paraissait encore plus fatigué qu'auparavant.

— Et maintenant ? Tu ne l'aimes plus ? Ou bien *crois-tu* ne plus l'aimer ?

Virginia demeura longuement silencieuse. Elle fixait sans le voir le verre de lait posé devant elle. Ce qu'elle voyait, c'était Nathan et elle. A Dunvegan. Elle voyait le feu dans l'âtre et les bougies. Elle humait l'odeur du vin. Elle voyait les yeux et le sourire de Nathan, retrouvait le contact de ses mains sur son corps. La douleur de la perte et de la déception était abyssale. Elle aurait tellement donné pour revivre ces heures une fois encore. Mais c'était fini, irrémédiablement fini.

— Ce que je crois maintenant, c'est que l'on confond parfois l'amour... avec ce à quoi l'on aspire. Nathan m'a donné le sentiment d'être à nouveau vivante. Et j'ai confondu ce sentiment avec l'amour.

— Se sentir vivant est considérable. Si c'est ce que Nathan t'a donné, il t'a réellement beaucoup donné.

Elle savait que c'était vrai. En dépit de tout, Nathan Moor lui avait ouvert une porte qu'elle n'aurait pu ouvrir seule.

— Je n'envisage plus de vivre avec Nathan. Quoi que toi et moi décidions. Si c'est ce que tu voulais savoir.

— C'est ce que je voulais savoir. Entre autres, répliqua Frederic.

Elle repoussa son verre et se leva. Elle ne supportait plus de rester assise dans cette cuisine. Déjà, elle commençait à avoir du mal à respirer.

— Je n'arrive plus à...

Elle ne put achever sa phrase, ouvrit désespérément la bouche pour aspirer de l'air.

Frederic fut aussitôt près d'elle. Il la soutint. Elle entendait sa voix tout près de son oreille.

— Respire à fond. Calmement, lentement. Respire aussi profondément que tu le peux.

Elle parvint à emplir ses poumons d'air. Son rythme

cardiaque s'apaisa. Le besoin de se précipiter dehors pour échapper à la pression des murs reflua.

— Merci, murmura-t-elle.

— Tes lèvres sont complètement exsangues, dit-il. Et tes pupilles immenses.

Elle le regarda. Comment lui expliquer les images qui brusquement s'étaient télescopées dans sa tête ? Nathan et elle ; Skye ; eux dans la voiture ; Kim, apeurée et frigorifiée, pelotonnée dans sa cabane ; Grace brûlante de fièvre, errant dans l'école vide à la recherche de sa fille ; le visage radieux de Tommi ; Tommi à l'hôpital ; le petit corps qui disparaissait sous un monceau de tuyaux ; la mère de Tommi ; son regard d'où toute lumière avait disparu.

Elle fondit brusquement en larmes. Aussi violemment que si dix années de chagrin jaillissaient. Elle tremblait, s'accrochait à l'épaule de Frederic.

— Calme-toi, Virginia. Calme-toi.

Elle essayait de parler mais ne parvenait qu'à prononcer des bribes de mots.

— Nathan, parvint-elle enfin à dire, Nathan... c'est parce que... parce qu'il a demandé. Il a demandé que je lui parle de Michael...

— De Michael ? Ton ancien ami qui un jour a disparu dans la nature ?

Sans savoir comment, elle se trouva à nouveau assise sur sa chaise. Elle pleurait toujours, mais avec une intensité moins dévastatrice.

Frederic se tenait accroupi à côté d'elle.

— Il t'a interrogée sur Michael ?

Elle hocha affirmativement la tête.

6

Michael

Ce soir-là, un des premiers de 1995 où il faisait chaud, Michael décida de reprendre son vélo pour aller à l'entraînement. Après un hiver froid et pluvieux, le printemps semblait enfin décidé à s'installer. Le fond de l'air était doux et le ciel de ce bleu transparent que l'on ne voyait qu'en mars. Partout des jonquilles jaillissaient de la terre noire et humide pour déployer leurs corolles et les oiseaux n'en finissaient plus de chanter.

Michael avait mis son survêtement bleu foncé et des bottes, rangé ses chaussures de sport, une serviette et une bouteille d'eau minérale dans son sac à dos et sorti son vélo du garage. Il avait vérifié et regonflé les pneus dans l'après-midi. Tommi l'avait regardé faire en lui prodiguant ses conseils techniques.

« Tu sais quoi ? avait dit Michael. S'il fait beau dimanche, nous ferons une grande balade à vélo ensemble. OK ? »

Le visage de Tommi s'était illuminé. En fin de journée, il était retourné chez lui pour dîner avec ses parents et Michael avait prévenu Virginia qu'il risquait de rentrer tard.

« J'irai sans doute prendre un verre avec les autres après l'entraînement. C'est l'anniversaire de Rob, il y a des chances pour qu'il paye un pot aux copains.

— Entendu. »

Virginia avait souri. « Amuse-toi bien. Pour ma part, je crois que je vais me coucher tôt. Je suis morte ! »

C'était vrai. Inspirée par la soudaineté de l'arrivée du beau temps, elle avait passé l'après-midi à s'activer dans le jardin. Elle avait sorti les jardinières du garage, les avait remplies de terreau neuf, avait réfléchi à ce qu'elle allait y planter. Elle avait transporté les meubles du jardin sur la terrasse, les avait passés au jet pour les nettoyer. Dans son élan, elle aurait bien mis une petite robe d'été virevoltante, mais la température ne s'y prêtait pas encore. En dépit du soleil, le jean et le pull-over restaient ce qu'il y avait de plus approprié.

Le matin, elle avait travaillé sur un exposé qu'elle devait terminer. Normalement, elle serait allée à la bibliothèque de l'université, aurait classé des livres, rangé, saisi sur informatique des listes interminables de titres et de cotes. Le travail lui plaisait, mais elle ne s'illusionnait pas : c'était un job d'appoint, pas un métier. Il était temps qu'elle trouve ce qu'elle voulait faire dans la vie. Les autres savaient. Et ils avançaient, ils se donnaient les moyens de réussir. Il n'y avait qu'elle qui continuait à chercher et tergiverser. Qui ne parvenait pas à prendre de décision.

A commencer par ce qui concernait Michael. Le jour de son anniversaire, début février, il avait de nouveau évoqué la question de leur mariage. Et, une fois de plus, elle avait éludé le sujet. Elle avait honte de le laisser ainsi dans l'incertitude, mais elle n'avait pas le courage de lui dire la vérité. Pas le courage de lui dire : « C'est non, Michael. Je ne veux pas me marier avec toi. Je ne le veux pas aujourd'hui et je ne le voudrai sans doute pas demain non plus. Mais vivre avec toi me convient. Du moins pour le moment. Sûrement pas pour toujours. »

Elle n'était pas du tout dans le même état d'esprit que lui. Il voulait organiser son avenir, s'assurer de l'avoir à ses côtés. Se marier. Avoir des enfants. Il rêvait d'une vraie vie de famille. Il n'y avait qu'à voir avec quel enthousiasme il s'occupait du petit Tommi. Il aimait les enfants. Et il aimait la sécurité. Les jours qui se succédaient, sans heurts, identiques les uns aux autres. Une maison, un jardin. Son travail. Une femme qui serait à la maison quand il rentrerait le soir. Un chien qui lui ferait la fête. Des enfants qui se précipiteraient pour lui raconter ce qu'ils avaient fait. A qui il apprendrait à faire du vélo et qu'il pourrait emmener jouer au foot. Il n'attendait pas de la vie des choses extraordinaires, et c'était bien son droit, de vouloir vivre ainsi qu'il l'entendait, Virginia en avait conscience.

Elle aurait tellement aimé atteindre elle-même le point où il se trouvait. Se libérer du trouble intérieur qui l'empêchait de réellement s'engager aussi bien pour quelqu'un que pour quelque chose. Pour un être, un choix de vie, un métier. Pourquoi ne parvenait-elle pas à se fixer ? Pourquoi était-elle quasi obnubilée par la peur de passer à côté d'une chose si elle optait pour une autre ? C'était ridicule, c'était puéril. Pourtant, il lui était impossible de se dominer.

Michael parti, elle balaya la terrasse et rentra dans la maison. Elle se lava les mains, brossa la terre amassée sous ses ongles. Elle regarda le journal télévisé du soir puis se mit à la fenêtre et observa le jour qui très lentement déclinait. Elle s'imagina à New York, regardant du haut d'un penthouse les lumières de la ville s'allumer les unes après les autres. L'idée éveilla en elle une nostalgie presque douloureuse.

Lorsque le téléphone sonna, elle fut tentée de ne pas

répondre. Elle craignait que ce ne soit une de ses amies qui l'appelait pour le seul plaisir de discuter alors qu'elle se sentait vidée et n'avait envie de parler à personne. Se mettre au lit avec un verre de vin et un bon livre. Voilà ce dont elle avait envie. De rien d'autre.

Par la suite, elle se demanda si sa crainte de décrocher n'avait pas été dictée par autre chose que sa fatigue. Si ce n'avait pas été plutôt une mise en garde de son inconscient. Le drame qui devait survenir ne se serait pas produit si elle s'était mise au lit en laissant sonner.

Mais sur le moment, bien qu'en réalité il fût trop tôt pour cela, elle se dit que c'était peut-être Michael qui avait un pépin quelconque avec son vélo et appelait pour qu'elle vienne le chercher. Elle se résolut à décrocher.

— Allô ?

Un bref silence, puis la voix qui lui coupait toujours les jambes et lui donnait la gorge sèche retentit à l'autre bout du fil :

— Virginia ? Andrew à l'appareil.

— Oh, fit-elle, incapable d'une autre réaction.

Andrew laissa passer quelques secondes puis demanda :

— Comment vas-tu ?

Virginia s'était un peu ressaisie.

— Bien, merci, dit-elle. Et toi ?

— Bien également. Mais...

— Mais quoi ?

— J'aimerais te voir.

— Je ne sais pas si...

— Tout de suite, si possible, insista Andrew.

Il y avait tellement de choses qu'elle aurait pu dire. Que Michael était là et qu'elle ne pouvait pas partir comme ça. Qu'elle n'avait pas de voiture. Qu'elle était fatiguée. Elle aurait également pu lui demander ce qu'il s'imaginait, à lui téléphoner tranquillement à huit heures du soir pour lui demander de rappliquer. Elle aurait pu l'envoyer promener et lui raccrocher au nez.

Au lieu de ça, elle regarda par la fenêtre. La voiture était là. Garée dans la pente. Bien sûr, puisque Michael avait pris son vélo.

— Où es-tu ? demanda-t-elle.

— A l'Old Bridge Hotel de Huntingdon.

— Dans un hôtel ?

Il rit.

— Au restaurant de l'hôtel. La cuisine y est exceptionnelle. La carte des vins également.

Elle ne voulait plus le revoir. Il l'avait trop fait souffrir. Elle savait qu'il aurait mieux valu en rester là et renoncer à toute relation avec lui.

— D'accord, dit-elle, mais seulement pour un verre.

Elle voyait son sourire narquois comme s'il était devant elle.

— Bien sûr, dit-il, seulement pour un verre !

Ce qui se passa à l'hôtel n'eut guère d'incidence sur la suite de l'histoire, sinon que le fait que la rencontre soit allée beaucoup plus loin qu'un simple verre accrut le sentiment de culpabilité qu'elle éprouva par la suite. Ils n'avaient fait qu'un passage éclair au restaurant. A la fois trop émue de revoir Andrew et furieuse contre elle-même, Virginia n'avait rien pu avaler et ils n'avaient pas poursuivi au-delà de l'entrée.

« Ne préfères-tu pas que je prenne tout de même une chambre ? » avait demandé Andrew en posant la main sur la sienne.

Elle avait hoché la tête et s'était détestée pour cela.

Elle était arrivée à dessein telle qu'elle était rentrée du jardin, où elle avait transpiré tout l'après-midi, sans se doucher, sans changer de sous-vêtements, dans l'espoir d'avoir honte de coucher avec lui dans cet état. Elle avait oublié – ou refusé de se souvenir – qu'elle n'avait jamais eu honte de rien avec Andrew. Ils burent le champagne du minibar, parlèrent de la pluie et du beau temps, puis couchèrent ensemble. Andrew dit à Virginia qu'elle sentait la terre et l'herbe et qu'elle ne lui avait jamais paru aussi excitante. Elle-même retrouva la légèreté qu'elle avait toujours éprouvée dans ses bras, et ce mélange enivrant fait d'excitation, de tension et du sentiment d'être jeune. De vivre. Quelque chose que lui donnait Andrew et que Michael était impuissant à éveiller en elle.

449

« Pourquoi ne le quittes-tu pas ? demanda Andrew alors qu'ils étaient allongés l'un à côté de l'autre et que Virginia venait de constater avec effroi combien il était déjà tard.

— Pourquoi ne veux-tu pas vivre avec moi ? » demanda-t-elle en retour.

Il soupira.

« Tu le sais bien. Ce n'est pas possible. Plus maintenant.

— Et pourquoi voulais-tu me voir ce soir ?

— Parce que je ne peux pas t'oublier. »

Et moi non plus, songea-t-elle avec colère, mais essentiellement parce que Michael m'ennuie à mourir. Tu as profité de ça, ce soir. Uniquement de ça !

Elle jeta les jambes hors du lit, ramassa ses sous-vêtements.

« Je ne veux pas que ça se reproduise, Andrew. S'il te plaît. Ne me rappelle plus.

— Vraiment ?

— Vraiment », dit-elle d'une voix ferme. Elle quitta la pièce en résistant à la tentation de claquer la porte derrière elle.

Pendant tout le trajet du retour, elle enragea. Il l'avait convoquée comme une petite fille, et elle s'était empressée d'obéir au doigt et à l'œil.

Il faut que je cesse une bonne fois pour toutes de me comporter ainsi, pensa-t-elle.

Les quelques kilomètres qui la séparaient de Saint Ives lui parurent affreusement longs. Presque onze heures du soir ! Michael devait déjà être rentré, qu'allait-elle lui raconter ? Elle ne voyait rien de mieux à inventer qu'une sortie impromptue avec une amie, en priant pour qu'il ne tombe pas sur l'amie en question avant une bonne quinzaine de jours. En outre, il fallait qu'elle prenne une douche. Si elle-même sentait l'odeur d'amour qui l'imprégnait, les autres devaient la sentir encore plus.

Elle conduisit beaucoup plus vite que ce n'était autorisé mais eut la chance de ne pas se faire contrôler. Elle regarda au premier étage en même temps qu'elle s'engageait dans l'allée du garage. Aucune lumière ne brillait derrière les fenêtres. Soit Michael dormait déjà – ce qui était peu probable tant qu'elle n'était pas rentrée –, soit il n'était pas encore rentré et elle avait plus de chance qu'elle ne le méritait.

Elle gara la voiture dans la pente, exactement telle qu'elle l'avait trouvée quand elle l'avait prise, bondit hors du véhicule et courut vers la maison. Elle ouvrit la porte, alluma la lumière et d'une voix incertaine appela : « Michael ? Tu es là ? »

Pas de réponse. Elle lança son sac à main dans un coin, fonça dans la salle de bains, ôta ses vêtements et les enfouit tout au fond du sac à linge.

Elle sortait à peine de la douche quand elle entendit la porte de l'entrée s'ouvrir. Michael rentrait.

Elle s'enveloppa dans son drap de bain, s'adossa quelques secondes au mur, soupira. Le carrelage était froid.

Elle avait eu de la chance, mais elle s'était mise elle-même dans une situation dégradante. Ça ne pouvait plus durer. Elle prit à cet instant la ferme décision de changer. Soit elle s'engagerait réellement avec Michael, soit elle le quitterait.

Elle songea qu'il était plus vraisemblable qu'elle le quitte.

Une unique lumière éclairait la cuisine. Virginia était immobile sur sa chaise. Pas une fois elle n'avait bougé au cours de son récit. Elle avait parlé d'une voix étrangement monocorde, qui lui avait paru à elle-même venir de loin.

Puis elle s'était tue et fixait à présent l'obscurité, dehors, au-delà de la fenêtre, en évitant soigneusement le regard de Frederic.

Après un silence que seul avait troublé le ronronnement du réfrigérateur, Frederic dit :

— C'est toi qui as conduit la voiture en dernier. Et non Michael, ainsi que tu le lui as laissé croire. C'était toi.

— Oui. C'était moi, répondit-elle sans le regarder. Et c'est également moi qui ai oublié de verrouiller les portières. J'ai coupé le contact, je me suis précipitée dans la maison… et, le lendemain matin, Tommi a pu tranquillement monter dedans.

— Et tu as raconté ça à Nathan Moor ?

Elle secoua la tête.

— Non. Nous ne sommes pas arrivés jusque-là. Il ne connaît que le début de l'histoire. Mon enfance et mon adolescence avec Michael. Ma liaison avec Andrew. La mort de Tommi. Il ne sait pas que…

— Michael n'était pas responsable, termina Frederic.

451

Elle acquiesça d'un hochement de tête.

— Mon Dieu, quand je pense que je ne savais rien non plus de cet Andrew... dit Frederic.

Elle fit un signe de dénégation.

— C'est une vieille histoire. Et ce n'était vraiment qu'une aventure, même si je m'imaginais qu'il était mon grand amour. Un homme marié. Qui ne pouvait pas se décider à quitter sa femme et son enfant pour moi.

— C'est banal, dit Frederic.

Ils se turent un instant puis Frederic reprit :

— La fidélité n'a jamais été un de tes forts, à ce que je comprends.

Que pouvait-elle répondre à ça ?

— J'ai trompé Michael avec Andrew, dit-elle, mais ce n'est pas le pire. Le pire est...

Frederic se leva, fit quelques pas comme pour s'assurer qu'il ne rêvait pas, que ce qu'il vivait était bien réel.

— Le traumatisme de sa culpabilité a brisé Michael, dit-il. Et tu lui as laissé croire qu'il était responsable de la mort de Tommi. Pourquoi as-tu fait ça, Virginia ? Pourquoi ?

— Je ne sais pas. Est-ce que cela a encore de l'importance ?

— Ça ne te ressemble pas. Tu n'es pas... lâche.

— Peut-être que si.

Il s'arrêta et la regarda.

— Je comprends maintenant ce qui assombrissait ta vie.

— Il a trouvé une photo, dit Virginia. Nathan. Une photo de moi quand j'étais jeune. Il disait qu'il ne parvenait pas à faire le lien. Entre la jeune Virginia et la femme qu'il avait devant lui. Il disait qu'il avait dû se passer quelque chose. Il ne lâchait pas. J'ai parlé de la mort de Tommi, mais il savait bien qu'il y avait autre chose. Puis... les circonstances ont fait que... finalement, je n'ai pas pu lui en dire plus.

— Tu me reproches de ne pas avoir été aussi clairvoyant que lui ? De ne pas t'avoir posé de questions ?

— Non. Je ne te reproche rien. De quel droit le pourrais-je ? Après ce que j'ai fait. J'ai blessé tellement de gens...

Elle ferma brièvement les yeux.

— Je voulais le dire à Michael. Il ne s'est pas passé un jour sans que je veuille le lui dire. Lui dire que j'avais eu une liaison avec Andrew. Que j'avais fait cette bêtise invraisemblable d'aller le retrouver à Huntingdon. Que j'avais ensuite, dans ma hâte d'arriver à la maison avant lui, de toute évidence oublié de verrouiller la voiture. Que c'était ma faute si Tommi était mort. Je repoussais sans cesse l'échéance. Aujourd'hui, je crois que ce n'était pas tant parce que je ne pouvais pas m'imaginer le lui dire que parce que parler eût été regarder mes propres fautes en face. Elles seraient devenues réelles. Il ne m'aurait plus été possible de les enfouir au fond de moi. C'est de cela que j'avais peur. Si peur que je me suis réjouie que Michael soit parti. Et qu'il ne me soit plus possible de lui parler.

Elle avait parlé d'une voix très basse, à la fin la tête baissée.

— Tout à l'heure, je voulais connaître le pourquoi de ce qui s'est passé, dit Frederic. Je crois qu'il n'y a pas de réponse à ce pourquoi. Et j'ai compris.

Virginia releva la tête et le regarda, incrédule.

— Qu'est-ce que tu veux dire ?

— Je te comprends. Je comprends que tu n'aies rien dit à Michael. Je comprends ce que tu ressentais. Tes efforts désespérés pour essayer d'oublier. Je comprends. J'aurais peut-être agi de la même façon.

Ce fut, de la part de Virginia, un cri du cœur :

— Toi ? Certainement pas. Tu ne ferais jamais ça.

La conviction de Virginia de sa droiture le fit presque sourire.

— Virginia, j'ai moi aussi tendance à mettre la tête dans le sable, tu le sais bien.

— Ça arrive peut-être à tout le monde, dit-elle doucement.

Il écarta les cheveux qui lui tombaient sur le front, dans un geste presque tendre qui ne leur était plus familier.

— Si tu veux recouvrer ta paix intérieure, tu vas devoir remettre ta vie en ordre. Te cacher derrière de grands arbres pour oublier, et de temps à autre te jeter dans les bras des Nathan Moor de cette terre pour te sentir vivre, ça ne va pas marcher éternellement. Que tu sois avec moi ou avec quelqu'un d'autre. Ça ne marchera pas.

Elle hocha lentement la tête.

Vendredi 8 septembre

1

Le cimetière était noir de monde.

Janie se dit que Rachel Cunningham devait avoir été très aimée. Elle se demanda si autant de gens seraient venus si c'était elle qu'on enterrait. Sa classe, sûrement. Et ses professeurs. Peut-être aussi quelques voisins.

Mais certainement pas autant de monde.

Sa mère et elle étaient loin derrière, si bien qu'elle ne voyait ni les parents de Rachel ni sa sœur et ne savait pas ce qui se passait autour de la tombe. Ça lui convenait tout à fait. Elle ne voulait pas voir le cercueil et surtout pas assister au moment où il serait descendu dans la terre.

La veille, Stella était venue une nouvelle fois les voir chez elles. Elle lui avait montré la photo d'un monsieur et lui avait demandé s'il était possible qu'il soit le monsieur de la papeterie. Janie avait tout de suite dit non et eu l'impression de décevoir beaucoup Stella. C'était ce qui lui pesait le plus : les adultes attendaient quelque chose d'elle et jamais elle ne pouvait leur faire plaisir. Elle avait entendu Doris demander à voix basse : « Vous avez arrêté cet homme ? » et Stella répondre, elle aussi à voix basse : « Il s'agit apparemment d'une histoire complètement différente. »

Janie aurait aimé le reconnaître. Ainsi on ne lui aurait peut-être pas demandé de venir au cimetière. Elle aurait encore préféré être à l'école. Tout plutôt qu'être là, dans ce cauchemar.

Stella aussi était là. Elle était habillée en noir, comme toutes les autres personnes, et se tenait à quelques mètres d'elles. Elle avait demandé à Janie de regarder attentivement autour d'elle. Si par hasard elle reconnaissait le monsieur de la papeterie, elle devait le dire à Stella, aussi discrètement que possible.

Janie regardait et regardait, mais elle ne le voyait nulle part. A vrai dire, elle préférait ça car elle n'avait pas du tout envie de le revoir. D'un autre côté, elle savait que Stella aurait été très heureuse qu'elle le découvre soudainement au milieu de tous les gens. Janie soupira. Elle avait hâte que cette histoire se termine.

Stella lui fit un clin d'œil d'encouragement. Au moins une qui ne pleurait pas. Presque tous les gens autour d'elle avaient des larmes qui ruisselaient sur leurs joues, pressaient un mouchoir dans leurs mains ou s'essuyaient les yeux avec leurs doigts. Même sa mère avait sangloté silencieusement. Pourtant elle ne connaissait pas la petite fille qui était morte.

Les gens se dirigèrent les uns après les autres vers la tombe et y jetèrent des fleurs ou déposèrent des couronnes. Doris et Janie demeurèrent à leur place.

— Je préfère ne pas en demander trop à Janie, dit Doris à Stella.

— Entendu, acquiesça Stella.

Lentement la foule se déplaça vers la sortie du cimetière. Des groupes se formèrent qui s'attardèrent sur place, les gens échangeaient quelques mots à voix basse. Une gravité de plomb pesait sur l'assemblée, sur le lieu.

— Maman, on peut s'en aller, maintenant ? murmura Janie.

— Tu ne l'as vraiment vu nulle part ? demanda Stella.

— Non. Mais peut-être que...

Janie haussa les épaules dans un geste d'impuissance.

— Il y a tellement de monde, ici...

— Le type doit bien se douter que la police est là, remarqua Doris.

Stella acquiesça d'un hochement de tête.

— Oui, mais c'est un malade, rappela-t-elle. Il peut à tout instant commettre une imprudence. Par ailleurs, il ne doit pas se douter que nous sommes en contact avec Janie, qui au fond est la seule à représenter un danger pour lui.

— Pouvons-nous partir ? demanda Doris.

— Je pense que oui, répondit Stella.

Elles prirent la direction de la sortie. Ce n'était pas facile d'avancer dans cette foule compacte. Janie reconnut un des hommes qu'elle avait rencontrés au commissariat de police. Comment s'appelait-il, déjà ? Monsieur Baker. Il était avec un monsieur et deux dames. Le monsieur portait un costume noir et avait l'air d'un lord – Janie avait vu des lords en photo dans les magazines que Doris rapportait quelquefois à la maison – et l'une des dames avait une tignasse de cheveux noirs, une jupe plutôt courte, et était très mince. L'autre dame était blanche, comme si elle allait s'évanouir d'une minute à l'autre. Janie le savait parce qu'une fois sa maman s'était évanouie, et c'était exactement la couleur qu'avait eue sa figure juste avant.

Stella s'approcha du petit groupe. Baker demanda :

— Rien ?

Stella secoua la tête.

— De notre côté non plus, dit Baker.

— Je ne sais même pas qui je devrais essayer de reconnaître, dit la jeune femme très mince qui avait les cheveux noirs.

Baker présenta les adultes les uns aux autres.

— Mme Alby.

C'était la dame très mince.

— M. et Mme Quentin.

C'étaient le lord et la dame qui allait bientôt s'évanouir.

— Mme Brown.

Ça, c'était maman. Puis Baker la présenta :

— Et voici Janie Brown.

Mme Quentin se pencha vers elle et lui tendit la main.

— Bonjour, Janie.

— Bonjour, répondit Janie.

Jamais elle n'avait vu quelqu'un qui avait des yeux plus tristes que cette femme. Ses paupières étaient gonflées. Elle devait avoir déjà beaucoup pleuré avant d'arriver.

— Ma foi, je ne peux que vous remercier d'être venus, dit Baker. Je suis conscient d'avoir mis vos nerfs à rude épreuve. Mais il y avait une possibilité. Mince, certes, je l'admets.

— C'était bien normal, superintendant, dit M. Quentin, que Janie appelait secrètement *le lord*.

Des flots de gens se dirigeant vers le grand portail du cimetière passaient à côté d'eux. Janie essayait de regarder chacun des visages. Avec cette foule, c'était vraiment difficile. Elle aurait tellement aimé le trouver, tellement. Pour Stella, qui était si gentille, et aussi parce qu'elle avait créé beaucoup de soucis à Mum ces derniers temps. A cause d'elle, c'était déjà le deuxième jour qu'elle n'allait pas au travail. Ils ne devaient pas être contents, à la laverie. Elle aurait été soulagée de pouvoir un peu réparer.

Elle vit un sourire reconnaissant sur le visage de Stella. La jeune femme avait remarqué qu'elle n'avait pas renoncé à fouiller la foule du regard et qu'elle continuait de se donner du mal. Son sourire fut une récompense pour Janie.

Les dernières personnes quittaient le cimetière.

— Bien. Nous allons pouvoir y aller, dit Baker.

Le petit groupe s'orienta vers la sortie.

— Quelle poisse, dit la jeune femme avec les cheveux noirs.

Janie se demanda de quoi elle parlait. Du fait qu'elle n'ait pas vu l'inconnu ? Ou bien du fait qu'il puisse exister de telles choses – que des enfants soient kidnappés et tués et qu'à la fin on se retrouve dans un cimetière où tout le monde pleurait et que d'affreuses pensées vous oppressaient ?

Et pourquoi faut-il que je fasse partie de cette histoire ? Pourquoi ma vie ne peut-elle pas continuer normalement ?

Elle avait l'inquiétante impression que sa vie ne redeviendrait plus jamais comme avant. Elle n'aurait su expliquer pourquoi elle avait cette impression, mais la peur était bien là. Et pire que la peur, elle avait pris conscience d'une chose. Une chose en rapport avec le cercueil de Rachel Cunningham.

Elle avait compris qu'elle aurait bien pu elle aussi se trouver dans un cercueil comme celui de Rachel Cunningham.

Jusque-là, à toutes ses questions sur la mort, sa maman lui répondait : « Oh, tu as bien le temps ! Tu pourras commencer à y penser quand tu seras très, très vieille ! »

L'idée était réconfortante. Quelque chose qui était si loin ne faisait pas vraiment peur. Mais désormais elle ne pourrait plus se dire que la mort était si lointaine que l'on ne pouvait même pas l'imaginer. Elle s'était brusquement approchée tout près d'elle. Les autres enfants pouvaient continuer à faire comme si la mort n'existait pas. Elle, non.

Peut-être que maintenant je ne suis plus une vraie enfant, songea-t-elle. Un drôle de frisson lui parcourut le corps.

Ils étaient à présent dans la rue. Partout les gens montaient dans leurs voitures. Les véhicules qui lentement manœuvraient pour sortir de leurs places de stationnement s'enchevêtraient au milieu de la chaussée. Il se forma bientôt un gigantesque embouteillage, mais contrairement à ce qui se produisait habituellement dans pareille situation, personne ne manifestait bruyamment son impatience. Aucun coup de klaxon, aucune invective. Ni hurlements de freins, ni coups d'accélérateur rageurs. Tout se passait dans un silence étrange.

Parce que c'est trop triste, se dit Janie, et un immense sentiment de peine s'abattit sur elle.

— Je vais me permettre de prendre congé, dit Baker.

Il serra la main de Mme Quentin, la dame avec les yeux tristes et gonflés, et ajouta :

— Je reste en contact avec vous.

Mme Quentin acquiesça silencieusement. Son désespoir serrait le cœur.

— Au revoir, dit Doris avec cette pointe de nervosité dans la voix qui révélait à Janie son besoin urgent d'une cigarette.

Elles auraient à peine fait dix mètres qu'elle en sortirait une de son sac et l'allumerait.

Allons-y, maintenant, supplia-t-elle muettement sa mère en détournant vivement les yeux pour ne pas croiser le regard si triste de Mme Quentin.

C'est à cet instant qu'elle le vit.

Elle ne s'y attendait plus du tout et fut si décontenancée qu'elle fut tout d'abord incapable de dire ou faire quelque chose. Elle regardait et regardait encore, avec l'impression que son cerveau ne voulait pas comprendre ce que ses yeux voyaient.

C'était une illusion. Ça ne pouvait être qu'une illusion.

— Au revoir, Janie, dit Baker.

Elle ne répondit pas.

— Voyons, Janie, tu veux bien répondre au superintendant ! s'impatienta Doris, qui parut remarquer quelque chose car elle demanda : Qu'est-ce qu'il y a ? Tu as perdu ta langue ?

— C'est lui, chuchota Janie.

Il y avait quelque chose dans sa bouche qui empêchait sa langue de bouger et sa gorge était toute serrée. Elle n'arrivait pas à parler plus fort.

Hormis sa mère, personne ne semblait l'avoir entendue.

— Quoi ? fit Doris.

— C'est lui, répéta Janie. Il est là.

— Dieu tout-puissant ! Où ça ? s'exclama Doris.

— Qu'est-ce que tu as dit ? demanda Stella.

— Elle vient de reconnaître le gars, lâcha Doris.

Un mouvement parcourut le groupe. Janie se rendit compte que le visage du superintendant Baker était subitement tout près du sien.

— Le monsieur qui t'a abordée dans la papeterie ? Il est ici ? Où ça ?

— Là-bas.

Elle tendit le doigt. Il y avait des gens partout.

— Lequel est-ce ? demanda à son tour Stella.

Elle avait complètement changé d'expression. Janie se demanda brusquement si elle avait un pistolet qu'elle allait sortir pour tirer sur le monsieur sous les yeux de tout le monde.

— Là-bas, répéta-t-elle. Là-bas, à côté de la grande voiture noire !

Tous les adultes regardèrent enfin dans la bonne direction.

— Jack ? murmura Mme Quentin, ébahie. Tu ne veux pas dire *notre* Jack ? Jack Walker ?

A cet instant, la dame très mince avec les cheveux noirs s'exclama :

— C'est l'homme qui a ramassé mon sac sur la plage ! A Hunstanton. L'autre jour !

Le superintendant Baker et Stella s'étaient déjà précipités, et sans que Janie comprenne d'où, d'un coup des dizaines de policiers en uniforme surgirent. Où étaient-ils cachés jusque-là ?

Janie poussa un cri puis se retourna et pressa son visage contre le ventre de sa mère, l'enfouit dans le tee-shirt noir que portait Doris. Elle avait affreusement peur de voir le monsieur se faire tuer. Se faire tuer parce qu'*elle* l'avait désigné.

— Qu'est-ce qui t'arrive ? Qu'est-ce qui t'arrive ?

La voix de Doris lui parvint, de très loin.

— Il ne faut pas qu'ils tirent, souffla Janie.

— Ils ne vont pas tirer, la rassura Doris.

Sa main caressait les cheveux de sa fille.

— Ils ne vont pas tirer, n'aie pas peur. Ils vont l'arrêter. Simplement l'arrêter.

Janie éclata en sanglots.

2

Le superintendant Baker vivait un de ces moments où il se prenait à souhaiter ardemment que certaines pratiques d'un autre temps soient encore autorisées. Un temps où l'on avait recours à la torture pour obtenir des aveux…

Il ne l'aurait jamais dit à voix haute. Il n'osait même pas réellement le penser. Il s'agissait plutôt de réactions pulsionnelles qui venaient du tréfonds de son être et auxquelles il interdisait expressément de remonter à la surface.

Il y avait maintenant trois heures que Stella et lui auditionnaient Jack Walker.

Un homme sympathique. D'une soixantaine d'années. En apparence digne de confiance, serviable, charmant.

Un homme, songea Baker par-devers lui, auquel j'aurais probablement confié mes enfants sans la moindre arrière-pensée.

Janie avait été très affirmative. Jack Walker était le monsieur qui lui avait parlé dans la papeterie et qui avait voulu l'emmener chez lui. Liz Alby l'avait elle aussi formellement identifié comme l'homme qui les suivait de très près, Sarah et elle, le jour en question, sur la plage de Hunstanton. En moins d'une heure, un mandat de perquisition avait atterri sur le bureau de Baker, autorisant ses inspecteurs à procéder à la fouille du domicile de Jack Walker. Ils n'avaient rien trouvé d'extraordinaire, mais ils avaient saisi son ordinateur personnel. Des spécialistes en informatique étaient en train d'en forcer l'accès. Baker était presque certain qu'ils trouveraient des liens avec des sites pédophiles.

Jack Walker, qui avait conduit les Quentin au cimetière puis était revenu les chercher car Frederic Quentin craignait de ne pas trouver de place pour se garer, niait tout en bloc.

Il ne connaissait pas Janie Brown. Il n'avait jamais abordé aucune fillette dans aucune papeterie, et jamais proposé à qui que ce soit d'organiser un goûter d'anniversaire.

D'ailleurs, affirma-t-il pour la énième fois, il n'était jamais entré dans le magasin en question...

Baker se pencha en avant.

— Vraiment ? Dans ce cas, vous n'avez rien à redouter d'une confrontation avec le propriétaire du magasin, pas vrai ? Au contraire, même. Il pourra confirmer qu'il ne vous a jamais vu !

Pour la première fois, Jack hésita. Jurer de n'y avoir jamais mis les pieds, non, de fait, il ne le pouvait pas. Il lui arrivait, naturellement, d'acheter des journaux et des magazines, tantôt ici, tantôt là. Il était possible qu'il soit entré dans ce magasin-là. Pour ce qu'il en savait, ce n'était pas interdit.

— Où étiez-vous, le lundi 7 août ? demanda Baker.

Walker réfléchit, puis leva les bras dans un geste d'impuissance.

— Vraiment, je ne m'en souviens plus. Le 7 août ? Mon Dieu, vous savez, vous, ce que vous faisiez le 7 août ?

— Il ne s'agit pas de nous, répliqua sèchement Stella.

— Je vais vous aider à rafraîchir votre mémoire, reprit Baker. Le 7 août était une belle journée ensoleillée, chaude, et il semble que vous ayez décidé de la passer au bord de la mer. Vous êtes allé à Hunstanton, en voiture ou en car. Je ne suis pas en train de sous-entendre que vous êtes parti avec de quelconques mauvaises intentions en tête. Vous vouliez profiter de la mer, du soleil, rien de plus...

— Non. Il y a des années que je ne suis pas allé à Hunstanton !

— Sur le parking des cars, vous avez été témoin d'une scène opposant une jeune maman à sa fillette de quatre ans. La petite voulait faire un tour de manège. Quand sa mère a refusé, elle a pleuré, crié, refusé d'avancer. Au point que sa mère a dû la tirer et que son sac est tombé. Vous l'avez ramassé et le lui avez rendu. Ce matin, la jeune femme a formellement reconnu votre visage.

— Elle m'aurait vu quelques secondes il y a plus de quatre semaines et elle croit pouvoir me reconnaître ? C'est là-dessus que vous fondez vos accusations contre moi, superintendant ? Sur les affirmations d'une petite fille sans aucun doute fortement influencée par vos hommes pour reconnaître un vilain monsieur et les souvenirs douteux d'une marginale qui cherche à se rendre intéressante ? C'est pour ça que vous me retenez ici et m'interrogez depuis des heures ?

— Monsieur Walker, nous détenons un échantillon de votre salive. D'ici quelques heures, vous serez confondu par les analyses génétiques. Nous avons pu prélever suffisamment d'échantillons d'ADN aussi bien sur Sarah Alby que sur Rachel Cunningham. Il n'y a pas la moindre chance que vous vous sortiez de cette histoire, monsieur Walker. Avouer maintenant plaiderait assurément en votre faveur. Cela influence toujours favorablement un juge. Peut-être souhaitez-vous maintenant vous faire assister par un avocat ? Il vous conseillerait sûrement la même chose...

— Je n'ai pas besoin d'un avocat puisque je n'ai rien fait ! s'obstina Jack Walker.

— Pourquoi avoir choisi Rachel Cunningham ? demanda Baker. Un hasard ? Ou bien était-elle votre genre ?

— Je ne connais pas de Rachel Cunningham.

— Qu'avez-vous fait miroiter à Sarah Alby pour qu'elle vous suive ? Un tour de manège ?

— Sarah... Je ne connais pas de Sarah.

— Où est Kim Quentin ? Qu'avez-vous fait de Kim Quentin ?

Pour la première fois, le regard de Jack Walker vacilla.

— Kim ? Je ne ferai jamais de mal à Kim ! Jamais !

— Mais aux autres enfants ? A Sarah Alby et Rachel Cunningham ?

— Je ne les connais pas.

— Où étiez-vous, le dimanche 27 août ?

— Je ne sais pas.

— Ne vous retrouvez-vous pas avec des amis tous les dimanches, à votre table attitrée dans un pub ?

A nouveau, le regard de Jack Walker vacilla.

— Si.

— Vous deviez donc vous y trouver, le 27 août.

— C'est possible. Je ne sais pas. Je n'y vais pas tous les dimanches.

— Ah ? Vous venez de dire que vous y alliez *tous* les dimanches.

— *Vous* l'avez dit. Pas moi.

— Vous l'avez confirmé.

— Je ne vois pas où vous voulez en venir, dit Walker.

Des perles de sueur brillaient sur son front. Il avait fait l'effort de mettre un costume et une cravate pour conduire les Quentin au cimetière. Il était beaucoup trop chaudement vêtu pour la saison. Baker supposait qu'il aurait volontiers desserré sa cravate mais qu'il n'osait pas et il se garderait bien de l'inviter à le faire.

— Où je veux en venir, monsieur Walker ? Je veux en venir à ce que vous reconnaissiez avoir attiré la petite Rachel Cunningham dans le quartier désert de Chapman's Close le 27 août au matin, l'avoir fait monter dans votre voiture et emmenée dans un endroit quelconque où vous lui avez fait subir des violences sexuelles, avant de la tuer et de vous débarrasser de son cadavre à Sandringham.

Baker avait nettement vu Walker tressaillir à la mention de Chapman's Close. Il ne s'attendait manifestement pas à ce que la police soit au courant de ce lieu de rencontre.

— Vous avez lié connaissance avec Rachel Cunningham le dimanche 6 août. Devant l'église de Gaywood. Je suis certain que si nous publions votre photo, nous trouverons des personnes qui se souviendront de vous avoir vu rôder par là.

Walker demeura silencieux. Il transpirait à grosses gouttes, à présent.

Baker, qui jusque-là se tenait debout, approcha une chaise de la table et s'assit en face de Jack Walker. Il se pencha en avant, riva ses yeux dans les yeux de l'homme et reprit, cette fois d'une voix plus douce qu'auparavant :

— Monsieur Walker, une enfant a disparu. Une fillette de sept ans. Kim Quentin. Nous n'avons pas retrouvé de corps, bien que des brigades entières fouillent sans relâche la région de King's Lynn avec des chiens. Il nous est donc permis de penser que Kim Quentin est encore en vie. Et que vous savez où elle se trouve. Si vous ne dites rien, elle mourra. De faim, de soif... Vous savez, Walker, nous vous aurons, poursuivit-il à voix très basse. Vous êtes quasiment déjà sous les verrous, et vous le savez. Vous pensez peut-être, au point où vous en êtes, que le fait qu'un enfant de plus ou de moins périsse ne va pas changer grand-chose à votre affaire. Vous vous trompez. S'il s'avère que Kim Quentin aurait pu être sauvée et qu'elle est morte dans d'atroces souffrances parce que vous avez refusé de parler, non seulement vous écoperez d'une condamnation autrement plus lourde, mais la façon dont vous serez ensuite traité en prison sera plus que sensiblement différente. Je ne parle pas du personnel de surveillance. Je parle de vos codétenus.

Il fit une pause. Walker triturait sa cravate. Son visage luisait.

— Il existe une hiérarchie, en prison, poursuivit Baker. Et elle est respectée à la lettre. Les assassins d'enfants sont tout en bas de l'échelle. Les types qui s'en prennent aux enfants sont haïs à un point que vous n'imaginez probablement pas. Vous n'allez pas tarder à le découvrir, Walker. Et je peux vous garantir que ça va jouer un sacré rôle, le fait qu'au dernier moment vous ayez ou non sauvé la vie d'une petite. Je vous jure que vous allez le regretter, si vous prenez la mauvaise décision. Nuit et jour. Année après année. Ce qui vous attend, Walker, c'est l'enfer. De toute façon. Mais en enfer aussi il y a différents niveaux. A votre place, j'essaierais de me dégoter une place aussi haut que possible.

Il se laissa aller contre le dossier de sa chaise.

— C'est seulement un conseil, Walker. Mais un bon conseil, croyez-moi.

— Je... n'ai rien fait, dit Walker d'une voix mal assurée.

— Où est Kim Quentin ? demanda Stella.

— Je ne sais pas.

— Mercredi 6 septembre, avant-hier donc, vous êtes revenu de Plymouth, où vous aviez fait une livraison de matériel...

— Il y a beaucoup de gens qui pourront le confirmer, dit Walker avec agacement. Rien qu'à Plymouth, je peux vous citer les noms de plusieurs personnes...

Baker leva la main.

— Inutile de vous donner cette peine. Les collègues ont déjà vérifié. Vous êtes bien allé à Plymouth, aucun doute là-dessus. Nous savons également à quelle heure vous en êtes reparti mercredi matin. Et nous avons constaté que vous êtes arrivé bien tard chez vous.

— J'aurais dû rouler à toute blinde ? Je suis tombé dans des embouteillages et...

— Il n'est fait état d'aucun gros embouteillage sur votre parcours pour la journée de mercredi. Pas d'accident, rien. Vous avez néanmoins mis une éternité pour rentrer.

— A la hauteur de Londres, je me suis retrouvé coincé dans la circulation de la sortie des bureaux. Vous savez bien ce que c'est, quand même ! On avance au ralenti dans une file de voitures qui n'en finit plus...

Walker eut un haussement d'épaules impuissant et poursuivit :

— Vous allez me faire payer le fait d'avoir mis trop de temps pour rentrer de Plymouth ? De m'être arrêté sur une aire de repos pour dormir une ou deux heures ? J'étais claqué. J'ai fait l'effort de me comporter en citoyen responsable. Je ne voulais pas m'endormir au volant. Apparemment, c'était une erreur. Je voulais tout faire bien et ça ne me vaut que des ennuis...

Ceci dit sur un ton aux accents plaintifs.

— Je vais vous dire ce que je crois, répliqua Baker sans se donner la peine de dissimuler le mépris que lui inspirait l'apitoiement sur lui-même de son vis-à-vis. Je crois que lorsque votre femme vous a appelé pour vous demander si vous pouviez aller chercher Kim à l'école, vous étiez beaucoup plus près de King's Lynn que vous ne l'avez prétendu. Vous deviez déjà être dans les environs. Vous avez cependant affirmé que vous ne pourriez en aucun cas arriver à l'heure à l'école. Puis vous avez changé d'avis. Il est même possible que vous ayez déjà su ce que vous alliez faire quand vous mentiez à votre femme. Vous êtes allé directement à l'école de Kim.

— Non, dit Walker en recommençant à triturer sa cravate.

— Vous y êtes arrivé bien avant votre femme, qui devait venir de Ferndale et qui de surcroît était malade comme un chien. Kim attendait devant la porte de l'école. Plusieurs témoins nous l'ont confirmé. Vous avez eu beau jeu. Kim vous connaît, elle a confiance en vous. Pas une seconde elle n'a trouvé étrange que vous veniez la chercher. Elle est montée sans une hésitation.

— Ça n'a pas de sens, grommela Walker.

Son visage était à présent rouge brique. Il se décida enfin à desserrer le nœud de sa cravate.

Baker parla alors très bas. Du coin de l'œil, il voyait que Stella devait elle aussi faire un effort pour le comprendre.

— Que s'est-il alors passé, monsieur Walker ? Vous étiez au volant. Avec à côté de vous cette enfant. Vous conduisiez un camion. Il n'y a pas de banquette arrière dans un camion. Vous ne pouviez pas faire asseoir Kim à l'arrière. La distance vous aurait-elle aidé ? Là, elle était tout près de vous. Ruisselante de pluie. Cela accentuait-il l'odeur de sa peau ? De ses cheveux ? Elle bavardait. Elle riait. Que vous est-il alors arrivé, Jack ? Vous éprouvez cette attirance, n'est-ce pas ? Cette attirance pour les petites filles. Pour les jeunes corps, les cheveux doux. Pour cette innocence, derrière laquelle se devine déjà la féminité. Vous étiez là dans votre camion et brusquement...

— Non ! protesta Jack d'une voix forte.

D'un geste brusque, il tira sur sa cravate pour l'enlever.

— Non, répéta-t-il, criant maintenant. Pas Kim ! Je n'ai pas

touché Kim ! Je le jure devant Dieu ! Je n'ai pas touché Kim !
Je n'ai pas touché Kim…

Puis il s'effondra sur la table et se cacha le visage dans les
mains. Ses larges épaules étaient agitées de soubresauts.

Jack Walker pleurait comme un enfant.

3

Ils roulaient à toute allure sur la route ensoleillée qui
s'ouvrait devant eux. Plusieurs véhicules de police les uns
derrière les autres. Le superintendant Baker et Stella étaient
dans le premier. C'était Stella qui conduisait.

« J'irai plus vite, avait-elle dit à Baker en lui prenant les clés
des mains. J'ai moins de scrupules que toi. »

Elle conduisait de fait d'une façon telle que les autres
avaient du mal à la suivre. Elle portait des lunettes de soleil.
Même de profil, ses lèvres serrées révélaient sa détermination.

Après que Jack Walker s'était effondré, ils n'avaient certes
eu aucun mal à lui faire avouer les meurtres de Sarah Alby
et Rachel Cunningham. Il reconnut même avoir abordé Janie
Brown dans la papeterie – dans l'intention de l'amener elle
aussi à monter dans sa voiture. Mais en ce qui concernait Kim,
il restait très confus. Il ne pouvait pas parler d'elle sans être
secoué de sanglots et ses déclarations étaient à peine
compréhensibles.

« Je l'aimais ! Je l'aimais, tout de même ! Je ne toucherais pas
à un cheveu de sa tête ! Jamais ! Jamais !

— Etes-vous allé la chercher avant-hier à l'école ?

— Oui.

— Vous l'avez fait monter avec vous ?

— Oui.

— Où l'avez-vous emmenée ? Walker ? Où ?

— Je ne lui ai rien fait !

— Où est-elle ?

— C'est ma petite poupée. Ma princesse. Je ne pourrais
jamais lui faire de mal !

— Où est-elle, Walker, bon sang de bonsoir ?

— Je n'y peux rien. Ça me prend comme ça. Ce n'est pas quelque chose que je veux. Croyez-moi, je vous en prie. Je ne veux pas faire de mal aux enfants. Je voudrais… Je voudrais…

— Qu'est-ce que vous voudriez ?

— Je voudrais ne jamais être né », avait fini par dire Walker avant de recommencer à pleurer avec une telle violence qu'ils avaient dû attendre plusieurs minutes avant de pouvoir reprendre l'interrogatoire.

Walker paraissait extraordinairement soulagé de pouvoir enfin s'ouvrir à quelqu'un, en ce qui concernait aussi bien ses tendances sexuelles que les meurtres des deux fillettes. Il voulait se libérer jusqu'au moindre détail pour au moins ne plus être seul à porter le poids de sa culpabilité. Baker aurait pu obtenir des aveux de rêve, apprendre tout ce qu'il voulait savoir. Jack Walker aurait parlé des heures, de son enfance et de son adolescence au sein d'une famille modeste, extérieurement irréprochable mais foncièrement délétère, de l'éveil de ses penchants sexuels contre nature et de ses efforts pour les combattre, et enfin des crimes qu'il avait commis quand il n'était plus parvenu à réprimer ses pulsions.

« Je ne voulais pas tuer les enfants ! Vous devez me croire ! Je ne voulais pas, je ne voulais pas ! Mais je… j'avais fait l'amour avec elles et j'avais peur… Elles m'auraient dénoncé, je serais allé en prison… J'avais tellement peur… »

Les vannes étaient ouvertes. Baker n'aurait eu qu'à laisser couler.

Mais tant qu'il subsistait une chance que Kim Quentin soit encore en vie, il ne fallait pas perdre la moindre seconde. Il devait obtenir de Walker qu'il dise où il l'avait entraînée. Il devait le découvrir, plutôt que rester là, à écouter Walker dérouler le fil de son autobiographie et décrire par le menu ses crimes monstrueux, avant d'avoir la nausée en l'écoutant se justifier et s'apitoyer sur son sort, tout en imaginant, malgré tout, les tourments que devait vivre cet homme. Il devait d'abord et avant tout essayer de sauver Kim Quentin – pour autant qu'il ne soit pas déjà trop tard. Il n'avait cessé d'interrompre sèchement Walker. « Pour le moment, ça ne m'intéresse pas, Walker. Vous soulagerez votre conscience plus tard.

468

Je veux seulement savoir où se trouve Kim Quentin. Allez-vous enfin nous dire où vous l'avez emmenée ? »

Il avait crié. Jack Walker avait commencé à trembler.

« Je l'ai... J'ai continué. Je l'ai touchée. Elle est si mignonne. Si douce... »

Baker avait beau être un policier endurci, il lui était impossible d'entendre ce genre de déclarations sans avoir la nausée. Il prit sur lui pour dissimuler son dégoût afin de ne pas amener Walker à se taire.

« Je comprends, Jack. Et ensuite vous avez eu peur ? Peur que Kim rapporte à ses parents que vous l'aviez touchée ? »

Walker avait recommencé à pleurer.

« L'ancien... siège... de Trickle & Son, l'entreprise pour laquelle je travaille par moments...

— Oui ? Il existe un ancien siège ? Vous voulez dire des locaux qu'ils n'utilisent plus ?

— Oui. Vers Sandringham. Trickle & Son a abandonné les lieux il y a dix ans. Dans le temps, c'était une énorme entreprise de transport. C'est là où je travaillais. Avant. Aujourd'hui, il n'y a plus personne... »

Baker s'était redressé, tous les sens aux aguets.

« C'est là que vous êtes allé avec Kim ?

— Oui...

— Et elle y est toujours ? »

Walker avait haussé presque imperceptiblement les épaules et recommencé à pleurer sans retenue.

Baker avait bondi sur ses pieds.

« OK. Les anciens locaux de Trickle & Son. On fonce. »

Ils s'étaient fait indiquer la localisation exacte du siège désaffecté du transporteur et filaient à présent sur la route de Sandringham. A ce que Baker savait, c'était loin de tout. Un endroit parfait pour quelqu'un comme Walker. Un endroit idéal pour se cacher du reste du monde. Il y avait amené Kim. Et ensuite ? Il avait commencé par affirmer qu'il ne l'avait pas touchée, puis il avait concédé avoir « joué un peu » avec elle. Jusqu'où il était effectivement allé, il était possible qu'il ne le sache pas vraiment lui-même. Baker savait que les criminels du type de Jack Walker regrettaient réellement leurs actes et souvent ne pouvaient vivre qu'en niant leur culpabilité. Contrairement à ses deux autres petites victimes, Kim Quentin avait tenu une place particulière dans la vie de Jack Walker. S'il lui avait fait quelque chose, peut-être lui-même ne pouvait-il pas le reconnaître. Ainsi n'avaient-ils aucune certitude. En admettant qu'ils trouvent Kim, serait-elle en vie ou serait-elle morte ?

— Je ne trouve pas qu'il soit beau, dit Stella en passant une vitesse.

Baker, perdu dans ses pensées, se tourna vers elle sans comprendre.

— Qui ça ? De qui parles-tu ?

— De Walker. Jack Walker. Pour moi c'est plutôt le genre retraité moyennement sexy. Alors que Rachel Cunningham l'a décrit à sa copine comme un super acteur de cinéma.

Baker soupira.

— Sans doute voulait-elle se faire un peu mousser. C'est bien le problème, avec les signalements que nous donnent les témoins. Je crois que personne ne réussit à être vraiment objectif.

Rachel Cunningham. Il ne put s'empêcher de songer à ce que Walker avait dit lors de son interrogatoire. Rachel Cunningham aurait pu en réchapper. Il l'avait abordée avec l'intention de convenir avec elle d'un rendez-vous pour le dimanche suivant, mais Rachel, qui devait partir en vacances avec ses parents, avait insisté pour repousser la rencontre à trois semaines plus tard. Walker, qui menait un combat de chaque instant contre les déviances de sa sexualité, avait accepté dans l'espoir que dans l'intervalle il perdrait tout intérêt pour la petite. Cependant, lorsque le dimanche convenu était arrivé, ses monstrueuses exigences lui avaient déjà ôté le sommeil. Il s'était donc rendu à Chapman's Close, à l'en croire comme malgré lui, espérant dans un recoin de sa tête que la fillette aurait de son côté changé d'avis. Mais Rachel l'attendait déjà, enthousiaste et pleine d'espoir.

Abandonnés depuis des années, et en dépit d'un soleil

radieux, les anciens locaux de Trickle & Son présentaient un aspect désolé. Baker était déjà venu une fois, mais il y avait longtemps de cela et il ne se souvenait plus que les garages, les entrepôts et les bâtiments administratifs couvraient une telle superficie. La cour était envahie de mauvaises herbes. Les murs étaient noirs de crasse, les fenêtres, qui n'avaient plus de carreaux depuis longtemps, faisaient comme autant de trous béants. Les toits étaient à demi effondrés, les portes en acier pendaient de guingois sur leurs gonds. Devant un des entrepôts, un camion complètement rouillé reposait sur ses essieux. Des pissenlits poussaient à travers ce qui restait du pare-brise.

Stella ouvrit sa portière.

— Si en plus il y a des caves, ça va prendre un sacré bout de temps, observa-t-elle.

— Allez, on n'a pas une minute à perdre ! la secoua Baker en descendant de voiture.

Une nuée de policiers se dispersèrent sur le terrain. Quelques-uns des bâtiments menaçaient visiblement de s'écrouler et la plus grande prudence était de mise. Ainsi que Stella l'avait craint, il s'avéra par ailleurs que l'ensemble des bâtiments administratifs étaient édifiés sur des caves.

— Si elle est toujours en vie, elle va bien se manifester à un moment ou un autre, dit Stella.

— A moins qu'elle ne soit paralysée de peur, remarqua Baker. Ou à bout de forces. Nous devons tout passer au peigne fin.

Durant les trois premiers quarts d'heure, ils cherchèrent sans rien trouver. Pas le moindre indice qui indiquât qu'un enfant s'était trouvé là. Puis ils découvrirent dans un grenier une collection de bouteilles de bière vides et des moignons de bougies collés sur les lattes du parquet.

Baker secoua la tête.

— Ça n'a probablement rien à voir avec Walker. Je l'imagine mal s'installant là, allumant des bougies et débouchant une bière... Ce sont sans doute des jeunes qui ont fait une fête.

— Ici, en revanche, il y a quelque chose qui collerait bien

avec Walker ! dit la voix d'un officier qui fouillait la pièce voisine.

Il s'agissait d'une sorte de placard aménagé dans le mur et dont la porte était tapissée de papier peint, de manière à être camouflée au mieux. Baker regarda à l'intérieur. Des photos sur lesquelles figuraient de jeunes enfants dans des poses obscènes s'empilaient sur le fond. Un poster représentant un homme pratiquant un acte sexuel avec une enfant âgée tout au plus de dix ans était accroché sur le mur. Les yeux écarquillés de la fillette étaient emplis d'épouvante.

— Après des années de police, je ne peux toujours pas voir ça sans me retenir de hurler, dit Stella, qui se tenait derrière Baker.

— Bienvenue au club, repartit Baker en se détournant. Quelle ordure, ce type. Il n'a pas osé garder tout ça chez lui.

— Tu crois que sa femme ne se doute vraiment de rien ? demanda Stella.

— Tout au moins ne veut-elle surtout rien savoir, dit Baker, qui ajouta, s'adressant aux hommes présents dans la pièce : On continue à chercher ! Il est venu ici. Il n'a donc pas menti en nous livrant cet endroit. Il y a des chances pour que Kim soit bien là.

Une heure et demie plus tard, ils étaient tous perplexes et épuisés.

— Humainement parlant, il n'y a pas un centimètre carré de cet endroit que nous n'ayons pas fouillé, dit l'un des policiers. Et nous n'avons pas trouvé un seul indice de la présence d'un enfant...

— Il nous a menés en bateau, dit Stella. Je veux bien croire qu'il est venu ici avec la petite, mais ensuite... Les autres fillettes ont bien été... retrouvées ailleurs.

Baker se passa la main sur le visage. Il avait les yeux irrités de fatigue.

— Cela voudrait dire que Kim est morte ? Les corps des autres fillettes ont tous les deux été retrouvés dans les environs de King's Lynn, dans des lieux où ils devaient tôt ou tard être découverts. Pourquoi n'avons-nous pas retrouvé Kim ? Cela fait deux jours que des centaines de policiers ratissent la région !

— Parce qu'il s'en est peut-être débarrassé dans un endroit complètement différent. Justement parce que la région grouille de flics. On ne sort pas comme ça un enfant mort du coffre d'une voiture pour le déposer au bord de la route. Il est peut-être allé vers Cromer. Ou vers le sud, dans la région de Cambridge. En fait, il peut être allé n'importe où...

Baker ne répondit pas. Il n'aurait su expliquer pourquoi il ne pouvait pas encore quitter cet endroit sinistre. Ils avaient fouillé le moindre recoin. Vainement. Stella avait probablement raison. Walker était peut-être venu ici avec Kim dans un premier temps, puis il l'avait emmenée autre part. Ce qui rendait l'hypothèse de sa mort plus que vraisemblable.

Et pourtant, quelque chose lui disait de ne pas renoncer. Quelque chose qui avait à voir avec l'instinct qu'il s'était forgé au fil d'années d'expérience. Une petite voix ne voulait pas le laisser partir. Une petite voix l'avertissait de ne pas encore abandonner.

— On recommence, décida-t-il. On fouille partout encore une fois.

Toutes les personnes présentes le dévisagèrent.

— Monsieur... commença l'un des officiers de police.

Baker le fit taire d'un regard. Stella n'était pas aussi facile à intimider :

— Jeffrey, ça ne sert à rien ! Il n'y a pas un endroit qu'on n'ait pas exploré. Nous sommes tous crevés. Et nous perdons du temps. Du temps dont nous avons un besoin urgent pour chercher Kim ailleurs.

— Si Kim n'est pas ici, alors elle est morte, s'entêta Baker. S'il l'a laissée en vie et cachée quelque part, ça ne peut être qu'ici. Quelque part dans ces locaux. Il ne doit pas avoir d'autre endroit où aller.

— OK, fit Stella sans conviction. OK. On y retourne !

La troupe se dispersa à nouveau sur le terrain, et bien que les policiers fussent quasiment tous convaincus de ne rien trouver, ils mirent le même soin à fouiller que la première fois. Stella resta dans le sillage de Baker.

— A mon avis, les sous-sols sont notre seule chance de trouver encore quelque chose, dit Baker. Un cagibi, une cavité, un renfoncement quelconque à côté duquel nous serions passés. Je ne pense pas que quelque chose nous ait échappé dans les étages...

— Bien, se résigna Stella. Dans ce cas, redescendons dans les sous-sols.

Ils explorèrent les caves du premier bâtiment administratif. L'humidité accumulée au fil des années avait transformé les couloirs et les salles voûtées en cachots humides et froids.

Des étagères de bois à demi pourries couraient encore le long des murs. Difficile d'imaginer que des dossiers et des stocks de papier avaient un jour été rangés là. Aussi difficile que d'imaginer que des gens étaient venus quotidiennement travailler dans ces lieux. Que tout avait été propre, en bon état, fonctionnel, qu'il y avait eu ici un grand transporteur gérant et expédiant des livraisons dans toute l'Europe.

L'examen des caves du premier bâtiment terminé, ils remontèrent et sortirent à l'air libre. Exténuée, Stella poussa un profond soupir, se laissa glisser le long du mur extérieur et s'assit parmi les chardons et les pissenlits.

— Seulement cinq minutes, demanda-t-elle en se massant la nuque. Accorde-moi seulement cinq minutes, Jeffrey. Il me faut une cigarette.

Il grimaça un sourire. L'irréductible addiction de Stella à la nicotine était un sujet récurrent de moqueries entre collègues.

— Bousille tes poumons, dit-il. Pendant ce temps, je vais sonder les caves du bâtiment suivant...

— Je te rejoins dans une minute, promit Stella avant d'allumer une cigarette sur laquelle elle tira avec délectation.

Baker prit seul la direction du sous-sol suivant. Lequel ressemblait comme un frère au précédent, en plus vaste. Il n'y avait plus d'électricité dans aucun des bâtiments désaffectés, mais Baker était muni d'une lampe torche puissante qui lui permettait de se trouver un chemin.

Le sous-sol était tarabiscoté. Il fallait en permanence monter ou descendre quelques marches, en veillant à ne pas glisser à cause de l'humidité. Baker entrait dans chaque salle, balayait lentement les murs avec sa torche, millimètre par millimètre. Il espérait découvrir une porte ou des pierres descellées qui auraient révélé un passage vers une cavité secrète. Quelque chose qu'il n'aurait pas vu la première fois. Mais il n'y avait rien. Les murs étaient intacts. Pas de passages camouflés. Pas de portes dérobées. Rien.

Je me suis trompé, songeait-il. Il descendit pesamment la volée de marches suivante. L'épuisement et la résignation l'envahirent soudainement, comme un poison à effet rapide. Il ne trouverait pas Kim Quentin. Il allait une nouvelle fois devoir se présenter à ses parents les mains vides. Stella avait peut-être raison quand elle prétendait qu'il gaspillait un temps précieux. Il aurait peut-être dû continuer à interroger Jack Walker. Disposé à parler comme il l'était, il aurait raconté tout ce qu'il y avait à savoir sur Sarah et Rachel et, avec un peu de chance, il en serait arrivé à Kim, et au lieu de ses allusions confuses il aurait dit explicitement ce qu'il lui avait fait. Et où elle se trouvait.

Il était possible qu'il ait commis une erreur. Il avait fondé sa décision sur le sentiment que le temps pressait. Que Kim était vivante mais qu'il était urgent de la trouver. Qu'ils n'avaient pas le temps d'écouter Walker s'épancher dans l'espoir qu'il finirait par révéler une information capitale.

Le sentiment. L'instinct... Il s'était souvent laissé guider par son instinct. Et il avait souvent gagné. Mais il lui était aussi arrivé de perdre.

Si ça devait mal tourner cette fois... Mon Dieu ! Et s'il devait s'avérer qu'une petite fille avait fait les frais de son erreur...

Il s'immobilisa, le souffle court. Il avait une folle envie de faire demi-tour pour sauter dans sa voiture, retourner à King's Lynn pied au plancher et prendre Jack Walker entre quat'z'yeux et le tabasser jusqu'à ce qu'il crache ses informations sur Kim Quentin. Oui, une envie folle. Une réaction de panique. Et dans son métier, s'il y avait une chose à laquelle il ne fallait pas céder, c'était la panique.

Il s'exhorta à reprendre ses esprits.

Du calme, mon vieux, du calme. Tu achèves ce que tu as commencé. Tu fouilles cette cave, tu fouilles la suivante. Après seulement tu pourras suspendre l'action en cours dehors.

C'est à cet instant précis qu'il entendit le bruit.

Un bruit si ténu que le bruit de ses pas l'aurait couvert s'il ne s'était pas justement trouvé à l'arrêt. Il était même probable que la seule présence de Stella, le souffle de sa respiration, aurait suffi à le rendre inaudible. Il avait pu le percevoir uniquement parce qu'il était seul, parce qu'il s'était arrêté, parce que l'espace d'un bref instant un silence parfait avait régné dans la cave.

Cela ressemblait à un très léger grattement. A l'écho d'un grattement. Si faible qu'il croyait déjà s'être trompé quand il l'entendit à nouveau. Il provenait de l'obscurité dans laquelle le couloir qui s'ouvrait devant lui se perdait.

Il s'élança dans le couloir, sa fatigue soudainement envolée, tout en essayant de ne pas se réjouir trop vite. Il était possible que ce soit seulement des rats. Le grattement de leurs petites griffes sur le sol cimenté.

Il s'arrêtait régulièrement, retenait son souffle, essayait à nouveau de localiser le bruit. Empli d'angoisse à l'idée qu'il puisse cesser avant qu'il en ait découvert l'origine.

Mais il persistait. Doux, infime.

Il atteignit l'extrémité du couloir. Il donnait sur deux salles, une à droite, une à gauche. Les portes, arrachées à leurs charnières, gisaient à même le sol.

Il tendit à nouveau l'oreille. Le bruit provenait de la salle qui se trouvait à sa droite. Il y pénétra. Il y était déjà venu avec Stella, lors de leur première fouille. Un amoncellement de vieilles étagères en bois les avait attirés. Avec les faisceaux de leurs torches, ils avaient fouillé le tas de planches jetées en vrac sans rien découvrir d'intéressant. Néanmoins, il était à présent presque certain que le grattement provenait exactement de cet endroit. Il s'approcha du tas. Il y avait une telle quantité de planches de toutes tailles et elles formaient un tel enchevêtrement qu'il ne parvenait pas à voir ce qu'il y avait derrière. Il posa sa lampe torche par terre, l'orienta de manière à ce que le pinceau lumineux éclaire le tas et commença à dégager les restes d'étagères. Ne sachant pas ce qui se trouvait derrière, il soulevait délicatement les planches, une après l'autre. Il ne voulait pas que tout s'effondre.

Il respirait fort. Le grattement s'était tu.

Des bruits de pas résonnèrent derrière lui et un second pinceau lumineux perça l'obscurité.

— Tu es là ? dit Stella. Qu'est-ce que tu fais ?

— Il y a un bruit, expliqua-t-il. Derrière ce tas d'étagères. Aide-moi...

Stella posa elle aussi sa lampe torche par terre. C'était plus facile et plus rapide à deux. Stella pouvait retenir une planche quand il en tirait délicatement une autre du tas. L'enchevêtrement s'éclaircit.

— Il y a quelque chose, dit Stella.

Elle ramassa sa lampe et la dirigea vers ce que les étagères avaient dissimulé.

— Une caisse ! s'exclama-t-elle, surprise.

Baker sentit un léger bourdonnement emplir ses oreilles. Le grattement. Une caisse de bois cachée sous un amoncellement de vieilles étagères. Son instinct qui lui avait soufflé de ne pas renoncer.

— Tiens la lampe, dit-il.

D'un coup d'œil, il s'assura que rien ne risquait de lui tomber sur la tête, puis il grimpa sur les dernières planches éparses et se pencha sur la caisse. Elle n'avait pas de cadenas. Mais le couvercle pesait des tonnes. Il dut rassembler toutes ses forces pour le soulever.

Kim Quentin était couchée sur une pile de couvertures. Ramassée en chien de fusil car elle ne pouvait pas étendre les jambes. La lumière l'éblouit et elle ferma aussitôt les yeux. Elle était vivante.

Baker souleva le petit corps et le prit dans ses bras. Kim Quentin était légère comme une plume.

— Mon Dieu... entendit-il Stella murmurer derrière lui. Heureusement que...

Stella ne termina pas sa phrase.

— Tout va bien, Kim, dit le superintendant Baker en caressant délicatement les cheveux humides de l'enfant. Tout va bien, maintenant.

Kim ouvrit les yeux et le regarda. Son regard était clair.

— J'ai très soif, dit-elle.

Mardi 12 septembre

1

La nuit tombait. Il était presque huit heures et l'automne arrivait à pas de géant. Dès que le soleil se couchait, le froid s'installait. Une odeur piquante de terre et d'humidité flottait dans l'air.

Debout sur le seuil de la cuisine, Virginia humait la fraîcheur qui montait du parc. Les arbres qui cernaient la maison balançaient doucement leurs lourdes branches. Elle leva la tête. Elle aurait aimé voir le ciel, voir la lumière décliner, mais l'épais feuillage ne le permettait pas. Elle s'étonna que cela ne lui ait jamais manqué jusque-là. Elle frissonna.

Elle rentra dans la cuisine, en laissant cependant la porte ouverte, et elle commença à débarrasser la table et à ranger la vaisselle dans le lave-vaisselle. Pour faire plaisir à Kim, elle avait préparé un abondant repas, bien qu'elle-même n'ait ressenti aucun appétit. Mais Kim n'avait presque touché à rien, seul Frederic avait un peu mangé. En fait, le repas était quasiment intact. Virginia poussa un léger soupir. Il y avait quatre jours que Kim leur avait été rendue, mais entamer un dialogue avec elle restait difficile, l'encourager à manger également. Même de ses plats préférés elle ne picorait que deux ou trois bouchées puis elle reposait sa fourchette et regardait sa mère d'un air malheureux.

« Je ne peux pas, maman. Je suis désolée. Je n'y arrive pas. »

Le lendemain, Virginia devait rencontrer avec elle un psychothérapeute spécialisé dans le traitement des enfants victimes de sévices. Le chemin serait long, elle le savait. Mais Kim était vivante et de nouveau parmi eux.

Cela seul comptait.

La maison était parfaitement silencieuse. Comme tous les autres soirs depuis son retour, Kim s'était couchée tôt. Elle s'était pelotonnée dans son lit, ses ours en peluche serrés contre elle, comme un petit animal qui cherche refuge dans sa tanière. Sa mère l'avait bordée, lui avait lu une histoire, puis lui avait demandé si elle voulait qu'elle reste encore un peu près d'elle. Kim avait secoué la tête.

« Je suis tellement fatiguée, maman. Je veux dormir. »

Quand, dix minutes plus tard, Virginia était revenue la voir, ses yeux étaient clos, sa respiration profonde et régulière.

A huit heures moins le quart, Frederic était parti conduire Grace Walker à la gare. Une Grace en état de choc, figée dans le désespoir. Elle partait chez son frère, dans le Kent, où elle espérait tant bien que mal arriver à surmonter le drame qui s'était abattu sur elle. Son monde s'était effondré quatre jours auparavant, lorsque des policiers avaient envahi sa maison, mis tout sens dessus dessous et saisi l'ordinateur de Jack. Puis elle avait appris que son mari était l'auteur de crimes effroyables, découvert les monstrueuses préférences sexuelles qu'il lui avait cachées des années durant, et en l'espace de quelques heures elle était devenue un être brisé. Certain qu'elle n'avait jamais rien su, Frederic lui avait proposé de rester à Ferndale, mais Grace, et c'était compréhensible, n'avait qu'une idée : partir. Disparaître. Avec rien de plus que deux valises et un panier en osier contenant son chat. Elle voulait s'en aller, trouver un endroit où elle oserait encore sortir dans la rue, et où peut-être elle survivrait à l'horreur dans laquelle son mari l'avait précipitée.

Virginia avait rassemblé les assiettes. Elle vidait les restes dans la poubelle quand elle entendit un bruit derrière elle. Elle sursauta et se retourna. Nathan Moor se tenait dans l'encadrement de la porte donnant sur l'extérieur.

Il était toujours aussi bronzé. Les quelques jours passés en détention n'avaient pas entamé sa belle apparence. Il portait un pull-over, comme de coutume un peu trop petit pour sa carrure. En regardant plus attentivement, Virginia reconnut un pull-over que Frederic avait laissé à Dunvegan dans une armoire. A l'évidence, Nathan s'était à nouveau servi lorsqu'ils y avaient séjourné ensemble.

Elle le dévisageait, sidérée, incapable de prononcer un mot. Ce fut lui qui finalement rompit le silence :

— Salut, Virginia. Je peux entrer ?

Elle se ressaisit.

— Qu'est-ce que tu fais là ? D'où viens-tu ? Tu n'es plus en prison ?

Apparemment, le fait qu'elle lui adresse la parole avait pour lui valeur d'invitation à entrer car il était déjà dans la cuisine et il refermait la porte derrière lui.

— J'arrive de King's Lynn. Quant à la prison... Je ne fais plus partie des suspects.

Elle avait tiqué quand il avait fermé la porte. L'envie de lui demander de la rouvrir immédiatement la démangeait, mais elle ne voulait pas laisser paraître combien elle était nerveuse. Il dut cependant le sentir car il sourit.

— Tu as peur de moi ?

— Frederic est...

— Frederic vient de partir, l'interrompit Nathan. Tu ne crois tout de même pas que j'aurais débarqué sans m'assurer d'abord que tu étais seule ?

— Il va revenir d'un instant à l'autre.

Nathan sourit derechef. Son sourire n'était ni froid, ni mauvais, mais il n'était pas non plus aimable ou chaleureux. C'était un sourire parfaitement dénué d'émotion.

— De quoi as-tu peur ? Je n'ai ni violé ni tué ces gamines. Je n'ai pas enlevé Kim. Je ne suis pas un criminel.

— Vraiment ? Et le chantage, tu définirais ça comment ? Ce n'est pas un crime pour toi ?

— *Tentative* de chantage. Ce n'est pas la même chose.

— Pour moi, si.

Maintenant que Virginia avait peu à peu recouvré son assurance, la colère la gagnait. La colère contre lui, contre ce qu'il avait fait : sa demande de rançon après la disparition de Kim, mais aussi ses mensonges sur sa soi-disant carrière d'écrivain. Le culot avec lequel il s'était immiscé dans sa vie.

— Fiche le camp ! dit-elle. Va-t'en d'ici ! Laisse-moi tranquille ! Laisse ma famille tranquille !

Il leva les mains en signe d'apaisement. Il percevait sa colère… mais il percevait aussi la déception qu'il lui avait infligée. Si elle le détestait, sa haine se mêlait à une bonne part de sentiments blessés et sans doute fut-ce pour cela qu'il se sentit autorisé à ignorer temporairement son injonction à ficher le camp.

— Virginia, j'aimerais…

— Comment se fait-il que tu sois dehors ? Comment se fait-il qu'on laisse quelqu'un comme toi en liberté ?

— Comme je te l'ai dit, je ne suis plus considéré comme suspect. En ce qui concerne l'autre histoire… le coup de téléphone chez vous, j'ai d'emblée reconnu les faits. Je ne suis pas autorisé à quitter l'Angleterre, pas même à m'éloigner de King's Lynn, et la police veut savoir où me joindre en permanence. C'est tout. Pour la tôle, je suis un bien trop petit poisson. Je m'en tirerai sans doute avec une condamnation avec sursis.

— Donc pour toi tout va bien. Pourquoi voulais-tu me voir, dans ce cas ?

Il demeura un instant silencieux.

— Parce qu'il y a eu entre nous quelque chose qui n'a rien à voir avec toute cette histoire, dit-il enfin.

— Il y *a eu* quelque chose. Tu l'as dit. Il n'y a plus rien, maintenant. En conséquence de quoi…

— En conséquence de quoi tu ne veux même plus me parler ? Virginia, c'était tellement important pour moi de te voir que je suis venu ici dès ce matin à pied et que depuis je me cache dans ce fichu parc en attendant que tu sois seule pour que je puisse te parler. Tu dis que ton mari va revenir d'un instant à l'autre ? Eh bien accorde-moi la demi-heure que cela nous laisse et fiche-moi ensuite à la porte !

— Je peux aussi appeler la police.

Il haussa les épaules.

— Appelle la police si tu veux. Je n'essaierai pas de t'en empêcher.

Elle se sentit soudainement désarmée. Trop vide et trop fatiguée pour discuter avec lui. Et trop épuisée pour le détester. Elle se dirigea pesamment vers la table et s'assit sur la chaise que Kim avait occupée pendant le dîner.

— En fait, ça n'a plus d'importance. Ce qu'il y a eu entre nous, et que tu m'aies blessée. Seul compte que Kim soit là.

— Comment va-t-elle ?

— Difficile à dire. Elle parle peu. Dort beaucoup. Manifeste une tendance à se replier sur elle-même, à se terrer. Ce n'est pas bon signe. C'est la raison pour laquelle je vais consulter un psy demain avec elle. D'après le médecin, physiquement tout va bien. Et Dieu merci, Jack n'a pas abusé d'elle. C'est déjà ça.

Nathan secoua la tête.

— Jack Walker ! Ce vieux type charmant. Qui l'aurait cru ?

— Quand je pense que ces deux dernières années je confiais constamment Kim aux Walker, j'en suis malade, dit Virginia qui rien qu'à ces mots eut la chair de poule. Mais on ne pouvait se douter de rien, il n'y avait rien. Jamais je n'aurais imaginé que...

Elle s'interrompit. C'était par trop inconcevable.

— Il avait déjà agressé d'autres enfants ? demanda Nathan. Peut-être même tué ?

Virginia secoua la tête.

— Il prétend que non, et le superintendant Baker a tendance à le croire. Jack a pris très tôt conscience de ses attirances particulières et quasiment passé sa vie à les combattre. Il fréquentait des sites Internet pédophiles, et il accumulait les photos pornographiques, c'est vrai, mais il faisait tout pour ne pas se trouver en contact avec des enfants. C'est lui qui a convaincu Grace de ne pas avoir d'enfants. Et il a postulé pour la place de régisseur de Ferndale House pour vivre aussi seul et loin de tout que possible. Il sentait bien ce qui risquait sinon d'arriver.

Nathan, qui était jusque-là resté près de la porte, s'avança dans la pièce. Il devait s'être rendu compte qu'il n'avait momentanément rien à redouter de Virginia. Elle était complètement happée par son récit. Découvrir qu'elle avait vécu à quelques mètres d'un dangereux criminel sans rien remarquer la bouleversait.

— Puis vous avez emménagé à Ferndale avec Kim...

— Oui. Il y a deux ans. Pour Jack, ce fut terrible. Il avait pratiquement en permanence une petite fille sous le nez. Et comme si ça ne suffisait pas, Grace, qui n'avait pas pu être mère, vit là sa chance de pouvoir au moins jouer les grand-mères de substitution. Elle ne se lassait pas de prendre Kim chez elle. Dans la tête de Jack, tous les clignotants étaient au rouge.

— Ce qui signa l'arrêt de mort des autres fillettes...

— Il fallait que ça sorte. Ça ne pouvait pas être Kim, alors il s'en est pris à d'autres petites filles. Il a attiré Rachel Cunningham dans un piège. Et il a enlevé Sarah Alby sur la plage de Hunstanton. Il était dans le même car qu'elle et sa mère, il a assisté à une scène de la petite pour faire un tour de manège. Il les a suivies, et quand Sarah s'est trouvée seule, il n'a eu aucun mal à la convaincre de venir avec lui. Il suffisait de lui faire miroiter un tour de manège. En fait de manège...

— C'était drôlement réfléchi.

— Oui. Il ne se jetait pas sur les enfants dans la rue, soudainement submergé par ses pulsions. Aussi fou que cela paraisse, il n'est pas quelqu'un de violent. Il préparait ses enlèvements, faisait en sorte qu'ils passent parfaitement inaperçus. Les enfants le suivaient de leur plein gré et sans faire d'éclat. Il a utilisé la même méthode avec Janie Brown.

— La petite qui l'a reconnu au cimetière, dit Nathan.

Il était bien informé. Cela faisait trois jours que l'affaire était dans tous les journaux.

— Et à laquelle il avait promis d'organiser une fête pour son anniversaire. Elle doit d'être encore en vie à des hasards incroyables. La première fois, elle n'a pas pu venir au rendez-vous convenu parce que sa mère était malade. La seconde fois...

— La seconde fois... ?

— Il semble bien que ce soit moi qui lui aie sauvé la vie, dit Virginia.

Elle souriait mais sans paraître particulièrement heureuse.

— Jack a raconté ce qui s'était passé à Baker : le jour où je suis allée en ville pour m'acheter une robe... tu sais, pour la soirée à Londres...

— Je sais, dit Nathan.

— Je suis d'abord allée dans une papeterie. Celle où Jack et la petite Janie Brown avaient rendez-vous. Je me souviens que le propriétaire du magasin s'en est pris à une petite fille qui regardait tout le temps les cartes d'anniversaire sans en acheter. Je me le rappelle parce qu'elle était toute retournée et m'avait fait de la peine. C'était Janie Brown.

— Et Walker...

— Il m'a vue entrer dans la boutique et aussi sec a pris le large. Sinon, ce jour-là, il aurait emmené la petite Janie avec lui.

— Eh bien, avec la femme de l'agence en face de la librairie, on peut dire que la gamine a une belle équipe d'anges gardiens !

— Dimanche, c'est son anniversaire, dit Virginia. Je vais organiser une fête pour elle. A Ferndale. Toute sa classe est invitée. Si tu voyais comme elle est heureuse !

— C'est très généreux de ta part.

— Je lui suis du fond du cœur reconnaissante. Sans elle, Kim ne serait pas là.

— Pourquoi Walker ne l'a-t-il pas tuée ?

— Il n'a pas pu. Il la connaissait, elle lui était trop proche. Il avait beau être monstrueusement perturbé, il était néanmoins capable d'attachement, et il était réellement attaché à Kim. Lorsque Grace, ce jour-là, l'a appelé pour lui demander de prendre Kim à l'école, il a eu très peur – très peur de lui-même – et a tout de suite refusé en prétextant qu'il était beaucoup trop loin de King's Lynn. En définitive, il n'a pas pu résister et il est allé à l'école. Kim est montée avec lui sans hésiter. Ils ont roulé un peu puis il s'est arrêté. Il était dévoré d'envie et a commencé à la caresser. Ça n'a pas plu à Kim, elle l'a repoussé, puis elle s'est débattue, a crié. Jack savait qu'elle nous raconterait ce qui s'était passé. Il ne pouvait plus la laisser partir. Mais au lieu de la tuer, comme les autres petites filles, il l'a emmenée dans ces locaux désaffectés où il avait travaillé, il y a des années. Il connaît bien les lieux. Il l'a cachée dans une caisse qu'il a dissimulée sous un tas de planches.

— Ce qui revenait à la tuer.

— Oui. Mais sans qu'il intervienne directement.

— Il faut qu'il soit cinglé, ce type, dit Nathan. Quand on pense à la façon dont Kim serait morte...

Virginia secoua furieusement la tête.

— Il ne faut pas que j'y pense. Je vais devenir folle, sinon. Nous avons eu une telle chance, Nathan. Elle pleurait de soif, elle était épuisée, elle était choquée, mais elle est vivante. Elle va s'en remettre. Je ne remercierai jamais assez le ciel.

— Grace Walker ne se doutait de rien ?

— Apparemment non. L'histoire a été pour elle un coup de tonnerre dans un ciel clair. Elle est brisée. Elle, elle ne s'en remettra pas, c'est sûr.

Nathan hocha pensivement la tête, puis demanda, sans transition :

— Et nous ? Que va-t-il advenir de nous ?

A peine quelques minutes auparavant, Virginia aurait trouvé la question révoltante. A présent, elle ne ressentait plus que de la tristesse. Et y répondre la rendait étrangement lasse.

— Je te l'ai dit tout à l'heure. Ce qu'il y a eu entre nous n'existe plus.

— A cause de mon coup de téléphone ? A cause de cette erreur idiote dont je suis infiniment désolé et que je voudrais n'avoir jamais commise ?

Oui. Et non. Elle se demandait si elle pouvait lui faire comprendre ce qu'elle ressentait.

— Découvrir que tu étais l'auteur de l'appel, que tu as utilisé mon – notre – angoisse et notre désespoir pour mettre la main sur de l'argent a été un choc. Mais il y a aussi le fait que... que je t'ai à cet instant découvert tel que tu es réellement. C'est comme si un rideau avait été ouvert et que je te voyais, complètement différent de l'homme que j'avais vu – ou *voulu* voir – jusque-là.

— Et cet homme ne te plaisait pas ?

— Je trouvais qu'il n'était pas transparent. Et qu'il était imprévisible. Il y avait brusquement plein de choses qui ne collaient plus.

— Tu ne veux pas connaître cet homme ? Cela relativiserait peut-être beaucoup d'impressions ?

Elle secoua la tête.

— Non. Je ne veux pas connaître cet homme.

Elle prit une longue inspiration.

— C'est fini, Nathan. Je… ne peux plus. C'est fini.

Les mots résonnèrent dans le silence qui plana de longues minutes dans la cuisine. Puis Virginia se cacha le visage dans les mains.

— Je suis désolée, murmura-t-elle. Je ne peux vraiment plus.

Un nouveau silence s'installa.

— OK, dit finalement Nathan. Je ne peux que m'incliner.

Elle releva la tête.

— Que vas-tu faire ?

Il haussa les épaules.

— Pour commencer : attendre, ici, sur place. « Rester à la disposition de la police », comme dit le superintendant Baker. Ensuite… je rentrerai en Allemagne. Je vais peut-être tout de même réussir à intenter une action en justice pour l'accident de mon bateau. Si je parviens à obtenir des dommages-intérêts dignes de ce nom, j'aurai du temps devant moi. Je pourrai écrire. Et qui sait, je serai peut-être publié un jour !

— Je te le souhaite.

Il fit un nouveau pas vers elle, hésita, leva la main, puis, comme elle ne reculait pas, caressa brièvement sa joue.

— Tu me dois encore quelque chose, dit-il.

— Quoi donc ?

— La fin de ton histoire. L'histoire dont tu m'as dit qu'elle s'achevait sur une grosse culpabilité. Il manque le dernier chapitre.

— Je l'ai raconté à Frederic.

— Vraiment ? A Frederic ? fit Nathan, surpris.

— Oui.

— Je ne connaîtrai donc jamais la fin…

— Non.

— Tu restes avec Frederic ? Il te pardonne ? Te rouvre les bras ?

— Nathan, ça ne te regarde plus.

— Eh bien, on peut dire que tu n'es pas tendre quand tu en as fini avec quelqu'un.

— J'essaye d'être honnête.

— Bon, dans ce cas... il est temps pour moi d'y aller, dit Nathan.

— Tu as un long chemin devant toi.

Il soupira.

— North Wooton. C'est là où j'ai trouvé à me loger au meilleur prix. Je vais devoir marcher la moitié de la nuit.

— Je ne parlais pas seulement de ce chemin-là.

Il sourit. Ce n'était plus le sourire dénué d'émotion qu'il avait affiché en entrant dans la cuisine. C'était le sourire avec lequel, un jour, il avait séduit Virginia. Et à cet instant, elle réussissait à se le pardonner au moins un petit peu. C'était un sourire plein de promesses, plein de chaleur, plein de sensualité. Avec ce sourire, il donnait l'impression de vous prendre dans ses bras. Nul doute que c'était fabriqué, calculé, étudié jusque dans ses moindres effets.

Mais c'est sacrément convaincant, songea-t-elle.

— Je sais que tu ne parlais pas seulement de ce chemin-là, dit-il. Bon, eh bien... c'est le moment de nous dire au revoir ?

Elle se leva, alla jusqu'à la porte donnant sur le parc et l'ouvrit. Dehors, la nuit était presque tombée.

— C'est le moment, confirma-t-elle.

Il acquiesça d'un signe de la tête, passa devant elle et sortit. Elle lui fut reconnaissante de ne pas avoir essayé de l'embrasser. De ne pas l'avoir prise dans ses bras. Elle se sentait transpercée de douleur. Envahie de chagrin. Pas pour lui. Pour tout ce qu'avait signifié un nouveau départ avec lui – et qui avait été une erreur. A cet instant, s'il l'avait attirée contre lui, elle aurait fondu en larmes. A cause de tout, et aussi à cause du pull-over imprégné de l'odeur de Skye qu'il portait en cet instant.

Il était dehors, déjà dans l'ombre. Il la regardait. La lueur de la lune qui se frayait un chemin entre les arbres lui permettait de distinguer son visage. Ses traits lui étaient si familiers qu'elle dut serrer très fort les lèvres pour ne pas montrer combien elle souffrait.

Puis il fut à nouveau Nathan. Le Nathan dont Livia, qui ne se faisait plus d'illusions, disait qu'il ne pensait qu'à l'argent, du matin au soir.

Le Nathan qui, aussi charmant, beau, sensible, séduisant et sensuel qu'il puisse être, n'en pensait pas moins essentiellement et toujours à lui et à son intérêt personnel.

Un tapeur, songea Virginia avec une étonnante lucidité en dépit de sa tristesse. Un tapeur extraordinairement doué.

Il lui servit encore une fois son sourire désarmant.

— Avant que j'oublie, Virginia, ma douce... pourrais-tu me prêter encore un peu d'argent ?

2

Lorsque Frederic rentra, Virginia se tenait devant la fenêtre du salon et regardait la nuit. Elle avait entendu le moteur de la voiture, puis ses pas quand il était entré dans la maison. Elle ne sursauta pas quand il lui adressa la parole. Il n'arrivait pas en douce, comme Nathan. Frederic était transparent et prévisible.

— Je suis rentré, dit-il. Grace et son chat sont dans le train. Elle ne pouvait plus me regarder dans les yeux. Comment va Kim ?

Virginia se tourna vers lui.

— Elle dort. Je suis montée la voir. Elle est très paisible. Pour le moment, je n'ai pas l'impression qu'elle souffre de cauchemars.

— J'ai tout de même peur que... plus tard...

— Bien sûr. Tout est encore en suspens. Mais Kim est en vie, elle est là, avec nous, et elle dort. Pour le moment, c'est énorme.

— Oui.

Il se tenait les mains enfoncées dans les poches de son jean. Virginia se rendit brusquement compte qu'il avait lui aussi beaucoup maigri au cours des derniers jours. Assurément à cause de Kim. Mais assurément à cause d'elle aussi.

— Grace est anéantie, dit-il. Je crois que je n'ai jamais vu quelqu'un d'aussi accablé.

— Lui as-tu redit que...

— Qu'elle pouvait rester ici. Oui. Elle ne veut pas. Elle ne le supporterait pas. Ce que je comprends.

— Jack Walker a semé un tel malheur... dit Virginia.

— Il est malade.

— Est-ce une excuse ?

— Non. Seulement une explication.

Ils se regardaient, sans trop savoir quelle attitude adopter.

— La jeune femme qui était au cimetière... Liz Alby. Elle a téléphoné cet après-midi, dit Frederic. Elle voulait nous dire combien elle était heureuse que Kim nous ait été rendue. Elle part en Espagne avec le père de sa fille.

— En vacances ?

— Non. Ils souhaitent s'installer là-bas. Ils veulent réessayer de vivre ensemble. Dans un autre pays. Recommencer sur de nouvelles bases. C'est une bonne idée.

— J'imagine que dans un cas comme celui-là, aller de l'avant est la seule chose à faire si l'on veut tant bien que mal tenir le coup, observa pensivement Virginia.

Elle rit sans joie.

— Nous sommes tous en train d'essayer de ramasser les morceaux, dit-elle. On essaye même de rafistoler tout ça, du moins en partie. Mais deux enfants sont mortes. Et deux ont failli mourir. C'est une plaie qui ne se refermera jamais.

— Et il y a nous, dit Frederic.

— Oui. Et sais-tu ce qui est terrible ? Nous ne sommes plus simplement *nous*. Nous sommes nous *et* notre culpabilité, indissociablement liés à elle, et pour toujours.

— Virginia...

Elle secoua vigoureusement la tête. Son visage était pâle.

— Ça a failli arriver une deuxième fois, Frederic. Presque. Exactement comme il y a onze ans. A l'époque, un petit garçon est mort parce que je ne pensais qu'à moi, qu'à m'amuser, et que je n'ai pas fait attention. Cette fois, c'est mon propre enfant qui a failli mourir. Parce que de nouveau je n'ai pensé qu'à moi. Parce que je n'étais pas là. Parce que j'avais d'autres choses en tête. C'est un fichu fil rouge dans ma vie !

Elle lui fit de la peine. Il l'avait rarement vue aussi malheureuse. Il aurait aimé la prendre dans ses bras mais il n'osait pas.

— Je pourrais, en plus de ton aventure avec Nathan Moor – pas facile à avaler, crois-moi –, t'accabler avec ta responsabilité dans l'enlèvement de Kim. Et à ton tour d'avoir du mal à avaler !

Mais ce ne serait pas honnête. Et ce ne serait pas vrai. Tu n'as manqué à aucun devoir cet après-midi-là. C'est simplement un concours de circonstances. Tout s'était ligué contre toi, contre Kim, contre nous. Cela aurait pu se produire en n'importe quelle autre occasion. Un rendez-vous imprévu chez le dentiste. Une voiture en panne. Une entorse de la cheville. Mille choses auraient pu ce jour-là t'empêcher d'aller chercher Kim à l'école. Ajoute à cela Grace malade comme un chien qui appelle son mari pour la remplacer, et tous les ingrédients sont réunis pour que ça démarre. Ce n'est pas une question de culpabilité. C'est une question de manque de chance. Ou de hasard. Mais cela n'a rien à voir avec la culpabilité.

— Mais...

Il l'interrompit :

— Laisse tomber Tommi, Virginia. Cela fait onze ans – onze ans ! – qu'il assombrit ta vie au sens strict du terme. Tu es venue te réfugier dans cette maison, derrière ces arbres trop grands où il ne fait jamais vraiment jour. Dans l'espoir que tu le verrais moins. Laisse-le sortir de ta vie. Ce qui est arrivé est arrivé. On ne peut rien y changer.

Elle ne se rendait pas compte qu'elle commençait à pleurer. Des larmes silencieuses roulaient sur ses joues.

— Tommi est...

Elle baissa la tête.

— Je ne pourrai jamais oublier, murmura-t-elle. Jamais.

— Oublier, non, dit Frederic. Mais accepter. Comme quelque chose qui s'est produit, un jour, dans ta vie. Tu n'as pas le choix.

Elle essuya ses yeux, regarda ses mains et prit conscience qu'elle avait pleuré. Pleuré pour Tommi. C'était la première fois. La première fois depuis onze ans. Depuis que c'était arrivé.

— Michael...

Elle s'éclaircit la gorge, comme pour se donner le courage de continuer.

— Il faut que je retrouve Michael. Je ne sais pas où il est, ce qu'il est devenu, s'il vit encore. Mais tu as raison, Frederic : je ne serai en paix avec moi-même que lorsque je me serai acquittée d'au moins une part de ma faute. Je dois lui dire que ce n'est pas lui qui a oublié de fermer la voiture. Que c'est moi. Il doit savoir qu'il n'est pas responsable de la mort de Tommi.

— Si tu veux, je peux t'aider à le retrouver, proposa Frederic.

Elle hocha la tête.

Puis ils se regardèrent à nouveau, sans parler. Depuis que Virginia avait réintégré le domicile conjugal, la question de leur couple, par la force des choses, était restée entre parenthèses. La disparition de Kim avait temporairement bouleversé la donne. Ils savaient l'un et l'autre que rien n'était plus comme avant et qu'il n'y avait pas de retour en arrière possible. Ils ignoraient en revanche comment continuer. Cependant, ils devinaient que le moment ne serait pas venu d'en discuter tant que chacun ne saurait pas quel chemin il voulait emprunter. Ils ne pouvaient pas encore savoir s'il s'agirait d'un chemin commun.

Frederic rejoignit Virginia près de la fenêtre. Ils se voyaient dans le reflet de la vitre noire. Les arbres qui dehors cernaient de si près la maison étaient invisibles.

Je ne veux plus vivre dans le noir, songea Virginia. Et il faudrait que je me trouve un vrai travail.

Il faut que je change. Ma vie doit changer.

Ce n'était plus son reflet qu'elle voyait dans la vitre. Elle voyait d'autres images qui l'emplissaient de nostalgie et lui serraient le cœur car elles appartenaient au passé. Elles lui avaient cependant ouvert une voie qui pouvait valoir la peine d'être suivie.

A côté d'elle, les paroles de Frederic lui parvinrent, comme de très loin :

— Tu viens de penser à Nathan Moor ?

Il devait être en train de l'observer et avait remarqué sa tristesse. Elle secoua la tête.

— Non. Je ne pensais pas à Nathan Moor.

Elle se demanda s'il la croyait.

Ce n'était pas le souvenir de Nathan Moor qu'elle garderait toujours au fond d'elle-même. De Nathan Moor en tant que personne.

C'était celui de deux jours de septembre à Skye.

Du ciel d'un bleu de glace sur Dunvegan.

Du vent froid qui venait de la mer.

Achevé d'imprimer au Canada en août 2008
sur les presses de Quebecor World Saint-Romuald